Plattner, Philipp

Grammatik der französischen Sprache für den Unterricht

Plattner, Philipp

Grammatik der französischen Sprache für den Unterricht

Inktank publishing, 2018

www.inktank-publishing.com

ISBN/EAN: 9783747773123

Grammatik

der

französischen Sprache

für den Unterricht.

Von

Ph. Plattner.

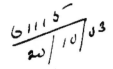

Karlsruhe.
J. Bielefeld's Verlag.
1899.

Vorwort.

Nur ungern wurde dieser Neubearbeitung der Titel „Schul=
grammatik" entzogen. Es geschah hauptsächlich aus dem Grunde, weil die
Beibehaltung dieses Titels zu vielen Irrtümern und Verwechslungen ge=
führt hätte.

Die ursprüngliche „Französische Schulgrammatik" war in einer un=
günstigen Zeit erschienen. Die Ansichten über die Ziele des Unterrichts in
den verschiedenen Schulen gingen weit auseinander und waren von den heute
geltenden Vorschriften sehr verschieden. So war denn die Schulgrammatik
geplant worden als ein Buch, das weder im Umfang, noch im Inhalt
über die Verhältnisse und Ziele der Schule hinausgehen, innerhalb dieses
Rahmens aber als ein möglichst vollständiges und zuverlässiges Unter=
richtsmittel dienen sollte. Das wurde erreicht durch die Wahl einer scharfen,
leserlichen, aber ziemlich kleinen Schrift, durch äußerste Beschränkung in der
Darstellung, die kein überflüssiges Wort bieten sollte und durch gute Auswahl
der Beispiele. Diese letzteren sollten nicht Beläge für die Regeln, sondern
Veranschaulichungsmaterial bieten und das indirekte Lernen pflegen helfen,
d. h. nebenbei auf Einzelheiten und Schwierigkeiten des französischen Sprach=
gebrauchs hinweisen, vor Germanismen warnen, auf die geeignetste oder
modernste Ausdrucksweise aufmerksam machen u. dgl.

In ihrer ursprünglichen Gestalt hat die Schulgrammatik sich viele
Freunde erworben, und der Unterzeichnete steht nicht an, zu erklären, daß
er gleichfalls zu denselben zählt.

Die neueren Bestimmungen über Ziele und Methode des französischen
Unterrichts machten vor einigen Jahren die Veranstaltung einer gekürzten
und mit geeignetem Übungsmaterial versehenen Ausgabe nötig. So entstand
die „Kurzgefaßte Schulgrammatik der französischen Sprache".

Gleichzeitig wurde die Veröffentlichung einer vermehrten, für Studien=
zwecke geeigneten Ausgabe der Schulgrammatik in Aussicht genommen, welche
jetzt in diesem Buche vorliegt. Der ursprüngliche Plan wurde beibehalten,
und die eingetretenen Verschiebungen sind geringfügig. Dagegen wurde mehr
auf die Einzelheiten eingegangen, der Regelstoff vermehrt, die Anmerkungen
ausführlicher gestaltet und die Beispiele in größerer Zahl gegeben.

Das ursprüngliche Vorwort sagt über die Einrichtung des Buches Folgendes:

„Es ist eine berechtigte Forderung, daß der Unterricht sich zu beschränken lernt, und daß totes Einlernen mehr und mehr durch sorgfältige Übung nicht nur ergänzt, sondern ersetzt wird. Aber verkehrt wäre es, wenn die Schulgrammatik selbst aus dieser von dem Lehrer zu erfüllenden Pflicht das Recht herleiten wollte, sich auf eine Summe rezeptartig zugeschnittener Regeln zu beschränken und dem selbständigen Urteil des Unterrichtenden vorzugreifen. Im Gegenteil halte ich es für die Aufgabe der Schulgrammatik, nicht bloß den grammatischen Lernstoff in einer Weise vorzuführen, daß eines das andere ergänzt und rundet und daß die Einzelheiten zur festeren Aneignung der Hauptsachen beitragen, sondern auch die mannigfachen Andeutungen über Sprachgebrauch, welche unumgänglich dem Schüler im Laufe des Unterrichts in zerstreuter und darum oft wirkungsloser Form zugeführt werden müssen, an einer passenden Stelle in Zusammenhang mit Verwandtem zu bringen. Mit diesem Bestreben im Einklange steht es, wenn auch die Beispiele und Mustersätze vielfach absichtlich gewählt sind, um das französische Wissen nach anderer Richtung zu fördern oder aufzufrischen.

Durch verschiedenen Druck wurde dem Auge deutlich erkennbar gemacht, was als wirklicher Lernstoff zu betrachten ist, und was lediglich zur Erläuterung oder Begründung, zur weiteren Ausführung oder schärferen Begrenzung der Hauptregeln beizufügen war. In der Syntax besonders ist weiter das eigentliche Grundwerk dadurch kenntlich gemacht, daß die Beispiele in Kursivschrift der Regel voranstehen. Etwaige Ziffern entsprechen den Ziffern der nachfolgenden Regel. Zugleich wurde darauf gesehen, daß die Ziffern der Anmerkung in engem Anschluß an die der Regel stehen: wo das nicht angängig war, wurde es auf irgend welche Weise angedeutet, meist durch Wiederholung des Vermerks Anm. in jedem einzelnen Falle. In den beigegebenen Listen wurde das Wesentlichste durch gesperrten Druck bezeichnet."

Es ist der Fachkritik nicht entgangen, daß das Buch nicht auf einer Kompilation fremder Arbeiten, sei es französischen oder deutschen Ursprungs, beruht, sondern überall seine eigenen Wege zu wandeln bestrebt ist. Ich habe mich bemüht, die Sprache so darzustellen, wie sie sich in der modernen französischen Litteratur findet, und das der Darstellung zu Grunde liegende Material beruht auf jetzt 25jährigen Sammlungen, die noch täglich erweitert werden. Unscheinbare Zusätze oder Einschränkungen, kaum bemerkliche Streichungen stützen sich oft auf eine sorgfältige Vergleichung von hundert und mehr Beispielen, die neben einander gestellt werden mußten, um die leitende Regel zu finden oder festzustellen, daß der Sprachgebrauch eine solche Regel nicht kennt. Und wenn ich bestrebt war, keine sprachliche Vorschrift aus dem alten Bestand der französischen Grammatik zu übernehmen, ohne sie auf ihre Richtigkeit und in unserer Zeit fortdauernde Gesetzeskraft zu prüfen, so war ich noch mehr bemüht, alle jene Vorschriften fern zu halten, welche nicht in dem allgemeinen

Sprachgebrauch, sondern zumeist in dem die Sprache meisternden Belieben der Puristen und Sprachkünstler ihre Quelle haben. Die Grammatik ist eine Wissenschaft von naturwissenschaftlicher Disziplin und Methode; sie hat in den Spracherscheinungen die Gesetze aufzusuchen, welchen die Sprache folgt, darf aber nicht der Sprache Gesetze vorschreiben.

Da das Buch für Studienzwecke bestimmt war und für Schulen, wenigstens für einzelne Schulen, brauchbar bleiben sollte, durfte der Umfang nicht ein bestimmtes Maß überschreiten. Vieles konnte daher in diesen 30 Bogen keine Aufnahme finden. Dagegen soll eine Reihe von Ergänzungs= heften, die sich dem Gange des Buches genau anschließen werden, alles dasjenige bieten, was für den Lehrer oder den Studierenden weiter als wissenswert erscheint und den zweiten Teil des Ganzen bilden.

Das erste dieser Hefte wird demnächst erscheinen und weitere Angaben für die Aussprache und Orthographie bringen und zwar in alphabetischer Anordnung. Das Manuskript wurde während eines Aufenthaltes in den Ländern französischer Sprache, besonders in Paris, Genf und Brüssel noch= mals durchgesehen und vielfach abgeändert oder vermehrt. Es wird die Aussprachebezeichnungen in einer phonetischen Umschrift bringen, was ich in dem Hauptwerke nur in gewissen Grenzen für angängig betrachtete.

Möge das Buch in der neuen Gestalt sich die alten Freunde erhalten und neue hinzu erwerben.

Paris, im August 1898.

Der Verfasser.

Inhalt.

Zweiter Teil: Formenlehre.

Dritter Teil: Syntax.

14

Erster Teil:

I. Lautlehre.

§ 1. Sprachwerkzeuge.

Unter den menschlichen Sprachwerkzeugen ist das wichtigste der Kehlkopf, ein aus verschiedenen Knorpeln bestehendes Gefüge, welches sich an dem oberen Teil der Luftröhre befindet, durch den Kehldeckel sich oben abschließen läßt (was besonders beim Hinabgleiten von Speise und Trank geschieht) und in seinem Innern die aus Muskelbündeln bestehenden beiden Stimmbänder enthält, welche zur Erzeugung der Stimme oder des Stimmtons bestimmt sind.

Zu den Sprachwerkzeugen gehören ferner die Hohlräume, welche sich über dem Kehlkopf befinden, und zwar die Rachenhöhle, die daran sich schließende Mundhöhle und die oberhalb beider befindlichen Nasenhöhlen. Diese Höhlungen geben dem Stimmton seinen verschiedenartigen Klang.

In der Mundhöhle befinden sich der vordere oder harte Gaumen und die Zähne als unbewegliche, die Zunge als bewegliches Sprachwerkzeug. Die Nasenhöhlen sind abschließbar durch den hinteren oder weichen Gaumen (auch Gaumensegel genannt), welcher beweglich ist und in dem sog. Zäpfchen endigt. Nach vorn wird die Mundhöhle durch die Lippen verschlossen oder geöffnet. Da eine Lautbildung oder ein Sprechen nur beim Atmen möglich ist, so gehören zu den Sprachwerkzeugen auch die Atmungswerkzeuge, nämlich die Lungen und die Luftröhre.

§ 2. Sprachlaute.

Die Sprachlaute werden durch den ausgeatmeten Luftstrom hervorgebracht. Gewöhnlich nimmt dieser Luftstrom durch die geöffnete Stimmritze (Raum zwischen den ruhenden Stimmbändern) im Kehlkopf seinen Weg und strömt geräuschlos durch die Nase oder den Mund aus. Findet der Luftstrom aber den Mund geschlossen und wird nur nach plötzlicher Öffnung desselben

Plattner, Grammatik. I. r.

I

18

frei, so entsteht ein Geräusch, und zwar einer der Verschlußlaute (auch Explosivlaute, momentane Laute genannt). Solche Laute sind b, p, d, t, g, k, d. h. die Media und die Tenuis der Labial=, Dental= und Palatalreihe. Findet der Luftstrom den Mund zwar nicht geschlossen, aber verengert, so entsteht ein anderes Geräusch, und zwar diesmal einer der Reibelaute (auch Dauer= laute genannt). Solche Laute sind v, f, z, ž, s, š, wobei z den weichen, s den scharfen S=Laut, ž den weichen, š den harten Sch=Laut bezeichnet. Die Laute v und f sind Labio=Dentale, die letzten 4 Laute Spiranten oder Zisch= laute. Alle diese Geräusche oder Geräuschlaute heißen Konsonanten.

Nimmt bei den Konsonanten der Luftstrom durch die offene Stimmritze seinen Weg, so daß die Stimmbänder nicht gespannt sind und nicht in Schwingung geraten, so entstehen die stimmlosen (oder harten) Konsonanten; dagegen entstehen die stimmhaften (oder weichen) Konsonanten, wenn die Stimmritze geschlossen ist und hierdurch die Stimmbänder in Schwingung geraten, d. h. den Stimmton erzeugen. Statt der Geräusche (Konsonanten) entstehen Laute oder Vokale, wenn der Luftstrom durch die geschlossene Stimmritze geht, die Stimmbänder in Schwingung versetzt, dann aber ungehindert entströmt. Seinen bestimmten Klang erhält der Vokal durch die bestimmte Form der Mundhöhle, welche durch die Stellung der Lippen und der Zunge bedingt wird.

Wenn dabei die Nasenhöhle durch das Gaumensegel (oder den weichen Gaumen) geschlossen ist, so entstehen die reinen Laute (z. B. a, e, i, o, u), die Mischlaute (ö, ü) und die Diphthonge (z. B. ia, io). Der Luftstrom entweicht dann nur durch die Mundöffnung.

Sobald aber das Gaumensegel die innere Nasenöffnung frei giebt und einen Teil der ausströmenden Luft in dieselbe hineinleitet, so daß der Luftstrom durch Mund und Nase zugleich entweicht, so entstehen nasale Vokale.

§ 3. Mundvokale.

Die im Französischen vorkommenden Mundvokale d. h. nichtnasalen einfachen Vokale sind:

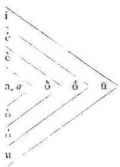

Die reinen Laute steigen von dem tiefsten Laute (u) über die tiefen Laute (u, ó, ö), den mittleren Laut (a) und die hohen Laute (a, é, é, i) zu dem höchsten Laute (í) auf.

Die Mischlaute ŏ, ŏ, ü, entstehen aus der Verbindung je eines tiefen mit einem hohen Laut. Phonetisch betrachtet nehmen diese Mischlaute bei der Aussprache von dem tiefen Vokal die Lippenstellung, von dem höheren Vokal die Zungenstellung. Bei offenem ŏ (z. B. cœur) stehen daher die Lippen wie bei offenem ŏ (z. B. cor), die Zunge wie bei offenem é (z. B. père). Das in der Mitte stehende a¹ ist der offenste aller Laute, daher stehen ihm auch in der Reihe der Vokale die offenen Laute (ö einers, é andererseits) zunächst.

§ 4. Artikulation der Vokale.

U.

Mundöffnung: klein, rund mit etwas vorgestülpten Lippen.
Zungenlage: Zunge zurückgezogen, rückwärts hoch, vorn tief.

I.

Mundöffnung: breit und schmal mit leicht zurückgezogenen Mundwinkeln.
Zungenlage: Zunge vorgestreckt und am vorderen Teil gehoben.

A.

Mundöffnung: weit.
Zungenlage: wenig weiter zurückgezogen als in der Ruhelage.

O.

Mundöffnung: nicht so weit wie bei a, nicht so rund wie bei u. Bei dem geschlossenen Laut ähnelt die Mundöffnung mehr der von u, bei dem offenen Laut mehr der von a.
Zungenlage: etwas zurückgezogen und rückwärts gehoben, doch nicht so sehr wie bei u.

E.

Mundöffnung: schmäler als bei a, weiter als bei i. Auch hier beim geschlossenen Laut mehr wie bei i, beim offenen mehr wie bei a.
Zungenlage: etwas vorgeschoben, doch nicht so sehr wie bei i.

Mischlaute.

Der Mischlaut ŏ besteht aus offenem ö und offenem é; der Mischlaut ŏ aus geschlossenem ö und geschlossenem é; der Mischlaut ü aus u und i.

¹ Mit a bezeichnen wir den tiefen Laut (a grave), mit a den hellen Laut (a aigu). Das Nähere siehe im Ergänzungsheft.

1*

20

§ 5. Darstellung der reinen Vokale in der Schrift.

Laut	Zeichen	Beispiele
i	i, y[1]	fini, la dynamite, Hardy
é	é, ai?, e3	donné, je donnai, je donnerai, vous donnez
è	è, ê, ei, ai4, e5	la fête, la rivière, la reine, tu donnais
a, à	a[6]	la gare, la garde, la chasse, la, ma
ò	o, au	l'homme, la porte, Paul[7]
ó	o, au, eau	gros, le trône, la faute, l'eau
u	ou	ou, où, pour, vous, la poule

§ 6. Laut und Schriftzeichen y.

Eigentliches y findet sich nur in Wörtern griechischer Herkunft (la dynastie), wird aber in denselben wie i gesprochen.[8]

Aus anderen Sprachen werden Wörter mit dem konsonantischen Anlaut y entlehnt, welcher indessen französisch die vokalische Aussprache (i) annimmt: un yacht (spr. iak), le yatagan, la yole. An der vokalischen Aussprache wird nichts geändert, wenn die sog. halbe Aspiration (wie in onze) eintritt. Nicht aspiriert sind z. B. Yarmouth, York, Young, wogegen le Yucatan, le couvent de Yuste.[9]

Statt aï wird häufig noch ay geschrieben: la bayadère, le cipaye (Sepoy) und in vielen Namen: Bayard, Bayonne, Bayeux, la Biscaye, Blaye, Cayenne, Fayel, Lafayette, les iles Lucayes, Mayence, Mayenne.

Anm. Dagegen steht jetzt aï in l'aïeul, la baïonnette, la faïence, la naïade, le païen. Das ältere y steht noch für i öfter im Anlaut (les yeux, l'Yonne), besonders aber im Auslaut bei Namen: Cluny, Coligny, Sully.[10]

---

[1] Vgl. § 6.

[2] In gai u. a., besonders aber in Verbalendungen.

[3] Nur vor stummen Endkonsonanten wie in vous donnez, donner, ausnahmsweise in et.

[4] Im Auslaut gewöhnlich nur vor s, t, ent.

[5] Vor mehreren Konsonanten (auch x): la terre, la perte, l'exil. Im Auslaut auch vor einfachem Konsonant: avec. Ebenso in einsilbigen Pluralen vor s (les, des, ces u. s. w.), während andere hier é sprechen.

[6] Mit hellerem Laute in kurzen Silben, z. B. in allen obigen Wörtern, das erste ausgenommen.

[7] Vor r hat au den offenen Laut, außerdem bilden Paul und das zugehörige Fem. Paule (nicht Pauline u. a.) die einzigen Wörter, in welchen offenes o mit au bezeichnet wird. Mit eau wird es nie bezeichnet.

[8] Nur bei dem Lesen griechischer Texte sprechen die Franzosen y grec wie deutsches ü aus: gunè (γυνή).

[9] So lautet der Name des bekannten spanischen Klosters, welches nicht nach einem Heiligen, sondern nach einem vorbeiströmenden Bache benannt ist.

[10] Die französischen Historiker setzen hier vielfach i. — Im Engl. ist y geblieben. Vgl. einerseits engl. Henry mit franz. Henri, anderseits the lady, o reply, happy mit the ladies, he replies, happily.

Dieses y hat (wie x als Pluralzeichen) seinen Grund in der früher herrschenden Sucht, am Wortschluß Buchstaben zu setzen, welche Schnörkel gestatten. — Jn Namen auf ai darf nicht mehr y stehen: Cambrai, Douai, Tournai, Tokai; auch Albi ist stehende Schreibart.

Zu bemerken Sylla (Sulla). Gegen die Etymologie schreibt man le style, le stylet, umgekehrt un asile, un abime.

§ 7. Darstellung der Mischvokale in der Schrift.

Laut	Zeichen	Beispiele
ö	eu, œu [1]	le feu, deux, peu, le nœud, les œufs, les bœufs
ŏ	eu, œu, ue [2]	la peur, le voleur, l'œuf, le bœuf
ü	u, eu [3]	une, plus, vu

Zu den Mischlauten gehört auch ein sehr abgeschwächtes ö, welches man als dumpfes e [4] (e sourd) bezeichnet. Es findet sich im Auslaut der einsilbigen Wörter je, me, te, le, se, ce, de, ne, que sowie in Zusammensetzungen des letzteren (z. B. lorsque, parce que).

Noch schwächer ist das stumme e (e muet), welches nach Vokalen ganz unhörbar ist und nur auf die Aussprache des vorhergehenden Vokals einen Einfluß ausübt: vu, la vue.

Jm Jnlaut, im Auslaut nach Konsonanten, besonders nach zwei Konsonanten, deren letzter l oder r ist, klingt das stumme e in der gebildeten Aussprache [5], besonders aber beim Lesen: demander, le renard, il demande, malade, la table, le maître. Das stumme e am Ende der Wörter verschwindet in der Aussprache völlig, wenn das nächste dem Sinne nach zugehörige Wort mit einem Vokal oder stummen h anlautet: une grande âme, une courte hésitation. Die einsilbigen Wörter verlieren in diesem Falle ihr e auch in

---

[1] Nur ausnahmsweise.

[2] Ausnahmsweise nur nach c, g: le recueil, l'orgueil.

[3] Ausnahmsweise in Verbalformen von avoir: eu, j'eus (wie früher auch veu für vu). Jn la gageure u. a. ist e nur ein Schreibzeichen zur Kennzeichnung des wie j (ž) zu sprechenden g.

[4] Meist wird auch dieses als stummes e bezeichnet.

[5] Jn der Sprache des Volkes ist auch dieses e ganz stumm, so sehr, daß sein Verstummen auch das des vorhergehenden l, r, ja des m herbeiführt, wenn vor diesen Konsonanten ein zweiter steht. Table, maître, lièvre, catéchisme lauten beim Volk tab', mêt', lièf', katéšiss'. — Jn der gebildeten Aussprache findet sich dasselbe bei notre, votre, quatre, autre, welche vor tonanlautendem Anlaut oft wie not', vot', kat', ot' gesprochen werden. Jn keinem Falle aber darf nach deutscher Weise ein e-Laut sich vor solchem l oder r eindrängen. (Das wird als unfranzösische oder sogar als pöbelhafte Aussprache empfunden. Daher ist in Nachahmung dieser Aussprache oft ouvrerier [für ouvrier] zu finden.) — Durch ai statt durch e wird dieser Laut dargestellt in le faisan, einzelnen Formen von faire und verwandten Wörtern.

der Schrift und ersetzen es durch den Apostroph: l'ami (für le ami), j'ai (für
je ai), qu'il (für que il) u. s. f. w. Über die Ausnahme bei ee und einzelnen
Zusammensetzungen mit que vgl. die Grammatik.

Der Laut des stummen e ist für die Franzosen kein Vokal, sondern ein
Hauch, welcher daher auch beim Lautieren unbedenklich einem Konsonanten
und vielfach einem lauten Endkonsonanten als Stütze angefügt wird. Vgl.
hiefür die vulgäre Aussprache *dösse, össe, fisse* (deux, eux, fils).

§ 8. Verstummen von Vokalen.

Der Vokal a verstummt in août, l'aoû (Erntezeit), un aoûteron (Ernte-
arbeiter), Curaçao (Insel), le curaçao (Pomeranzenliqueur), Saône, le toast
(auch toste gesch.).

e ist stumm in Caen, Decaen, Jean, Maëstricht (spr. *mastrik*),[1] Staël,
Saint-Saëns; ferner in seoir und dessen Zusammensetzungen.

Das i wird nicht gehört in un oignon, une encoignure (Mauerecke, Eck-
schrank); manche schreiben es auch nicht. Enghien ist wie *anghin* zu sprechen.

o ist stumm in le faon (Junges bei den Hirscharten), le paon und ihren
Ableitungen, in le taon (Rindsbremse) und Laon, nach manchen auch in Craon
und Raon. Einzelne sprechen o statt oo in Laocoon u. a.

Anm. Früher war a stumm in aoriste und ist es noch bei manchen
in extraordinaire. In la douairière und Montaigne wurde früher ai wie a
gesprochen. Die gewöhnliche Sprache läßt i verstummen in le moignon, le
poignard, la poignée, le poignet, empoigner. Für taon kam früher die Aussprache *tan* und *ton* vor.

§ 9. Vokallaute mit ungewöhnlicher Aussprache.

In Fremdwörtern (besonders dem Englischen entlehnten) wird öfter der
fremde Laut unvollkommen nachgeahmt: lady (spr. *lédi*), le square (spr. *skwér'*),
le spleen (spr. *splin'*), le rail (Eisenbahnschiene, spr. *rél'*, üblicher *raï*) u. a.

Ein e steht für kurzes (oder mittellanges) a in la femme, hennir, le
Hennuyer (Hennegauer), nenni (oh nein), solennel, la solennité, solenniser,
la solennisation und in der Adverbialendung -emment.[2]

---

[1] Zur Bezeichnung der Aussprache sind meist noch die üblichen frz. Laut-
zeichen gewählt: s für scharfen, z für weichen S-Laut, k für den harten, gh
für den weichen Palatallaut, j für den weichen, ch für den harten Sch-Laut;
n am Silbenschluß ist immer nasal, sonst steht n'; ll bedeutet den geschliffenen Laut.

[2] Der Diphthong *oa* wird manchmal (statt durch oi) durch oe, oë (früher
auch oö) oder oue bezeichnet: le und la poële, la moelle, le moellon, la
couenne, le fouet; doch bringt in allen diesen Wörtern außer poële die Aussprache *oé, oué* ein. Auch in alonette, Onessant u. a. lautete oue früher wie
oa und wird vereinzelt noch so gesprochen. Selbst die Aussprache poéte wie
poat findet sich noch vereinzelt.

Anm. Hennir wird auch mit offenem, nenni mit geschlossenem e gesprochen, letzteres ist durchaus unrichtig. Vor mn findet sich der a-Laut (für e)
nicht mehr, da indemniser, une indemnité jetzt offenes e haben.

§ 10. Nasalvokale.

Über die Entstehung der Nasallaute vgl. § 2.

Im Französischen entstehen Nasalvokale nur aus offenen Vokalen, also
von dem immer offenen a, von dem offenen ò, von dem offenen è und von
dem aus beiden letzteren gebildeten offenen Mischlaut ö. Man bezeichnet sie in
phonetischer Schrift mit $\tilde{a}$, $\tilde{o}$, $\tilde{e}$, $\tilde{o}$.

In der gewöhnlichen Schrift werden die Nasalvokale durch ein auf das
Vokalzeichen folgendes m oder n dargestellt, wobei jedoch auf diese Zeichen
weder ein Vokal noch ein zweites m oder n folgen darf.

§ 11. Darstellung der Nasalvokale in der Schrift.

Laut	Zeichen	Beispiele
$\tilde{o}$	on, om	on, mon, le son, le plomb, rompu
$\tilde{a}$	an, am, en, em	l'an, le champ, sentir, rempli
$\tilde{e}$	in, im [2], ein, eim, ain, aim, en [3]	fin, grimper, le frein, Reims, le pain, la faim, européen
$\tilde{o}$	un, um, eun	un, le parfum, à jeun, Meung.

§ 12. Die Nasallaute em, en, im, in.

Gegen die Regel sind em, en nasal in enivrer, ennoblir [4] (veredeln),
l'ennui, enorgueillir, deren Ableitungen und in den mit emm- beginnenden
Wörtern, soweit sie mit en zusammengesetzt sind, z. B. emmener, emmancher,
emmagasiner.

Nicht nasaliert werden em, en in Fremdwörtern (ém', én' zu
sprechen): l'abdomen (Unterleib), amen, le décemvir, le dictamen (Antrieb),
le dolmen (keltisches Steindenkmal), le gluten (Klebstoff), le gramen (Glied der
Gräserfamilie), l'hymen (Ehe, nur poetisch), le lichen (spr. likén', Flechte),
le spécimen (Probestück) und in der Interjektion hem. Ebenso im Auslaut
fremder Namen: Aden, Beethoven, Bethléem, Culloden, Éden, Harlem,

---

[1] Ausgenommen maman (spr. mãmã). Die Aussprache mit reinem a
in der ersten Silbe ist die der Wörterbücher.

[2] Hier tritt nur ausnahmsweise y für i (also yn, ym für in, im) ein:
la syntaxe, le thym.

[3] Nach i, y, é.

[4] Dagegen anoblir (in den Adelstand erheben).

Jerusalem, Lutzen u. a. Seltener im Inlaut: le Kremlin, Nemrod (früher Nembrod) und wegen des folgenden n in Agamemnon, Clytemnestre, Lemnos (s laut. — Bemerke: un examen (spr. *è'gzame*).

Em, en lauten wie nasales ẽ im Inlaut von Fremdwörtern und fremden Namen[1]: un agenda (Notizbuch), un appendice, Bembo, Bender, le Bengale, Benjamin, le benjoin (Benzoë), la benzine, le centumvir (spr. *sètom'vir*), le compendium (spr. *-om'*, Handbuch), (h)endécagone (elfedig), Gassendi, Gengis-Kan, Genséric, le Groënland[2] (d laut), a Kempis (s laut), Marengo, Memphis (s laut), Mentor, le pensum (spr. *-òm*, Strafaufgabe), la Pensylvanie, le pentamètre, le pentateuque, pentélique, Rembrandt (*rẽbrã, rẽbrãt'* und *rãbrã* gespr.), le rhododendron (on nasal), le sempervirens (spr. *sẽpervirẽs* mit lautem s), Spencer und le spencer (spr. *-èr'*), Wen(t)zel. Ebenso im Auslaut bei le Camoëns und Rubens (s in beiden laut). In den weniger häufigen deutschen Namen (Aremberg, Lemberg u. a.) spricht man den Nasallaut ẽ, in den bekannteren (Nuremberg, Oldenbourg, le Wurtemberg u. a. dagegen besser ä; g ist immer stumm.

Selten ist en = nasalem in im Inlaut französischer Namen: Benserade, Penthièvre; häufiger im Auslaut: Agen, Dupuytren, Gien, nach einzelnen auch Écouen. Über Enghien vgl. § 8.

Anm. Nach manchen sind im, in nasal auch in immangeable, immanquable, innégociable u. a. — Im Auslaut von Fremdwörtern und fremden Namen sind meist auch -am, -im nicht nasal, ebensowenig -um (wie *-òm'* zu sprechen): Abraham (aber Adam wie *adã*), Joachim als biblischer Name wie *zoakim'* (als moderner Name wie *zoasẽ*), un album, le pensum u. s. w.[3] — Der Nasal -un klingt wie õ oder ȭ in fremden Namen: Stralsund, le Sund: mur] wie õ in Dunkerque. Les Burgundes sprich les Burgondes, wie auch oft geschrieben wird.

§ 13. Diphthonge.

Diphthonge oder Doppellaute nennt man im Deutschen die Verbindungen zweier Vokale zu einem Laut, z. B. au, äu, ai. Solche giebt es im Französischen nicht, wo man unter diphtongues die Verbindungen zweier Vokale zu einer Silbe versteht.

Während im Deutschen der erste Vokal der wichtigere ist, weil er den Ton trägt, ist es im Französischen der zweite, und der erste Vokal hat nur den Wert eines Vorschlaglautes. Die deutschen Diphthonge sind daher fallende, die französischen dagegen steigende. Der Vorschlagvokal i verbindet sich mit *é, è, ô, ê, a, o, u* und mit den Nasalen *ã, õ, ẽ.* Der Vor-

---

[1] Bei einzelnen findet sich auch die Aussprache *èm'. èn'.*

[2] Auch Groenland geschrieben.

[3] Die Endung um lautete früher wie õ, lacunm wurde *factõ* gesprochen.

schlagvokal o (nach u hinlautend) verbindet sich mit dem Vokal a und dem Nasal ẽ. Der Vorschlagvokal u verbindet sich mit den Vokalen ĩ, ẽ, a, und dem Nasal ẽ. Der Vorschlagvokal ü verbindet sich mit den Vokalen ĩ, ẽ und dem Nasal ẽ.

§ 14. Darstellung der Diphthonge in der Schrift.

Laut	Zeichen	Beispiele
ié	ié, ier, ied	amitié, premier, le pied, il assied
iè	iè, ie + Konf.	la lumière, le siège, le ciel, le fief, tu acquiers
iö	ieu, yeu	le lieu, le dieu, vieux, monsieur, les yeux
iö	ieu	le sieur
ia	ia, ya	le fiacre, le liard, Mathias, l'yacht, le yatagan [1]
io	io, yo	la fiole, la pioche, la yole
iu	iu, yu	Caius, le Yucatan (nur Fremdwörter)
iõ	ions	nous donnions (nur Verbalformen)
iã	ian	nur viande und abgeleitete Wörter
iẽ	ien	mien, rien, bien, le gardien, l'entretien
ua	oi, oe, oue	le roi, la poêle, la moelle, le fouet
uẽ	oin	loin, moins, point
ui	oui	nur oui
uè	ouai	nur ouais (Interjektion)
ua	ua	l'alguazil, l'équateur
uẽ	ouin	le bédouin, le baragouin [2]
üi	ui	aiguiser, l'équitation
üè	ue + Konf.	l'écuelle, équestre
üẽ	uin	juin, suinter

§ 15. Diphthonge nach g, q.

Im Unterschied zu dem bloßen Schreibzeichen u (§ 24) ist öfter u nach g, q der Vorschlaglaut eines Diphthongs und vertritt den Vorschlagvokal ou vor folgendem a, den Vorschlagvokal u vor folgendem e oder i.

Nach g ist u wie deutsches ü zu sprechen in une aiguille und ähnlichen Wörtern, also auch in un aiguillon (Stachel), un aiguilleur (Weichensteller), aiguiser (schärfen, spitzen), in Guise, le Guide (Guido Reni), le Guipuzcoa, Guy (Weib,

[1] Daß vor y manchmal wie vor Konsonanten nicht elidiert wird, thut nichts zur Sache.
[2] Nach Gramont, Les vers français zu sprechen, als ob kein u vorhanden wäre (also wie loin, moins).

la Guyane, le linguiste, linguistique. Ferner mit tréma auf folgendem e oder i in aigu, -uë, ambigu, -uë (zweideutig), contigu, -uë (anstoßend), exigu, -uë (gering), la ciguë (Schierling), l'exiguïté und ähnlichen, sowie in dem Verb arguer (folgern; j'arguë, nous arguïons). Vgl. l'acuité, Vogüé.

Wie frz. ou (fast w) lautet u nach g in un alguazil (l laut), le Guadalquivir (qu = k), (la) Guadeloupe, la Guadiana, le guano, Guarini, lingual, nach einzelnen auch in le couguar.

Anm. Manche sprechen u wie deutsches ü auch in la Guyenne[1], Duguay-Trouin, Guizot[2], inextinguible. — Dagegen muß u stumm sein in le gui (Mistel), Guyon, Guyot. Lesdiguières, Tannegui du Châtel, Séguier.

Nach q klingt u wie deutsches ü in Aquilée, équestre (Ritter-, Reiter-), équilatéral (gleichseitig), l'équitation (Reitkunst), le questeur, le quiétisme, le quinquennium (beide qu in gleicher Art), le quintidi (fünfter Tag der Dekade), Quirinus (s laut), le Quirinal, le requiem (spr. -èm'), l'ubiquité (Allgegenwart) und ähnlichen. Manche sprechen ebenso Quinte-Curce und Quintilien, sowie la liquéfaction (Schmelzen).

Wie frz. ou (fast w) lautet u nach q in adéquat (t meist stumm), une aquarelle, l'aqua-tinta, l'aqua-toffana, un aquarium, aquatique (Wasser-), l'équanimité, l'équateur, une équation (Gleichung), l'exequatur (Vollziehungsauftrag), in-quarto (in Quart; in nasal), loquace (redselig), le quaker (spr. kouakr', meist kwēkr'), le quantum, le quartidi (vierter Tag der Dekade), le quartz (spr. -ts), le quatuor (Quartett), le square (§ 9), endlich in den mit quadra-, quadri-, quadru- beginnenden Wörtern, z. B. le quadrupède (ausgen. le quadrille, le quadrillage).

§ 16. Diphthonge mit y als Schriftzeichen.

Ein von dem Vokal y = i (§ 6) verschiedenes y ist dieses Zeichen, wo es für ü steht und aus i + j entstanden ist, d. h. aus einem gewöhnlichen und einem in der Schrift nach unten verlängerten i (nicht mit dem Konsonanten j zu verwechseln). Man wählte dieses Zeichen zu einer Zeit, wo für u und v (u voyelle und u consonne) getrennte Zeichen noch nicht bestanden, oder noch nicht nach heutiger Art unterschieden wurden. Zur Unterscheidung schrieb man oft u und ü (mit tréma), mit letzterem wäre aber ein Doppel-i (ii) wieder leicht verwechselt worden; dieser Verwechslung steuerte das Zeichen y.

Es steht in den Verbindungen ay, oy, uy vor tönendem Vokal: le rayon, le moyen. Das erste i verbindet sich mit dem vorhergehenden, das zweite lehnt sich an den folgenden Vokal, also ist rayon wie ré-iõ zu sprechen.

Da für y Bedingung ist, daß tönender Vokal folgt, so steht (im Einklang mit der Aussprache) einfaches i im Auslaut, vor stummem e und vor Konso-

---

[1] Wer das nicht thut, schreibt besser la Guienne: auch neben la Guyane findet sich la Guiane mit stummem u.

[2] Die Familienangehörigen sprechen das u aus.

nanten. Mit einer tönenden Endung aber tritt auch das zweite i (Vorschlags-vokal zu dem folgenden Vokal) und mit ihm das Zeichen y ein. Vgl. Troie mit les Troyens, den Stamm fui- mit le fuyard.

Dasselbe findet bei allen Verben statt, deren Stamm auf ai, oi, ui aus-geht, d. h. bei denjenigen auf ayer, oyer, uyer sowie bei fuir, traire, croire, voir, sowie bei avoir und être.

Daher un essai, il essaie, aber nous essayons;
il emploie, ils emploient, aber il employa;
un appui, j'appuie, aber appuyez;
il fuit, qu'il fuie, aber fuyons, fuyant;
tu crois, tu vois,' aber vous croyez, vous voyez.

Anm. Die wenigen Verben auf -eyer (sowie asseoir), behalten ey auch vor stummen e¹. Dasselbe ist bei den Verben auf -ayer noch erlaubt: je paye neben je paie. Die erstere Schreibung entspricht der verbreiteten Aussprache eines zweiten i bei diesen Verben² (pè-i' oder pè-i' für pè').

Vor Konsonanten und stummem e steht ay statt ai-i in le pays, le paysan, une abbaye (spr. abè'). Wörter wie payons, moyen sind nach dem Voraus-gehenden untrennbar.³

§ 17. Diphthonge mit geschliffenen Lauten.

Den deutschen (fallenden) Diphthongen stehen nahe die französischen Diph-thonge, welche aus den Vokalen i, è, a, ö, u mit nachfolgendem geschliffenem l, d. h. mit einem Laut bestehen, welcher mit deutschem j eine gewisse Ähnlichkeit hat. So entstehen die fallenden Diphthonge ìj, èj, aj, öj, uì.

Ein nasaler Diphthong gleicher Art entsteht durch den Antritt des geschliffenen n (ñ) an die Vokale i, è, è, a, ò, ü und den Diphthong ºa, welcher von vielen durch ò ersetzt wird. So entstehen die Diphthonge iñ, èñ, ìñ, añ, òñ, üñ, oañ.

Die Darstellung dieser Laute in der Schrift ist folgende:

Laut	Zeichen	Beispiele
ìi	il, ill¹	le mil, la fille, le sillon
èi	eil, eill	le conseil, le conseiller
ai	ail, aill	le travail, travailler
öi	euil, euill	le deuil, la feuille, le feuillage
ui	ouil, ouill	le fenouil, souiller

---

¹ Öfter findet man vor volltönender Silbe éy statt ey gesetzt: le par-quéyeur (Austernzüchter).

² In vulgärer Sprache auch sonst; so das bekannte que je voye (v°a-i' gespr.) statt que je voie, que j'aye (gespr. è-i' oder è-i') statt que j'aie.

³ Mo-yen könnte nur derjenige trennen, welcher nach südfranzösischer Art mo-ien ausspricht. Auch der lothringische Dialekt (le patois messin) hat diese Eigentümlichkeit. In Savoyard darf nur ein i hörbar sein (Bewohner von Savoyen les Savoisiens).

Lautlehre.

Laut	Zeichen	Beispiele
ĩ͞n	ign²	ignorant, le signal
ẽ͞n	égn	régner
ẽ͞n	ègn, cign, aign	le règne, nous peignons, nous craignons
aⁿ	agn	la montagne, le compagnon
iⁿ	ogn	la Pologne, la besogne
ü͞n	ugn	répugner
·aⁿ	oign	le poignard

Daß bei geschliffenem l und n eine und dieselbe Erscheinung vorliegt, ergiebt sich am besten aus der Gleichartigkeit gewisser Verschiedenheiten in der Aussprache. Für geschliffenes l vergleiche man Wörter wie avril, welche von den einen mit geschliffenem, von den anderen mit lingualem l gesprochen werden, ebenso le linceul; ferner le corail, le portail u. a. mit den alten und mundartlichen Formen coral, portal, und umgekehrt das alte genouil mit le genou. — Für n ist hinzuweisen auf die unregelmäßige Aussprache von le signet u. a. sowie auf das alte und mundartliche anneau statt agneau u. a., endlich auf die Aussprache von poignard u. a. mit ŏ statt ŏa und die alte Aussprache aragnée für araignée.

1) Mit einfachem l werden alle diese Laute im Auslaut, mit Doppel-l im Inlaut bezeichnet. Die Tonsilbe vor einem stummen e gilt als Inlaut. In Zusammensetzungen kann auch im Inlaut einfaches l stehen z. B. gentilhomme. — In südfranzösischen Namen steht vielfach lh für ll (z. B. Meilhac, Milhaud), in spanischen Wörtern oft ll im Anlaut (z. B. llanos). Auch gl dient in Namen als Ersatz für geschliffenes ll: Vouglé, Broglie.

2) Ohne Verbindung mit einem vorausgehenden Vokal findet sich der Laut n nur nach r: épargner, le lorgnon.

§ 18. Einzelnes zu den geschliffenen Lauten.

a) Das geschliffene l.

Der geschliffene Laut ist nicht vorhanden und -il wird im Auslaut wie il gesprochen hauptsächlich in Abigaïl, un alguazil (vgl. § 15), le béril (auch béryl), le Brésil, civil und incivil, un exil, le fil (Faden), il. mil, le Nil, oïl (ja, in langue d'oïl), le pistil (Stempel bei Blüten), le profil, puéril, subtil, vil, viril, volatil (flüchtig). Auch avril, le babil (Geplauder), le cil (Wimper), le péril spricht man meist jetzt in gleicher Weise, andere mouillieren hier l.

In der Verbindung -ill- haben nicht den geschliffenen Laut Achille, la billevesée (Hirngespinnst), le billion (tausend Millionen), le calville (eine Apfelsorte), la camarilla, Camille (Kamillus; als weiblicher Name, Kamilla, meist l mouillée), le codicille, Cyrille, distiller (destillieren), Gilles (Ägidius) und le gille (Gimpel), l'imbécillité f. (Einfältigkeit), instiller (einflößen), Lille und Delille, Mabille, mille, le millier, le milliard (= le billion), le million, la myrtille (Heidelbeere), osciller, le und la pupille (Mündel), la pupille (Augenpupille), pusillanime (kleinmütig), scintiller (funkeln), Sillery (eine Champagnersorte), titiller (prickeln), tranquille, vaciller (schwanken), la ville, le village, la villa, le vaudeville (Lustspiel mit Couplets), la Villette, Villars, Villers-Cotterets (spr. *vilèr-*), Villeroi, Joinville, Séville, Villon u. a. Außerdem -illaire z. B. maxillaire (Kinnbacken-), die (deutsche) Endung -willer (-viller) bei Ortsnamen, ferner im An- und Auslaut: illustrer, les Illinois; le bill, l'Ill, le mandrill.

Anm. Zum geschliffenen l gehört jetzt unbedingt vorausgehendes i[1]. Auch Namen richten sich nach dieser Forderung, öfter mit Unrecht, weil sie nicht nach der gewöhnlichen Orthographie zu beurteilen sind. Sully sollte gegen den herrschenden Gebrauch mit geschliffenem ll gesprochen werden[2]; Talleyrand wird *talèran* gesprochen, obwohl der Name früher auch Tailleran geschrieben wurde und wohl sicher mit tailler[3] zusammenhängt.

b) Das geschliffene n.

Während in dem geschliffenen l von der eigentlichen Aussprache des l nichts übrig geblieben ist (außer in landschaftlicher Aussprache), bewahrt das geschliffene n teilweise seine eigentliche Aussprache und bildet einen einfachen Laut, welcher mit n beginnt, aber rasch zu j übergeht.

G behält dagegen seinen eignen Laut vor n hauptsächlich in folgenden Wörtern: un agnat (Anverwandter von väterlicher Seite), le cognat (Anverwandter von mütterlicher Seite), le diagnostic (meist: Diagnose), la géognosie, igné (feurig) und ähnliche, inexpugnable (uneinnehmbar), le magnat, le magnificat (t laut), la physiognomie (auch physiognomonie[4] Kunst, Gesichtszüge zu deuten), régnicole (Staatsbürger), stagnant; nach einzelnen auch une imprégnation (Sättigung), aber nicht imprégner. Im Anlaut wird g immer getrennt gesprochen: le gnome.

§ 19. Quantität der Vokale.

Die Vokale sind im Französischen kurz, halblang oder lang. Die kurzen Vokale sind am häufigsten, lange finden sich fast nur in der Tonsilbe.

Die Quantitätsunterschiede treten im Französischen nicht so scharf hervor wie in den alten Sprachen oder auch nur wie im Deutschen. Daher konnte noch kein Versuch, im Französischen quantitierende Versmaße zu gebrauchen, irgendwelchen Erfolg haben. Die Angaben über Länge und Kürze sind vielfach unbestimmt oder widersprechend; dazu kommt noch, daß die Quantität vieler Wörter von der Stellung, die sie im Satze haben, mitbeeinflußt wird.

---

[1] Ausnahme bildet la semoule (Gries) mit geschliffenem l und für den Vers le linceul, da es mit -euil reimen darf.

[2] Auch für Nenilly fand sich früher Nully.

[3] Aber kaum von tailler les rangs (Bulwer, Hist. char. I. 14).

[4] Dagegen la physionomie (Physiognomie).

Lautlehre.

Eigentlich lang sind Vokale selten außerhalb der Tonsilbe. Manche Vokale sind aber auch in vortoniger Silbe niemals eigentlich kurz; hierher gehören besonders die Nasalvokale, die cirkumflektierten Vokale und der Laut au (außer Paul).

Besonders hüte man sich vor der Meinung, daß Vokale vor einfachen Konsonanten lang oder solche vor Doppelkonsonanten kurz seien. In der Regel sind Vokale vor Doppelkonsonanten lang oder halblang, denn Doppelkonsonanten werden mit seltenen Ausnahmen wie einfache*) gesprochen und dienen im Französischen in der Regel nicht zur Kürzung einer Silbe.

Ebensowenig darf man die latein. Quantität als maßgebend für die franzöf. entsprechenden Wörter ansehen; so hat trône langes (griech.-lat. kurzes) o, dagegen haben Rome, consoler kurzen (lat. langen) Vokal.

Wenn ein (langer) Vokal aus der Tonsilbe heraus in eine vortonige Silbe tritt, so wird er meist verkürzt. In la Suède, Gènes ist der Vokal è, e lang, le Suédois, le Génois haben dagegen kurzes é; la fosse, fausse (von faux). cher haben langen, le fossé, le fossoyeur, faussement, la fausseté, la cherté dagegen halblangen Vokal.

*) Unbedingt feststehend ist die getrennte Aussprache nur für das rr in den Futurformen von querir, mourir, courir.[1] In der Regel wird nur der Konsonant in der Aussprache gedehnt (eine im Deutschen unbekannte Erscheinung), wodurch der vorausgehende Vokal gleichfalls gedehnt erscheint. Wenn ein Franzose deutsche Wörter wie hatte, Celle, zittern, können, Göttingen ausspricht, so hören wir einen langen Vokal vor dem ll, nn, tt. Daher verfallen Franzosen z. B. auch nicht in unsern Fehler, in Fremdwörtern (z. B. stella, terra, palazzo) vor Doppelkonsonanten einen kurzen Vokal zu sprechen.

§ 20. Konsonanten.

	I. Eigentliche Konsonanten					II. Liquide, Mittellaute		
	Verschlußlaute		Reibelaute			r-Laut	l-Laut	Nasale
	stimmhaft (weich) a)	stimmlos (hart) b)	stimmhaft (weich) a)	stimmlos (hart) b)		meist stimmhaft		
A { Labiale (Lippenlaute)	b	p						m
Labiodentale			v	f				
B { Dentale (Zahnlaute)	d	t					l	n
Spiranten (Zischlaute)			z, ž	s, š				
C Palatale (Gaumenlaute)	g	k	j, i			r		ñ
D Gutturale (Hauchlaute)				[h]				

[1] Sonst findet sich die getrennte Aussprache von Doppelkonsonanten meist in gelehrten Wörtern und die Umgangssprache pflegt bei dem Gebrauch derselben nur einen Konsonant hören zu lassen.

z ist der weiche (stimmhafte), s der harte (stimmlose) S-Laut; ž der weiche (stimmhafte), š der harte (stimmlose) Sch-Laut; ñ ist das geschliffene n (gn). H ist im Französischen immer stumm, vgl. § 21.

Die den Verschluß oder die Enge des Mundes bildenden Werkzeuge sind
bei den Labialen: die beiden Lippen,
bei den Labiodentalen: die Lippen und die Zähne,
bei den Dentalen:
bei den Spiranten: } die Zähne und die Zunge,
bei den Palatalen: die Gaumenteile und die Zunge.

Die Dentalen werden von manchen Linguale oder Zungenlaute genannt. Nur die Bezeichnungen Labiale und Labiodentale sind eigentlich zutreffend, da bei den folgenden Namen nur eines der in Thätigkeit tretenden Werkzeuge kenntlich gemacht ist.

§ 21. Bemerkungen zu einzelnen Konsonanten.

Während dem Norddeutschen die Nasallaute die meiste Schwierigkeit machen, fällt dem Mittel- und Süddeutschen vorzugsweise die Aussprache der stimmhaften Konsonanten schwer. Ein altes Mittel¹ besteht darin, daß dem stimmhaften Labial b ein m, dem stimmhaften Dental d ein n und dem stimmhaften Palatal g ein ng anfangs laut, dann nur in Gedanken vorgeschlagen wird, damit der Mund für die richtige Artikulation vorbereitet wird. Demnach wäre für bain, dent, gant zu versuchen ᵐbain, ⁿdent, ⁿᵍgant.

Den stimmhaften Labiodental v trifft der Norddeutsche leicht; nicht so der Süddeutsche, welcher sein w durchaus labial (bilabial, d. h. mit beiden Lippen ohne Mitwirkung der Zähne) spricht. Man muß sich gewöhnen, bei französischem v stets mit den Oberzähnen die Unterlippe leicht zu berühren.²

Um die schwierige Unterscheidung von z und s, ž und š (s oder z, s oder ss; j oder ge, ch) zu lernen, ist ein gutes Mittel, dasselbe Lesestück zuerst mit gänzlicher Unterdrückung der stimmhaften Laute und dann mit leiser, immer verstärkter Aussprache derselben, laut zu lesen.

Das h ist im Französischen ganz stumm, außer in Dialekten und in leidenschaftlicher Rede. Daher kommt es, daß einzelne Wörter (wie Formen von haïr u. a.) fast unser deutsches h zeigen; sie werden meist im Affekt gesprochen. Vgl. § 28.

Das linguale r oder Zungen-r ist im Französischen weniger häufig, als das uvale (oder uvulare), d. h. Zäpfchen-r. Ersteres ist unser gewöhnliches deutsches r, letzteres ist eine Art Kehlhauch und versetzt das Zäpfchen in Schwingungen. Deutsche Mundarten haben es besonders im Auslaut.

¹ Beispielsweise in dem Buche Le Français alsacien, Strasbourg 1852, angegeben.
² Hier muß man sich vor dem Übermaß hüten, denn ein zu sehr wie f lautendes v verrät dem Franzosen sofort den Deutschen.

Auch der aus einem Palatal und einer Spirans zusammengesetzte Doppel-
laut x ist bald stimmhaft, bald stimmlos. Im ersteren Falle lautet er wie gz
(z. B. l'exil spr. *l'ègzil*) im zweiten wie ks (z. B. extra spr. *èk-stra*).

Hauptregel für die Aussprache der französischen Konsonanten ist: Man übe
die Beweglichkeit der Lippen und spreche die sog. weichen Laute sanfter, die sog.
harten aber bedeutend schärfer aus, als wir es gewohnt sind.

§ 22. Darstellung der konsonantischen Laute durch die Schrift.

Laut	Zeichen	Beispiele
b	b	bas. l'abri, le nabab
d	d	le dos, adorer, le sud
g	g[2]	gai. le regard, en zigzag
v	v	vide. avouer, le fleuve[1]
z	z. s[3], x[4]	zéro, Azor, le gaz; — l'oiseau, les eaux
$\check{z}$	j, g[5] (vor e, i, y)	le jardin, déjà, —; le geai, le gymnase, l'agio, le siège
p	p	pas, l'apôtre, le cap
t	t, th	le trône, le théâtre, la dot
k	c[2], qu. q. ch. k. g[6]	le cor. le fracas, le zinc; quatre, le requin, cinq; le chœur, l'écho, Koch; le knout; le joug
f	f. ph[7]	fort. le défaut, neuf: le phare, Japhet, Joseph

---

[1] Im Auslaut kann nie v stehen.

[2] Ob c, g als (palatale) Verschlußlaute oder als (zischende) Reibelaute
stehen, entscheidet für die Schrift der nachfolgende Buchstabe. Verschlußlaute
sind c, g am Wortende, vor Konsonant und vor dunkeln Vokalen; Reibelaute
sind sie vor hellen Vokalen. Die einzige Ausnahme hiervon war der Reibe-
laut c vor z (cz), wofür später c mit untergeschriebenem z (*cédille*) in ç üblich
geworden ist.

[3] Im Anlaut kommt stimmhaftes s nicht vor; im Auslaut findet es
sich nur bei der Bindung.

[4] Nur im Inlaute mancher Wörter und in der Bindung: le deuxième.
deux amis.

[5] Im Auslaut findet sich j gar nicht, g nur vor stummem e. Auch
im Inlaut steht j meist nur bei Zusammensetzungen.

[6] Es findet sich c vor a, o, u und Konsonanten, endlich im Auslaut;
qu kann sich vor allen Vokalen finden, und wird nur im Auslaut durch q
ersetzt (ausnahmsweise im Inlaut: Sériaqous, vergl. auch piqûre); ch und k
finden sich nur in Fremdwörtern. Nur ausnahmsweise steht g für den stimmlosen Laut.

[7] Nur in Fremdwörtern steht ph.

Laut	Zeichen	Beispiele
s	s, c, ç, t, x¹	le soir, la liste, le fils; le cèdre, acide, la place; ça, le garçon, reçu; la patience; soixante
š	ch, sh, sch²	la chose, acheter, Auch; le shérif; le schisme
[h]	h	l'huile, trahir, le schah; le héros, rehausser

Bei den Mittellauten fallen Laut und Zeichen stets zusammen. Die nasalen Laute m, n sind zu bloßen Schriftzeichen geworden, wenn sie nach nasalen Vokalen stehen. Ursprünglich waren sie überall laut; ihr Verstummen machte den vorhergehenden Vokal zu einem nasalen, oder auch die Nasalierung des Vokals führte das Verstummen von m, n herbei. — Über ñ vergl. § 17.

Wie die Nasalen m, n verstummten auch andere Konsonanten im Auslaut gewöhnlich, wenn sie nicht durch nachfolgendes summes e geschützt sind. Besonders oft sind b, d, g, s, t, z am Ende der Wörter stumm. In den obigen Beispielen sind absichtlich für den Auslaut nur Wörter gewählt, in welchen das Verstummen nicht stattfindet.

§ 23. Mehrere Zeichen für denselben Laut.

Der weiche s-Laut wird neben z auch durch s, x bezeichnet: zéro, maison, deuxième. Neben j findet sich vor e, i, y auch g: âgé, agir, gymnase.

Nur in Fremdwörtern steht k, sonst qu, daneben aber c und ch vor Konsonanten und im Auslaut: crier, chrétien, sac, Roch. Auch vor a, o, u hat c (manchmal auch ch) den k-Laut: car (choral).

Der scharfe s-Laut wird neben s (ss) auch durch c vor e, i, y, durch ç vor anderen Vokalen und durch x bezeichnet: soir, classe, race, reçu, soixante.

§ 24. Ein Zeichen für verschiedene Laute.

Da g vor e, i, y als Zischlaut (neben j) verwendet wird, so muß ihm vor diesen Vokalen ein u angefügt werden, wenn es als Gaumenlaut auftritt: long, longue; le langage, la langue. In Verben bleibt u auch vor anderen Vokalen: distinguer, nous distinguons. — In Fremdwörtern steht öfter gh für gu: le ghetto, la ghilde (auch guilde), le Righi. In deutschen Namen genügt bloßes g: Gessner, ebenso le Geyser und le geyser (spr. ghèsèr, heißer Sprudel). — Das Zeichen q allein findet sich in arabischen Namen auch im Inlaut: Sériaqous, Lonqsor.

Das Zeichen ch steht in franz. Wörtern sowohl für den scharfen Zischlaut (sch), wie für k.

In Fremdwörtern lautet ch meist wie k und zwar immer vor Konsonanten (aber Vichnou mit k oder sch), vor a, o, u (aber Chabrias mit k

---

¹ Es findet sich c nur vor e, i, y, ç vor dunkeln Vokalen; beide nicht im Auslaut, außer c vor stummem e; t und x haben nur ausnahmsweise den s-Laut, ersteres nur im In-, letzteres auch im Anlaut (Xaintrailles) und im Auslaut (six, dix).

² Nur in Fremdwörtern steht sh, sch.

Plattner, Grammatik I. r.   2

oder ſch) und im Auslaut (außer le punch, ſpr. *pŏch'* und dem franzöſiſchen Stadtnamen Auch).

Vor e, i haben auch die bekannteren Fremdwörter die Ausſprache des ch wie ſch angenommen.[1] Wörter italieniſchen Urſprungs behalten hier den k-Laut: Michel-Ange, Civita-Vecchia und ebenſo Machiavel (in den Ableitungen des letzteren wird dagegen ch = ſch geſprochen). Außerdem behalten den k-Laut: l'Acheloüs, l'archéologie, l'archétype (Urbild), l'archiépiscopat. Blucher, brachial, Chéops, Chéronée (ſelten ſch), la Chersonèse, la chiliade[2] (Tauſend), Chiron, alle Zuſammenſetzungen mit chir- (Hand, ;. B. la chiragre Handgicht, la chiromancie Weisſagung aus der Hand, außer la chirurgie und ähnlichen), un échinoderme (Stachelhäuter), Lachésis, le lichen (vgl. § 12), la malachite (Malachit, ſelten ſch), Melchior, Melchisédech (s ſcharf), un orchestre, Pulchérie, la trichine (auch ſch), le trochée (Trochäus; nach Littré in den Schulen nur mit ſch). L'Achéron wird meiſt mit ſch geſprochen; über Joachim vgl. § 12 Anm. Bemerke Antiochus (ch = k, s laut), aber Antioche (ch = ſch).

Sch lautet wie ch (= ſch), auch in Eschyle (alt sk), wie sk in le schéma oder schème, ſowie in italieniſchen Namen (Fieschi, Ischia). Der flämiſche Name Aerschot (Schiller, Abſ. d. Niederl.) iſt *arzgot'* zu ſprechen (s weich wegen des folgenden g).

Stumm iſt ch in un almanach, wie g lautet es in la drachme.

§ 25. Fortſetzung: Die s-Laute.

Das Zeichen s ſteht (neben z) für den weichen s-Laut zwiſchen Vokalen, daher auch bei der Bindung.

Auch zwiſchen Vokalen hat s ſcharfen Laut in zuſammengeſetzten Wörtern, wenn es den zweiten Beſtandteil anlautet[3]: l'asymétrie f. (Mangel an Symmetrie), un asyndeton und une asyndète (beides Aſyndeton), le contresens (Schluß-s ſtumm, Widerſinn), contresigner (gegenzeichnen), le cosinus (beide s ſcharf), la désuétude (Veralten), un entresol (Zwiſchenſtock), le havresac (Ranzen), une idiosyncrasie (erſtes s), un monosyllabe, un parisyllabe, un polysyllabe (ein-, gleich-, mehrſilbiges Wort), un parasol (großer Sonnenſchirm, meiſt für Herren), la préséance (Vorrang, Vorſitz), présupposer (vorausſetzen), in den wenig üblichen resigner (wieder unterzeichnen) und resonner (wieder ſchellen; aber nicht in résigner verzichten und résonner erſchallen), le soubresaut (Ruck, Erſchütterung), le tournesol (Sonnenblume), vraisemblable und den ähnlichen Wörtern. Ebenſo in Namen, deren erſter Beſtandteil de, le, la iſt: Desaix, Lesage, Lasalle; ferner nach i in Formen von gésir.

---

[1] Daher ſteht qu in le monarque u. a. Wogegen le patriarche (ch = ſch).

[2] In den (unrichtig gebildeten) Zuſammenſetzungen mit kilo- iſt k ſchon in der Schrift eingetreten.

[3] Doch auch dysenterie mit ſcharfem s, obwohl dieſes den Auslaut des erſten Beſtandteils bildet.

Ausgenommen sind die Wörter, in welchen die Zusammensetzung nicht mehr empfunden wird, z. B. le présage, préserver, présider, la présomption und verwandte. In abasourdir (betäuben) wird s und z gesprochen.

Vor den Konsonanten b, d und g hat s ausnahmsweise den weichen Laut: l'asbeste, le presbytère, Asdrubal, le Brisgau, Sganarelle. Doch ist diese Aussprache nicht allgemein anerkannt und andere sprechen in asbeste, Lisbonne, le sbire (Sbirre), Strasbourg scharfes s. Da an in trans Nasal= vokal bildet, so tritt auch hier vor Vokalen und weichen Konsonanten (b, d, g, j, v) weiches s ein: la transaction (Verhandlung, Kompromiß), transitif, transdanubien, transversal (schneidend), doch sprechen andere vor g und v scharfes s; vor stummem e und vor i in transir (zum Erstarren bringen) hat s scharfen Laut. Ebenso in la Transylvanie (Siebenbürgen), weil s für ss steht, d. h. den zweiten Bestandteil anlautet.

Außerdem klingt s oft weich nach Mittellauten in l'Alsace, Arsace (Arsaces), balsamique (duftend), Tilsit. Nach einzelnen auch vor Mittellauten in le christianisme, Israël, l'asthme und l'isthme (über th vgl. § 29).

§ 26. Fortsetzung: Die x-Laute.

Der zusammengesetzte Laut x besteht entweder aus k + s oder aus g + z, es giebt daher einen harten und einen weichen x=Laut. Ersterer ist der häufigere.

Den weichen Laut gz hat x in der Silbe (h)ex, z. B. un exil, exhumer (ausgraben), l'hexamètre. Bedingung ist jedoch, daß Vokal oder stummes h folgt.

Außerdem im Anlaut fremder Wörter: Xanthippe, Xavier, le Xénil (spr. -il'), Xercès oder Xerxès (spr. -cès') und Artaxerce, Artaxercès, Artaxerxès. Manche schwanken zwischen ks und gz, z. B. die mit xylo- beginnenden Wörter.

Als bloßes Zeichen für den scharfen s=Laut steht x anlautend in Xaintrailles (alte Orthographie für s, wie man auch Xaintes, la Xaintonge schrieb). — Früher sprachen einzelne Xénophon in derselben Weise. — Ebenso spricht man scharfes s in Auxerre (aber Saint-Germain-l'Auxerrois wie ks), Auxonne. Béatrix (auch -ice geschrieben), Bruxelles, Cadix, Luxeuil (auch ks), soixante, le Texel (auch ks). Ebenso in six, dix, wenn x nicht verstummt oder gebunden wird. Die verschiedenen Orte des Namens Aix sowie Aix-la-Chapelle werden verschieden gesprochen, am rätlichsten ist es, überall ks zu sprechen.[1]

---

[1] Nach dem richtigen Grundsatz von B. Schmitz, daß bei schwankender Aussprache die beste diejenige ist, welche die Ausnahme beseitigt. Unkenntnis der Ausnahmen und Drang nach Vereinfachung bringen auch die Franzosen dazu, jedem Buchstaben den Laut zu geben, welcher ihm gewöhnlich zukommt. Man spricht Luxenil, le Texel oft schon mit ks; Luxembourg und Saint-Germain-l'Auxerrois, in welchen die regelmäßige Aussprache des x die einzig übliche ist, wurden früher auch mit scharfem s gesprochen. In Belgien ist auch Bruxelles mit ks üblich.

2*

Zeichen für den sanften s-Laut (z) ist x in six und dix in der Bindung und den Ableitungen z. B. sixième, le dixième, le sixain (Sechszeile), ebenso in dix-sept[1], dix-huit, dix-neuf.

Wie k lautet x in spanischen Namen Xérès, Ximenès, le Xucar, doch sprechen andere gz. Ferner lautet ex wie *èz'* vor s und ç: un exsudat, une exception, d. h. der zweite Bestandteil verschwindet vor dem s-Laut. Aus diesem Grunde ist folgendes s öfter in der Schrift ausgefallen: expirer, l'extinction (Auslöschen), extirper (ausrotten).

Auslautendes x verstummt (außer einzelnen oben genannten Wörtern) nicht in Gex, Saint-Yrieix.

§ 27. Ungewöhnliche Zeichen.

Ungewöhnliche Zeichen finden sich vielfach, hauptsächlich weil die Schrift sich nach der Etymologie richtet, nicht aber die Aussprache.

C hat den Laut von g in second und dessen Ableitungen, ebenso in la reine-Claude. In la drachme hat ch den Laut des g.

G hat den Laut des k in le joug (andere sprechen g, vielfach verstummt der Endkonsonant). Einzelne sprechen auch in le bourg am Ende ein k. La gangrène (Wundbrand) hat jetzt regelmäßige Aussprache. Für Glasgow wird häufig Glascow geschrieben und gesprochen.

T lautet wie s (ss):

1) in der Endung -tie bei vorausgehendem Vokal: la diplomatie, la Béotie, la minutie (Tüftelei). Ausgenommen ist la sotie (allegorisches Stück des ältesten französischen Theaters) mit t-Laut, und une ineptie (Ungereimtheit), l'inertie f. (Trägheit) mit s-Laut trotz vorausgehenden Konsonanten.[2]

2) In allen Endungen[3], welche nach ti noch eine tönende Silbe haben: martial, essentiel, Dioclétien, la patience, une invention. Bemerke: Miltiade, le Spartiate (in beiden Wörtern t = s).[4]

Ti hat dagegen immer seinen eigenen Laut (nicht t wie s):

1) Wenn s, x vorhergeht: la question.

2) Vor Verbalendungen: nous inventions. Daher wird in initier (einweihen) und balbutier (stammeln) immer t wie s gesprochen.

3) In den Verbindungen tié, tié, tier: la moitié, entier, entière. Vgl. jedoch oben balbutier, initier.

4) In chrétien, Critias, un étiage (Pegel).

---

[1] Manche erleichtern sich die Aussprache, indem sie zwei scharfe s sprechen. Demnach müßte man aber z. B. auch im Englischen die Aussprache monts für das schwierige months anerkennen.

[2] Die ältere Ausnahme der mit -mantie (Wahrsagekunst) zusammengesetzten Wörter ist weggefallen, da man -mancie schreibt.

[3] Daher weder in la tiare, noch in le soutien u. a.

[4] Sogar in chrestomathie soll nach der Akad. th wie s lauten.

Z klingt wie scharfes s in Rhodez, Suez, Cortez, Lopez und ähnlichen.[1] So klingt auch tz in Metz und Retz (andere ré). Sonst wird (besonders in deutschen Wörtern) tz als scharfes s mit vorausgehendem t gesprochen: Austerlitz (selten -ice gespr.), Biarritz, le quartz (vgl. § 15), les strélitz (Strelitzen), le Hartz. Als scharfes s (ohne t) in Coblentz und (eau de) Seltz, die auch Coblence, Selz geschrieben werden.

§ 28. Das französische h.

Der Unterschied des aspirierten von dem stummen h ist in der Aussprache des einzelnen Wortes nicht[2] erkennbar. Höchstens tritt im Affekt[3] bei gewissen Wörtern (besonders bei haine, honteux u. ähnl.) ein unserem Hauchlaut ähnlicher Stimmeinsatz ein.

Ein wirkliches h kennen nur einzelne Dialekte, besonders des Ostens, und in der Transskription bezeichnen die Franzosen diesen ihnen fremden Laut mit hh, z. B. hholler un arbre (lothringisch für secouer un arbre).

Dagegen ist das aspirierte h fast unbekannt in den centralen und den südlichen[4] Bezirken, ebenso in dem nordöstlichen (wallonische Sprache).

Im zusammenhängenden Sprechen unterscheidet sich das aspirierte von dem stummen h dadurch, daß vor ersterem keine Elision und keine Bindung stattfindet.

Das stumme h findet sich in sämtlichen Wörtern griechischer, lateinischer oder hebräischer Herkunft; Ausnahmen sind selten. Das aspirierte h gehört in der Regel Wörtern germanischen Ursprungs an.[5]

Ein aspiriertes h bleibt auch in der Zusammensetzung erhalten, so z. B. enhardir, chat-huant. Manchmal verschwindet es, so hat exhausser ein stummes h, obwohl hausser aspiriert ist; ebenso ist in le souhait, souhaiter das h stumm, so daß in familiärer Sprache die beiden Silben zu einem Diphthong zusammenfließen, obwohl das alte (mundartlich erhaltene) le hait, haiter aspirierten Anlaut hatte.[6]

Fremde Namen werden vielfach ungleich behandelt und in der Regel muß man sich darauf beschränken, den überwiegenden Gebrauch anzugeben.[7] Zu

---

[1] Stumm ist z, wenn in Landschaftsnamen -ez für -ais steht, z. B. le Forez (nach dem Orte Feurs benannt). — Oft wird Biarrits geschrieben.

[2] Oder vielmehr nicht mehr; denn das ältere Französisch hatte ein sehr deutlich aspiriertes h.

[3] So ist auch in den Interjektionen h als aspiriert zu betrachten und zwar im Anlaut wie im Auslaut.

[4] In der Gascogne ebensowohl wie im Südosten.

[5] Doch ist zu bemerken, daß gerade in deutschen Namen das Anfangs-h häufig als stumm behandelt wird. Sogar das Wort l'hinterland, welches die deutsche Kolonialpolitik erst geschaffen hat und welches in das Französische übergegangen ist, findet sich nur mit stummem h.

[6] Nach der Angabe einzelner Phonetiker drängt sich aspiriertes h öfter in der Aussprache zwischen zwei Vokale, so flé(h)au anstatt fléau.

[7] Namen englischer Herkunft nehmen leichter stummes h an als deutsche. Für alle diese Einzelheiten ist das alphabetische Verzeichnis des Ergänzungsheftes zu vergleichen.

diesen Fällen sowie bei französischen Namen mit beiderlei Gebrauch (z. B. Henri) läßt sich bemerken, daß oft typographische Rücksichten mit in das Spiel kommen, und daß z. B. de Haydn, de Henri statt d'Haydn, d'Henri gesetzt wurde, weil de an das Zeilenende zu stehen kam.

§ 29. Verstummen von Konsonanten.

Im Auslaut verstummen Konsonanten nach Nasalen, aber auch in sonstigen Fällen, wenn sie nicht durch folgendes stummes e geschützt sind. Besonders verstummen s und die im Alphabet folgenden Konsonanten (t, x, z) im Auslaut (v steht nie als Auslaut). Auch im Inlaut findet oft Verstummen von Konsonanten statt.

B verstummt in le Doubs und einigen Familiennamen mit alter Orthographie, z. B. Lefebvre; als Endkonsonant nach Nasalen.

C verstummt samt dem folgenden t in un amict (Schultertuch des Priesters), un aspect, distinct, indistinct, l'instinct, le respect, succinct (bündig). Es verstummt nicht mehr vor t in arctique und antarctique, sowie in dem Namen der Stadt Lectoure. Als Endkonsonant verstummt c nach Nasalen (z. B. le banc, donc); ferner in un accroc (Riß), arc in der Zusammensetzung vor Konsonant (z. B. un arc-boutant, Strebepfeiler, nicht aber auch in un arc de triomphe), le broc (hölzerne Weinkanne der Küfer), le caoutchouc, le clerc (Bureauschreiber), le cric (Wagenwinde), le croc (Haken), un escroc (Gauner), un estomac, le marc (Mark; Trester), *le porc[1], le raccroc (unverdientes Gelingen beim Spiel), le tabac; samt s in les échecs (Schachspiel) und les lacs (Schleife). Für le pic-vert (Grünspecht) schreibt man pivert. In un almanach ist ch stumm. L'arsenic hat meist lautes c.

D ist stumm in Madrid, seltner in Valladolid. Es in den Verbindungen nord-est, nord-ouest, sud-est, sud-ouest u. a. nicht zu sprechen (bezw. nicht zu binden) ist Seemannsbrauch und nicht nachzuahmen.

F wird nicht gesprochen in la clef (Schlüssel, nicht clé zu schreiben) und le chef-d'œuvre (Meisterwerk, spr. *ché-). Ebenso in Neufbrisach (Neuf-Brisach, ch = k) und ähnlichen; Neuchâtel (Neuenburg in der Schweiz) wird ohne f geschrieben. Im Plural ist f stumm (nach dem geschlossenen Vokal) in les bœufs, les œufs. Ferner in les cerfs, les nerfs, am besten auch im Singular dieser beiden Wörter, jedenfalls in Zusammensetzungen (Konsonant folgt!), z. B. le cerf-volant (Hirschkäfer, Papierdrache), nerf de bœuf (Ochsenziemer), sowie bei nerf im bildlichen Sinne. Die Singulare bœuf, œuf haben lautes f (nach offenem Vokal), einzelne lassen es in bœuf salé, œuf dur, œuf frais u. a., d. h. vor Konsonant verstummen. In le bœuf gras (Ochse des Fastnachts- aufzugs) verstummt f immer.[2]

---

[1] In diesem und den nächstfolgenden Paragraphen bedeutet *, daß auch die andere Aussprache sich findet.

[2] Dieser Aufzug ist im eigentlichen Paris (nicht in den Vorstädten) seit 1870 verschwunden.

G verstummt in der Verbindung gn bei den Wörtern Clugny (jetzt üblicher Cluny), *Compiègne, *Regnard, Regnault, signet (Buchzeichen; öfter sinet geschrieben). G ist stumm in le doigt (Finger) und vingt sowie in ihren Ableitungen; meist auch in le legs (Legat); es wird nicht gehört in -berg und -bourg bei Zusammensetzungen, Littré macht eine Ausnahme für un iceberg, wo g = k lautet. Beide g verstummten in Augsbourg. In (la) Ma(g)deleine wird jetzt nicht mehr g geschrieben.

L verstummt als Auslaut in le baril (Fäßchen), le chenil (Hundehütte), le courtil (ländliches Hausgärtchen), le coutil (Drillich), le fils, le fournil (Backstube), le fraisil (Steinkohlenasche), le fusil, gentil (im Singular vor vokalischem Anlaut mouilliert), le gril (Bratrost), le ménil (bewohnter Ort, und so in Zusammensetzungen Ménilmontant, Dumesnil), le nombril (Nabel), un outil (Werkzeug), le persil (Petersilie), le pouls (Puls, auch s stumm), soûl. le sourcil (Augenbraue, auch -il' und ill' gesprochen). Früher (in vulgärer Sprache noch) verstummte l auch in il[1], ils. Mit dem folgenden Konsonant verstummt l in den Endungen auld, ault, ould, oult: l'Hérault, Quinault, la Rochefoucauld, Sainte-Menehould (spr. *menou*), Arnoult, aber nicht in Soult und Fould. Ebenso wird l vielfach nicht gehört in Belfort (spr. *bē-*) und ist stets stumm in Namen mit alter Orthographie Chaulnes, Gault(h)ier, Lons-le-Saulnier (spr. *lōs'*).

M ist stumm in un automne (Herbst), damner (verdammen) und seinen Ableitungen.

N verstummte in älterer Zeit in Béarn.

P ist stumm in baptiser und sculpter, sowie in deren Ableitungen. Ferner in le cheptel (Viehweidevertrag), in sept und le septième, aber nicht in den ähnlichen Wörtern (z. B. septembre). Außerdem meist nach Nasal, doch vgl. § 22.

Q kann man verstummen lassen in le coq d'Inde (Truthahn).

R ist stumm in monsieur (on nicht nasal) und messieurs. Familiär wird es vor Konsonanten vielfach unterdrückt in notre. votre, quatre, autre (jedoch nicht in Notre-Dame, weil ein Dental folgt). R lautet ferner nicht in Alger, Tanger, *Gérardmer, welche am Ende mit é gesprochen werden.

S vgl. § 31, 32.

T verstummt nach einzelnen in post vor Konsonant, z. B. postdater (nachdatieren), le post-scriptum. Über sein Verstummen mit c vgl. oben. In circonspect, suspect und le district ist t allein stumm, nach andern auch c; wieder andere sprechen beide Konsonanten. Auch nach ch (wie k) ist t stumm: le yacht, Dordrecht, Utrecht. Mit dem vorausgehenden s verstummt t in Jésus-Christ. aber nicht in le Christ, l'Antéchrist (Akad. 1878). Th ist stumm in le Goth, l'Ostrogoth (ostrogo geschr. in der Bed. Barbar, Tölpel), le Visi-

---

[1] Nach Littré ist dies noch allgemein üblich in un homme comme il (spr. *i*) faut und ähnlichen.

goth; auch in l'asthme und meist in l'isthme (über das s vgl. § 25). Jn Rembrandt (§ 12) lassen manche dt verstummen.

X und Z sind meist stumm als Endkonsonanten, vgl. § 26 und 27.

§ 30. Ausnahmsweise hörbare Konsonanten.

B lautet nach Vokal in fremden Namen: Job; ebenso in le radoub (Ausbesserung eines Schiffes).

C lautet in (saint) Marc und Saint-Marc (aber nach einzelnen stumm in la place Saint-Marc, le lion de Saint-Marc). Beide c sind hörbar in le porc-épic (Stachelschwein), fast allgemein lautet c in l'arsenic. Nach Nasal ist es hörbar in donc (folglich, denn) zu Anfang oder am Ende des Satzes und in le zinc.

D lautet am Ende fremder Namen nach Vokalen und Konsonanten: le Cid, David, le Sund, Stralsund (§ 12), Seeland, le Groënland (§ 12). Ebenso in le sud, le talmud, George Sand.

G lautet am Wortschluß in Fremdwörtern, oft sogar nach Nasal: le pouding, Canning, Lessing, Young. Ebenso in Berg, nach manchen in bourg (Marktflecken, vgl. § 27, 29) und allgemein in le bourgmestre (auch bourguem. geschr.).

K lautet in le Danemark.

L vgl. § 18.

P lautet (auch nach Nasal) in abrupt (abgerissen), l'Assomption (Mariä Himmelfahrt), le contempteur (Verächter) une exemption (Befreiung, Dispens), aber nicht in exempt, exempter), un impromptu (Stegreifgedicht), la présomption (Dünkel), la rédemption (Erlösung), somptueux (prunkhaft), le symptôme und in den Wörtern, welche den aufgezählten ähnlich sind. Am Wortende lautet p in Alep (Aleppo), le cap, le croup (häutige Bräune), Gap, le hanap (Humpen), le jalap (Jalappe), le julep (erfrischender Arzneitrank). In le cep (Rebenstock) lassen viele p hören.

R ist laut nach offenem e in amer, Anvers (Antwerpen), un aster (After), l'auster (Südwind, poet.), le belvéder (Aussichtsturm, meist -ère geschr.), Boufflers, le cancer (Krebs als Krankheit oder Zeichen des Tierkreises), aber. le Cher, la cuiller (manchmal -ère geschr.), un enfer, les enfers, envers und vers, l'éther, le fer, fier, le frater (Feldscherer), le Gers, un hiver, le magister, la mer, le pater (Gebet des Herrn), Suger, Téniers (viele sprechen ténié), Thiers, le tiers (der dritte), l'univers, le ver (Wurm), le vers (Vers) sowie in den entsprechenden Formen von acquérir u. s. w. Das s nach dieser Endung ist stumm, man sprach es ehemals oft in le vers, es klingt in Belgien in Anvers und Téniers.

Ebenso lautet -er in einzelnen französischen Ortsnamen (Quimper, Saint-Omer) und in fremden Namen: Esther, Jupiter, Lucifer, Munster, le Niger. Über die Ausnahmen Alger, Tanger (vgl. § 29). Fremde (bes. deutsche) Per-

41

jonennamen und Appellative werden meist -er' ausgesprochen¹: Muller, le kirschwasser, le thaler (doch auch wie vasr', talr'); in einzelnen Wörtern entspricht der doppelten Aussprache auch eine doppelte Schreibung: Lancaster, le quaker, le stathouder neben Lancastre, quacre, stathoudre (die ersten Formen mit der zugehörigen Aussprache sind vorzuziehen).

S vgl. § 31, 32.

T ist laut nach c, die Ausnahmen f. § 29. Außerdem lautet es am Wortende in abrupt (abgerissen) un accessit (lobende Erwähnung), l'aconit (Eisenhut), *l'alphabet, brut (roh, brutto), le but (bes. am Ende des Satzes), le Christ und l'Antéchrist (vgl. § 29), chut! (stille!), le cobalt, *le coût (Kosten eines Aktenstücks), *le débet (Soll, Debet), le déficit, la dot, et (in latein. Ausdrücken, z. B. et cætera), l'est (Osten), l'exeat, le fat (Geck; die Aussprache mit stummem t nimmt zu), *le fait (Thatsache), le granit, huit (acht), immédiat (unmittelbar; nur bei einzelnen, ebenso médiat), un indult, le knout (Knute), le lest (Ballast), mat (matt; einzelne lassen t verstummen, doch nie im Ausdruck des Schachspiels), moult (alt für beaucoup), net (rein), l'ouest (Westen), le prétérit, le rapt (Entführung), le rit (Ritus, meist rite geschr.), le rut (Brunstzeit), sept (sieben, vgl. § 29), soit! (sei es, meinetwegen!), *le sot, le sport, *subit (plötzlich), le toast (vgl. § 8), le transit (s weich), un ut (Musiknote c), le vermout (Wermutwein), vingt (in der Zahlenreihe 21—29), le vivat, le whist, le zénith.

In fremden Namen wird t meist gehört; es ist aber stumm in Bajazet, Mahomet, Achmet (ch = k, andere sprechen hier t), Josaphat. In französischen Namen ist auslautendes t stumm; hörbar dagegen in Albret, Lameth, le Lot, Soult.

W verstummt in le bowl (große Tasse ohne Henkel, meist bol geschrieben). X vgl. § 26.

Z ist laut in le gaz (Gas), nach einigen in le ranz des vaches (Kuhreigen). Ebenso in Namen: Berlioz, (la) Vera-Cruz.

§ 31. Auslautendes s.

Im Auslaute fremder Namen nach lauten Vokalen ist s laut und scharf, daher z. B. Damas, wogegen s verstummt in le damas (Damast). Ausgenommen sind nur Jésus, Lucas, Nicolas und Colas, sowie Thomas, in welchen s stumm ist (in Thomas Morus spricht man beidemal s). Judas hat meist auch stummes s, immer in le judas (Guckloch).

---

¹ Ebenso -willer in französierten deutschen Ortsnamen: Guebwiller (spr. -vilèr'); wogegen -villers mit stummem r: Rambervillers (spr. -vilé). Teilweise wird in Fremdwörtern -er auch wie -eur gesprochen. Die Akademie giebt diese Aussprache z. B. für reporter, steamer an, während diese Wörter meist mit der Endung -er gesprochen werden.

Unter den französischen (oder französierten) Namen, in welchen Schluß-s lautet, sind die wichtigeren: Argens, *Arras, Blacas, Brueys, Calas, le Calvados, le Camoëns (vgl. § 12), Carpentras, Clovis, Dubartas, Ducis, Duras, *Fréjus, Genlis, Gibus, *Havas, Honduras, Lens, Lesseps, *Lons-le-Saulnier (vgl. § 29), *Lorris. la Lys, Mars (doch nicht mehr in Cinq-Mars), Mazas, Médicis, Mons, *Nuits (t stumm), Rapin Thoiras, Reims, Rubens (vgl. § 12), Senlis, Sens, Sieyès (spr. siès, nach anderen siès, siè-iès), Vaugelas.

Ebenso wird s gesprochen in folgenden Wörtern: un agnus (gn mouilliert), un aloès (Alöe), l'angélus, un argus, un as, un atlas, bis[1] (da capo), le blocus (Blokade, Cernierung), le burnous, *donner campos (schulfrei geben), faire chorus (einstimmen), le crocus. *le dervis (jetzt meist derviche), ès (in bachelier ès lettres u. a.), le fils (Sohn; aber gemütlich spöttisch mon fi), faire florès (florieren), la gens (en = in. die römische Gens), le droit des gens (Völkerrecht), gratis, *hélas, l'hiatus, un iris (Iris im Auge, Schwertlilie), *jadis (vormals), le lapis (Lasurstein), un laps de temps (Zeitverlauf), le lis[2] (Lilie), le maïs, mars (März), le mérinos (Merinoschaf, -wolle), les mœurs f., mons (spöttische Abkürzung von monsieur), mordicus (steif und fest), motus! (still!), une oasis, un obus (früher meist mit weichem s, Granate), un omnibus. l'orléans (Lüstre, ein Kleiderstoff), un os[3], un ours (im Plural meist stummes s), le palmarès (Liste der preisgekrönten Schüler), le pathos, plus (nur am Satzende oder mitten im Satz, wenn der Sinn eine Pause erlaubt[4]; viele sprechen s vor que; überall kann man s verstummen lassen), le plus-que-parfait (nie stummes s), le prospectus, le rébus, le relaps (rückfälliger[5] Sünder), le rhinocéros, le sens[6], le sinus, sis (andere lassen in dem ohnehin seltenen Masculinum das s verstummen; gelegen), le stras (auch strass; nachgeahmter Diamant), *sus (en sus dazu, außerdem, courir sus à qn jemand angreifen, als vogelfrei behandeln), le syllabus, *tous (im substantivischen Gebrauch), les us (Brauch), le vasistas (Guckfenster), la vis (Schraube). Außerdem klingt s in den Konjunktionen lorsque und puisque, selten in tandis que; bei eintretender Trennung verstummt es; lors (meist dann alors) même que, andere wollen in puis donc que das s nicht verstummen lassen. Laut war s in

<hr>

[1] Auch unserem 2, 2a, 2b u. s. w. entsprechend bei Einschiebungen in eine Reihenfolge: le numéro (paragraphe, etc.) 2, 2bis, 2ter u. s. w.

[2] Nicht in la fleur de lis Lilie im französischen Königswappen.

[3] Jetzt auch im Plural s laut, außer in Redensarten: il ne sera pas de vieux os (spr. ō) er wird nicht alt werden, il n'a que la peau et les os (spr. ō) er hat nur Haut und Knochen.

[4] Doch nicht bei le plus, non plus, sans plus, (tout) au plus.

[5] Rückfälliger Verbrecher le récidiviste.

[6] Da bei diesem Worte lautes s sich hauptsächlich eingedrängt hat, um Verwechselung mit sang zu meiden, so verstummt s meist, wo Verwechselung unmöglich ist: les cinq sens, le sens commun, le contresens, seltener in le non-sens, immer in sens dessus dessous, welches trotz Widerspruchs einzelner mit sens zusammenhängt (vgl. des verres sens dessus dessous umgestülpte Gläser auf einem Schenktisch; sens = Richtung, Dimension).

ains (aber, dagegen); früher auch in le vers (Bers); manchmal verstummt es
noch in les mœurs, doch gilt diese Aussprache für manieriert.[1]

§ 32. Stummes s im Inlaut.

Das frühere stumme s im Innern der Wörter ist weggefallen. In
baste! (basta!), le bourgmestre, le vaguemestre (Wagenmeister, mit dem Post=
wesen der Truppe betrauter Unteroffizier), festoyer (bewirten), le registre ist
demnach s laut und die Aussprache regître ist auf eine Linie mit les mœur'
zu stellen.

Dagegen haben viele Namen die alte Orthographie beibehalten und
werden noch mit stummem s geschrieben, so besonders die mit des- anlautenden:
Descartes, Desmoulins, Despréaux, ebenso wäre Deshoulières zu sprechen,
da h aspiriert ist, aber die Aussprache dè-zouliér' ist die stehende geworden.
Stumm ist ferner s in l'Aisne, Bescherelle, Chasles, Cosne, Duguesclin,
Lemaistre, Nesle, les Pélasges, Praslin, Le Quesnoy, Rosny u. a. Mit t
verstummt s in Prévost, Proust, Provost, Saint-Genest, Davoust (besser Da-
vout) u. a. Manche schwanken, so d'Estrées, Saint-Priest (spr. pri' oder priést),
Nismes ist durch Nimes verdrängt; neben Cosme (Côsme), Estienne, Hesdin,
l'Hospital stehen Côme, Étienne, Hédin, l'Hôpital. Dagegen ist s laut z. B.
in Boiste, de Maistre, Montesquieu und Montesquiou, (Andiffret)-Pasquier,
Robespierre, Saint-Just; ebenso in Malesherbes.

§ 33. Betonung.

Der Wortton liegt immer auf der letzten, volltönenden Silbe, also auf
der vorletzten, wenn die letzte stumm ist: joli, maison, agrandir, fête, ils
pardonnent.

Auch im Satze liegt der Ton nach dem Ende des Satzes zu; im Deutschen
fällt die Stimme gegen Ende des Satzes, im Französischen hebt sie sich.

Ausnahmen von der Regel über den Wortton giebt es nicht, auch nicht
bei den Eigennamen. Daß ein rhetorischer Accent auf andere Silben gelegt
wird, ist im Französischen viel seltener als in anderen Sprachen und tritt
selbst in scharf pointierten Gegensätzen nicht übermäßig hervor, z. B. L'homme
propose, et Dieu dispose oder Se soumettre ou ne démettre.

Wenn viele Franzosen behaupten, alle lauten Silben ihrer Sprache
hätten den gleichen Ton, so liegt dies nur daran, daß der französische Wortton
sehr schwach ist und mit dem Silbenton anderer Sprachen keinen Vergleich
aushält. So fällt es dem Franzosen viel schwerer, in fremden Sprachen den
Silbenton richtig zu treffen, als dem Nichtfranzosen, sich die Anwendung dieses
Silbentones im Französischen abzugewöhnen.

Habitude propre aux rhéteurs de collège nennt es Francis Wey.

§ 34. Die Bindung *(la liaison).*

Die Bindung[1] zweier oder mehrerer Wörter bezweckt die Beseitigung des Hiatus und die Ermöglichung rascher Aufeinanderfolge der dem Sinne nach zusammengehörigen Wörter. Sie tritt daher nicht ein zwischen Wörtern, die nicht in engerem grammatischen Verhältnis zu einander stehen, und kann, auch wenn dieses Verhältnis gegeben ist, unterbleiben, sobald auf ein Wort größerer Nachdruck gelegt wird und somit nach demselben eine kleine Pause entsteht.[2]

Die Bindung besteht darin, daß auch stummer Schlußkonsonant vor vokalisch anlautendem Wort wieder laut wird; die gebundenen Wörter verschmelzen in ein einziges, so daß der Schlußkonsonant des ersten zum Anfangskonsonant des folgenden Wortes wird und dessen erste Silbe konsonantisch anlautet.

Ein die Bindung rechtfertigendes engeres grammatisches Verhältnis besteht zwischen

1) dem Artikel (bezw. dem ihn vertretenden Possessiv oder Demonstrativ) und dem Substantiv: les usages, mon hôte, cet étage;

2) dem Zahlwort und dem durch dasselbe multiplizierten Worte: deux amis;

3) dem voranstehenden Adjektiv und seinem Substantiv: un vieil abus.

Ebenso im Plural bei nachstehendem Adjektiv: des hommes indépendants.

Der style soutenu schreibt hier auch für den Singular Bindung vor;

4) dem Adverb[3] und dem durch dasselbe näher bestimmten Adjektiv, Particip u. dergl.; un discours souvent obscur, une lettre mal écrite, il sait bien écrire;

5) der Präposition und ihren Kasus: en avril, sans aucun retard, avant un mois;

6) dem verbundenen persönlichen Fürwort und dem Verb, auch in der Inversion: il entend, vient-il?;

7) dem Hilfsverb und dem Particip: vous l'avez entendu;

8) dem Verb und seinem Prädikat (bezw. Objekt): son frère est aumônier dans un régiment, vous soutenez une mauvaise thèse, ils iront à la campagne;

9) der Konjunktion und dem nächsten Wort: mais on ne l'exige pas;

10) dem durch ein Substantiv ausgedrückten Subjekt und dem Verb: le succès arrive lentement.

---

[1] Unter Bindung im weiteren Sinne versteht man die im Französischen nötige trennungslose Aufeinanderfolge der Wörter, möglichst von Interpunktion zu Interpunktion. Nur durch diese Bindung verliert der französische Wortton (letzte volle Silbe) das Unangenehme, welches er bei Ungeübten zeigt.

[2] Also dieselbe Ausnahme wie bei der Elision, nur tritt im letzteren Fall die Pause *vor* dem hervorzuhebenden Worte ein.

[3] Das Adverb bindet wohl mit vorausgehendem Hilfsverb, aber nicht mit vorausgehendem Verb: ils ont énormément grandi, aber je trouve qu'il grandit ‖ énormément.

Dabei ist noch ein Unterschied zu machen zwischen dem *style soutenu* (höherer Vortrag, Deklamation), in welchem die Bindung eine viel größere Ausdehnung erhält, und dem *discours familier* (Umgangssprache), welcher sich nur in den 7 ersten Punkten dem Gesetze der Bindung fügt.[1]

Einzelne Konsonanten erleiden bei der Bindung eine Erweichung oder Härtung. So bindet man

f in dem Zahlwort neuf[2] wie v: huit ou neuf arbres;

s und x wie z: ces amis, deux amis;

g wie k: un long espoir déçu;

d wie t (ausgenommen nord und sud[3], vgl. § 29): un grand écrivain.

In den Wörtern auf rd und rt bleibt der Endkonsonant auch in der Bindung stumm und r wird herübergezogen[4]: un sourd et muet, un fort alliage de cuivre.

Nach einem Nasallaut lauten b und p auch in der Bindung nicht, g bindet nur in long, sang, rang, c dagegen allgemein: le camp ‖ ennemi, suer sang et ‖ eau, un franc original.

Substantive auf and, end, ond binden nie, solche auf ant, ent, ont nur vor Adjektiven: un marchand ‖ étranger, un agent étranger.

Die Nasallaute werden meist, besonders in der Umgangssprache, nicht gebunden, mit Ausnahme der Wörter en, on, un, mon, ton, son, bien als Adverb und rien vor dem Verb: il n'a rien entendu. Man spricht den Nasallaut wie gewöhnlich und zieht nur n zum folgenden Worte: mon ami wie mõ nami; andere sprechen statt des Nasallautes reinen Vokal: mo nami[5].

Die Endungen -er, -ier (mit stummem r natürlich) binden in Adjektiven vor Substantiven (nicht aber in Substantiven), jedoch nur im *style soutenu*, welcher auch das r der Infinitivendung -er bindet. Ein geschliffenes l erhält bei der Bindung von selbst einen stärkeren, d. h. mehr konsonantischen Laut: Un travail interrompu n'est pas commencé.

Nicht gebunden werden Namen von Personen, Ländern, Städten und Flüssen, ebensowenig das t von et.

§ 35. Wohlklang und Misslaut.

Die Gesetze des Wohlklangs sind im Französischen nicht leicht festzustellen und wurden daher vielfach mißbraucht, um Spracherscheinungen zu erklären, deren Begründung man nicht zu ergründen vermochte.

[1] In beiden Fällen existiert außerdem noch eine obligatorische Bindung (liaison de principe) und eine fakultative (liaison de goût).
[2] Nicht also jedes f, wie früher oft angegeben wurde.
[3] Sowie die Namen, in welchen d am Schlusse laut ist.
[4] Ausgenommen ist das Adverb (nicht auch das Adjektiv) fort, bei welchem t bindet; j'en suis fort aise.
[5] Folgerecht sprechen von diesen manche un ami genau wie une amie aus. Besonders ist dies Eigenheit der Südfranzosen.

Wenn die Wörter gebunden, wenn harte Konsonantenfolgen und Hiate gemieden, wenn Konsonanten eingeschoben werden, um in einer Wortform (il viendra) oder in Wortverbindungen (a-*t*-il, vas-y, donnes-en, si *l'*on u. f. w.) das rasche, ungehinderte Sprechen zu erleichtern, so ist dies nicht durch ein Gesetz des Wohlklangs bedingt.

Wenn aber dieselbe Person, welche ohne Bedenken tu as eu spricht und die Bindung tu as_eu als affektiert empfinden würde, in der Aussprache je n'ai pas ‖ eu (statt pas eu) eine bäuerische Eigentümlichkeit erblickt, wenn dieselbe Person Hiate wie si on, et on u. dgl. duldet, aber über Ausdrucksweisen wie ce qu'on connait (für ce que l'on connait) oder comme Rome[1] lächelt, so ist hier das oberste Gesetz des Wohlklangs maßgebend, welches gebietet, alles zu meiden, was in den gebildeten Sprache als unüblich empfunden wird.

In manchen Fällen ist es schwer möglich, das Zusammentreffen desselben Wörtchens zu vermeiden. So sind der Beispiele häufig, wo zwei de auf einander folgen: les mémoires de des Villars (Lacretelle), ils étaient complices de Dumouriez, de la Vendée, de d'Orléans (Thiers), l'innocence de de Biez (Lacretelle), l'opinion de de Maillet (Mérimée), le crédit de de Thou (E. Dumont), ce mot de de Vardes (Nisard), les impuissants efforts de Victor Hugo, de Schœlcher, de de Flotte (J.)[2] u. f. w.

Auch das Zusammentreffen zweier la läßt sich bemerken: à la La Bruyère (Sainte-Beuve), besonders aber steht das Adverb (là) neben dem weiblichen Artikel: C'est là la morale de Descartes (Nisard), c'est là la logique que l'on enseignait (Fr. Sarcey), est-ce là la foi que vous me devez (Guizot) u. f. w.

Ebensowenig geht man dem Zusammentreffen zweier en aus dem Wege, mag nun der zweite einzeln stehen oder mit dem Verb verbunden sein: en enchaînant (Poisson), en en étant incapable (Guizot), en en faisant parade (Barants), en en indiquant quelques phrases (Mme de Staël) u. f. w.

Das Zusammentreffen eines doppelten elle läßt sich meist dadurch erträglicher machen, daß über das eine rasch weggeglitten wird: est-elle chez elle (A. Dumas), quelle qu'elle soit (P. Albert), elle pensa que pas elle elle apprendrait peut-être quelque chose (J. de Gastyne). Oder das eine wird, wo es angeht, ausgelassen: Madame est chez elle?

Vermieden wird in der Regel das Zusammentreffen zweier que dadurch,

---

[1] Daher trat in folgendem Satze ainsi que ein: Ainsi que Rome, ils ne s'inquiétaient que de dominer et de s'enrichir; comme elle, ils redoutaient la fréquence de la prédication . . . (Guizot) u. f. f. mit noch zweimaligem comme elle.

[2] Ein solches J. bedeutet, daß das voranstehende Beispiel aus einem Journal stammt. Eine Grammatik, welche den lebenden Sprachgebrauch darlegen will, muß diese Quelle in ausgiebiger Weise benützen. Die Beispiele sind vorzugsweise folgenden Zeitungen entnommen: Le Figaro, La France, Le XIXe Siècle, Le Petit XIXe Siècle, La Paix, L'Éclair, Le Gil Blas, Le Temps, L'Univers illustré.

daß das eine wegfällt und das verbleibende die Funktion beider Wörtchen übernimmt: Rien de plus logique qu'il fasse mousser son fond de bandagiste (E. Chavette). Périsse la France et les colonies plutôt que ma circonscription ne m'échappe (G. Duruy). Quoi de plus naturel que Paul fût reçu comme l'enfant de la maison (A. Daudet).

Ebenso hat y manchmal doppelte Funktion[1], da zwei i-Laute besonders unangenehm empfunden werden. Formen wie nous criions, vous priiez, Verbindungen wie il y ira, oder qui y, oder lui y werden gemieden. Vor den Futurformen vor aller fällt daher y fort, außer wo der Zusatz desselben dem Verb anderen Sinn giebt: Pourquoi n'y iraient-ils pas d'une petite insurrection? (T. Martel).

Die Anfügung von je in der Inversion wird gemieden, wo ein z-Laut vorhergeht[2], ebenso nach r, und Formen wie pars-je, dors-je, cours-je gehören zu den Unmöglichkeiten[3].

Kein Bedenken findet man bei der Wiederholung gleicher Wörter in verschiedener Bedeutung oder Funktion: S'ils allaient aller à Paris (Th. Gautier). Le fils d'un administrateur épouser la fille d'un banquier qui a failli faillir! (J.) Il m'aime comme j'aime qu'on m'aime (Mme de Sévigné). Trotzdem hat man Victor Hugo sein De ta suite, j'en suis viel vorgeworfen.

Endlich gilt auch im Französischen die Regel, daß Sätze mit Reim oder metrischem Tonfall in Prosa zu vermeiden sind.

§ 36. Aussprachefehler.

Die von Fremden in der Aussprache des Französischen meist gemachten Fehler sind zu verschiedenartig, um eine eingehende Behandlung zuzulassen. Jeder überträgt mehr oder weniger die Eigentümlichkeiten seiner Muttersprache oder seines Dialekts auf die fremden Laute und nur scharfe Zucht und geeignete Übung kann diesem Übel steuern.

Hier handelt es sich um die von den Franzosen selbst öfter begangenen Fehler. Doch ist zu bemerken, daß eine von den Gebildeten als fehlerhaft bezeichnete Aussprache manchmal die ursprünglich richtige sein kann, daß die Vulgärsprache manche Lautgesetze, denen sich die gelehrten Wörter entziehen, auch auf diese anwendet, sobald sie in den Volksgebrauch eindringen und daß vielfach die heute verworfene Form in früherer Zeit eine berechtigte Nebenform

---

[1] Vgl. beim unpersönlichen Verb.
[2] Vgl. die Verben auf éer, eter u. a.
[3] Die Frage, wo die Anfügung von je üblich ist und wo nicht, ist nicht leicht zu beantworten. Nach Rajat (viens-je) ist diese Anfügung nur unschön, nach Formen wie peux, veux ist sie unüblich, weil aus dem geschlossenen Laut ein offener entstände. Doch findet man wohl auch veux-je: Alfred de Musset . . . s'en allait faire une tournée électorale . . . académique veux-je dire (J. Janin).

bildete, welche von der gebildeten Sprache aufgegeben wurde. Wichtigere Fälle sind:

1) Ein nicht als richtig geltender Vokal findet sich z. B. in der Aussprache *bienveuillance* (für bienveillance), *godron* (für goudron), *grelon* (für grélon), *munier* (für meunier), *mognon* (für moignon), *coignée* (für cognée), *menusier* (für menuisier), *médiocreté, agileté* (für médiocrité, agilité), *balier, balûres* (für balayer, balayures), *borrache* (für bourrache), *nous beuvons* (für nous buvons), *siau* (für seau), besonders aber in gelehrten Wörtern: *distituer* (für destituer), *élexir* (für élixir), *geographie, geométrie* (für géographie, géométrie), *contrevention* (für contravention). *belsamine* (für balsamine), *plurésie* (für pleurésie), *récipissé* (für récépissé) u. a.

2) Sehr üblich ist der Vorschlag eines e in den mit s + Konsonant anlautenden gelehrten Wörtern, z. B. *esquelette, estatue* (für squelette, statue).

3) Bei den Wörtern auf -eter bleibt sehr oft stummes e, wo die jetzige Sprache è verlangt, z. B. *il croch'te, il cach'te, il ach'tera* (für il crochète, il cachette, il achètera).

4) Sehr verbreitet, auch in der gebildeten Umgangssprache, ist die Aussprache st' oder ste für cet, cette z. B. *st'homme, ste femme, à st'heure.*

5) Häufig wird in Adverbien ein é gesetzt, wo es die Grammatik nicht erlaubt z. B. *fixément, aucunément.*

6) Konsonanten verstummen öfter, wo sie die gebildete Sprache hören läßt, z. B. *avè* (für avec), *mécredi* (für mercredi), *avan-hier* (für avant-hier), *chirugien* (für chirurgien), oder sie werden in unrichtiger Weise vorgeschlagen z. B. *racroc* (für accroc)[1].

7) Stummes und aspiriertes h werden vielfach verwechselt; so werden hangar, hanneton, hardi, hareng, haricot, hasard, heurter, honteux u. a. oft mit stummem, hameçon dagegen mit aspiriertem h gesprochen.

8) Die geschliffenen Konsonanten werden öfter durch l, n ersetzt: *boulie* (für bouillie), *maline* (für maligne).

9) Verwechselt werden sehr oft t und k: *amiquié, moiquié* (für amitié, moitié), *cintième, étierre*[2] (für cinquième, équerre).

10) Verwechselt wird ferner x (d. h. ks) häufig mit sk: *fuskia, sesque* (für fuchsia, sexe), *kioxe, obélixe* (für kiosque, obélisque). Bekannt ist die Aussprache *Félisque Faure* für Félix Faure.

11) Auch sonst werden x und s öfter vertauscht: *estraordinaire* (für extraordinaire), *excroquer, exquisse* (für escroquer, esquisse).

---

[1] Im nordöstlichen Sprachgebiet zeigt sich die Neigung, dieses hier keineswegs eine Iterativform bedingende r' den vokalisch anlautenden Verben und Substantiven voranzusetzen.

[2] Vgl. tabatière u. ähnl.

12) Die Vertauschung von l und r findet sich in *angola* (für angora), *croche-pied* (für cloche-pied), *aigledon* (für édredon) u. a.

13) Das Volk spricht le, re (auch me) nach anderem Konsonanten nicht aus (vgl. § 7) und läßt dabei oft die an das Wortende tretenden stimmhaften Konsonanten stimmlos werden: *tab'* (für table), *peup'* (für peuple), *chèv'*, *liev'* oder *chèf'*, *liéf'* (für chèvre, lièvre), *catéchis'* (für catéchisme). Dagegen wird öfter ein unrichtiges l, r angefügt: *ébourislé* (für ébouriffé), *amandre*, *alcovre*, *coutre* (für amande, alcôve, coude). Ein t als Bindelaut zwischen s und r wird eingeschoben in *castrole* (für casserole).

14) Nicht selten ist die Umstellung von Lauten, z. B. *berloque* (für breloque), *brelue* (für berlue), *aréonaute* (für aéronaute).

15) Fehlerhafte Aussprache führt manchmal zu Wortverwechslungen, z. B. adopter (statt adapter), éruption (statt irruption), olographe (für autographe), voix de centaure (statt voix de Stentor).

§ 37. Aussprachescherze.

Les poules du couvent couvent. Il convient que nos amis obvient à cet inconvénient. Vos frères négligent leurs devoirs, j'espère que vous serez moins négligent. Ces trois sœurs se parent comme des châsses[1], car leur parent va arriver. Mes cousins résident à Paris chez le résident d'une cour étrangère. Peu de cuisiniers excellent à faire ce mets excellent. A l'époque de la montaison[2] les saumons affluent à cet affluent du Rhin.

Quand on nous mettait en retenue[3], nous nous en exemptions au moyen d'exemptions[4]. Les intentions de notre voisin sont peu conciliantes; il faudra bien que nous lui intentions un procès. Nous objections beaucoup de choses contre les objections de notre adversaire. Notre inspecteur est si facile à tromper qu'il faut que nous inspections encore ses inspections.

Mon ami est trop fier pour mentir, vous pouvez vous fier à ce qu'il dit. On voit bien à son accent qu'il est de l'est. J'avais beau chercher, je ne vis pas la vis que vous prétendez avoir mise. Votre fils est cruel, il attache des fils aux pattes des hannetons.

Dans une séance de l'Académie, Nodier donnait connaissance à la commission du Dictionnaire de quelques définitions qu'il avait rédigées. Après avoir défini les mots abolition, apparition, exhibition, prohibition, dans leurs diverses acceptions, il termina par cette phrase: que *ti* se prononce *ci*. Un de ses collègues lui répliqua assez légèrement: »Votre dernière

---

[1] la ch. Reliquienschrein.
[2] la m. Laichzeit.
[3] la r. Nachsitzen.
[4] Petit certificat que le maître donne à un écolier quand il est satisfait de lui, et à l'aide duquel l'écolier peut se racheter de quelque punition ou obtenir une sortie de faveur (Littré).

observation est inutile; on sait bien que le *l* entre deux *i* se prononce toujours comme *c*. Nodier, sans se déconcerter, lui répondit avec un sourire malin: Mon cher collègue, ayez picié de mon ignorance et faites-moi l'amicié de me prouver la moicié de ce que vous venez de me dire.

Didon dîna, dit-on, du dos d'un dodu dindon. — Pour qui sont ces serpents qui sifflent sur vos têtes? — Poisson sans boisson est poison. — Quel est le fleuve le plus éloigné de la mer? (l'amer). — C'est le Doubs (le doux). — Cinq capucins, le corps sain, les reins ceints, furent expulsés du sein de leur saint monastère, pour avoir contrefait le seing de leur supérieur, au Mont-Cassin.

> Il a tant plu
> Qu'on ne sait plus
> Pendant quel mois il a le plus plu;
> Mais le plus sûr, c'est qu'au surplus.
> S'il avait moins plu,
> Ça m'eût plus plu.

§ 38. Reihenfolge und Benennung der Schriftzeichen im Alphabet.

Zeichen	a	b	c	d	e	f	g	h	i	j	k
Name	a	bé	cé	dé	é—	effe	gé	ache	i	ji	ka
Zeichen	l	m	n	o	p	q	r	s	t
Name	elle	emme	enne	o	pé	ku	erre	esse	té
Zeichen	u	v	w	x	y	z
Name	u	vé	double vé	ix	i grec	zéd'.

Bei dem Leseunterricht nach der Lautiermethode wird *e* als dumpfes *e* ausgesprochen und die sämtlichen Konsonanten nur mit dem ihnen eigenen Laute und einem die Aussprache erleichternden nachfolgenden dumpfen *e* genannt, also *be, ce, de, fe, ge* (für g und j), *ke* u. s. w. Viele geben dabei dem *c* die Bezeichnung *ke*, welche eigentlich nur für q gelten sollte.

Die Buchstabennamen gelten als männlich; f, h, l, m, n, r, s werden auch weiblich gebraucht.

II. Rechtschreibung.

§ 39. Die Elision *(l'élision)*.

Außer in der Volkssprache können jetzt nur auslautendes e, ferner a in la und i in si (nur vor il[1], ils) durch den Apostroph ersetzt werden.

---

[1] Si lautete früher se, aber dieses ist nicht der Grund der Elision. Dieselbe trat vielmehr ein, weil doppeltes i für den Franzosen ein besonders starker Mißton ist; vgl. j'irai (für j'y irai), häufiges lequel (für qui) vor il, Meidung von Formen wie nous riions u. a.

Der Vokal e fällt weg in 9 einsilbigen Wörtern: ce (subst.), de, je, le, me, ne, que, te, se, sowie in einigen mit que gebildeten Zusammensetzungen. Je und ce erleiden in der Inversion keine Elision: Puissé-je arriver à temps! Est-ce à moi que vous parlez? — Die Fürwörter le und la nicht in unmittelbarer Verbindung mit dem Imperativ: Dis-le à ton frère. (Dagegen Va l'annoncer à ton frère, wo le in unmittelbarer Verbindung mit dem Inf. steht. Über die Ausnahme vor en, y vgl. das persönliche Fürwort.)

Lorsque, puisque und quoique verlieren ihr e nur vor il (ils), elle (elles), un (une), on.

Jusque[1] nur vor à (au, aux), en, ici, où, alors.

Bemerke quelqu'un neben aucun, chacun.

Presque verliert sein e nur in la presqu'île.

Entre kann nur in Zusammensetzungen vor einem Vokal verkürzt werden: un entr'acte, s'entr'accuser. Vgl. contre in la contrescarpe, re- in racheter, rouvrir (aber la réouverture). Häufig, aber nicht nachzuahmen ist entr'eux, entr'elles, entr'autres.

Vor einem Unterscheidungszeichen kann keine Elision stattfinden. Die durch Elision verbundenen Wörter gelten für ein einziges und demnach darf nie bei der Abtrennung der Apostroph an das Zeilenende zu stehen kommen[2]: aujour-d'hui (nicht etwa aujourd'-hui). Davantage und le gendarme sind ganz verschmolzen.

Anm. Obiges bildet die Regel, welche einzuhalten ist, wenn auch hin und wieder die Elision weiter ausgedehnt wird. Erlaubt ist es, eine sonst mögliche Elision zu unterlassen, in folgenden Fällen: Vor Wörtern, welche deutlich hervortreten oder nachdrücklich hervorgehoben werden sollen; daher häufig vor Namen[3] und vielfach vor dem Zahlwort un: Il est parti par le train de une heure quarante. Ebenso vor un, wo es zu Anfang eines Titels steht: Il a écrit une comédie sous le titre de *Un Parent millionnaire.* Überhaupt unterbleibt die Elision vor einem zusammenhängenden Ausdruck: Dans le sens de *être de la dépendance de quelque juridiction*, le verbe *ressortir* se conjugue comme *finir.* Die beim Sprechen in solchen Fällen sich einstellende kleine Pause würde durch die Elision verwischt.

---

[1] Die Elision wird öfter durch Anwendung der Form jusques vermieden; so besonders jusques à quand (quousque tandem).

[2] Ausgenommen der unrichtige Apostroph in grand'mère u. a. Grand erhält in diesen Wörtern am Zeilenende Apostroph und Bindestrich. — Ein apostrophiertes d' wird in der Regel als so eng mit dem folgenden Wort verbunden betrachtet, daß die Anführungszeichen vor, nicht nach dieser Präposition stehen. Doch finden sich auch Abweichungen: On explique le nom d' arbre du voyageur parce que l'eau conservée à la base des feuilles servirait, paraît-il, à secourir le passant altéré (Catat).

[3] In öffentlichen Urkunden, z. B. Civilstandsakten, tritt auch vor Vornamen keine Elision ein.

Onze und oui gelten für aspiriert; vor ihnen findet daher weder Bindung noch (außer in Redensarten) Elision statt. Zu merken auch le uhlan und la ouate, doch steht letzteres auch ohne Aspiration besonders nach de: garni d'ouate.

Bei den Namen der Buchstaben findet sich für das Auge die Elision vor Konsonanten: l'm, l'n, l's (gesprochen l'emme u. s. w.).

§ 40. Orthographie.[1] Anderer Vokal.

Anderen Vokallaut als den im Deutschen bei den entsprechenden Wörtern üblichen haben l'alun (Alaun), une amnistie[2], Andrinople, un apothicaire[3], un asile, la baïonnette[4], la bandoulière (Bandelier), le cachalot (Cachelot), le camarade, le caporal, le carnaval, le casoar (Kasuar), Catherine. Ceylan (Ceylon), la chimie (und die ähnlichen), le ciment (Cement), le colisée (Kolosseum), la colophane (Kolophonium), le contrevenant (Kontravenient), le corindon (Korund), la cornaline (Karneol), le cristal, le dauphin (Delphin), distiller (destillieren, sowie die ähnlichen), le doyen (Dekan), le dromadaire, une émeraude (Smaragd), un étendard (Standarte), la gondole (Gondel; als zurichschiff meist la nacelle), un iambe[4] (Jambus), Iéna[4], les Indépendants (Independenten), le Japon (Japan), la lavande (Lavendel), la mer de Marmara (Marmor-, besser Marmarameer), le médecin, la médecine, le mogol (Mongole), la momie (Mumie), le nabab (Nabob), Nemrod, un ouragan (Orkan), la pertuisane (Partisane), le prétendant (Prätendent), la rhubarbe (Rhabarber), la Sibérie, le sirop, le style, le violoniste.

Statt des bei uns üblichen a steht e in: le fondement, un ornement, le parlement, le sacrement. Dagegen fondamental, sacramentel (neben sacramental).

Statt des bei uns üblichen e steht a in la correspondance, la tendance. Vgl. ähnliche Fälle bei dem Verbaladjektiv.

Statt des von uns erwarteten ie haben e als Endung die Frauen= namen Artémise, Cécile, Hortense, Lucile, Odile, Olympe, ferner l'ortho= graphe f. (Orthographie) und die Ländernamen la Cappadoce, la Sicile, la Thrace[5].

Auf -eté (nicht -ité) lauten aus une ancienneté, la fermeté, une habileté, la naïveté, la rareté, la souveraineté. Bemerke la cruauté. Vokal= oder Silbenausfall (bezw. =zusatz) bieten im Vergleich zum Deutschen folgende

---

[1] Eine vollständigere Liste hierher gehöriger Wörter findet man in Platmer, Unsere Fremdwörter vom Standpunkte des französ. Unterrichts betrachtet. Progr. d. Realsch. zu Wasselnheim 1889.

[2] Folge des Itacismus (η wie i gesprochen). Früher sagte man auch épidimie statt épidémie.

[3] Kaum üblich außer in un mémoire d'apothicaire (übertrieben hohe Rechnung); man sagt un pharmacien.

[4] i für deutsches j (im Jambus besser auch deutsch i gesprochen).

[5] Bemerke auch l'Aquitaine, la Catalogne, la Macédoine, la Sardaigne.

Wörter: algébrique, l'éclectisme, l'épicurisme (seltner épicuréisme), un ermite (Eremit), le macaron (Makrone), le mahométisme, un ouragan (Orkan), la peluche (Plüsch, aber nicht kurz geschorener), le pythagorisme. Einzeln stehen les Aborigènes und l'Antéchrist (vor 1878 ohne Accent). — Man setzt nicht œu in den Namen Brébeuf, Rutebeuf, Elbeuf u. a.

§ 41. Orthographie. Einfacher und Doppelkonsonant.

Der Doppelkonsonant ist zu bemerken in un actionnaire, und ebenso commissionnaire, dictionnaire, fonctionnaire, missionnaire, la baïonnette, la barcarolle, la barrette, le camellia (besser als camélia), le canonnier, le carrosse, la Circassie (deutsch auch besser Cirkassien), consommer (aufbrauchen, verzehren, vgl. consumer), le cornette (Kornett), le courrier, Emmanuel, le fourrage, le fourrier, la grosse (Gros), le hussard, une imbécillité (aber imbécile), la marionnette, le marron (größere eßbare Kastanie), le nègre marron, le pensionnat, la perruque, personnel, la pommade, les Sarrasins, le schibboleth (spr. *chibolét'*), le sonnet, le vassal. La littérature (Litteratur, früher oft Literatur).

Dagegen ist der einfache Konsonant in folgenden Wörtern zu beachten: l'abatage (Abholzung, obwohl abattre), annuler, attraper (treffen, ebenso la chausse-trape, Fußangel), bachique (Bacchus=), la baliste (Ballifte), la batiste (Batist), la bigoterie und le bigotisme, la bonhomie (Gutmütigkeit, ebenso la prud'homie, lächerliche Klugthuerei), boursouflé (schwülstig), le busard (Weihe), la carafe (Wasserflasche), la caricature, le carrousel, la cavalerie, la casemate, la chaloupe, le chariot (Wagen, wogegen la charrette, le charron, la charrue u. a.), le cigare, le club und le clubiste, le compromis, le cotillon, le crabe (Krabbe), le cristal, le cyprès (s stumm), le débat, le doublet (Nebenform), un échafaud (Schafott), une étape, la frégate, la galerie, galoper, la girafe, la glose (Glosse), le groupe (Gruppe), la guitare, le Hanovre, innomé (unbenannt, obwohl von nommer), la loterie, le loto, la madone (ebenso la belladone, aber la prima donna), le muézin, la pantoufle, persifler (obwohl siffler), la pilule (Pille), le protocole (kaum anders als bei Kongreßverhandlungen, sonst le procès-verbal), la rapière (Degen älterer Zeit, jetzt nur spöttisch), le sapeur, le saphir, Sapho, le sbire (Sbirre), le siroco oder le siroc, le Sorboniste (obwohl la Sorbonne), la sotie (seltener sottie), la symétrie, le wagon. Man schreibt le Péloponèse und le Péloponnèse, Tartufe und Tartuffe; üblich ist jetzt l'Orénoque (früher eqn), doch noch Jacques; le Finistère ist die von vielen befolgte (und offizielle) Schreibung dieses Departements, andere schreiben richtiger Finisterre. Die Schreibweise der Akademie zeigt vielfach Ungleichheiten; neben agrandir, agréger, agression mit einem g steht aggraver; neben apaiser, apercevoir, aplanir, aplatir, aposter mit einem p stehen apparaître, apposer u. a. Neben frisotter, garrotter, grelotter (baisoter vor 1878 auch mit tt) stehen buvoter, clignoter, vivoter; assonance, dissonance, résonance (letzteres vor 1878 nn) stimmen jetzt überein, aber neben assonant, dissonant steht résonnant, neben maçonner steht ramoner, neben patronage, patronal patronat stehen patronner und patronnesse; einfachen Konsonant haben nautonier, timonier, doppelten tisonnier; die Orthographie von pontonage stimmt nicht mit der von pontonnier überein.

§ 42. Orthographie. Anderer Konsonant und Konsonantenausfall.

Ein uns auffälliger Konsonant tritt ein in les Açores, un abricot (Aprikose), un adjudant (Abjutant, vgl. aide de camp; ersteres ist eine Charge, letzteres eine Funktion), une agate (Achat), un alcali (aber le kali), annexer und une annexion, la mer d'Azov (oder Azof), Balthazar, Belzébuth (oder Béelzébuth), le bismuth (Wismut), le bocal (flaschenartiges Gefäß), le Bosphore, le brocart (Brokat), la cabriole (Kapriole), le cadastre (Kataster), le canot (Kahn, Boot), Céladon (Seladon), le cervelas (Cervelatwurst), le chocolat, le coloris (Kolorit), la courbe (Kurve), déposer (deponieren, ebenso un exposant Exponent, imposer (imponieren), le dervis (üblicher derviche), le différend (streitiger Punkt), une églogue (Ekloge), une esquisse (Skizze), un étendard, la faisanderie (Fasanerie), le gaz, la grenade (Granatapfel, Handgranate), la harpe (Harfe), le kopeck (Kopeke), le luth (Laute), le magasin, le maravédis, le massepain (Marzipan), le mastic (Mastix), le matelas (Matratze), la mosquée (Moschee), le motif, naïf, le nerf (§ 29), les Normands (auch für die alten Normannen), Othon[1], le parchemin (Pergament), la parque (Parze), le placard (Plakat), le primat (Primas), provençal, le rabais (Preisermäßigung)[2], le rhum (spr. rom', Rum), le rubis (Rubin), la salade, la Servie (aber le Serbe), le Sicambre (Sigambrer), le simoun (spr. -oun', Samum), syntaxique (jetzt auch syntactique), les tarots (Tarot). Ein n ist eingetreten in Andrinople und la lanterne. Ein s ist eingetreten in un albinos (spr. s), un aloès (s laut, Aloe), Georges, le laquais, lilas, le mérinos (spr. s), le relais (oft relai3 geschrieben); d als Auslaut haben le bézoard (Bezoarstein), le boyard (Bojar), t hat le climat, le pistolet, te hat le stigmate (Stigma), man schreibt Chamouni und Chamounix[4].

Ausfall von Konsonanten bemerken wir in l'alcool, un amiral (richtiger als das deutsch-englische Admiral), Annibal, un apophtegme, un

---

[1] Der römische Kaiser Otho. Meist auch für das deutsche Otto, wofür besser unterrichtete Franzosen Otton setzen.

[2] Unser Rabatt, d. h. nach festen Grundsätzen erfolgende Preisermäßigung ist besser un escompte, la remise.

[3] Manchmal richtiger, da trotz Littrés Widerspruch das Wort manchmal von relayer herzuleiten ist.

[4] Beide Formen auch mit o statt ou.

aqueduc[1], Ariane (Ariadne), un arlequin, un aruspice, autochtone, Asdrubal, une avarie, un avent (Advent), un avocat, le bambou, le bilan (Bilanz), le sucre candi, le caractère, la diphtérie, la diphtongue, une hémorragie (Blutsturz), un horizon, la juridiction, le margrave, le métis (s laut, Mestize), le paquebot (Postdampfer), la patenôtre, la rapsodie, la recette (Einnahme, Küchenrezept[2], Anweisung zur Bereitung von Hausmitteln), Reims, le romarin, le rythme, le sabbat, le trône, le viaduc. (Ein c ist ausgefallen (bezw. verwandelt) in le conflit, le contrat, un édit, un extrait, un interdit, un objet, le produit, le projet, le sujet. Ein s ist ausgefallen in la plupart, plutôt, quelquefois[3].

§ 43. Orthographie. Einzelnes. Namen.

Das stumme e am Schlusse ist zu beachten in absurde, un archonte, un automate, la bravoure, compacte und contracte (wogegen exact, intact), la compote, le diplomate, la dispute, fixe (ebenso préfixe, aber préfix als Rechtsausdruck), le gnome, le golfe, le jésuite, un organe, ovale, le pacte, le pilote, profane, un ukase. Dagegen fehlt e in le comité, le jubilé, le Levant, le pétard (Petarde).

Nach ll steht i nur, wenn nicht der geschliffene Laut eintritt (le million u. a.), doch auch le joaillier (Juwelier), le marguillier (Mitglied des Kirchenvorstandes), le médaillier (Münzschrank).

Zu einem Worte verschmolzen sind bonjour, bonsoir, le bienvenu; ebenso lequel, laquelle, ledit, ladite, dudit, de ladite u. s. w. Bemerke quelquefois, doch quelque chose, quelque part.[4]

Über die Namen Jacques vgl. § 41, Catherine § 40, Otton und Georges § 42. George steht nur, wo die englische Namensform gewählt wird. Einzelne Namen, bes. Charles, Gilles (Ägidius), Jacques, Jules wurden früher mehr ohne als mit s geschrieben und können in der Poesie noch ohne s gebraucht werden; vor Vokalen sind sie dann einsilbig.

Die griech. Namen auf -es (ης) haben stummes e erhalten: Alcibiade, Aristide, Aristote (Aristoteles), Cambyse, Démosthène (jetzt häufig Démosthènes geschrieben), Diogène, Éphialte, Miltiade (t = ss), Socrate, Sophocle, Thémistocle, Thucydide u. s. w. Dagegen ist die griech. Form erhalten in Périclès[5], Thalès und einigen weniger bekannten. Bemerke Xerxès oder Xercès (beide gzèrcès'), aber Artaxerce neben Artaxercès. Die auf -eus und

---

[1] Nicht mehr aquéduc.
[2] Ärztliches Rezept une ordonnance, auch une prescription.
[3] Angleichung an das alte quelquefois (= une fois, un jour), in welchem der Singular berechtigt war.
[4] Ungetrennt bleiben auch sinon, sitôt, le pardessus, ferner faire assavoir, welches richtiger faire à savoir geschrieben würde.
[5] In fremden Namen ist s nach lautem Vokal stets laut (§ 31).

-œus auslautenden Namen haben -ée: Persée, Thésée, Histiée, Machabée, Ptolémée. Doch Achille (vom lat. Achilles).

Die auf -aus auslautenden verlieren u: Agésilas, Ménélas (und so Ladislas. Stanislas), ausgen. Archélaüs und sonstige weniger bekannte.

Die lat. Namen auf -o werden den griech. auf -on angeglichen: Caton, Scipion wie Xénophon, Hiéron. Griech. -o bleibt: Sapho.

§ 44. Gebrauch grosser Anfangsbuchstaben.

Dieselben stehen:

1) Bei Namen jeder Art, selbst wenn dieselben zu Appellativen geworden sind: des Nemrods.

2) Bei allen Bezeichnungen für Gott: Dieu (aber in der Mythologie le dieu). le Créateur, le Tout-Puissant u. s. w. Ebenso schreibt man l'Évangile, la Bible, l'Écriture sainte, le Talmud, le Coran oder l'Alcoran.

3) Geographische Bezeichnungen, welche aus Substantiv und Adjektiv bestehen, geben nur letzterem Majuskel: la mer Noire. Nord, Sud, Est, Ouest. Orient, Occident haben meist großen Anfangsbuchstaben; sie müssen ihn haben, wenn sie für Ländergruppen stehen: l'Orient (Morgenland), oder wenn sie abgekürzt werden: la latitude N. Ebenso l'Amérique du Nord u. a. Le nouveau monde (Abd.) neben le Nouveau(-)Monde.

4) Bezeichnungen, welche der politischen Geographie angehören, schreiben Substantiv und Adjektiv mit großen Buchstaben: la République Française[1], les Basses-Alpes, les Pays-Bas.

5) Église als Kirchengemeinschaft hat großes E, ebenso État (Staat), doch schreibt man im Plural lieber les états, weil les États die Landstände bedeutet. Doch les États-Unis u. a. (politische Benennung).

6) Völkernamen haben Majuskel. Einzelne schreiben il est français, c'est un anglais, was nicht nachzuahmen ist.

7) Namen von Glaubensgemeinschaften werden meist mit kleinem Anfangsbuchstaben geschrieben: les chrétiens, les juifs, les mahométans. Majuskel ist hier erlaubt.

8) Adjektive haben großen Anfangsbuchstaben, wenn sie appositiv stehen: Alexandre le Grand, Pepin le Bref. Zahlwörter behalten auch hier Minuskel: François premier, wofür aber regelmäßig Ziffer eintritt: François Ier. Saint vor dem Namen hat kleines s: saint Paul, aber Majuskel und Bindestrich, wenn es mit dem Namen zur Bezeichnung eines Tages oder einer Örtlichkeit gebraucht wird: la Saint-Jean, la porte Saint-Antoine.

---

[1] Ausnahmsweise erhalten hier beide Bestandteile die Majuskel, obwohl sie nicht durch Bindestrich verbunden sind. Wahrscheinlich ist dies durch die (auf Wappenschildern u. dgl.) sehr übliche Abkürzung R. F. veranlaßt.

9) Der männliche Artikel in Familiennamen steht jetzt nicht mehr einzeln: Lesage. Der weibliche ist manchmal auch verbunden (Lafontaine), bleibt aber meist getrennt und behält dann besser Minuskel: la Fontaine, la Rochefoucauld; häufiger steht indessen großer Buchstabe.

10) Bei Büchertiteln geben manche dem ersten Wort Majuskel: Le gendre de M. Poirier. Üblicher ist es, dieselbe dem ersten bedeutungsvolleren Wort zuzuweisen: le Bourgeois gentilhomme.

11) Sobald auf Wörter, die sonst kleinen Anfangsbuchstaben erhalten, größerer Nachdruck gelegt werden soll, wenn sie z. B. zu Benennungen werden, nehmen sie Majuskel: les journées de Juillet (Julirevolution).

Anm. Mit kleinen Anfangsbuchstaben sind zu schreiben die Namen der Wochentage, Monate und Jahreszeiten. Ebenso die von Namen abgeleiteten Adjektive: allemand, parisien, virgilien. — Vous, votre erhalten auch in Briefen kleinen Anfangsbuchstaben, außer in Fällen, wo die Anrede Monseigneur am Platze ist.

§ 45. Der Bindestrich [1] *(le trait d'union)*.

Derselbe ist üblich:

1) In Zusammensetzungen: le chef-lieu. Bemerke la grand'mère neben le grand-père. In ennemi-né und ähnlichen setzen einzelne (mit der Akad.) den Bindestrich. Vielfache Ungleichheiten [2]: le contrefort, aber la contre-mine; le contrepoint, aber contre-pointer. Das Streben geht (wie im allgemeinen) dahin, den Gebrauch zu beschränken; seit 1878 ist der Bindestrich unterdrückt, z. B. in la contrebasse, le contrefort, le contremaitre, la contremarche, la contremarque, le contrepoids, le contrepoint, le contrepoison, le contresens, le havresac u. a. Bemerke le moyen âge.

2) In mehrteiligen Ausdrücken und Wörtern: peut-être, sur-le-champ, le plus-que-parfait, c'est-à-dire (est-ce à dire), le qu'en-dira-t-on (un on dit); doch tout à coup, tout à fait. Besonders bei Verbindungen, die dasselbe Wort zweimal enthalten: le tête-à-tête, vis-à-vis; doch peu à peu. Ebenso in Verbindungen mit Wörtern, die eine selbständige Existenz in der Sprache nicht haben: un in-folio, un ex-roi; doch le bachelier ès lettres (s in ès ist laut). Auch sonst finden sich Ungleichheiten: au-dessous, au-dessus, au-devant (doch au dedans, au dehors, au delà),

---

[1] Der zur Verbindung von Wörtern zu einer Gesamtheit dienende Strich heißt *trait d'union*, der zum Abbrechen am Zeilenende dienende *tiret*. Letzteren Namen führt auch der Gedankenstrich ( ).

[2] Ungleichheiten zeigen sich besonders in den Zusammensetzungen mit den Präpositionen contre, entre, sur, einzelnen Adverbien und Verben. Vgl. hierüber das Ergänzungsheft.

par derrière. par-devant, par-dessous, par-dessus, par-devers (doch par deçà, par delà).[1]

3) Besonders erhalten mehrteilige Namen den Bindestrich: les Pays-Bas, les Deux-Siciles, le département de Saône-et-Loire, Boulogne-sur-Mer, le Plessis-lez-Tours[2], le Théâtre-Français. Früher auch Charles-le-Téméraire u. a. Bemerke Charles-Quint, Sixte-Quint und Philippe-Auguste, obwohl Auguste hier Beiname ist. Ebenso werden nach französischem Brauch Vornamen unter einander verbunden: Jean-Jacques Rousseau. Ähnlich Jésus-Christ, Tite-Live, Quinte-Curce, Aulu-Gelle. Am besten behält man den Bindestrich auch bei der Abkürzung bei: J.-J. Rousseau, ebenso J.-C.

Dasselbe geschieht bei Appellativen, wenn sie stehende Bezeichnungen werden: le Bas-Empire, le Saint-Empire; les basses Pyrénées, aber les Basses-Pyrénées (Departement).

Bei Sprachbezeichnungen wie le bas latin, le vieux français, le haut allemand setzt man am besten keinen Bindestrich.

4) Zusammengesetzte Adjektive werden verbunden: sourd-muet. So besonders auch, wenn dem ersten die Form auf -o gegeben wurde: gréco-romain. Oder wenn das erste Adjektiv ein Adverb vertritt: nouveau-né (bei tout jedoch nur in tout-puissant). Bemerke frais cueilli, clairsemé.

Bei Farbenadjektiven unterbleibt meist der Bindestrich: vert foncé, vert brun, bleu pâle, gris sale, jaune doré. Trotzdem schreibt die Akad. un habit gris-brun, du pain bis-blanc, nach Littré fehlerhaft. Der Bindestrich steht, wenn auf das Farbenadjektiv ein die Nüance bezeichnendes Substantiv folgt: jaune-citron, vert-pomme, trotzdem bleu barbeau (Akad.).

5) In der Inversion wird das durch Fürwort ausgedrückte Subjekt mit dem Verb verbunden: puis-je, allons-nous, parle-t-on.

6) Mit dem affirmativen Imperativ werden sämtliche nachfolgenden Fürwörter verbunden: allons-nous-en. Die Unterdrückung des zweiten Bindestrichs hat nur einen Sinn, wenn auch keine Bindung möglich ist: portez-y en.

7) Même wird mit dem vorausgehenden Personalpronomen verbunden: moi-même, eux-mêmes.

8) Ci und là haben Bindestrich nach dem substantivischen Demonstrativ: celui-ci, celles-là; ebenso nach einem Substantiv mit vorausgehendem adjektivischem Demonstrativ: cette maison-ci, ces arbres-là.

Auch in jusque-là (nicht in dès là, par là), là-bas, là-dessous, là-dessus, là-haut (nicht in là dedans, là dehors, là contre), ci-joint, ci-

---

[1] Die Akademie schreibt: par là, aber par-ci par-là.

[2] Lez (lat. latus) = bei. Oft unrichtig lès in Ortsnamen. Der Name steht öfter ohne Artikel; le Plessis ist eigentlich ein Appellativ (die Einfriedigung) und verlangt den Artikel.

inclus, ci-gît, ci-après, ci-contre, ci-dessus, ci-dessous, ci-devant wird Bindestrich gesetzt.

9) Quelqu'un, quelqu'une hat im Plural quelques-uns, quelques-unes.

10) Über den Gebrauch beim Zahlwort vgl. dieses.

Anm. Nach très wird nicht mehr der Bindestrich gesetzt.[1] Auch in non seulement ist er weggefallen. Dagegen noch outre-Rhin, outre-Manche, outre-mer u. a.

§ 46. Das Trema *(le tréma)*.

Es deutet an, daß zwei nebeneinander stehende Vokale getrennt zu sprechen sind: haïr, la faïence, Caïus, Saül (aber Saul Saulus). Im Anlaut wird dieses Zeichen überflüssig und ungleichmäßig verwendet: un ïambe, wogegen ï'iode, ionien und selbst un choliambe, un choriambe.

Wenn ein anderes Zeichen (der Accent) die Trennung der Vokale anzeigt, so fällt das Trema weg: obéir, Cnéius. Auch bei oe ist es überflüssig (denn der einfache Vokal ist œ), daher coercitif. Dagegen ist aus älterer Zeit übrig geblieben Noël[2], le Groënland (§ 12); ebenso Staël (spr. *stål*), Maëstricht (spr. *mastrik'*), weil æ (a + e) erst ein neueres Zeichen ist; früher auch Emmanuël (jetzt ohne Trema), weil ue mit eu gleichwertig war.

In der Verbindung uë, uï nach g[3] deutet das Trema an, daß u eigenen Laut hat: la ciguë u. a. (§ 15). In Eigennamen fehlt dagegen das Trema: Guise u. a. Vgl. Vogüé.

§ 47. Die Accente.

Die Accente (Acutus, Gravis, Circumflex, *l'accent aigu, l'accent grave, l'accent circonflexe*) dienen teilweise zur Kennzeichnung des Lautes (é für geschlossenen, è für offenen e-Laut), teilweise zur Unterscheidung gleichlautender Wörter (la und là, ou und où), teilweise zur Angabe des Konsonanten- oder Vokalausfalles oder zur Bezeichnung der Länge.

Der Circumflex findet sich auf allen Vokalen außer y, der Gravis auf à, è, ù, der Acutus nur auf é. In der Schrift werden sie bei Majuskeln weggelassen; ebenso (aus praktischen Gründen) im Druck außer bei dem e-Laut[4], welcher als É, Ê und È auftritt. Nasale haben nie den Circumflex, z. B. jeûner; à jeun, traîner: le train.

Im einzelnen ist zu bemerken:

Circumflex für Ausfall von Konsonant (meist s): la fête (Fest), la fenêtre (Fenster), le hêtre (Heister, Buche), le maître (Meister), le moût (Most), la

---

[1] Doch le Très-Haut (der Allerhöchste, d. i. Gott).

[2] Statt le poëme, le poëte jetzt poème, poète.

[3] Seit 1878 schreibt die Akad. la perspicuité (vorher uï) wie schon früher la promiscuité.

[4] Nur das Wörterbuch setzt Accente über anderen Majuskeln.

Pentecôte (Pfingsten), l'âme (Seele). Dagegen ist das prothetische e nur offen, wenn s bleibt (espérer). kann aber dann nicht Accent erhalten. Vor ausgefallenem s ist es geschlossen: épine, école, étude.

Cirkumflex für Ausfall von Vokal findet sich in gaîment, gaîté, dénoûment, dénûment, dévoûment, remerciment, u. a. neben gaiement, gaieté, dénouement, dénuement, dévouement, remerciement. Bemerke la piqûre, une encoqûre. (û für un) und le châtiment (obwohl für châtiement). Bei Futurformen findet sich in der Poesie vereinzelt derselbe Cirkumflex: je pairai, il crîra, il emploirait für je paierai, il criera, il emploierait.

Der Cirkumflex fehlt in boiter, la citerne (Cisterne), le coteau, la moutarde (Mostrich, Senf), le moutier (Münster), un otage (Geisel, engl. hostage), le tatillon (neben tâter, tâtonner), ferner in chacun (aus chasqu'un), la plupart, plutôt u. a.

Auf entlehnten Wörtern ist der Cirkumflex oft nur Zeichen der Länge: le dôme (Kuppel), extrême, suprème, les mânes, Páris (Sohn des Priamus), le théâtre. Unrichtig ist er in nous fûmes, le pôle (lat. pŏlus), le trône (lat. thrŏnus); er sollte nicht fehlen z. B. in un arome, la zone.

In der Tonsilbe ist ein Vokal mit Cirkumflex lang, obwohl manche in une aumône, le gîte, la Pentecôte u. a. kurzen Vokal sprechen. Außerhalb der Tonsilbe verliert dagegen der Vokal an Länge und ê ist kürzer in nous fêtons als in la fête.

In Ableitungen verschwindet öfter der (unberechtigte, d. h. nur die Länge bezeichnende) Cirkumflex: la grâce: gracier, gracieux; la disgrâce: disgracier. disgracieux; infâme: une infamie; extrême: une extrémité; jeûner: déjeuner: le pôle: polaire; le symptôme: symptomatique; le trône: introniser; Gênes, le Génois.

Kein è kann stehen vor Doppelkonsonanten (ll, mm, nn u. f. w.), eben sowenig vor mehreren Konsonanten, daher un espoir, Edmond, exister (x ist zusammengesetzt, § 26), un apophtegme, le segment. Ch. ph, th, gn sind einfache Laute. Auch é kann nicht vor zwei Konsonanten stehen, die nicht Muta mit folgender Liquida (Mittellaut) sind: éblouir, écraser, régler.

Für die Vorsilbe re- (ré-) gelten folgende Regeln: re- steht vor Konsonanten, ré- vor Vokalen: retenir, aber réoccuper (doch tritt meist vor Vokalen Elision des e ein: rentrer, rouvrir). Wenn ré- vor Konsonant steht, so ist der Grund, daß re- mit einem Worte zusammengesetzt wurde, welches mit é anlautete: rétablir aus re-établir, réchapper aus re-échapper[1]; oder das Wort gilt für das Französische nicht als zusammengesetzt, weil es dem Lateinischen entlehnt ist: réclamer, réfléchir, répéter. — In manchen Fällen

---

[1] Manchmal ist dies nicht mehr erkennbar, so réjouir aus dem älteren éjouir, welches einzelne wieder in den Gebrauch bringen: Les fanfans . . . vont s'éjouir dans la neige (E. de Goncourt). — Hin und wieder steht kein Accent, obwohl das einfache Verb nicht vorkommt: refléter, refréner, refroidir, regimber.

entstehen Scheideformen: recréer (wieder schaffen): récréer (ergötzen), repartir wieder abreisen, erwidern): répartir (verteilen), resonner (wieder tönen): résonner (wiederhallen) u. a. Wechsel zwischen stummem e und é zeigt sich in: le rebelle: la rébellion; recueillir: la récolte; le refuge: se réfugier; relatif: corrélatif; la religion: l'irréligion; le remède: irrémédiable; replet: la réplétion; le reproche: irréprochable; requérir: la réquisition; le pepin: la pépinière; le registre: le régistrateur; tenace: la ténacité; congeler: la congélation. Bemerke auch un évêque: un archevêque; secret, le secrétaire, sécréter, la sécrétion.

Schwankend waren oder sind noch (die eingeklammerte Form ist zu meiden): un aqueduc (aquéduc), l'arsenic¹ (arsénic), le bélier (belier), la Bohême (Bohême), Brème (Brème), celer (céler), Cervantes (Cervantès), Chateaubriand (Châteaubriand), désirer (desirer), dorénavant (dorenavant, obwohl etymologisch richtig), un épitomé (épitome), Pepin (Pépin), querir² (quérir), le rébus (rebus), la reclusion (réclusion), redondant (redondant), la trève (trève).

Anm. Zu warnen ist vor dem Cirkumflex in le bateau, la chute, le coteau, le Havre, un interprète, la joute. Zu bemerken, weil für uns fremdartig un agavé, le chimpanzé, Ninive. Öfter findet man unrichtig oui-dà für oui-da geschrieben. — Nach französischem Brauch³ erhalten auch lateinische Wörter Accente; so das lange a des Ablativs (vice versâ, ab hoc et ab hâc), ebenso das e des Adverbs (optimè, nota benè).

§ 48. Die Silbenteilung *(la décomposition des mots en syllabes)*.

Die Silbenteilung ist unabhängig von der Aussprache; denn während letztere sanc-tuaire vorschreibt, teilt man sanc-tuaire ab. Sie ist unabhängig auch von der Etymologie; sogar die Zusammensetzung, wo sie nicht äußerlich durch den Bindestrich (contre-mine, sous-entendu) kenntlich gemacht ist, wird bei der Silbenteilung mißachtet.

Über manche Punkte herrscht keine Einstimmigkeit; die folgenden Regeln geben den von der Akademie befolgten Gebrauch:

1) Mehrere nach einander folgende Vokale bleiben ungetrennt, mögen sie der Aussprache nach getrennt werden können oder nicht: la rei-ne, bien, le cin-qui-è-me, la géo-mé-trie, la théo-rie, la priè-re, vio-lent, la poé-sie, la zoo-lo-gie. Wörter wie crier, tuer sind demnach nicht trennbar.⁴

¹ Ebenso arsenical; alle anderen Ableitungen haben ë.
² Aber acquérir u. a. Auch diese hatten früher accentloses e.
³ Dieser Gebrauch ist noch weit verbreitet, wird aber von den Franzosen (zittré) selbst bekämpft. Die Akad. hat 1878 diese Accente gestrichen, in nota benè (sprich bénè) ließ sie auffallender Weise die alte Schreibart.
⁴ Ebenso Wörter wie rayon, moyen, tuyau. Im Widerspruch damit steht die Abkürzung voy. (für voyez).

Selbst die Zusammensetzung thut nichts zur Sache: la prée-mi-nen-ce, rée-li-re, ex-traor-di-nai-re (Littré trennt a-o).

2) Ein Konsonant zwischen Vokalen gehört zur folgenden Silbe: a-me-ner, le ca-non. Als einfache Konsonanten gelten nicht bloß ch, ph, th, sondern alle, welche h nach sich haben: la ta-che, une a-po-stro-phe, un a-thé-née, la si-lhouet-te, Fai-dher-be, Sarah Ber-nhardt (dagegen le mal-heur u. a.). Vgl. auch 6.

Nur vor Konsonant kann x abgetrennt werden: une ex-tinc-tion: Wörter wie le Saxon sind untrennbar. Über y vgl. § 16 Anm.

Wie aus obigen Beispielen ersichtlich, wird unbedenklich getrennt, wenn der abgetrennte Konsonant auch nur stummes e nach sich hat.

3) Doppelkonsonanten (ss, tt, mm u. s. w.) werden getrennt: ac-cep-ter, al-ler, som-mer, la gros-seur, le trot-toir. Sogar geschliffenes ll: sour-cil-ler, une o-reil-le.

4) Zwei verschiedene Konsonanten werden getrennt: la pro-duc-tion, le dic-tion-nai-re, un ad-jec-tif, le ser-vi-teur.

So auch s mit folgendem Konsonant: des-cen-dre, dis-pu-ter, jus-que, une his-toi-re, la jus-ti-ce, exis-ter.

Dagegen bleibt gn ungetrennt: nous crai-gnons, la Po-lo-gne. Selbst wenn g und n nicht den geschliffenen Laut bilden: un a-gnat, la sta-gna-tion.

Ebenso bleiben l und r mit vorausgehender Muta immer verbunden: le ta-bleau, é-clai-rer, qua-tre, un ou-vra-ge.

5) Von drei Konsonanten (mögen darunter stumme sein oder nicht) gehören die beiden ersten[1] zur vorausgehenden Silbe: le sanc-tuai-re, le sculp-teur, somp-tueux. Doch muß auch hier l, r mit vorhergehender Muta vereinigt bleiben: em-ployer, le nom-bre, l'An-gle-ter-re, un es-cla-ve, le ma-gis-trat, le por-trait.

6) In der Behandlung von Zusammensetzungen finden sich Widersprüche, besonders in den mit ab(s), apo, dés, in, mal, més, ob, per, sub, sur, trans gebildeten Wörtern. So abs-te-nir und ebenso une abs-cis-se; dés-a-bu-ser, dés-a-van-ta-ge und so meist, doch le dé-sa-gré-ment, le dé-sar-roi und sogar dé-sin-té-res-sé neben dés-intéressé; in-al-lia-ble, une in-ap-pli-ca-tion, in-ex-tri-ca-ble, in-hu-main, in-scri-re, aber une i-na-mis-si-bi-li-té, une i-ner-tie, une i-non-da-tion; mal-a-droit, le mal-heur, aber ma-lai-sé; ob-scè-ne, ob-sta-cle, aber obs-cur; pé-remp-toi-re, aber le per-oxy-de; sub-al-ter-ne, le sub-stan-tif, sub-ve-nir, aber su-bir, la su-bor-di-na-tion; la sur-a-bon-dan-ce, aber su-ran-ner; trans-cen-dant, trans-pa-rent, aber tran-scri-re.

---

[1] Der Laut x zählt für zwei Konsonanten: inex-cusable, inex-plicable.

§ 49. Abkürzungen [1] *(les abréviations)*.

Bei der Abkürzung wird entweder nur der erste Buchstabe des abzu=
kürzenden Wortes beibehalten und nach demselben ein Punkt gesetzt; oder
außer dem ersten Buchstaben (dann Majuskel) werden auch der letzte oder die
letzten Buchstaben beibehalten und dann meist höher gestellt. Ein Punkt darf
in diesem Falle nicht stehen. Ausnahmsweise findet sich in Mgr ein mittlerer
Buchstabe beibehalten. Der Plural wird durch Verdoppelung angedeutet,
wenn nur der Anfangsbuchstabe gesetzt wurde; durch Anfügung von s, wenn
der Schlußbuchstabe beibehalten wurde. Oft wird beides vereinigt, mit Unrecht,
weil s den Plural hinlänglich kenntlich macht. Unbezeichnet bleibt der Plural
bei Münznamen.

Man kürzt monsieur = M (Pl. MM.), früher (beim Schreiben noch
öfter) auch Mr (Pl. Mrs); madame = Mme (Pl. Mes); mademoiselle = Mlle
(Pl. Mlles); monseigneur = Mgr (Pl. NNSS. = nosseigneurs); maître = Mc
(Pl. Mes); sieur = Sr. doch bleibt dies Wort meist ungekürzt.

Von sonstigen Abkürzungen sind bemerkenswerth: S. M. (Sa Majesté,
Pl. LL. MM.), S.S. (Sa Sainteté), S. A. R. (Son Altesse Royale), S. Exc.
(Son Excellence), N. S. (Notre Seigneur), J.-C. oder J. C. (Jésus-Christ),
N.-D. (Notre-Dame), St-Pétersbourg, St-Cloud [2] (Saint-Pétersbourg, Saint-
Cloud), N. S. E. O. (für nord, sud, est, ouest), Ve (veuve), Cie und Ce
(compagnie), Md (marchand), Mn (maison d. h. Firma), fr. und f. (francs),
m. (mètre), 5 m. 6 c. (5 mètres 6 centimètres), kil. kilomètre(s), auch
kilogramme(s), wofür üblicher kilog(s), oder kilo(s), h. (heure(s), 4 h. 50
(4 heures 50 minutes), degré c. (degré(s) centigrade(s) (Grad Celsius), dafür
auch 10° 0'00 (lies 10 degrés centigrades), 5 °/₀ oder 5 p. °/₀ (5 pour cent),
in-f° (in-folio), n° (numéro), p. (page), p. 203 et suiv. (suivantes), etc. (et
cætera), c.-à-d. (c'est-à-dire), s.-ent. (sous-entendu), s. v. p. (s'il vous plait),
Voy. (voyez, dafür üblicher voir), ms. (manuscrit, Pl. mss.), s. l. n. d.
(sans lieu ni date). Für septembre, octobre u. s. w. oft 7bre, 8bre, 9bre, 10bre.

Die römische Ziffer nach Regentennamen darf keinen Punkt [3] haben,
denn es ist keine Ordinalzahl (Ordinalzahlen werden französisch außerdem
nicht mit Punkt gekürzt): Charles Ier, Henri IV u. s. w. Meist auch römische
Ziffer bei Angabe des Jahrhunderts: le XVIIe siècle. Für die Kürzung
von Ordinalzahlen werden sonst arabische Ziffern verwendet: 1er, 1re (premier,
première), 2e, 3e (deuxième, troisième) u. s. w. Die Zahladverbien werden
1°, 2°, 3° u. s. w. gekürzt (lies primo, secundo, tertio oder premièrement u. s. w.).

---

[1] Ausführlicheres hierüber in den Études de grammaire et de littérature françaises, II, 208.

[2] Bleiben besser ungekürzt. Jedenfalls nicht S., was nur San (in
italienischen Ortsnamen) bedeuten könnte.

[3] Hiermit ist nicht zu verwechseln der seit einigen Jahren eindringende
Brauch, die hochgestellten Buchstaben durch Punkte zu ersetzen und zu schreiben
M· (statt Me d. h. maître), 1·· (statt 1er), 2· (statt 2e).

Herr R. R. heißt französisch M. N. (nur ein N.), üblicher M. X. oder Anfangsbuchstabe des Namens mit drei Punkten: M. R . . .; früher drei Sternchen *(astérisque, étoile)*, daher Monsieur R Trois-Étoiles. Vgl. englisch Mr. R — (gelesen Mister R. Blank).

§ 50. Die Interpunktion *(la ponctuation)*.

Die Interpunktionszeichen sind: der Punkt *(le point)*, der Strichpunkt oder das Semikolon *(le point virgule, le point et virgule)*, der Doppelpunkt oder das Kolon *(les deux points*, mißbräuchlich auch *le tréma)*, das Komma, der Beistrich *(la virgule)*, das Ausrufezeichen *(le point d'exclamation)*, das Fragezeichen *(le point d'interrogation)*, der Gedankenstrich *(le tiret, le tiret de séparation;* in anderer Anwendung *les points suspensifs, les points de suspension)*, die Anführungszeichen *(les guillemets)*, die (runde) Klammer *(la parenthèse)*, die eckige Klammer *(les crochets)*, wozu man meist noch die bei Verweisungen üblichen Zeichen rechnet, den Stern *(l'astérisque)* und das Kreuz *(la croix de renvoi)*.

Mit Ausnahme des Kommas werden die Unterscheidungszeichen wie im Deutschen[1] verwendet. Doch ist zu bemerken:

Das Kolon steht, wenn der nachfolgende Satzteil aus dem vorhergehenden eine Folgerung zieht, ihn entwickelt, erläutert oder zusammenfaßt: Le siècle de Louis XIV, qu'on nous montre à distance comme si imprégné de littérature, s'en occupait très peu: dans la préface d'un de ses ouvrages, le comte de Caylus dit qu'alors on ne lisait guère que des contes de fée.

Das Ausrufezeichen, welches wir nach der Briefüberschrift *(la vedette)* setzen, muß im Französischen durch Komma gegeben werden: Monsieur, Vous serez bien étonné en voyant le timbre de cette lettre.

Der Gedankenstrich dient zur Absonderung von Rede und Gegenrede: Qu'est-ce là? lui dit-il. — Rien. — Quoi! rien! Peu de chose. — Mais encor? — Le collier dont je suis attaché de ce que vous voyez est peut-être la cause. — Er tritt sogar manchmal vor ein neues Alinea. — Die Unterbrechung einer angefangenen Rede wird nicht nach unserer Weise durch Gedankenstrich, sondern durch die *points suspensifs* (. . .) bezeichnet.

Die Anführungszeichen werden oft durch Kursivschrift *(italiques)* ersetzt, wenn ein Fremdwort, Neologismus, Argotausdruck u. dgl. angeführt

---

[1] Obwohl größere Freiheit herrscht als im Deutschen und dem persönlichen Ermessen viel überlassen bleibt. Vgl. hierüber Francis Wey: Chacun a sa ponctuation particulière, plus ou moins juste, plus ou moins claire. Pour bien et judicieusement ponctuer, il faut savoir construire et analyser artistement sa phrase. Quiconque n'a pas une manière particulière de ponctuer, manque de style; quiconque, doutant du signe qu'il faut mettre, et de l'endroit où il faut l'intercaler, consulte la grammaire ou son voisin, ne sait pas écrire.

wird, überhaupt wenn der Verfasser die Verantwortlichkeit für das, was er schreiben mußte, ablehnt: Nos jeunes gens riches *s'amusent*, nos jeunes gens pauvres se *pochardent*.[1]

§ 51. Fortsetzung: Das Komma.

Der in der Verwendung des Kommas zwischen deutschem und französischem Brauch hervortretende Unterschied liegt darin begründet, daß unser Komma Satzzeichen, die französische *virgule* Tonzeichen ist, d. h. daß unser Komma den Bau des Satzes deutlicher machen, die *virgule* dagegen dem Lesenden zeigen soll, wo eine Pause (zum Atemholen) eintreten kann. Oft fällt die Redepause mit einem syntaktischen Abschnitt zusammen, dann fällt auch französischer und deutscher Kommagebrauch zusammen.

Das Komma steht im Französischen weder vor dem mit einer Konjunktion (besonders que[2]) eingeleiteten Satze, noch vor der indirekten Frage, wenn dieselben von dem vorausgehenden Verb (oder Ausdruck) unmittelbar abhängen: Vous me demandez, mon ami, pourquoi je tiens à ce qu'on ne me rectifie pas ma ponctuation à l'imprimerie. J'ignore si Alexandre Dumas père ponctuait ses manuscrits et corrigeait ses épreuves.

Ebenso steht das Komma nicht vor dem que des Komparativsatzes; es fehlt auch öfter vor dem konditionalen si: Un bon discours est incompréhensible à l'oreille s'il est débité sans ponctuation, et désagréable si la ponctuation est mauvaise.

Zwischen dem Verb und dem davon abhängigen (reinen oder präpositionalen) Infinitiv darf kein Komma stehen.

Das Komma fehlt vor dem Relativsatz, wenn derselbe für das Verständnis des Satzganzen wesentlich ist (also eine Redepause nicht eintreten kann); es steht dagegen, wenn der Relativsatz nur eine Erläuterung oder beiläufige Bemerkung enthält (die Pause tritt dann unwillkürlich ein). Daraus ergiebt sich, daß celui qui, ce qui nie durch Komma getrennt werden, und daß dieses Unterscheidungszeichen häufiger vor lequel als vor qui steht: Si vous parlez de choses que tout le monde entend à demi-mot, ne leur donnez pas l'importance qu'elles ne doivent point avoir. Aber: Aimerait-on mieux la découverte de quelque loi des corps, ou l'invention de quelque nouvelle preuve métaphysique de l'existence de Dieu, laquelle n'a pas besoin

---

[1] Bemerke auch die ungleiche Behandlung des se und s' in diesem Falle; apostrophierte Wörter bilden mit dem folgenden ein einziges (vgl. auch § 39). Dieses Beispiel und die meisten folgenden sind absichtlich aus George Sand und zwar aus einem Artikel über Interpunktion entlehnt.

[2] Eine Ausnahme bildet nur das konsekutive que nach si, tant, si bien, tellement u. a. Leurs châteaux, surtout la fameuse tour de Montlhéri, coupaient si bien les communications entre ces deux cités royales, qu'à moins d'avoir une armée pour escorte, on ne pouvait aller d'une ville à l'autre sans le bon plaisir des châtelains (H. Martin).

de preuves? Damit kann das Komma für den Sinn des Satzes entscheidend werden: L'obéissance et le respect sont dus à l'autorité, dont Dieu est la source. Sinn: alle Obrigkeit ist aus Gott; Auslassung des Kommas führt zu der Sophisterei: man schuldet Gehorsam nur derjenigen Obrigkeit, welche aus Gott ist. — Am Schlusse des Relativsatzes steht meist ein Komma, es fehlt dagegen[1], wenn der Relativsatz wie der nachfolgende Satzteil ziemlich kurz; sind (Redepause tritt nicht ein). — Wenn der Relativsatz durch eine Participial-konstruktion vermieden wird, so gilt die Regel, welche für das Relativ selbst gegeben wurde: La ponctuation, c'est l'intonation de la parole, traduite par des signes de la plus haute importance.

Zeit- und Ortsangaben werden zu Anfang wie in der Mitte des Satzes durch Komma abgesondert. Viele thun dies auch bei modalen Bestimmungen und präpositionalen Satzteilen[2]: Roxane est, avec Phèdre, le rôle le plus difficile que Racine ait écrit. Regelmäßig werden par exemple, au contraire u. a. durch Komma abgetrennt.

In einer Aufzählung fällt vor dem letzten mit et angereihten Gliede das Komma weg. Es steht aber vor etc., wenn diese Abkürzung den Beschluß einer Reihe bildet. Im Polysyndeton steht das Komma regelmäßig vor et: Alors c'étaient des larmes, des désespoirs, et le jeûne, et le cilice, et la discipline! Auch hier markiert es nur die für die rhetorische Wirkung nötige Pause.

Wenn ein vorausgehendes Satzglied (besonders ein Verb) im Verlaufe des Satzes zu ergänzen ist, tritt notwendig eine kleine Stockung ein, die wieder durch Komma angedeutet wird: L'épée de Charlemagne s'appelait la Joyeuse, celle de Roland, Durandal, celle de Renaud, Flambaud, celle d'Olivier, Hauteclaire. Athènes devint l'alliée d'Argos, Lacédémone, de Thèbes. Der Klarheit wegen kann dann ein anderes Komma durch Strichpunkt ersetzt werden[3]: Les enfants lui redemandaient leurs pères; les femmes, leurs maris; les frères, leurs frères.

---

[1] Die Auslassung des Kommas kann störend wirken, wenn der Schein entsteht, als ob das Nachfolgende das Objekt des Verbs bildete: Dans la liste qui *suit le petit texte* est réservé pour les préfixes qui ne servent plus aux formations *nouvelles* (Ayer).

[2] Die Klarheit wird durch diese Absonderung erhöht: Lorsqu'on reçoit, sur un écran blanc, les rayons lumineux qui pénètrent dans une chambre noire par une petite ouverture, *on obtient, des objets extérieurs*, des images qui présentent les phénomènes suivants (Ganot).

[3] Wo das nicht angängig ist, kann eine kleine Unklarheit manchmal nicht vermieden werden: Cette syllabe ne compte pas, de sorte que le vers de douze syllabes se trouve alors en réalité en avoir treize, celui de *onze, douze*, et ainsi de suite (Gramont).

II. Teil:

Formenlehre.

§ 52. Die Wortarten *(les parties du discours)*.

Es giebt im Französischen 10 Wortarten:

I. Beugungsfähige: Artikel, Substantiv, Adjektiv, Zahlwort, Pronomen und Verb.

II. Beugungsunfähige: Adverb, Präposition, Konjunktion und Interjektion.

Für die ersteren gelten folgende Laut= bezw. Schriftregeln:

§ 53. Lautregeln.[1])

1) Die Endungskonsonanten s, t können nicht an Stämme treten

a) auf zwei unter sich verschiedene Konsonanten,

b) auf zwei unter sich gleiche Konsonanten,

1a) Nach Nasalvokalen zählen m und n nicht als Konsonanten, der Stamm vend- endigt daher auf einfachen Konsonant.

Dasselbe ist bei den Stämmen von mentir, se repentir, sentir der Fall, welche gleichwohl unter Lautregel 1a fallen müssen. Es handelt sich bei ihnen nur um eine orthographische Verschiedenheit. Früher lautete die 1. Sing. je ment, je sent; nach Eintritt des s für diese Person fiel das t aus, wie auch früher bei Substantiven auf -ant, -ent dieser Konsonant vor dem Plural=s wegfiel (vgl. § 108 Anm. 1).

Ist der letzte Konsonant r, so fällt er nicht weg, sondern die Form wendet sich der I. Konjugation zu: ouvrir [ouvr-]: j'ouvre.

b) Auch bei geschliffenem ll, welches erhalten bleibt (d. h. nicht u wird oder in ou aufgeht), wendet die Form sich der I. Konjugation zu: cueillir [cueill-]: je cueille.

---

[1] Später wird Lautregel durch LR, Schriftregel durch SR abgekürzt.

4*

68

c) auf einen ihnen selbst gleichen oder ähnlichen Konsonanten, sowie auf v.

Dabei wird in dem Falle

a) der letzte Konsonant des Stammes gestrichen: servir [serv-]: je sers, il sert,

b) zunächst einer der beiden Konsonanten gestrichen und dann ebenso wie im Falle

c) s angefügt, wenn im Stamme noch keines steht; t wird angefügt, wenn im Stamme kein t oder d steht. Vor t fällt s des Stammes aus. Ein v räumt beiden Endungskonsonanten den Platz.

finir [fin-, erweiterter Präsensstamm finis(s)-]: je finis, il fini-t.

naître [nais(s)-]: je nais, il naî-t.

plaire [plais-]: je plais, il plaî-t.

vendre [vend-]: je vend-s, il vend.

battre [bat(t)-]: je bat-s, il bat.

vivre [Verbalstamm viv-]: je vi-s, il vi-t.

Überhaupt kann auf v kein Konsonant außer l, r folgen (vli, vlan, vivre, vivrai), so wenig als v im Auslaut stehen kann. Aus dem Adjektivstamm [viv-] entsteht daher das Adjektiv vif, dessen ursprünglicher (stimmhafter, weicher) Konsonant erst in der weiblichen Form (vive) wieder hervortritt.

2) Ein im Auslaut nasal gewordener Vokal wird wieder rein, sobald er in den Inlaut tritt: fin, fine; bon, bonne; mien, mienne. Dabei wird n zum geschliffenen Laut gn, wenn das Stammwort g enthielt: malin, maligne; peindre, je peins, nous peignons.

---

c) Ausnahmsweise tritt t auch nach c nicht an: vaincre, il vainc.

Bei den Verben auf -aître und bei plaire wird das vor t ausgefallene s durch den Cirkumflex (auf ai) ersetzt. Ebenso erhält o den Cirkumflex bei den Verben auf -ore für das vor t ausgefallene nicht etymologische s. — Bliebe v als Stammauslaut, so müßte auch bei den v-Stämmen die Einzahl der I. Konjugation sich zuwenden.

2) Dabei wird nasales e zu offenem e, da der Nasalvokal ẽ aus dem offenen Vokal entstanden ist.

3a) Ein in der letzten Silbe des Stammes oder Wortes stehendes geschlossenes e wird offen, wenn eine stumme End= silbe folgt: étranger, étrangère; régner, règne.

3b) Ein in der letzten Silbe des Stammes stehendes stummes (d. h. dumpfes) e wird offen vor jeder stummen Silbe: mener, je mène, je mènerai.

Vor l und t wird nicht è gesetzt, sondern der offene Laut durch Verdoppelung des Konsonanten bezeichnet: mortel, mortelle; muet, muette; appeler, j'appelle; jeter, je jette.

4) Im Auslaut, vor stummem e und vor Konsonanten haben ai, oi, ui ihren gewöhnlichen Laut: un essai, il essaie, ils croient, il croit, la fuite. Vor einem tönenden Vokal aber erhalten sie einen kurzen i=Nachschlag, welcher die Silbe mit der folgenden verbindet. Das vorhandene i wird mit dem Nachschlags=i zu y verbunden: essayons, croyant, fuyez. (§ 16.)

5) Jede Infinitivendung wird verkürzt im Futur. Das oi der Endung oir und das e der Endung re fallen ganz weg: donner, finir, recevoir, rompre: donnerai, finirai, recevrai, romprai.

6) Vor den konsonantischen Endungen x (für s) und t wird l nach Vokal zu u: le cheval, les chevaux; valoir [val-], je vaux, il vaut.

7) Als Verbindungslaut wird d eingeschoben[1] zwischen n und r: tenir [ten-], je tien-d-rai.

Schon im Infinitiv bei prendre, craindre u. s. w.

_____

3a) Außerhalb der Tonsilbe kann é vor stummer Silbe stehen: sec, sèche, aber la sécheresse.

3b) Ebenso wird bei c der offene Laut durch Verdoppelung (cqu) be= zeichnet: grec, grecque.

4) Immer schreibt man ey: ils s'asseyent. Auch ay ist vor stummem e erlaubt: il essaye.

6) Auch nichtgeschliffenes ll: falloir [fall-]: il faut. Geschliffenes ll kann in vorausgehendem ou verschwinden: bouillir [bouill-]: il bout.

7) Auch zwischen l (welches entweder zu u wurde oder in ou aufging) und r wird d eingeschoben: valoir [val-]: je vaudrai; vouloir [voul-]: je

[1] Diese Einschiebung ist auch in den süd= und ostdeutschen Mundarten bekannt. Das Gefühl veranlaßt unsere Schüler oft, im Englischen suddenly statt suddenly zu schreiben. Man vergleiche auch vendredi und andere Wörter. In Henri (vläm. Hendrik) und anderen Namen fand die Einschiebung nicht statt.

§ 54. Schriftregeln.

1) Wenn c (= ss) und g (= j) vor a, o, u zu stehen kommen, so wird als Zeichen, daß sie jenen Laut behalten, unter c die *cédille* gesetzt (ç) und dem g ein e angefügt: je lance, nous lançons; je mange, il mangea.

2) Wenn c (= k) und g (als sanfter k-Laut) vor e, i, y zu stehen kommen, so wird als Zeichen, daß sie jenen Laut behalten, beiden ein u nachgesetzt, c aber zugleich in q verwandelt: public, publique; vaincre, je vaincs, je vainquis; long, longue.

3) Umgekehrt wird aber nicht ein überflüssig werdendes u nach c (q) und g gestrichen. Die einmal feststehende Schreibart eines Wortes wird nicht geändert, außer wo es geschehen muß. Daher provoquer, nous provoquons (nicht provocons); distinguer, il distingua (nicht distinga).

4) Um die Häufung von u zu vermeiden, wird der Vokal eu nach alter Weise mit ue bezeichnet nach c, g: accueil, accueillir, orgueil.

5) Als Endung oder Endungslaut steht x statt s nach au, eau, eu, œu: le roseau, les roseaux; le feu, les feux; le vœu, les vœux; valoir, je vaux; vouloir, je veux; deux. Manchmal auch nach ou: le genou, les genoux.

6) Vor stummem e muß ein solches x wieder zu s werden: heureux, heureuse; faux, fausse; roux, rousse; doux, douce (e vor e lautet = ss).

---

voudrai. Unnötigerweise bleibt dieses d in den Einzahlformen des Präsens bei prendre, moudre, coudre. In letzterem Verb wurde ausnahmsweise d zwischen (ausgefallenem) s und r eingeschoben, während sonst t eingeschoben ist, z. B. connai(s)tre, nai(s)tre.

1) *Cédille* heißt: kleines z; das Häkchen ist aus einem z entstanden.

2) Um Verwechslung zu meiden, wird einem auf ausgesprochenes u (nach g) folgenden e, i das *tréma* gegeben: aigu, aiguë (§ 15).

3) Wenn aber einmal geändert wird, so können einzelne Formen auch andere nach sich ziehen, bei welchen die Änderung unnötig wäre: vaincre, je vainquis und so auch nous vainquons.

5) Ausgenommen die Adjektive bleu (blau) und feu (verstorben), sowie die Verbalform je meus von mouvoir (bewegen).

7) Geschliffenes l muß stets i vor sich haben. Im Auslaut wird es mit l, im Inlaut mit ll bezeichnet: pareil, pareille; gentil, gentille, la gentillesse; accueil, accueillir. (§ 18.)

I. Das Verb *(le Verbe).*

§ 55. Genus, Modus, Tempus, Numerus und Person.

Man unterscheidet bei dem Verb ein Aktiv und ein Passiv *(verbe actif, v. passif, oder voix active, v. passive).*

Der Modus *(le mode)* ist dreifach[1]: Indikativ, Konjunktiv und Imperativ *(l'indicatif, le subjonctif, l'impératif).*

Die Zeiten *(les temps)* sind:

a) 3 einfache: Präsens *(le présent),* Imperfekt *(l'imparfait)* und historisches Perfekt *(le parfait défini, auch passé défini);*

b) 2 zusammengesetzte[2]: Futur *(le futur)* und Imperfekt des Futurs oder Konditional *(le conditionnel);*

c) 5 umschreibende: Perfekt *(le parfait indéfini, auch passé indéfini),* Plusquamperfekt *(le plus-que-parfait),* historisches Plusquamperfekt *(le parfait antérieur, auch passé antérieur),* Perfekt des Futurs *(le futur antérieur)* und Plusquamperfekt des Futurs oder zweites Konditional *(le conditionnel antérieur).*

Der Konjunktiv umfaßt nur 4 Zeiten: Präsens, Imperfekt, Perfekt und Plusquamperfekt *(présent, imparfait, parfait (passé), et plus-que-parfait du subjonctif).* Ein Imperativ findet sich nur zum Präsens.

Die Mittel- oder Nominalformen begreifen in sich die Infinitive (Substantivform des Verbs) und Participien (Adjektivform des Verbs). Es giebt einen Infinitiv des Präsens (einfach) und einen Inf. des Perfekts (umschreibend); zwei einfache Participien, das des Präsens *(participe présent)* und das des Präteritums *(participe passé),* durch Umschreibung wird das Particip des Perfekts[3] gebildet.

---

[1] Unter den vieldeutigen Ausdruck modes reihen manche auch das Konditional, den Infinitiv und sogar das Particip. Littré spricht auch von einem *mode réfléchi.*

[2] Zusammengesetzt (oder zusammengeschweißt, soudés) sind sie ihrer Entstehung nach. Dem Sprachgefühl aber erscheinen sie als einfache Zeiten; sie werden daher auch meist unter diesen aufgeführt.

[3] Z. B. ayant donné. Meist giebt man den Namen Part. Perf. auch der (hier als Part. Prät. bezeichneten) Form donné.

Der Numerus ist zweifach: Singular (*le singulier*) und Plural
(*le pluriel*), jeder mit 3 grammatischen Personen (1re, 2e, 3e *personne*).

§ 56. Einteilung der Verben nach der Bedeutung.

Ihrer Bedeutung nach zerfallen die Verben in
1) Hülfsverben (*verbes auxiliaires*), d. h. solche, die zur Formenbildung
anderer Verben dienen[1] und
2) Begriffsverben, d. h. solche, die eine Thätigkeit oder das Beharren
in einem Zustande ausdrücken.

§ 57. Einteilung der Verben nach der Thätigkeit.

Nach der Art, wie sich die ausgedrückte Thätigkeit äußert, teilt man
die Verben in
1) Transitive (*verbes actifs, v. transitifs*),
2) Intransitive (*verbes neutres, v. intransitifs*),
3) Reflexive (*verbes réfléchis, v. pronominaux*) und
4) Unpersönliche (*verbes impersonnels*).

Jedoch kann ein und dasselbe Verb mehreren dieser Abteilungen zugleich
angehören. Die französischen Grammatiker führen auch die passive Form
(*verbes passifs*) besonders auf.

§ 58. Einteilung der Verben nach der Formenbildung.

Wir unterscheiden
1) Gleichförmige Verben, und zwar:
   a) mit dem Inf. auf -er, I. Konjugation;
   b) } mit dem Inf. auf -ir { und der Silbe -iss-, II (a) Konjugation[2]
   c) } mit dem Inf. auf -ir { ohne die Silbe -iss-, II (b) Konjugation;
   d) mit dem Inf. auf -re, III. Konjugation.
2) Ungleichförmige Verben, d. h. diejenigen, welche im Inf. und
   einzelnen Formen sich den obigen anschließen, aber in einer Reihe von
   Formen sich von denselben unterscheiden, sowie sämtliche Verben
   auf -oir.

Die Konjugation IIa unterscheidet sich von IIb nur im Präsens und
Imperfekt; erstere nennt man auch die Konjugation mit erweitertem,
letztere die mit reinem Stamm.

---

[1] Aber auch (im Französ. mehr als im Deutschen) ein selbständiges
Dasein haben.
[2] Konjugation mit erweitertem Stamm (IIa, *conjugaison inchoative*,
ch = k). Konjugation mit reinem Stamm (IIb, *conjugaison directe*).

Die I. und II. Konjugation (mit erweitertem Stamm) nennen wir Hauptkonjugationen, weil die große Mehrzahl der Verben ihnen folgt und sie allein noch Zuwachs durch neugebildete Verben erhalten können.

In runden Zahlen ausgedrückt, fallen von sämtlichen französischen Verben 86% der I., $81_2\%$ der II., $41_2\%$ der III. Konjugation zu. Die Verben auf -oir bilden nur 1% des Gesamtbestandes.

Die Konjugation.

§ 59. Stamm.

Bei jedem Verb unterscheidet man den Stamm *(le radical,* auch *le thème)* und die Endung *(la terminaison).*

Der Stamm erleidet in der Regel keine Veränderung als die Erweiterung -iss- im Präsens und Imperfekt der II. Konjugation (Gegensatz: Reiner Stamm). Unter dem Einfluß des auf ihn fallenden Worttons *(accent tonique)* wird er aber bei einzelnen Verben der I. Konjugation in den Präsens- und Futurformen verstärkt: mener [men-], je mène, je mènerai. Dasselbe findet sich im Präsens des ungleichförmigen prendre [prend-, pren-], ils prennent.

Aus demselben Grund erhält der Stamm in den Präsensformen einiger Verben einen Diphthong, z. B. venir [ven-], je viens; acquérir [acquér-], j'acquiers. Im Futur bleibt der Diphthong (je viendrai) oder offener Laut tritt ein (j'acquerrai).

Aus ou wird in der Tonsilbe der Präsensformen oft eu, z. B. mourir [mour-], je meurs. Nur im Indikativ: pouvoir [pouv-], je peux; vouloir [voul-], je veux.

Unter dem Einfluß eines früher folgenden i wurde a des Stammes zu ai (= offenem e) in aller [va-], je vais; haïr [ha-], je hais. Zu ai (= geschlossenem e) in avoir [av-], j'ai; savoir [sav-], je sais.

Besonders aber tritt aus dem gleichen Grund in dem Konjunktiv des Präsens statt des reinen Vokals ein fallender Diphthong ein bei aller, valoir, falloir, vouloir (j'aille, je vaille, il faille, je veuille), ein steigender in pouvoir (je puisse). Nur letzterer bleibt auch außerhalb der Tonsilbe.

Auch ss, ch in dem Präsens Konj. von faire, savoir (je fasse, je sache), hängt mit einem früher nachfolgenden i zusammen.

§ 60. Endung.[2]

Die Endungen sind teils stätig (konstant), teils in den verschiedenen Konjugationen verschieden. Die Endung kann einfach oder mehrfach

[1] Offen im (ganzen) Konjunktiv j'aie.
[2] Franz. *la terminaison* die Endung schlechthin, *la désinence* deren letzter Bestandteil oder der Endungsauslaut. *La finale* die Endsilbe.

sein. Einfach ist sie z. B. in je donn-ai. Mehrfach ist sie z. B. in den Futurformen, welche mit dem Präsens und Imperfekt (letzteres für das Konditional) von avoir derart zusammengesetzt sind, daß an den Inf. die einsilbigen Formen ai, as, a, ont vollständig antreten, von den zweisilbigen avons. avais u. s. w. der letzte Teil (Tonsilbe ohne das zum Stamme gehörige v). Je donnerai = j'ai [a] donner ich habe zu geben, d. h. ich werde geben. Hierin kann man jedoch eher eine Anfügung (Suffix) erkennen.

Mehrfache Endung hat il finit (als Präsens, nicht als hist. Perf.), entstanden aus Stamm fin-. Inchoativ= oder Erweiterungssilbe -iss-, wovon (nach LM 1 b. c) nur i zurückbleibt, und Endung der dritten Person t. Als mehrfach kann man auch die Endung in je (tu) finis betrachten, da is zwar nur der Rest der Inchoativsilbe ist, s aber zugleich das Zeichen der Personalendung vertritt, dessen Antreten unmöglich war.

Einzelne Endungen haben außerdem einen Charaktervokal. Derselbe zeigt an, zu welcher Konjugationsform das Verb gehört: tu donn-as. tu romp-is. [1]

---

[1] In den Mundarten hat vielfach auch die I. Konjugation den Charaktervokal i, z. B. je chantis, il tombit u. dgl. Vgl. das bekannte Lied *le Compère Guilleri* (Anthologie des Écoles I. 84).

§ 61. Übersicht der Endungen.

	Singularformen				Pluralformen			
	Konjugation							
	I	IIa	IIb	III	I	IIa	IIb	III
Präs. Ind.	e es e	(is) (is) (i)t	s s t		(iss) ons (iss) ez (iss) ent			
Präs. Konj.	(iss) e (iss) es (iss) e				(iss) ions (iss) iez (iss) ent			
Imperativ	e	= den entsprechenden Formen des Präs. Ind.						
Part. Präs.	(iss) ant							
Imperf. Ind.	(iss) ais (iss) ais (iss) ait				(iss) ions (iss) iez (iss) aient			
Hist. Perf.	ai as a	is is it			âmes âtes èrent	îmes îtes irent		
Imperf. Konj.	asse asses ât	isse isses ît			assions assiez assent	issions issiez issent		
Futur	ai as a				ons ez ont			
Konditional	ais ais ait				ions iez aient			
Part. Prät.	é	i	u					

Anm. 1) Die Jnchoativsilbe -iss- (lat. -isc-, -esc-) findet sich nur im Praesens und Imperfekt der II. Konjugation. Sie fehlt auch in der

Konjugation II b. Im Lateinischen bedeutet sie den Anfang einer Thätigkeit. Im Französischen ist diese Bedeutung verloren; ein Anklang an dieselbe findet sich in dem Umstand, daß die aus Adjektiven gebildeten Verben immer der II. Hauptkonjugation zufallen: maigrir (von maigre) abmagern, d. h. anfangen mager zu sein. Einen Bedeutungsunterschied kann die Inchoativform nicht mehr vermitteln; ähnlich ist im Französischen auch öfters die Iterativform in ihrer Bedeutung abgeschwächt: remplir verdrängt emplir, neben enfermer, joindre stehen renfermer, rejoindre mit vielfach gleicher Bedeutung, raffiner hat affiner ganz verdrängt. Besonders bei den Zusammensetzungen mit en (remblai, rembourrer, remplacer, rencontrer, renforcer, renverser u. a.) und in Mundarten noch häufiger.

2) Im Lateinischen hatte die 1. Sing. kein s, ebensowenig die 2. Sing. des Imperativs. Im Franz. fehlt der 1. Sing. nur im Präsens und hist. Perfekt der I. Konjugation und im Futur aller Konjugationen das s. Ebenso hat nur in der I. Konjugation die 2. Sing. des Imperativs kein s. Somit ist s angetreten, wo es nicht schon stand wie bei den s-Stämmen und der Konjugation II a. Vgl. §1 b, c. Die Poesie verwendet noch alte Formen (wie je vien, je doi, je croi, je reçoi u. a.) im Reim.

3) Die 3. Sing. erhält in der neueren Sprache kein t nach e und a (außer wo s ausfiel: -ât). Man hat vermutet, daß die Einschiebung des t in a-t-il, marche-t-elle auf das ursprüngliche t der 3. Person zurückzuführen sei. Das ist wenig wahrscheinlich, weil früher lange Zeit a-il, va-on u. dgl. geschrieben, nachweislich aber a-t-il, va-t-on gesprochen wurde. Es liegt hier eher einer der vielen cuirs (Einschiebung euphonischer Konsonanten) vor, wie sie der Volkssprache eigentümlich sind. Auch das t (oder ti, t'y) in ne voilà-t-il pas, je m'amuse-t-i u. a. hat mit dem t der 3. Sing. wohl nichts gemein[1]. Wahrscheinlich geht auch die mundartliche Form vat (für va) z. B. in Jean vat-aux-vignes, vat-en ville u. a. nicht auf das t der 3. Person zurück. Wenigstens kann dieses bei der einzigen auch der Schriftsprache geläufigen Form nicht der Fall sein, nämlich bei dem Seemannswunsche Adieu vat! (Glückliche Fahrt!), da hier nur eine Imperativform angenommen werden kann, wenn auch das t laut ist.

§ 62. Formenbildung.

a) Gleichförmige Verben.

1) Die umschreibenden Zeiten werden bei allen Verben in übereinstimmender Weise durch die Verbindung der Hilfsverben avoir

b) Ungleichförmige Verben.

1) Bei den ungleichförmigen Verben hat das Part. Prät. sehr verschiedene Formen. — Die Nebenform béni (von bénit) ist nicht zur Bil-

[1] Vgl. Etudes de grammaire et de littérature françaises. I. livr. 5 et 6.

oder être mit dem Particip des Präteritums gebildet, welches in der I. Konjugation auf -é, in der II. (a und b) auf -i, in der III. auf -u auslautet.

2) Die zusammengesetzten Zeiten werden gebildet durch Anfügung der Endungen -ai u. s. w. (bezw. -ais u. s. w.) an den Infinitiv, dessen Endungsvokal in der I. und II. Konjugation verkürzt wird (je donnᵉrai, je finᵉrai, je servᵉrai), in der III. Konjugation wegfällt (je romprai). Vgl. § 53,5, § 60.

3) Im Präsens Ind. endigt die 1. Sing. auf -s, außer in der I. Konjugation: je donne[1].

Wenn die 1. Sing. auf -s auslautet, so ist sie der 2. Sing. gleich.

Der 2. Sing. ist die entsprechende Person des Imperativs gleich, außer

dung der umschreibenden Zeiten zu verwenden. — Bemerke den Cirkumflex auf der männl. Form des Sing. in crû. dû. mû (croître, devoir, mouvoir).

2) Bei den Verben auf -oir (z. B. recevoir) wurde der Endungsdiphthong zunächst in e verkürzt (recever), welches dann wegfiel (je recevrai). — Die Endungen müssen ihrer bei allen Verben gemeinsamen Herkunft wegen ständig sein.

Bemerke: j'enverrai (envoyer), je verrai (voir), j'assiérai (asseoir), je courrai (courir), j'acquerrai (acquérir), je mourrai (mourir), je cueillerai (cueillir), je ferai (faire), je serai (être), j'aurai (avoir), je saurai (savoir), je pourrai (pouvoir), je voudrai (vouloir), je vaudrai (valoir), il faudra (falloir), je viendrai (venir), j'irai (aller).

3) Statt -s steht -e bei den Verben mit Übergangsformen (cueillir, ouvrir u. ähnl.). — Statt -s steht -x[2] in je vaux, je peux, je veux (valoir, pouvoir, vouloir, §M 5), jedoch nicht bei je meus (mouvoir). Kein Beispiel für x nach ou!

Bemerke das im Sing. verbleibende d von prendre, coudre, moudre, ebenso bei asseoir.

Bemerke je puis neben je peux (pouvoir). Kein tu puis!

Ausgenommen sind auch die Verben mit Übergangsformen und

---

[1] Dieses stumme e wird vor je in der Inversion zu é, welches ausnahmsweise wie è klingt. Ebenso puissé-je, dussé-je und die Endung ai im gleichen Falle: donnerai-je.

[2] Nach der Akad. je défaus (défaillir) gegenüber je faux (faillir). Bei Littré irrtümlich j'équivaus (équivaloir).

in der I. Konjugation: tu donnes, aber donne¹.

Die 3. Sing. endigt auf -t, außer nach e, a². Ausgenommen sind auch die d- und c-Stämme (LR 1 c), wogegen bei den t-Stämmen das verbleibende t des Stammes zugleich die Endung vertritt, ebenso wie s des erweiterten Stammes das Endungs-s vertritt in je (tu) finis (LR I, b, c).

In der 1. und 2. Plur. wird i zu y bei den ai-, oi- und ui-Stämmen (§ 10, LR 4). Ebenso in den gleichen Personen des Präsens Konj. (und des Imperativs), des Imperfekts und dem Part. Präs.

Diesen beiden Personen sind die entsprechenden Personen des Imperativs gleich.

die mit konjunktivischem Imperativ: aie, sache, veuille (avoir, savoir, vouloir). Vgl. sois.

Auch hier sind die Verben mit Übergangsformen zu beachten. — Bemerke: il prend, il coud, il moud, il assied (prendre, coudre, moudre, asseoir), dagegen il craint, il résout (craindre, résoudre).

Für ein vor t ausgefallenes s tritt der Cirkumflex ein bei il connaît, il naît, il plaît (aber il tait), il gît (connaître, naître, plaire, taire, gésir), ebenso in il clôt (clore) mit nicht etymologischem s.

Hierher gehören von den ungleichförmigen Verben fuir, traire, croire, voir. Früher auch bruire, braire, die Zusammensetzungen von choir und die oi-Konjugation von asseoir; doch sind diese letztgenannten Formen nicht mehr üblich.

Ausgenommen sind die konjunktivischen Imperative ayons, soyons, sachons, venillons (ayez, soyez, sachez, veuillez), von welchen jedoch nur die beiden ersten genau mit den Konjunktivformen übereinstimmen.

Die 1. Plur. hat eine ungewöhnliche Endung in nous sommes. — Die 2. Plur. in vous êtes, vous dites (und vous redites), vous faites: die erste derselbe (êtes) ist nicht zugleich Imperativform. — Die 3. Plur. hat ungewöhnliche

---

¹ Doch muß s antreten vor en, y: gardes-en, retournes-y. Ebenso bei allen nicht auf s (x) auslautenden Imperativen: aie, va, offre, sache u. a. Meist macht man die unnötige Ausnahme, daß s nicht antritt, wenn en nicht zu dem Imperativ gehört: retourne en prendre, va en chercher.

² Daher auch il donna, il va, il a ohne t und übereinstimmend mit letzterem kein t in der 3. Sing. des Futurs. Dagegen steht t nach á: qu'il donnât. Bei jeder 3. Sing. jedoch, die vokalisch auslautet, wird zur Beseitigung des Hiatus und Vermeidung der Elision -t- eingeschoben in der Inversion vor vokalisch anlautendem Fürwort (il, elle, on): donne-t-il, donna-t-elle, va-t-on.

Endung in ils ont, ils sont, ils vont, ils font.

4) Das Präsens Konj. hat nur stätige Endungen:

Singular: e, es, e.

Plural: ions, iez¹, ent.

Die 1. und 2. Plur. sind den entsprechenden Personen des Imperfekt Ind. gleich.

Die 3. Plur. ist derselben Person des Präs. Ind. gleich.

4) Ausgenommen je (tu) sois, il soit, il ait.

Kein i in nous soyons, nous ayons (vous soyez, vous ayez).

Ausgenommen: nous soyons, nous ayons, nous puissions, nous fassions, nous sachions (vous soyez) u. s. w.

Ausgenommen sind ils sont: qu'ils soient, ils ont: qu'ils aient, ils vont: qu'ils aillent, ils valent: qu'ils vaillent, ils veulent: qu'ils veuillent, ils font: qu'ils fassent, ils peuvent: qu'ils puissent, ils savent: qu'ils sachent.

5) Im historischen Perfekt haben die 1. und 2. Plur. den Cirkumflex auf dem Charaktervokal.

6) Im Imperfekt Konj. steht der Cirkumflex für ausgefallenes s vor dem t der 3. Sing.

5) Croître hat den Cirkumflex in allen Formen. Nous haîmes, vous haîtes und

6) ebenso qu'il haît ohne Cirkumflex, weil derselbe sich mit dem Trema nicht vereinigen ließe.

---

¹ Die Endungen -ions, -iez im Präs. Konj., Imperfekt und Imperf. des Futurs sind einsilbig (früher im Imperfekt zweisilbig). Stets zweisilbig sind sie jedoch nach Muta mit folgender Liquida: nous entrions, vous sembliez, nous mettrions, vous voudriez. Vgl. dieselbe Ausnahme bei quatrième (§ 167). Warum ist nous lions (lier) zweisilbig? — Statt der Endungen -ais, -ait, -aient stand früher -ois, -oit, -oient. Die neue Form drang erst im dritten Decennium unseres Jahrhunderts völlig durch.

Die gleichförmigen

§ 63.   Einfache Zeiten

Indikativ.   *Indicatif.*

I	IIa

Präsens *Présent.*

je donn e *ich gebe*	je fin is *ich endige*	
tu donn es	tu fin is	CR
il donn e	il fin it	1, b, c
nous donn ons	nous fin iss ons	
vous donn ez	vous fin iss ez	
ils donn ent	ils fin iss ent	

Imperfekt *Imparfait.*

je donn ais *ich gab*	je fin iss ais *ich endigte*
tu donn ais	tu fin iss ais
il donn ait	il fin iss ait
nous donn ions	nous fin iss ions
vous donn iez	vous fin iss iez
ils donn aient	ils fin iss aient

Histor. Perfekt *Parfait (passé) défini.*

je donn ai *ich gab*	je fin is *ich endigte*
tu donn as	tu fin is
il donn a	il fin it
nous donn âmes	nous fin îmes
vous donn âtes	vous fin îtes
ils donn èrent	ils fin irent

Futur *Futur.*

je donn er ai *ich werde*	je fin ir ai *ich werde*
tu donn er as *[geben*	tu fin ir as *[endigen*
il donn er a	il fin ir a
nous donn er ons	nous fin ir ons
vous donn er ez	vous fin ir ez
ils donn er ont	ils fin ir ont

Imperf. des Fut. *Conditionnel.*

je donn er ais *ich würde*	je fin ir ais *ich würde*
tu donn er ais *[geben*	tu fin ir ais *[endigen*
il donn er ait	il fin ir ait
nous donn er ions	nous fin ir ions
vous donn er iez	vous fin ir iez
ils donn er aient	ils fin ir aient

Konjugationen.
des Aktivs: Indikativ.

Indikativ.   *Indicatif.*

IIb	III
Präsens *Présent.*	
je sers ich diene	je romp s ich breche
tu sers M 1a	tu romp s
il sert	il romp t
nous serv ons	nous romp ons
vous serv ez	vous romp ez
ils serv ent	ils romp ent
Imperfekt *Imparfait.*	
je serv ais ich diente	je romp ais ich brach
tu serv ais	tu romp ais
il serv ait	il romp ait
nous serv ions	nous romp ions
vous serv iez	vous romp iez
ils serv aient	ils romp aient
Histor. Perfekt *Parfait (passé) défini.*	
je serv is ich diente	je romp is ich brach
tu serv is	tu romp is
il serv it	il romp it
nous serv îmes	nous romp îmes
vous serv îtes	vous romp îtes
ils serv irent	ils romp irent
Futur *Futur.*	
je serv ir ai ich werde	je romp r ai ich werde
tu serv ir as {dienen	tu romp r as {brechen
il serv ir a	il romp r a
nous serv ir ons	nous romp r ons
vous serv ir ez	vous romp r ez
ils serv ir ont	ils romp r ont
Imperf. des Fut. *Conditionnel.*	
je serv ir ais ich würde	je romp r ais ich würde
tu serv ir ais {dienen	tu romp r ais {brechen
il serv ir ait	il romp r ait M 5
nous serv ir ions	nous romp r ions
vous serv ir iez	vous romp r iez
ils serv ir aient	ils romp r aient

§ 64. Einfache Zeiten des Aktivs: Konjunktiv und Imperativ.

Konjunktiv. *Subjonctif.*

Präsens. *Présent.*

	I	IIa	IIb	III
	je donn e (ich gebe)	je fin iss e (ich endige)	je serv e (ich diene)	je romp e (ich breche)
	tu donn es	tu fin iss es	tu serv es	tu romp es
	il donn e	il fin iss e	il serv e	il romp e
	nous donn ions	nous fin iss ions	nous serv ions	nous romp ions
	vous donn iez	vous fin iss iez	vous serv iez	vous romp iez
	ils donn ent	ils fin iss ent	ils serv ent	ils romp ent

Imperfekt. *Imparfait.*

	I	IIa	IIb	III
	je donn asse (ich gäbe)	je fin isse (ich endigte)	je serv isse (ich diente)	je romp isse (ich bräche)
	tu donn asses	tu fin isses	tu serv isses	tu romp isses
	il donn ât	il fin ît	il serv ît	il romp ît
	nous donn assions	nous fin issions	nous serv issions	nous romp issions
	vous donn assiez	vous fin issiez	vous serv issiez	vous romp issiez
	ils donn assent	ils fin issent	ils serv issent	ils romp issent

Imperativ. *Impératif.*

	I	IIa	IIb	III
	donn e (gieb)	fin is (endige)	ser s (diene)	romp s (brich)
	donn ons	fin iss ons	serv ons	romp ons
	donn ez	fin iss ez	serv ez	romp ez

83

§ 65. Umschreibende Zeiten des Aktivs.

	Perfekt *Parfait (passé) indéfini.*		
j'ai	donné (fini) servi (rompu)	ich habe	gegeben (geendigt) gedient (gebrochen)
	Plusquamperfekt *Plus-que-Parfait.*		
j'avais	donné (fini) servi (rompu)	ich hatte	gegeben (geendigt) gedient (gebrochen)
	Hiſtor. Plusquamperf. *Parfait (passé) antérieur.*		
j'eus	donné (fini) servi (rompu)	ich hatte	gegeben (geendigt) gedient (gebrochen)
	Perfekt des Futurs *Futur antérieur.*		
j'aurai	donné (fini) servi (rompu)	ich werde	gegeben (geendigt) gedient (gebrochen) } haben
	Plusquamperf. des Futurs *Conditionnel antérieur.*		
j'aurais	donné (fini) servi (rompu)	ich würde	gegeben (geendigt) gedient (gebrochen) } haben
	Perfekt Konj. *Parfait (passé) du subjonctif.*		
j'aie	donné (fini) servi (rompu)	ich habe	gegeben (geendigt) gedient (gebrochen)
	Plusquamperf. Konj. *Plus-que-Parfait du subjonctif.*		
j'eusse	donné (fini) servi (rompu)	ich hätte	gegeben (geendigt) gedient (gebrochen)

§ 66. Einfache und umschreibende Mittelformen des Aktivs.

	Präſens *Présent.*		Perfekt *Parfait.*	
Infinitiv *Infinitif.*	donner geben finir endigen servir dienen rompre brechen	avoir	donné gegeben fini geendigt servi gedient rompu gebrochen } haben	
	Präſens *Présent.*		Perfekt *Parfait.*	
Particip *Participe.*	donnant gebend finissant endigend servant dienend rompant brechend	ayant	donné gegeben fini geendigt servi gedient rompu gebrochen } habend	

Präteritum *Passé.*
donné gegeben, fini geendigt, servi gedient, rompu gebrochen.

5

§ 67. Bildung des Passivs.

Präsens *Présent*	je suis trompé(e) ich werde getäuscht nous sommes trompé(e)s
Präsens Konjunktiv *Présent du subjonctif*	je sois trompé(e) ich werde getäuscht nous soyons trompé(e)s
Imperfekt *Imparfait*	j'étais trompé(e) ich wurde getäuscht nous étions trompé(e)s
Imperfekt Konjunktiv *Imparfait du subjonctif*	je fusse trompé(e) ich würde getäuscht nous fussions trompé(e)s
Histor. Perfekt *Parfait (passé) défini*	je fus trompé(e) ich wurde getäuscht nous fûmes trompé(e)s
Futur *Futur*	je serai trompé(e) ich werde getäuscht werden nous serons trompé(e)s
Imperf. des Futurs *Conditionnel*	je serais trompé(e) ich würde getäuscht werden nous serions trompé(e)s
Imperativ *Impératif*	sois trompé(e) werde (oder: sei) getäuscht soyons, soyez trompé(e)s
Inf. Präs. *Infinitif prés.* Perf. *parf.*	être trompé (e, s, es) getäuscht werden avoir été trompé(e, s, es) getäuscht worden sein
Part. Präs. *Participe prés.* » Perf. » *parf.*	étant trompé (e, s, es) getäuscht werdend ayant été trompé(e, s, es) getäuscht worden seiend
Perfekt *Parfait (passé) indéfini*	j'ai été trompé(e) ich bin getäuscht worden nous avons été trompé(e)s
Perfekt Konjunktiv *Parfait (passé) du subjonctif*	j'aie été trompé(e) ich sei getäuscht worden nous ayons été trompé(e)s
Plusquamperfekt *Plus-que-Parfait*	j'avais été trompé(e) ich war getäuscht worden nous avions été trompé(e)s
Plusquamperf. Konj. *Plus-que-Parfait du subjonct.*	j'eusse été trompé(e) ich wäre getäuscht worden nous eussions été trompé(e)s
Histor. Plusquamperf. *Parfait (passé) antérieur*	j'eus été trompé(e) ich war getäuscht worden nous eûmes été trompé(e)s
Perfekt des Futurs *Futur antérieur*	j'aurai été trompé(é)e ich werde getäuscht worden nous aurons été trompé(e)s [sein
Plusquamperf. des Futurs *Conditionnel antérieur*	j'aurais été trompé(e) ich würde getäuscht worden nous aurions été trompé(e)s [sein

§ 68. Indikativ der Hülfsverben.

Indikativ. *Indicatif.*

Avoir		Être	
Präsens *Présent.*			
j'ai	ich habe	je suis	ich bin
tu as	du hast	tu es	du bist
il a	er hat	il est	er ist
nous avons	wir haben	nous sommes	wir sind
vous avez	ihr habt	vous êtes	ihr seid
ils ont	sie haben	ils sont	sie sind
Imperfekt *Imparfait.*			
j'avais	ich hatte	j'étais	ich war
tu avais	du hattest	tu étais	du warst
il avait	er hatte	il était	er war
nous avions	wir hatten	nous étions	wir waren
vous aviez	ihr hattet	vous étiez	ihr waret
ils avaient	sie hatten	ils étaient	sie waren
Histor. Perfekt *Parfait (passé) défini.*			
j'eus	ich hatte	je fus	ich war
tu eus	du hattest	tu fus	du warst
il eut	er hatte	il fut	er war
nous eûmes	wir hatten	nous fûmes	wir waren
vous eûtes	ihr hattet	vous fûtes	ihr waret
ils eurent	sie hatten	ils furent	sie waren
Futur *Futur.*			
j'aurai	ich werde	je serai	ich werde
tu auras	du wirst	tu seras	du wirst
il aura	er wird	il sera	er wird
nous aurons	wir werden (haben)	nous serons	wir werden (sein)
vous aurez	ihr werdet	vous serez	ihr werdet
ils auront	sie werden	ils seront	sie werden
Imperfekt des Fut. *Conditionnel.*			
j'aurais	ich würde	je serais	ich würde
tu aurais	du würdest	tu serais	du würdest
il aurait	er würde	il serait	er würde
nous aurions	wir würden (haben)	nous serions	wir würden (sein)
vous auriez	ihr würdet	vous seriez	ihr würdet
ils auraient	sie würden	ils seraient	sie würden

§ 69. Konjunktiv und Imperativ der Hülfsverben.

Konjunktiv.   *Subjonctif.*

Avoir		Être	
Präsens *Présent.*			
j'aie	ich habe	je sois	ich sei
tu aies	du habest	tu sois	du seist
il ait	er habe	il soit	er sei
nous ayons	wir haben	nous soyons	wir seien
vous ayez	ihr habet	vous soyez	ihr seiet
ils aient	sie haben	ils soient	sie seien
Imperfekt *Imparfait.*			
j'eusse	ich hätte	je fusse	ich wäre
tu eusses	du hättest	tu fusses	du wärest
il eût	er hätte	il fût	er wäre
nous eussions	wir hätten	nous fussions	wir wären
vous eussiez	ihr hättet	vous fussiez	ihr wäret
ils eussent	sie hätten	ils fussent	sie wären

Imperativ.   *Impératif.*

aie	habe	sois	sei
ayons	laßt uns haben	soyons	laßt uns sein
ayez	habet	soyez	seid

§ 70. Einfache und umschreibende Mittelformen.

Infinitiv *Infinitif.*			
	Präsens *Présent.*		
	avoir haben	être sein	
	Perfekt *Parfait.*		
	avoir eu gehabt haben	avoir été gewesen sein	

Particip *Participe.*			
	Präsens *Présent.*		
	ayant habend	étant seiend	
	Präteritum *Passé.*		
	eu gehabt	été gewesen	
	Perfekt *Parfait.*		
	ayant eu gehabt habend	ayant été gewesen seiend	

§ 71. Umschreibende Zeiten der Hülfsverben.

Avoir	Être
Perfekt *Parfait (passé) indéfini.*	
j'ai eu ich habe gehabt	j'ai été ich bin geweſen
nous avons eu wir haben gehabt	nous avons été wir ſind geweſen
Plusquamperfekt *Plus-que-Parfait.*	
j'avais eu ich hatte gehabt	j'avais été ich war geweſen
nous avions eu wir hatten	nous avions été wir waren
[gehabt	[geweſen
Hiſtor. Plusquamperf. *Parfait (passé) antérieur.*	
j'eus eu ich hatte gehabt	j'eus été ich war geweſen
nous eûmes eu wir hatten	nous eûmes été wir waren
[gehabt	[geweſen
Perfekt des Futurs *Futur antérieur.*	
j'aurai eu ich werde gehabt haben	j'aurai été ich werde geweſen ſein
nous aurons eu wir werden	nous aurons été wir werden
[gehabt haben	[geweſen ſein
Plusquamperf. des Fut. *Conditionnel antérieur.*	
j'aurais eu ich würde gehabt haben	j'aurais été ich würde geweſen ſein
nous aurions eu wir würden	nous aurions été wir würden
[gehabt haben	[geweſen ſein
Perfekt Konj. *Parfait (passé) du subjonctif.*	
j'aie eu ich habe gehabt	j'aie été ich ſei geweſen
nous ayons eu wir haben gehabt	nous ayons été wir ſeien geweſen
Plusquamperf. Konj. *Plus-que-Parfait du subjonctif.*	
j'eusse eu ich hätte gehabt	j'eusse été ich wäre geweſen
nous eussions eu wir hätten	nous eussions été wir wären
[gehabt	[geweſen

Das Particip eu in den oben ſtehenden Formen iſt wie jedes Particip Präterit. eines tranſitiven Verbs veränderlich und ſtimmt in Geſchlecht und Zahl mit dem vorausgehenden Accuſativ überein. Das Particip été iſt dagegen unveränderlich und kann nicht mit dem Subjekt übereinſtimmen.

§ 72. Eigentliche und uneigentliche Hülfsverben.

Von den beiden eigentlichen Hülfsverben dient avoir zur Bildung der umschreibenden Zeiten des Aktivs, être zur Bildung sämtlicher Formen des Passivs. Außerdem werden die um= schreibenden Zeiten der Reflexiven nur mit être gebildet und eine kleine Zahl von Intransitiven wählt être statt avoir in den umschreibenden Zeiten des Aktivs. Être selbst bildet seine um= schreibenden Formen mit avoir.[1]

Anm. Hülfsverben im weiteren Sinn werden außerdem aller und devoir, wenn sie zur Umschreibung des Futurs dienen; faire vor einem Infinitiv zur Bildung von Transitiven oder Kausativen; dasselbe Verb, wenn es bei ne . . . que eingeschoben wird oder ein früheres Verb vertritt; einzelne Verben, welche zur Umschreibung eines Adverbs dienen; Verben der Bewegung vor einem Infinitiv und savoir vor dem indirekten Fragesatz in (für uns) pleonastischer Verwendung u. a.

Modale Hülfsverben nennt man devoir, pouvoir, savoir, vouloir, oser.

Der Gebrauch der Hülfsverben in den um-schreibenden Zeiten.

§ 73. Intransitive mit être.

Alle transitiven und intransitiven Verben bilden die um= schreibenden Zeiten des Aktivs mit avoir. Nur folgende 14 In= transitive, von welchen 10 eine Bewegung im eigentlichen Sinne bezeichnen, 4 eine Bewegung im übertragenen Sinne (Eintritt in das Dasein, Austritt aus dem Dasein), werden mit être verbunden:

I. Aller, venir,   II. Naître, éclore,

    entrer, sortir,   mourir, décéder.[2]

    tomber, choir,

    arriver, partir,

    retourner, rester.

Anm. Choir (fallen) ist nur noch im Infinitiv üblich, aber hier keines= wegs selten. Wie die hier aufgezählten Verben haben auch deren Zusammen= setzungen être, also échoir (zufallen, fällig werden).

---

[1] Die ältere Sprache gebrauchte hierfür auch être und in den Mund= arten findet sich das gleiche noch.

[2] Das alte trépasser (hinscheiden) fand sich und findet sich manchmal noch mit beiden Hülfsverben.

Ausgenommen sind dagegen **contrevenir** à qe (sich vergehen gegen), **subvenir** à qe (sorgen für) und selbstverständlich (als Transitive) circonvenir qn (berücken, hintergehen) und prévenir qn (zuvorkommen, benachrichtigen). Für repartir, rester vgl. § 74, für déchoir ebenda Anm. 2. Partir (aufspringen von gejagtem Wild, losgehen von Schußwaffen) kann mit **avoir** verbunden werden.

In der Volkssprache finden sich auch andere Intransitive (z. B. sauter) mit être verbunden; viel häufiger aber trifft man avoir bei den obengenannten Verben, besonders bei arriver, partir, tomber und choir. Wenn von meteorologischen Vorgängen die Rede ist, steht tomber vielfach mit avoir (z. B. il a tombé de l'eau) und findet sich so auch in der Schriftsprache gebraucht.

§ 74. Intransitive mit avoir und être.

Einzelne Verben werden je nach ihrer Bedeutung mit **avoir** oder **être** verbunden, so

mit *avoir*	mit *être*
convenir à qn (à qe) passen	convenir[1] de qe übereinkommen,
demeurer[2] wohnen	demeurer bleiben [gestehen
échapper entgehen	échapper[3] entschlüpfen
expirer sterben[4]	expirer ablaufen (Frist u. dgl.)
repartir erwidern	repartir wieder abreisen

Also Le mot m'a échappé; s'il a été prononcé, je rappelle l'orateur à l'ordre. — Le mot ne m'est point échappé, je l'ai dit à dessein.

Rester ist nur in der Bedeutung bleiben und daher nur mit **être** zu gebrauchen.

Anm. 1) Expirer steht manchmal auch in der Bedeutung sterben mit être. Auch bei échapper finden sich häufig Beispiele verschiedenen Gebrauchs, die teilweise anerkannt sind.

2) Bei einer Reihe von Verben sind beide Hülfsverben erlaubt, und zwar wird avoir gebraucht, wenn das Geschehen, être dagegen, wenn der infolge der Thätigkeit eingetretene Zustand bezeichnet werden soll. Der Gebrauch entscheidet sich bei den einzelnen Verben gewöhnlich vorwiegend für eines der beiden Hülfsverben. Die wichtigsten sind:

[1] Doch findet sich convenir auch in diesem Sinne oft mit avoir.
[2] Die Verwechslung beider Gebrauchsweisen gehört nicht zu den Seltenheiten.
[3] Dieses auch öfter mit avoir.
[4] Früher auch in diesem Sinne oft mit être.

aborder landen (meist avoir)
accoucher niederkommen (meist être)
apparaître erscheinen (fast nur être)
disparaître[1] verschwinden (fast nur avoir)
augmenter sich vermehren (meist avoir)
avancer vorrücken, vorsahren
changer sich ändern
croître[2] wachsen (meist avoir)
décroître abnehmen (meist avoir)
débarquer landen
déborder übertreten (meist avoir)
déchoir verfallen (meist être)
geler frieren, dégeler (auf=)tauen
dégénérer entarten
déménager ausziehen

descendre herabsteigen, =fahren
diminuer sich vermindern (meist avoir)
échouer stranden (meist avoir)
embellir sich verschönern
émigrer auswandern (meist avoir)
empirer sich verschlimmern (meist avoir)
grandir größer werden (meist avoir)
monter hinaufsteigen (meist être)
passer werden, gehen, vorbei=, darübergehen u. s. w. (meist être)
pousser wachsen (meist avoir)
prendre zufrieren (meist être)
rajeunir sich verjüngen (meist avoir)
tarir versiegen (meist être)
vieillir altern (meist avoir)

Also: Après avoir descendu (la montagne) environ deux heures, nous trouvâmes un village. — Déjà le soleil était descendu derrière les hautes cimes des montagnes.

Von den früher hierher gehörigen Verben sind accourir und sonner (midi est sonné, deux heures sont sonnées) nur mit être, dagegen cesser und périr nur mit avoir zu gebrauchen. Man sagte avoir accoutumé de faire qe und être accoutumé de faire qe (gewöhnt sein); beide sind jetzt ziemlich selten.

3) Von den unpersönlichen Verben werden die umschreibenden Zeiten mit avoir gebildet, auch wenn dasselbe Verb im persönlichen Gebrauch beide Hülfsverben zuläßt, daher il a dégelé. Jedoch il lui est échappé de dire qu'il se croyait trahi wegen des Bedeutungsunterschiedes. Nur être lassen im unpersönlichen Gebrauch zu die Reflexive (s'ensuivre) und die § 73 auf= gezählten (il est tombé de la pluie). Résulter (sich ergeben) hat meist être.[3]

§ 75. Reflexive.

Die reflexiven Verben bilden ihre einfachen und umschreibenden Zeiten (letztere immer mit dem Hülfsverb être) nach folgendem Muster:

---

[1] Paraître, comparaître, reparaître nur mit avoir.
[2] Nicht auch accroître, welches nur être zuläßt. Um die Thätigkeit auszudrücken, nimmt man s'accroître. Der Unterschied ist also derselbe, wie bei s'être couché (sich zu Bette gelegt haben), être couché (zu Bette liegen), ebenso s'être levé, und être levé, s'être envolé und être envolé, s'être évanoui und être évanoui.
[3] Oder vielmehr ausschließlich être. Es ist nicht leicht, ein Beispiel für den Gebrauch von avoir zu finden, außer bei Grammatikern.

je me trompe ich täusche mich	je me suis trompé(e) ich habe
tu te trompes	tu t'es trompé(e) [mich ge=
il se trompe	il s'est trompé [täuscht
elle se trompe	elle s'est trompée
nous nous trompons	nous nous sommes trompé(e)s
vous vous trompez	vous vous êtes trompé(e)s
ils se trompent	ils se sont trompés
elles se trompent	elles se sont trompées

Im affirmativen Imperativ findet Nachstellung des reflexiven Fürworts statt: détrompe-toi (sieh deinen Irrtum ein), détrompons-nous, détrompez-vous.

Anm. 1) Die französischen Grammatiker teilen die reflexiven Verben in *verbes pronominaux essentiels* und *verbes pronominaux accidentels.* Zu ersteren gehören die Verben, welche sich nur im reflexiven Gebrauch finden, z. B. s'efforcer (sich bemühen); zu den letzteren rechnet man die Verben, welche auch im transitiven oder intransitiven Gebrauch vorkommen, z. B. s'approcher (sich nähern) neben approcher (näher rücken; näher kommen).

2) Das Reflexivpronomen steht in der Regel im Accusativverhältnis zu dem Verb. Unter den *verbes pronominaux essentiels* hat nur s'arroger (sich anmaßen) das Pronomen im Dativverhältnis, unter den übrigen z. B. se plaire, se complaire (sich gefallen), se déplaire (je me déplais quelque part es gefällt mir irgendwo nicht), se rire spotten.

3) Das Reflexivpronomen muß in Person und Zahl mit dem Subjekt übereinstimmen.[1] Eine doppelte Konstruktion ist bei dem Infinitiv erlaubt, wenn ein Subjekt der 1. oder 2. Person gemeint, aber nicht ausgedrückt ist: Il faut avoir un peu de patience et ne point vous affliger outre mesure (oder et ne point s'affliger outre mesure).

4) Statt der passiven Konstruktion tritt im Französischen häufig bei sächlichem Subjekt ein reflexives Verb ein: Ces mots peuvent se prendre les uns pour les autres. La guerre se continuait. Cela n'a pas besoin de se dire. Voilà ce qui se raconte. Selten bei persönlichem Subjekt: Bernard reconnaissait les sites au milieu desquels il s'était élevé (aufgewachsen war). Marie de Kéronare grandit et s'éleva dans ce château féodal comme une fleur dans un vase gothique. Beide Beispiele von J. Sandeau; die Selbst= thätigkeit (etwa: unbeaufsichtigt aufgewachsen) ist nicht damit ausgedrückt.

---

[1] In den Mundarten tritt öfter das Reflexiv der 3. Person (se) an die Stelle der beiden ersten Personen. Vgl. über alle diese Einzelheiten das Ergänzungsheft.

§ 76. Reflexiver und reciproker Sinn.

Das Reflexiv steht sowohl im eigentlich reflexiven wie im reciproken Sinn. In beiden Fällen muß bei dem Verb das Reflexivpronomen stehen, wenn es auch scheinen könnte, daß ein nach dem Verb folgender Zusatz es unnötig macht. Daher: er sprach mit sich selbst il se parlait à lui-même: sie haben einander derbe Wahrheiten gesagt ils se sont dit leurs vérités l'un à l'autre.

Zum Ausdruck der Reciprocität genügt das Reflexivpronomen: Je ne pouvais deviner ce qu'ils se disaient. Es kann verstärkt (aber nicht ersetzt) werden durch das unverbundene Reflexivpronomen sowie durch Zusätze wie entre eux, mutuellement, réciproquement, l'un l'autre, ensemble: Aimez-vous, mes frères, *les uns les autres*, car si vous ne *vous aimez* pas, qui diable vous aimera? (E. Pelletan). Dabei kann Pleonasmus stattfinden: Le mépris dans lequel ils *se* tiennent *réciproquement les uns les autres*. (J.).

Der Wegfall des verbundenen Reflexivpronomens ist sehr selten und nur möglich, wenn l'un l'autre präpositional steht. Man sagt Une rangée de maisons qui *se* touchent *les unes les autres* (Lamartine), aber man könnte sagen Une rangée de maisons qui touchent les unes aux autres. Daher kann Voltaire schreiben: Ils opposaient l'un à l'autre la patience und man wird schwerlich das se vermissen in Ils tombèrent dans les bras l'un de l'autre (J.), weil se tomber sonst nicht vorkommt.

Die Reciprocität setzt die Pluralität voraus. Diese Pluralität kann aber lediglich dem Sinne nach vorhanden sein, während das Verb im Singular steht. Das ist immer der Fall, wenn das Subjekt on oder das beziehungslose Relativ ist: On *se battit* jusqu'à la nuit close. Qui se ressemble s'assemble. Qui se dispute s'adore. Auffälliger ist die Ausdrucksweise bei dem Subjekt chacun, aucun: Chacun *s'attroupait*. Chacun *se regardait* avec effroi (H. Germain). Les unes étaient blondes, d'autres brunes: aucune ne *se ressemblait*, quoiqu'elles fussent toutes belles (Diderot). Es liegt hierin eine Nachlässigkeit des Ausdruckes ähnlicher Art wie in Il vous ressemble comme deux gouttes d'eau. Vgl. auch das Ergänzungsheft unter partager.

§ 77. Wegfall des Reflexivpronomens.

1) Das Reflexivpronomen muß wegfallen vor dem Part. Prät. Le temps écoulé entre la fin de la première croisade et le commencement de la seconde. Vor dem Part. Präs. fällt es weg, wenn dasselbe adjektivisch auftritt: Le soleil levant, couchant. Des gens bien portants.[1] Dagegen bleibt das Pronomen erhalten, wenn das Particip seinen verbalen Charakter bewahrt: Les Romains se destinant à la guerre mirent toutes leurs pensées à la perfectionner.

2) Der Infinitiv eines reflexiven Verbs verliert das Pronomen in der Verbindung mit faire, besonders in häufigen Verbindungen: faire souvenir qn de qc, faire taire, faire évader, faire asseoir, faire repentir u. a. Doch nur, wenn das Reflexiv wirklich reflexiven Sinn hat; im reciproken Sinn bleibt das Pronomen gewöhnlich erhalten: La tempête faisait s'entre-choquer[2] les cimes des grands arbres.

Öfter fehlt auch nach laisser, sentir, voir das Reflexivpronomen, wenn nicht der Subjektaccusativ zwischen diese Verben und den Infinitiv tritt: Nous ne vous laisserons pas repentir d'avoir été brave et fidèle (A. de Musset). Vous comptez donc me laisser en aller à pied? (A. Dumas). Ne laissez pas éteindre le feu. Beispiel anderer Art vgl. bei dem Dativ mit dem Infinitiv. Einzeln envoyer promener (§ 88 Anm.).

§ 78. Verschiebung des Reflexivpronomens.

Ähnlich wie bei laisser, voir, sentir und dem hier seltenen entendre[3] das Reflexivpronomen wie jedes verbundene Personal-

---

[1] Richtig, obwohl Fr. Wey meint, es könne nur des gens qui portent bien bedeuten.

[2] Die Zusammensetzung mit entre giebt dem Reflexiv den Sinn der Reciprocität.

[3] Faire ist hier ausgeschlossen. — Ein Beispiel für entendre: Certes, il se les était entendu dire, ces trois mots (P. Bonnetain).

pronomen von seinem Verb weg zu dem vorangehenden Verb gezogen wird, ist es auch noch möglich die gleiche Verschiebung bei den modalen Hülfsverben eintreten zu lassen, die ja auch das verbundene Personale noch an sich ziehen können. Während aber bei den oben genannten Verben laisser, voir, sentir diese Verschiebung weniger auffällig ist, da sie selbst reflexiv gebraucht werden können, macht sich der reflexive Gebrauch eines modalen Hülfsverbs als Ausnahme sehr bemerklich. In Frage kommen hier pouvoir, vouloir und savoir[1]: Dieu ne se peut tromper (Duez). Cela se pouvait très bien penser (Mme de Sévigné). De quelque façon que je m'y suis pu prendre, l'amour propre alors fait son jeu (Rousseau). Madeleine [des Roches], qui par le doux exercice de son affection de mère, s'était pu livrer à l'un des plus chers sentiments du cœur des femmes, a répandu dans ses vers une douceur et une tendresse qui ne se trouvent peut-être pas dans ceux de Catherine (Édouard Fournier). — Mayenne interdit à tous particuliers, même à ceux qui se sont ci-devant voulu nommer le conseil des Seize, «de faire plus aucunes assemblées privées» (H. Martin). — Les réformés avaient une langue qui se savait remuer, une épée qui ne chômait point (V. Rossel). Das Particip dieser modalen Hülfsverben bleibt unveränderlich. Obschon, wie man sieht, auch die Beispiele aus neuester Zeit nicht ganz fehlen, haben wir es hier doch mit einem Archaismus zu thun.

§ 79. Französisches Reflexiv für deutsches Intransitiv oder Transitiv:

s'abattre stürzen	je me comprends } ich weiß, was ich
s'abonner abonnieren	je m'entends } sagen will
s'agenouiller niederknien	se cotiser pour qe beisteuern zu
s'appeler, se nommer heißen	se déclarer ausbrechen (Brand)
s'attendre à qe gefaßt sein auf	se déconcerter die Fassung verlieren
se composer de qe bestehen aus	se dédire de[2] läugnen, widerrufen

---

[1] Devoir wird sehr selten so gebraucht: Mais est-ce que des gens de cet âge s'en devraient errer sur les routes, mendiants, titubants d'inanition? (J.)

[2] Objekt zu se dédire kann nur en, etwa auch rien sein, aber nicht ein Substantiv; je me dédis de ma promesse ist nicht französisch.

se défier de qc ⎫ mißtrauen
se méfier de qc ⎭
se désister de qc abstehen von
se dessécher vertrocknen
se détromper seines Irrtums gewahr
s'écouler verfließen [werden
s'écrouler einstürzen
s'emporter in Zorn geraten; durch= gehen (Pferd)
s'entêter ⎫ à faire qc hartnäckig
s'obstiner ⎬ darauf bestehen etwas
s'opiniâtrer ⎭ zu thun
s'éteindre erlöschen
s'évader entweichen
se faner ⎫ verblühen, verwelken
se flétrir¹ ⎭
se fier à qn trauen
se formaliser übel aufnehmen
s'impatienter die (Geduld verlieren (aber patienter)
se lamenter klagen

se lever aufstehen
se mettre à faire qc beginnen
se moquer de qn verspotten
se mourir siechen, im Sterben liegen
se mutiner meutern
se noyer ertrinken²
se parjurer falsch schwören
se passer de qc entbehren; la scène se passe à la campagne das Stück spielt auf dem Lande
se promener spazieren gehen
se ranger bei Seite treten
se réfugier flüchten (le refuge)
se repentir de qc bereuen
se réveiller ⎫ aufwachen
s'éveiller ⎭
se révolter revoltieren
se rire de qn spotten über
se taire schweigen
se tenir debout (droit) stehen
se trouver mal³ ohnmächtig werden

Ferner mit en verbunden: s'en aller (weggehen), s'enfuir (entfliehen), s'envoler (wegfliegen), s'ensuivre (folgen), s'endormir (einschlafen), se rendormir (wieder einschlafen) u. a.

§ 80. Französisches Intransitiv oder Transitiv für deutsches Reflexiv:

ambitionner⁴ qc ⎫ sich bewerben um
briguer⁵ qc ⎭
arriver sich ereignen
bouger sich rühren
doubler sich verdoppeln; und so tripler.
décupler. sich verdreifachen, ver= zehnfachen u. a.

conspirer sich verschwören
débarquer sich ausschiffen
délibérer sich beraten
déroger sich etwas vergeben
différer sich unterscheiden
diminuer abnehmen
empirer sich verschlimmern

---

¹ Von anderem Stamm se flétrir = se déshonorer.
² Zugleich sich ertränken (wofür auch se jeter à l'eau). Der Doppel sinn schadet nicht und ist auch vorhanden in se tuer (sich töten; durch Zufall um das Leben kommen).
³ Wofür auch das öfter grundlos angefochtene s'évanouir.
⁴ Ambitionner wurde früher (als Neologismus) verworfen und findet noch einzelne Gegner. Es ist durchaus üblich (vgl. auch Littré).
⁵ Nicht leicht im guten Sinne; briguer une place ein Amt durch Pro= tektion zu erhalten suchen.

encourir sich zuziehen   prendre la liberté, la peine sich
feindre sich stellen als ob . . .   die Freiheit, die Mühe nehmen,
fondre sur qn sich stürzen auf   prendre congé sich verabschieden
avoir honte sich schämen   séjourner sich aufhalten
marquer sich auszeichnen   serpenter sich schlängeln
bien mériter de sich verdient ma=   tâcher sich bemühen
chen um   tenir sich halten d. h. dauernd Wider=
patienter sich gedulden (aber s'im=   stand leisten
patienter)   trainer (tirer) en longueur sich in die
penser sich denken¹ (comme on le   Länge ziehen
pense bien, comme bien on pense   varier sich ändern; flektieren.
wie man sich denken kann)

§ 81. Verben, welche intransitiven (transitiven) und reflexiven Gebrauch zugleich haben.

In früherer Zeit konnten die Intransitive beliebig das Reflexivpronomen vor sich nehmen. So sieht dasselbe noch zwecklos in s'écrier, s'évader u. a. besonders aber in Verbindung mit en: s'en aller, s'enfuir, s'en venir, s'en retourner, il s'en faut u. f. w. Später bildete sich öfter ein Unterschied heraus zwischen dem Intransitiv und dem Reflexiv.

1) Der Unterschied liegt in der vor dem folgenden Infinitiv zu ver= wendenden Präposition²:

essayer, décider, résoudre, offrir, refuser, hasarder de faire qc, aber s'essayer, se décider, se résoudre, s'offrir, se refuser, se hasarder à faire qc.

2) Der Unterschied liegt in der Rektion des Verbs:

attaquer qc aber s'attaquer³ à qc (angreifen)
dépouiller qc aber se dépouiller de qc (ablegen)
revêtir qc aber se revêtir de qc (anlegen).

Man sagt ceindre la couronne (sich die Krone auf das Haupt setzen), reflexiv nur, wenn ein Körperteil genannt ist, daher se ceindre la tête d'un diadème. — Bemerke disputer de qc (streiten über), reciprok se disputer qc (sich streiten um, aus disputer qc à qn jemand etwas streitig machen).

3) Unterschied nach der Bedeutung:

douter de qc zweifeln an   se douter de qc ahnen⁴

---

¹ Aber: denken Sie sich nur imaginez, figurez-vous (nicht pensez).
² Leise Bedeutungsunterschiede sind auch hier vorhanden, z. B. refuser de faire qc sich weigern, se refuser à faire qc sich sträuben, sich nicht ge= brauchen lassen.
³ S'attaquer (aus s'attacher entstanden) hat oft den Nebenbegriff des Unablässigen oder Unüberlegten.
⁴ Douter war früher = craindre; se douter entsprach also unserem sich fürchten vor etwas, daher: etwas ahnen.

imaginer erſinnen, begreifen, ſich   s'imaginer ſich einbilden
   vorſtellen
louer qn loben   se louer de qn zufrieden ſein mit
                             (vgl. ſich etwas loben).

Man ſagt une fenêtre ouvre sur un balcon, une porte ouvre sur le jardin (gehen nach), führen nach = donner sur); s'ouvrir heißt: offen daliegen, offen ſtehen: une gorge de vallée s'ouvre vers le nord, une plaine s'ouvre devant nous.

4) Der Gebrauch im bildlichen Sinn macht einen Unterſchied:

apercevoir qn (qe) erblicken, wahrnehmen; s'apercevoir de qe[1] inne werden, bemerken, merken,

incliner und s'incliner ſich neigen; bildlich nur letzteres,

multiplier und se multiplier (ſich vermehren); letzteres immer im Sinne: ſich vervielfältigen (ebenſo viel leiſten wie mehrere andere),

(se) rougir ſich rot färben; rongir erröten, ſich ſchämen.

5) Das Reflexiv betont die Selbſtthätigkeit des Subjekts:

approcher de qn (de qe) näher   s'approcher de qn (de qe) ſich
   kommen   nähern
baigner[2] baden (von Dingen)   se baigner baden (von Perſonen)
baisser ſinken   se baisser ſich bücken
changer ſich ändern   se changer[3] ſich umkleiden
coucher übernachten   se coucher zu Bette gehen
échapper entgehen   s'échapper entwiſchen
échouer ſtranden   s'échouer auf den Strand laufen[4]
embellir ſchöner werden   s'embellir ſich verſchönern[5]
reculer zurückweichen   se reculer zurückprallen
reposer Ruhe finden   se reposer ausruhen
sécher trocken werden   se sécher ſich die Kleider am Leibe trock=
tourner ſich drehen (Erde, Maſchine) se tourner ſich umwenden   [nen

Das Reflexiv iſt bei dieſen Verben meiſt nicht aus dem Intransitiv her= vorgegangen, ſondern aus dem Transitiv[6] derſelben Verben: baigner un enfant, ebenſo se baigner. — Man ſagt auch s'embellir, se rajeunir, se vieillir ſich

---

[1] D. h. wo im Deutſchen inne werden eingeſetzt werden kann, muß das Reflexiv ſtehen. Daher nur je m'en aperçois (ich bemerke es; je l'aperçois ich bemerke ihn) und nur s'apercevoir vor einem Nebenſatz mit que.

[2] Des arbres dont les pieds baignent dans l'eau. Le corps baignait dans une mare de sang. La lune baigne der Mond hat einen Hof.

[3] Die Akademie verlangt gegen den Gebrauch hier changer. Se changer beſchränkt ſie auf moraliſche Änderung und Vertauſchung des Zuſtands: se changer (ein anderer Menſch werden), l'eau se change en glace, en vapeur.

[4] Abſichtlich, um die ſpätere Hebung des Schiffes zu erleichtern.

[5] Beſonders bei Städten, weil dieſe ſelbſtthätig gedacht werden.

[6] Teilweiſe iſt dies auch bei den anderen Klaſſen der Fall.

durch Kunstmittel schöner, jünger, älter machen (z. B. Schauspieler), auch se rajeunir, se vieillir sein Alter zu gering, zu hoch angeben u. s. w.

6) Das Reflexiv wird durch eine nähere Bestimmung bedingt: augmenter und s'augmenter (sich vermehren), aber s'augmenter de qe (sich um etwas vermehren),

avancer und s'avancer (vorrücken), aber s'avancer à marches forcées (in Eilmärschen),

passer und se passer (vergehen), aber sa vie se passe à faire de projets.

7) Das Reflexiv ist nötig, wenn das Sachobjekt fehlt: confesser ses péchés, aber se confesser (beichten). Bemerke je m'en suis confessé ich habe es gebeichtet, je l'ai confessé ich habe ihn zur Beichte gehört, (vgl. apercevoir),

résumer les arguments (die Beweisgründe kurz zusammenfassen), aber pour nous résumer (um das Gesagte kurz zusammenzufassen),

rétracter qe und se rétracter de qe (etwas zurücknehmen, widerrufen), aber nur se rétracter (Widerruf leisten).

Meist auch bei échapper: le prisonnier s'est échappé.

8) Das Intransitiv ist auf den Imperativ beschränkt: s'arrêter (einhalten), aber arrête, arrêtons, arrêtez, se dépêcher (sich beeilen), aber oft dépêchons, dépêchez.

So auch approchez (kommen Sie näher), n'approche pas! (keinen Schritt näher!). Der Zuruf gare! (aufgepaßt!) ist Imperativ zu se garer (ausweichen).

Der Gebrauch der Reflexiven, insbesondere die Unterscheidung von reflexiver und intransitiver Verwendung bietet eine Menge von Einzelheiten, welche aber dem Ergänzungsheft überlassen bleiben müssen. Dasselbe enthält in alphabetischer Reihenfolge Angaben über folgende Verben:

s'abaisser, (s')abdiquer, (s')abîmer, s'aborder, (s')absenter, (s')accaparer, (s')accéder, (s')accourir, (s')accroître, s'accuser, s'acheter, s'acquérir, (s')affaiblir, s'affairer, s'affirmer, (s')aligner, (s')allonger, s'allumer, alterner, s'amener, s'amorcer, s'annexer, (s')apercevoir, apparaître, s'appartenir, s'apprendre, (s')approcher, s'approprier, (s')appuyer, (s')armer, (s')arrêter, s'arroger, (s')attaquer, (s')attendre, (s')augmenter, (s')avancer, (s')aviser, (se) baigner, (se) baisser, (se) balancer, (se) batailler, se bâtir, se bercer, (se) bouger, (se) briser, (se) buter, (se) cacher, (se) camper, (se) casser, (se) charger, (se) chauffer, (se) chevaucher, se chiffrer, clamer, se combattre, (se) commander, (se) communiquer, se comprendre, (se) confédérer, (se) confesser, (se) confier, (se) conjurer, se connaître, se conseiller, (se) consulter, (se) correspondre, (se) coucher, (se) courber, se courir, se craindre, (se) crever, (se) cristalliser, (se) croiser, (se) culbuter, (se) débarquer, (se) déborder, (se) décider, (se) dédaigner, se dédire, (se) défiler, (se) dégriser, (se) délibérer, (se) démanger, se dépêcher, (se) dépouiller, se déranger, (se) désespérer, (se) désister, se dessécher, (se) dévier, (se) diminuer, (se) disputer, (se) dissimuler, (se) divorcer, se donner, (se) doubler, se douter, (se) dresser, (s')ébouler, s'échanger, (s')échapper, (s')échouer, (s')éclater, s'écouler, s'écouter, s'écrier, s'élever, (s')émaner, (s')embarquer, (s')embellir, (s')empirer, s'encourir, (s')enfler, (s')enfoncer, (s')engraisser, s'entendre, s'enténébrer, s'entêter, épanouir, (s')épargner, s'épouser, s'en errer, (s')esquiver, (s')étouffer, s'être, s'évanouir, s'éviter, évoluer, (s')exercer, (s')exclamer, (s')extravaguer, se faire, il s'en faut, (se) fatiguer, (se) feindre, (se) fendre, (se) fermer, (se) filtrer, (se) finir, (se) fléchir, (se) fleurir, (se) fondre, (se) fumer, (se) fusionner, (se) garder, se garer, (se) gausser, (se) geler, se gêner, (se) gouverner, (se) grandir, (se) grossir, (se) guérir, (se) guerroyer, se haïr, s'harmoniser, (se) hasarder, se hâter, (se) heurter, (s')imaginer, (s')incliner, (s')infléchir, (s')intriguer, (se) jouer, (se) justifier, (se) lamenter, (se) languir, (se) lever, (se) loger, (se) manœuvrer, (se) manquer, (se) marquer, (se) mêler, (se) monter, (se) moquer, (se) moucher, (se) mourir, (se) multiplier, (se) mûrir, se nier, (se) noircir, se noyer, (s')offrir, (s')ouvrir, (se) pâlir, (se) pâmer, se parjurer, se parler, se partager, se passer, patienter, se payer, (se) peiner, (se) pencher, penser, (se) percher, se périr, permuter, se piéter, se piétiner, (se) piquer, se plaindre, (se) plier, (se) plonger, porter, se pourrir, se pousser, pratiquer, se prendre, (se) presser, se prévaloir, se promener, (se) prononcer, (se) racheter, (se) railler, (se) rajeunir, (se) ralentir, se recharger, rechapper, (se) recommencer, se reconnaître, (se) reculer, (se) redoubler, (se) refroidir, se réfugier, (se) refuser, (se) regimber, (se) relever, se remettre, (se) remuer, (se) rengager, (se) renouveler, (se) renverser, se repentir, (se) reposer, (se) résoudre, (se) ressusciter, (se) résumer, (se) retourner, (se) rétracter, se revenger, (s'en) revenir, (se) rêver, (se) rougir, (se) saisir, (se) sécher, (se) sentir, (se) sortir, (s'en) suivre, se surprendre, se susceptibiliser, (se) tarir, se tenir, (se) tirer, (se) tourner, (se) travailler, (se) trotter, (se) varier, (se) venger, (s'en) venir, (se) vieillir, se voter, se vouloir.

Unregelmässigkeiten einzelner Verben der beiden Hauptkonjugationen.

§ 82. Orthographische Eigentümlichkeiten der Verben auf -cer, -ger, -guer, -quer.

1) Renoncer (verzichten), *je renonçai, nous renonçons.*
   Prolonger (verlängern), *je prolongeai, nous prolongeons.*
2) Distinguer (unterscheiden), nous distinguons.
   Provoquer (reizen), nous provoquons.
1) Die Verben der 1. Konjugation, welche c oder g vor der Infinitivendung haben, sind nach SR 1 zu behandeln.

6*

2) Die Verben, welche gu oder qu vor der Infinitivendung haben, sind nach §R 3 zu behandeln.

Anm. Die Zeichen ç und ge sind für das Auge berechnet, daher je renonçai, je prolongeai. wenn auch ai = é lautet. Ebenso ç'ait été, aber c'eût été, obwohl ait den è- und eût den u-Laut hat. — Die *cédille* wird nicht benutzt in douceâtre (süßlich) und ist überflüssig bei den Substantiven auf -eau, z. B. le lionceau (junger Löwe).

Da ein im Infinitiv stehendes gu auch vor e, i verbleibt, so war die notwendige Folge, daß man bei diesen Vokalen ein Trema verwendete, wo gu nicht bloßes Schriftzeichen bildete; daher aigu, aiguë, ambigu. ambiguë, ambiguïté, contigu. contiguë. contiguïté, exigu, exiguë, exiguïté. Ebenso schreibt man j'argue, tu argues, il argue, obwohl die Akad. hierüber nichts angiebt. Man muß selbstverständlich auch nons arguïons, vous arguïez schreiben und Littré hält mit Recht auch argüant. argüé für nötig. Die gleiche Schreibung findet sich noch in la besaigue, la ciguë.

Selten findet sich qu in c verwandelt; man kann wohl einmal il convoca für il convoqua finden (H. Martin II, 266), doch ist dies lediglich Druckversehen. J. J. Rousseau schreibt nous musicâmes, während das (nicht übliche) Verb im Inf. musiquer zu schreiben wäre. Bei der Scheidung von Particip und Verbaladjektiv findet sich der Übergang von qu in c, vgl. provocant, fabricant, vacant.

Verfänglich ist das eingeschobene e in gageure, mangeure, chargeure, égrugeure.

Bei den Wörtern auf -ger zeigen sich Schwankungen. Naviguer z. B. lautete früher naviger, arrogant gehört zu dem Verb s'arroger.

§ 83. Einfluss der folgenden Silbe auf die e-Laute.

1) Offenes é kann sich in einem Worte vor stummer wie vor tönender Silbe finden: la fête, nous fêtons.

2) Offenes è kann nur vor einer Silbe stehen, welche stummes e hat: la Suède. Vor tönender Silbe tritt es in geschlossenes é über: les Suédois.

3) Sobald ein sonst stummes e abermals stummes e nach sich hat, nimmt es den Laut (meist auch die Bezeichnung) eines offenen e-Lautes an[1]: le cheveu (spr. *ch'veu*), aber les rois chevelus (die Merowingerkönige, spr. *cheuv'lu*); les Rochelois, les Cévenols gegenüber la Rochelle, les Cévennes.

---

[1] Die Orthographie und mit ihr (teilweise durch sie) die Aussprache waren und sind vielfachen Schwankungen und Ungleichheiten unterworfen. Von Genève wäre zu bilden le Genévois, aber die Franzosen bilden le Génevois und die Genfer selbst le Genevois (beide e stumm). Vgl. Ergänzungsheft.

Anm. 1) Das offene ê bleibt nur, wenn der Cirkumflex berechtigt, nicht aber wenn er das (§ 47 erwähnte) Längezeichen ist, daher extrême, Gênes: une extrémité, le Génois.

2) Öfter steht noch é vor stummer Silbe: un événement, un empiétement (Übergriff), le médecin, la médecine, la pécheresse, le poétereau (Poetaster), la sécheresse; Fénelon, Frédegonde, Saint-Évremond. In diesen Wörtern (wie in puissé-je u. a.) wird é geschrieben, aber è gesprochen. Manche sprechen auch é, um Übereinstimmung zwischen Schrift und Aussprache zu erzielen.

Das frühere é hat dem è den Platz geräumt in un avènement, complètement, un orfèvre, le pèlerin, la sève und in Wörtern auf -ège [1].

3) Auch wenn mehrere der einsilbigen Wörter je, me, te, le, ne u. a. auf einander folgen, erhält (wenn nicht Sinn oder Wohlklang eine andere Anordnung verlangen) von zweien das erste, von dreien das mittlere, von vieren das erste und dritte den kürzeren offenen Laut, der bald mehr offenem é, bald mehr offenem eu gleicht: je ne sais (fast *jên' sé*), je ne le donne pas (fast *j' nêl' don' pa*), je ne te le rendrai jamais (fast *jên' têl' râdré*).

§ 84. Behandlung des e in vorletzter Silbe bei Verben der I. Konjugation.

Der im Infinitiv in vorletzter Silbe stehende e-Laut tritt in folgenden Formen in die Tonsilbe: im Singular des Präsens (Ind., Konj. und Imper.) und in der 3. Plur. des Präsens (Ind. und Konj.).

Der drittletzten Silbe gehört dieser e-Laut im Futur und Imperfekt des Futurs an. Während in den angeführten Präsensformen der e-Laut sich in der **Haupttonsilbe** findet, steht er in den Futurformen in der **Nebentonsilbe**.

1) Prêter	je prête	nous prêtons	je prêterai
2) Protéger	je protège	nous protégeons	je protégerai
3) Mener	je mène	nous menons	je mènerai
Jeter	je jette	nous jetons	je jetterai
Acheter	j'achète	nous achetons	j'achèterai

1) Ein ê bleibt immer erhalten (weil bei Verben nur berechtigter Cirkumflex vorkommt).

2) Das geschlossene é ist nach LR 3a und

3) Das stumme e nach LR 3b zu behandeln.

---

[1] Ausnahmen finden sich also (von il crée, ils siéent, puissé-je u. ähnl. abgesehen) nur mehr in der Neben-, nicht mehr in der Haupttonsilbe.

Dagegen tritt der Accent (statt der Verdoppelung[1]) ein z. B. bei folgenden Verben: bourreler (peinigen, vom Gewissen), celer (verheimlichen) und déceler (enthüllen), geler (gefrieren) und dégeler (aufttauen), harceler (necken), peler (schälen), acheter und racheter (zurückkaufen), becqueter oder béqueter (picken).

Anm. 1) Die Verben auf -eer behalten überall é: créer, on crée. on créera. In der Inversion wird das e der 1. Sing. laut und somit wird aus je règne, je mène, j'appelle: régné-je, mené-je, appelé-je. — In Substantiven kann Doppelkonsonant und é (für stummes e) auch vor tönender Silbe stehen (une appellation, une élévation), aber auch nur in der Nebentonsilbe (daher nicht in le modeleur u. a.).

2) Das Verbleiben des é in der Nebentonsilbe (je protégerai) ist unerklärlich und nicht allgemein anerkannt. Früher sagte man, daß das folgende e ganz verstumme und daher e gewissermaßen direkt vor der Tonsilbe stehe. Besser ist die Erklärung, daß außerhalb der Haupttonsilbe der eigentliche Stammvokal weniger der Veränderung ausgesetzt ist. Immer bleiben je protégerai und je ménerai Gegensätze. — In vulgärer Aussprache verschwindet die Nebentonsilbe öfter (j'ach'terai), anerkannt ist dieser Gebrauch für j'éponsseterai von éponsseter (abstäuben).

3) Auszunehmen sind zunächst die Verben, welche -eller, etter bereits im Inf. zeigen: sceller, guetter, aigretter u. a. Vgl. auch mettre. Ferner diejenigen, welche ein é haben: mêler, prêter, arrêter. De Saule wollte arrêter schreiben, weil das e hell d. h. geschlossen sei, aber j'arrète, weil das e offen klingt. Das wäre nur folgerichtig und stimmt mit der von einzelnen befolgten Ausspracheregel überein, wonach in aimer ein é, in j'aime ein è zu sprechen ist. Teilweise auszunehmen ist teter, weil die Nebenform téter vorhanden ist.

Daß für den offenen e-Laut zwei Schreibweisen existieren, haben die früheren Kalligraphen verschuldet, welche Doppelkonsonanten liebten; daher je jette wie sujet, sujette; bon, bonne. In zweifelhaften Fällen greift man am sichersten zur Konsonantenverdoppelung. Oft gewährt ein ähnliches Substantiv einen Anhaltspunkt, also il cachette (versiegelt), il étincelle (funkeln), il modèle (modelliert), il morcelle (zerstückelt), weil la cachette (Versteck), une étincelle, le modèle, le morcellement vorhanden sind (aber doch il étiquète neben une étiquette).

§ 85. Die Verben auf -ayer, -oyer, -uyer.

Payer	je paie	nous payons	je paierai
Employer	j'emploie	nous employons	j'emploierai
Essuyer	j'essuie	nous essuyons	j'essuierai

[1] Eine Liste der Verben, welche den Konsonant verdoppeln, enthält das Ergänzungsheft. Ebenda findet sich ein vollständigeres Verzeichnis der Verben, welche keine Verdoppelung zulassen.

Ju Aussprache und Schreibung sind diese Verben nach § 4 zu behandeln.

Bei den Verben auf -ayer ist die Aussprache des zweiten i auch vor stummem e noch üblich und daher auch die Schreibart je paye, je payerai gestattet (vgl. § 16 Anm.).

Anm. 1) Wenn in der Inversion das e der I. Sing. laut wird, tritt y wieder ein: j'emploie, aber employé-je. Vgl. § 84 Anm. 1.

2) Das i der Endungen -ions, -iez kann nicht mit vorausgehendem i zu y verschmelzen: nous criions, nous mendiions. Nach u tritt gewöhnlich in diesen Endungen das Trema ein: vous tuïez. Bemerke auch nous fuyions, vous croyiez. Alle diese Formen sind aus Wohllautsrücksichten nach Möglichkeit zu meiden.

3) Das e der Futurformen nach einem Vokal ist völlig stumm, wie in j'emploierai auch in il avonera, vous prierez, ils tueraient. Über die Schreibweise j'emploirai, il marira vgl. § 47.

4) Die Verben auf -oyer besaßen früher Nebenformen auf -ier (vgl. ployer und plier); in den Mundarten findet man noch loyer für lier, reloyer für relier, ebenso wie den Übergang zu -ayer, -eyer, welches sich sogar zu -éger verdichten kann: se nayer, tutayer, abayer, netteyer, rudeyer. Vgl. auch effrayer neben effroi, effroyable.

§ 86. Aller (gehen).

Süt. Perf. j'allai; Part. Prät. allé.

Aller bildet seine Formen von 3 verschiedenen Stämmen: va(d)- (lat. vadere), i(r)- (lat. ire) und all- (unsicherer Herkunft).

§ 86. Für je vais sagt die Volkssprache noch je vas. — In familiärer Sprache werden Zeiten der Vergangenheit von être statt derjenigen von aller gebraucht, ebenso mit Zusatz von s'en für s'en aller: Nous prîmes des pistolets, un autre témoin, et fûmes au bois de Vincennes (A. de Musset). Le comte de Schomberg avait été proposer au roi d'Angleterre Charles II d'épouser la sœur du roi de Portugal (H. Martin). On n'avait pu empêcher que quelques fabricants de draps n'eussent été porter leur industrie en Angleterre (Gerj.). Si Louis XIV a été jusqu'à applaudir Pradon, c'est un peu trop d'impartialité peut-être (E. Despois). Le prince de Soubise s'en fut du même pas, chez Madame de Pompadour (J. Janin). Tout le monde s'en fut content.

Aller und venir. Venir hat Bezug auf den Ort, an welchem der Sprechende sich befindet (oder an den er sich im Geiste hinversetzt), aller bezieht sich auf jeden anderen Ort: J'irai vous voir demain, aber venez me voir

Präf. Ind.	Präf. Konj.	Imp.	va
je vais nous allons	j'aille nous allions		allons, allez
tu vas vous allez	tu ailles vous alliez	Part.	allant
il va ils vont	il aille ils aillent	Fut.	j'irai

Im Präf. Konj. haben die stammbetonten Formen den (fallenden) Diphthong a i (vgl. § 59). Der Imperativ lautet vas vor den Pronominaladverbien en, y. Aus Wohllautsrücksichten fällt y vor den Futurformen weg: ich werde dahin gehen j'irai.

Das Verb aller dient zur Umschreibung des Futurs und in der Volkssprache ersetzt diese Umschreibung völlig manche gemiedene Formen, z. B. il va falloir für il faudra. Dabei kann aller mit sich selbst umschrieben werden: Il *allait* aller à terre (Mme A. Tastu). Ah! bonjour ma fille; justement *j'allais* aller chez toi (Droz).

S'en aller dient zum gleichen Zweck; daß Molière es ausschließlich verwendet, ist von Génin mehrfach erwähnt.

§ 87. S'en aller (weggehen).

S'en aller bildet seine Formen ganz wie aller. En ist immer unmittelbar nach dem Reflexiv zu setzen: je m'en vais; il s'en est allé, pourquoi vous en êtes-vous allé? Also auch bei dem affirmativen Imperativ: va-t'en (nicht va-t-en), allons-nous-en, allez-vous-en.

demain. Je serai ce soir à l'opéra, venez m'y rejoindre. J'irai avec vous, aber voulez-vous venir avec moi? — Ich werde (hin) kommen j'irai (nie; je viendrai). Y viendras-tu? (nämlich wohin ich dich bestellt habe). Antwort: J'irai. Ich werde mitkommen j'irai avec vous. Ich komme schon on y va.

Derselbe Unterschied findet sich in den Verbindungen aller (venir) voir besuchen, aller (venir) trouver aufsuchen, aller (venir) chercher holen, aller (venir) prendre abholen, aller (venir) habiter (vivre) ziehen (um zu wohnen), aller (venir) combattre ziehen gegen (um zu bekämpfen).

Ebenso für unser gewesen (wo été unrichtig wäre): Vous êtes allé à Blois? (der Fragende ist nicht in Blois), aber je ne suis jamais venu à Blois auparavant (der Sprechende befindet sich in Blois, aber zum erstenmal).

§ 87. En folgt also ganz dem Gebrauche, welcher für en bei dem Zusammentreffen mit dem verbundenen persönlichen Fürwort vorgeschrieben ist. Doch begehen auch die Franzosen häufig Fehler gegen diese Regel, welche

§ 88. Envoyer (schicken).

Von der regelmäßigen Formenbildung weicht nur das Futur j'enverrai (und j'enverrais) ab. Ebenso renvoyer (zurückschicken). — Ganz regelmäßig aber sind convoyer (einen Transport zur See — manchmal auch: zu Lande — begleiten), dévoyer und fourvoyer (irre führen), se fourvoyer (irre gehen).

§ 89. Einzelnes zur zweiten Hauptkonjugation.

Haïr (hassen, h asp. Stamm *ha-*, mit Erweiterung *haïss-*) hat als einzige Unregelmäßigkeit, daß es im Präs. Ind. Sing. (je hais, tu hais, il hait) und in der 2. Sing. Imper. (hais) nicht die Stammerweiterung angenommen hat und i deshalb nicht das *tréma* erhält (vgl. § 59).

In älterer Zeit kamen sowohl die Bildung mit ai wie die mit aï durchgehends vor, wofür die Mundarten noch Belege liefern. Die jetzige Regel besteht erst seit der Zeit von Vaugelas.

früher nicht feststand. Während in älter Zeit il s'est en allé und anderseits il s'en est fui vorkam, ist jetzt für alle Verben, die ein getrenntes en haben (s'en aller, s'en venir, s'en revenir, s'en retourner), obige Regel streng einzuhalten. Wo en anders gestellt wird, bleibt es mit dem Verb verbunden: s'enfuir, il s'est enfui. Statt s'ensuivre müßte demnach (was viele thun) s'en suivre geschrieben werden, denn man sagt nur il s'en est snivi un combat acharné. — Früher auch, um die Schwierigkeit zu umgehen, il s'en est ensnivi, was einzelne noch gut heißen. Näheres im Ergänzungsheft.

§ 88. Verbindungen: envoyer chercher (holen lassen), envoyer sauter, envoyer rouler (beide: fortschleudern), envoyer promener oder envoyer paître (beide sehr familiär: zum Henker schicken). — Statt envoyer chercher ist in gewöhnlicher Sprache sehr üblich envoyer appeler, welches aber aus folgendem Grunde von der Grammatik verworfen wird. Faire in Verbindung mit einem Intransitiv ist klar (daher faire venir le médecin völlig korrekt), in Verbindung mit einem Transitiv aber doppelsinnig, weil der Accusativ nicht zwischen faire und den Infinitiv treten kann; faites appeler le médecin könnte demnach auch den Sinn geben: veranlaßt den Arzt, daß er ruft. Da aber dieser Sinn kaum in die Worte hineingelegt werden kann, kümmert sich die Umgangssprache auch nicht um das Verbot. Vgl. beim Acc. mit dem Inf.

§ 89. Über die Formen, welche Circumflex verlangen, s. § 62, 5, 6. — Die Form bénit sieht man am besten als reines Adjektiv an und schreibt

Fleurir (blühen) ist neugebildet für das ältere florir. Im bildlichen Sinn aber ist das Part. Präs. florissant und das Imperfekt je florissais geblieben, also: des villes florissantes; le poète Ronsard florissait au XVIᵉ siècle. Von Sachen kann als Imperfekt immer fleurissais gewählt werden.

Hin und wieder finden sich auch noch andere Formen des älteren Verbs florir gebraucht.

Bénir (segnen) hat zwei Formen für das Part. Prät.: béni, bénie (neuere Form) und bénit, bénite (ältere Form). Letztere hat sich für eine Anzahl von Verbindungen erhalten, wo von kirchlich geweihten Dingen die Rede ist: un cierge bénit, du buis bénit, le pain bénit, l'eau bénite (geweihte Kerze, Palme, d. h. Buchszweig, geweihtes Brod, Weihwasser) u. a.

§ 90. Gebiet der gleichförmigen Konjugationen.

Zur I. Hauptkonjugation gehören alle Verben auf -er mit Ausnahme des ungleichförmigen aller.

Zur II. Hauptkonjugation gehören alle Verben auf -ir, welche nicht zur Konjugation IIb. gehören. Ungleichförmige Verben dieser Art giebt es nicht.

Zu der II. Konjugation mit reinem Stamm (IIb.) gehören außer servir nebst desservir schädigen

dormir[1] schlafen, nebst	se repentir bereuen
s'endormir. einschlafen	sentir fühlen, nebst
se rendormir wieder einschlafen	consentir einwilligen
mentir lügen, nebst	pressentir vorher fühlen
démentir Lügen strafen	ressentir lebhaft fühlen

---

béni, wo nur das Particip am Platze sein kann, also in Verbindung mit einem Hülfsverb oder wo par nachfolgt; andere behalten auch für das wirkliche Particip die Form mit t bei. In der Bauernsprache ist die alte Form auch sonst erhalten: Elle est guérite (für guérie).

[1] Also je dors, je mens, je me repens (de qc), je sens, je pars, je sors. Dormir schlafen, coucher die Nacht zubringen (la chambre à coucher), se coucher zu Bette gehen, être couché zu Bette liegen, coucher quelque part (während einer Reise) übernachten.

partir[1] abreisen, nebst   sortir[3] ausgehen, nebst
repartir erwidern, wieder abreisen   ressortir wieder ausgehen
se départir[2] de qc sich entfernen von

Folgende Verben dagegen sind nicht mit den obigen zusammengesetzt und gehen nach der Hauptkonjugation:

répartir verteilen, je répartis.   assortir passend zusammenstellen, j'assortis.
asservir unterjochen, j'asservis.   ressortir à qc abhängig sein, je ressortis.

Zur III. Konjugation gehören die Verben auf -andre, -endre (außer prendre), -ondre und -ordre.[4]

Die ungleichförmigen Verben.

§ 91. Gebiet derselben.

Außer dem in § 86 aufgeführten aller gehören hierher eine Reihe von Verben auf -ir mit reinem Stamm, eine größere Zahl von Verben auf -re und endlich einige Verben auf -oir. Demnach unterscheiden wir drei ungleichförmige Konjugationen, die nach der Infinitivendung benannt werden. Nach der Art, wie sich die Formenbildung von derjenigen der gleichförmigen, oder wie man meist sagt regelmäßigen Verben unterscheidet, teilen wir jede Konjugation in Gruppen ab.

Die Zahl der einfachen hierher gehörigen Verben ist sehr gering; selbst mit den zur gleichförmigen Konjugation IIb. und III. gehörigen bilden sie zusammen nur etwa ¹⁄₅₀ der sämtlichen französischen Verben.

Dafür aber sind sie ungemein wichtig wegen der großen Menge ihrer Zusammensetzungen und wegen ihres häufigen Vorkommens. Der Mehrzahl nach sind es Zeitwörter, die im täglichen Leben fortwährend wiederkehren. Aus diesem Grunde haben sie ihre alte Form beibehalten; sie wurden zu viel gebraucht, als daß sie ihre Flexion einer der Hauptkonjugationen hätten anbilden können.

[1] Partir pour la France (pour Paris) abreisen nach; aller en France (à Paris) reisen nach; voyager en France bereisen (in verschiedener Richtung).

[2] Se départir findet sich öfter mit schwachen Formen d. h. mit der Silbe -iss-.

[3] Sortir diente früher zur verbalen Umschreibung eines Zeitadverbs wie jetzt venir und hat mundartlich noch diese Verwendung: Il sort de manger und sogar il sort de sortir. In der Schriftsprache ist dieser Gebrauch veraltet; doch findet man noch scherzhaft das zum geflügelten Worte gewordene je sors d'en prendre (den Rummel kenne ich schon).

[4] Gleichförmig ist daher vendre, ebenso battre, vaincre, welche nur orthographische Verschiedenheiten zeigen, der Übersichtlichkeit wegen aber zu § 96 gezogen wurden.

§ 92. Formenbildung.

Das historische Perfekt und Particip Prät. der ungleichförmigen
Verben[1] zeigen folgende Verschiedenheiten:

I. Verben auf -ir.

Das hist. Perf. hat die Endung -is (lat. -īvi) in assaillir, bouillir,
cueillir, faillir, fuir, ouvrir, servir, vêtir.

Es ist stammbetont in acquérir, tenir.

Es hat die Endung -us (lat. -úi, d. h. mit einem im Französischen
weiter nach dem Wortschluß verlegten Ton)[2] in courir, mourir.

Das Part. Prät. hat die Endung -i (lat. -ītum) in assaillir, bouillir,
cueillir, faillir, fuir, ouïr, servir. Es ist stammbetont in acquérir, mourir,
ouvrir (und couvrir, welchen offrir, souffrir für diese Form nachgebildet sind).

Es hat die Endung -u (lat. -ūtum) in férir, issir, tenir, vêtir.

II. Verben auf -re.

Das hist. Perf. hat die Endung -is (lat. -īvi) in battre, conduire,
coudre, craindre, écrire, rompre, suivre, vaincre, vendre. Mit Veränderung
des Stammes in naître.

Es ist stammbetont (lat. s, außer faire) in dire, faire, mettre, prendre,
rire (alle auf -is) und conclure (auf -us).

Es hat die Endung -us (lat. -úi, u teilweise aus Konsonant) mit erhaltenem Stammvokal in mondre, paraître, résoudre, mit Veränderung des
Stammes in vivre, mit verschwundenem Stammvokal in boire, connaître,
croire, croître, lire, paître, plaire.

Das Part. Prät. hat die Endung -u (lat. -ūtum) in battre, coudre,
rompre, vaincre.

Es hat ferner die Endung -u (lat. -ūtum, teilweise für -ītum) mit erhaltenem Stammvokal in mondre, paraître, résoudre, mit Veränderung des
Stammes in vivre, mit verschwundenem Stammvokal in boire, connaître,
croire, croître, lire, paître, plaire (s. oben dieselben bei dem hist. Perf.).

Es hat die Endung -t (lat. -tum) mit vorausgehendem stammhaften s
in dire, écrire; mit vorausgehendem i, welches aus c entstand, in conduire,
cuire, faire, traire; mit vorausgehendem Nasalvokal in craindre.

Es hat die Endung -s (lat. -sum) in clore, mettre, prendre, reclure.

Es hat vokalischen Auslaut infolge Wegfalls des t (lat. -tum) und zwar
auf -i in luire, nuire, suffire; auf -é in naître (né aus natum wie chanté aus

---

[1] Die Bemerkungen gelten auch für Zusammensetzungen und ähnlich zu
konjugierende Verben, wenn sie nicht besonders aufgeführt sind. Die Muster-
verben der Konjugation IIb. und III. sind zur Vergleichung mit aufgeführt.
— Für die Bildung der übrigen Formen vgl. § 62.

[2] So franz. je moulus, je résolus, je valus, je voulus nicht von lat.
mólui, resólvi, válui, vólui, sondern von den anders betonten Formen molúi,
resolúi, valúi, volúi.

cantatum). Infolge Wegfalls des s (lat. -sum) in conclure, rire. Endlich hat suivre das Part. Prät. auf -i.

III. Verben auf -oir.

Das hist. Perf. hat die Endung -us (lat. -ûi) mit erhaltenem Stamm= vokal in falloir, valoir, vouloir; mit verschwundenem Stammvokal in déchoir, devoir, mouvoir, pleuvoir, pouvoir, recevoir, savoir.

Es ist stammbetont mit der Endung -s in asseoir, voir.

Das Part. Prät. hat die Endung -u (lat. -ûtum, -itum) mit erhaltenem Stammvokal in falloir, valoir, vouloir; mit verschwundenem Stammvokal in déchoir, devoir, mouvoir, pleuvoir, pouvoir, recevoir, savoir (alle wie oben) und voir.

Es ist stammbetont mit der Endung -s (lat. -sum) in asseoir.

Ungleichförmige Verben auf -ir.

I. Gruppe.

§ 93. Übergangsformen.

Übergangsformen von der II. zur I. Konjugation im Sing. des Präs. Ind. und des Imperativs bieten ouvrir, cueillir (zu R 1a, b).

Ouvrir (öffnen); j'ouvris; ouvert.

Präs.	j'ouvre	nous ouvrons	Präs.	j'ouvre
Ind.	tu ouvres	vous ouvrez	Konj.	nous ouvrions
	il ouvre	ils ouvrent	Fut.	j'ouvrirai

Ebenso: couvrir bedecken, offrir anbieten, souffrir leiden.

---

§ 93. Wie ouvrir:

découvrir aufs, entdecken   entr'ouvrir halb öffnen
recouvrir wieder bedecken   rouvrir wieder öffnen

Recouvrir nicht mit recouvrer (wieder erlangen) zu verwechseln.

Wie cueillir (über die Schreibung R 4):

accueillir (aufnehmen) und recueillir (sammeln).

Assaillir (anfallen); j'assaillis; assailli und tressaillir (erzittern, zusammenfahren) wie cueillir, jedoch bilden beide im Futur j'assaillirai, je tressaillirai.

Assaillir fängt an defektiv zu werden. Von dem einfachen saillir (hervorragen, vorspringen, bes. in der Architektur; nie springen!) ist nur die 3. Sing. und Pl. Impf. erhalten: il saillait, ils saillaient, das Futur müßte il saillera lauten. Man gebraucht lieber faire saillie, être en saillie (sur qc). Saillant ist Adjektiv; un fait saillant.

Cueillir (pflücken); je cueillis; cueilli.

Präj. je cueille	nous cueillons	Präj. je cueille
Jnd. tu cueilles	vous cueillez	Konj. nous cueillions
il cueille	ils cueillent	Fut. je cueillerai.

Anm. Zwei hierher gehörige Verben zeigen keine Übergangsformen, weil das geschlissene l nicht erhalten bleibt. Bei bouillir (Stamm *bouill-*) verschwindet der geschlissene Laut in ou, bei faillir (Stamm *faill-*) tritt Vokalisierung des l (LR 6) ein. Faillir ist nur eine Nebenform von falloir (beide von lat. *fallere*); unter dem Einflusse des zweiten Stammes *fall-* (falloir) tritt auch bei dem Stamme *faill-* das l in u über, ebenso wie einzelne Substantive auf -ail den Plural wie die auf -al bilden, weil sie eine Nebenform auf -al besitzen oder besaßen (vgl. § 110 A. 2).

Bouillir (kochen); je bouillis; bouilli.

Präj. je bous	nous bouillons	Präj. je bouille
Jnd. tu bous	vous bouillez	Konj. nous bouillions
il bout	ils bouillent	Fut. il bouillira

Faillir (mangeln, ermangeln); je faillis; failli.

Präj. je faux	nous faillons	Präj.	fehlt
Jnd. tu faux	vous faillez	Konj.	
il faut	ils faillent	Fut.	[je faudrai]

II. Gruppe.

§ 94. Ohne Lautverstärkung: Vêtir (LR 1c), courir, fuir (LR 4).

Vêtir (kleiden); je vêtis; vêtu.

Präj. je vêts	nous vêtons	Präj. je vête
Jnd. tu vêts	vous vêtez	Konj. nous vêtions
il vêt	ils vêtent	Fut. je vêtirai

§ 93. Anm. Bouillir. Die Bedeutung läßt nur das Vorkommen der 3. Sing. und Plur. zu. Kochen (als Transj.) heißt faire bouillir.

Faillir. Von dem ganzen Verb sind nur noch je faillis und failli üblich: je faillis tomber, j'ai (j'avais) failli mourir ich wäre beinahe gefallen, gestorben. Dafür auch j'ai manqué de tomber und (mehr familiär) j'ai pensé tomber.

In der Bedeutung Bankerott machen, geht faillir nach der Hauptkonjugation. Dafür brauche man lieber faire faillite, tomber en faillite. Allgemein üblich ist un failli (Bankerottierer). La banqueroute ist betrügerischer Bankerott.

Défaillir (mangeln, schwach werden) ist außer dem Jmpf. und dem Präj. Jnd. ebenso wenig üblich wie faillir. Das Präsens bildet Übergangsformen (il défaille). Das Part. défaillant (kraftlos, erschöpft) ist Adjektiv geworden.

111

Courir (laufen); je courus; couru.

Präs. je **cours** nous **courons**	Präs. ⌠ je **coure**
Ind. tu **cours** vous **courez**	Konj. ⌡ nous **courions**
il **court** ils **courent**	Fut. je **courrai**

Fuir (fliehen, Stamm *fui-*); je fuis; fui.

Präs. je **fuis** nous **fuyons**	Präs. ⌠ je **fuie**
Ind. tu **fuis** vous **fuyez**	Konj. ⌡ nous **fuyions**
il **fuit** ils **fuient**	Fut. je **fuirai**

§ 94. Wie vêtir: se vêtir (sich kleiden), revêtir qn de qc (bekleiden mit), revêtir qc und se revêtir de qc (sich bekleiden mit) und die seltenen dévêtir (entkleiden), se dévêtir de qe (sich einer Sache begeben).

In der Umgangssprache wird vêtir vielfach schon nach der II. Hauptkonjugation gebildet, wofür auch in der Litteratur sich Beispiele finden. Investir (einschließen, cernieren; belehnen) gehört zur II. Hauptkonjugation.

Wie courir:

accourir herzueilen   encourir qc sich zuziehen
concourir à qc beitragen   parcourir durchlaufen
   pour qc sich bewerben um   recourir à qn, à qc s. Zuflucht nehmen
discourir de (sur) qc weitläufig reden   secourir qn helfen.

Der alte Inf. courre war früher üblich in courre le cerf (hetzen), wo jetzt courir gebraucht wird. Noch manchmal la chasse à courre, à cor et à cri(s) Hetzjagd. Von diesem Inf. ist das Futur gebildet, wie auch bei acquérir (§ 95) das Futur acquerrai von einem alten Inf. acquerre gebildet ist. In beiden Futuren sind die zwei r deutlich getrennt zu sprechen, fast als ob sie aus courrerai, acquerrerai entstanden wären. Von mourir (§ 95) lauten im Futur gleichfalls beide r; mourrai ist aus mourerai (für mourirai, vgl. cueillerai) entstanden. Die beiden anderen sind Angleichung, begünstigt durch die Eigenheit der Volkssprache, r in manchen Fällen zu verdoppeln (z. B. mair'rie für mairie).

Wie fuir: s'enfuir fliehen, entfliehen.

Fuir sollte nach Vaugelas (1647) zweisilbig sein im Inf., im Parte. Passé und im Parf. déf. Aber schon zur Zeit von La Touche (1696) war ni überall diphthongisch. Die Formen nous fuyions, vous fuyiez werden von manchen gemieden, ebenso das Fém. des Parte. Passé (fuie), vgl. craint.

III. Gruppe.

§ 95.   Mit Lautverstärkung in der Tonsilbe: acquérir, mourir, tenir.

Acquérir (erlangen) j'acquis; acquis.

Präs. j'acquiers   nous acquérons   Präs. j'acquière
Ind. tu acquiers vous acquérez   Konj. nous acquérions
il acquiert ils acquièrent   Fut. j'acquerrai

Mourir (sterben); je mourus; mort.

Präs. je meurs nous mourons   Präs. je meure
Ind. tu meurs vous mourez   Konj. nous mourions
il meurt ils meurent   Fut. je mourrai

---

§ 95. Wie acquérir:[1]

conquérir erobern   s'enquérir sich erkundigen
reconquérir wieder erobern   requérir auffordern, verlangen

Conquérir wird von einigen auf den Inf., das hist. Perf. und die umschreibenden Zeiten beschränkt. — Requérir (ersuchen) ist nicht mehr üblich. Für requérir (requirieren) jetzt réquisitionner. — Das einfache quérir (auch quérir) findet sich nur noch in aller querir (holen), welches familiärer ist als aller chercher. Mundarten aber machen noch einen synonymischen Unterschied: aller querir, wenn man genau weiß, wo der gewünschte Gegenstand zu finden ist, aller chercher dagegen, wenn man erst darnach suchen muß.

Wie mourir: se mourir hinsiechen, im Sterben liegen.

Wie tenir und venir:

s'abstenir sich enthalten   contrevenir zuwiderhandeln
appartenir gehören   devenir werden
contenir enthalten   redevenir wieder werden.
détenir gefangen halten   intervenir sich ins Mittel legen
entretenir unterhalten   parvenir gelangen
maintenir aufrecht halten   prévenir qn zuvorkommen, (warnend)
obtenir erlangen   benachrichtigen
retenir zurückhalten   provenir herrühren
soutenir stützen, behaupten   revenir zurückkommen
circonvenir qn berücken   se souvenir de qc sich erinnern
convenir de qc übereinkommen, ein-   subvenir à qc sorgen
gestehen, c. à qn passen, geziemen   survenir gegen Erwarten kommen,
disconvenir de qc leugnen   eintreten.

[1] Etymologisch gehört auch das Adj. exquis hierher.

Tenir (halten); je tins; tenu (§ 7).

Präf. je **tiens** nous tenons	Präf. (je	tienne
Ind. tu **tiens** vous tenez	Konj.	nous tenions
il **tient** ils **tiennent**	Fut. je	tiendrai

Ebenso: venir kommen.

Ungleichförmige Verben auf -re.

I. Gruppe.

§ 96. Orthographische Verschiedenheiten.

Verben mit d-, t- und k-Stämmen: vendre, battre, mettre, vaincre (§ 1 b c, § 3).

Vendre (verkaufen, St. vend-); je vendis; vendu.

Präf. je **vends** nous vendons	Präf. (je	vende
Ind. tu **vends** vous vendez	Konj.	nous vendions
il **vend** ils **vendent**	Fut. je	vendrai

Anm. Sich erinnern an etwas se souvenir de qc oder se rappeler qc. Jemand erinnern an etwas dagegen rappeler qc à qn oder faire souvenir qn de qc (über das fehlende se § 77).

Unser werden wird französisch verschieden ausgedrückt:

1) Beim Paſſiv durch être: il fut pris (er wurde gefangen genommen).

2) Bei Adjektiven und Substantiven meist devenir, wenn die Änderung des Zustandes nicht vorwiegend durch eigenes Zuthun bewirkt wurde: devenir grand; devenir officier. Wird zugleich der frühere Zustand angegeben, so tritt oft ein für uns unnötiger Relativſatz ein: D'esclave (qu'il était) il devint maître; de riche qu'il était il est devenu pauvre. — Auch andere Wörter: Il a (est) passé capitaine. Manchmal das hiſt. Perf. von être: Un moine de Jumièges devint archevêque de Canterbury, un autre moine normand fut évêque de Londres. — Bei Adjektiven zu bemerken se faire vieux (alt werden), tomber malade (krank werden, vgl. engl. to fall ill).

3) Bei eigenem Zuthun meist se faire: se faire marin (Seemann werden), se faire Turc. — Ebenso être: Vous n'avez pas voulu me permettre d'être avocat.

4) Im Sinne von abgeben, das Zeug haben für ſteht faire: Il ne fera jamais un bon acteur.

5) Bei Witterungsangaben u. dgl. commencer à faire: es wird Tag, Nacht, warm, kalt), il commence à faire jour (nuit, chaud, froid). Nicht etwa devenir.

Blattner, Grammatik. I. r.   7

Ebenso alle auf -andre,- endre (außer prendre), -ondre, -erdre und -ordre.

Battre (schlagen, St. *batt-*); je battis; battu.

Präf. je bat	nous battons		Präf.	je	batte
Ind. tu bats	vous battez		Konj.	nous	battions
il bat	ils	battent	Fut.	je	battrai

Mettre (setzen, legen, stellen, St. *mett-*); je mis; mis.

Präf. je mets	nous mettons		Präf.	je	mette
Ind. tu mets	vous mettez		Konj.	nous	mettions
il met	ils	mettent	Fut.	je	mettrai

Der Stammauslaut tt dient zur Bezeichnung des offenen e; in den einsilbigen Formen ist diese Bezeichnung nicht nötig, daher fällt ein t vor s weg (LR 1 b c). — Hist. Perf. stammbetont; Part. Präf. auf -s.

---

§ 96. Genau wie rompre gehen nur seine Zusammensetzungen.

Wie battre:

abattre niederschlagen   débattre verhandeln

combattre bekämpfen   se débattre sich wehren

           rabattre herunter-, nachlassen.

Wie mettre:

se mettre anfangen   omettre unter-, auslassen

admettre zulassen   permettre erlauben

commettre begehen (z. B. une faute)   promettre versprechen

compromettre bloßstellen   remettre zurückstellen, verschieben, ein-

se démettre de qe zurücktreten   soumettre unterwerfen   [bändigen

émettre äußern   transmettre überliefern

Anfangen ist mit commencer nur dann zu geben, wenn ein Fort-schreiten, eine Zunahme oder längere Dauer der begonnenen Handlung möglich ist: Le jour commençait à poindre der Tag fing an sich zu zeigen; je commence à comprendre. Sonst ist se mettre à faire qe zu wählen, daher se mettre (oder se prendre) à rire, à pleurer. Ebenso wenn anfangen für die Aufeinanderfolge zweier Handlungen gebraucht wird: nach dem Abendessen fing man an zu tanzen après souper on se mit à danser. — Mettre (obwohl von lat. *mittere*) heißt nicht „schicken". — Se démettre, von einem Amt zurücktreten. Se soumettre ou se démettre! Se démettre une épaule sich eine Schulter ausrenken.

Vaincre (siegen, besiegen, St. *vainc-*); je vainquis; vaincu.

Präs. je vaincs nous vainquons Präs. je vainque
Ind. tu vaincs vous vainquez Konj. nous vainquions
il vainc ils vainquent Fut. je vaincrai

II. Gruppe.

§ 97. Nasal- und v-Stämme.

Prendre, craindre (ℒℛ 2, 7) vivre, suivre, écrire (ℒℛ 1c), boire.

Prendre (nehmen, St. *pren(d)-*) je pris; pris.

Präs. je prends nous prenons Präs. je prenne
Ind. tu prends vous prenez Konj. nous prenions
il prend ils prennent Fut. je prendrai

Craindre (fürchten, St. *crai(g)n-*); je craignis; craint.

Präs. je crains nous craignons Präs. je craigne
Ind. tu crains vous craignez Konj. nous craignions
il craint ils craignent Fut. je craindrai
N vor Konsonant, gn vor Vokal.

§ 97. Wie prendre:
apprendre lernen, erfahren   entreprendre unternehmen
   désapprendre verlernen   se méprendre fehl greifen
comprendre begreifen   reprendre wieder nehmen, erwidern
                     surprendre überraschen.

In der Schriftsprache ist das d (wie in coudre, moudre) in die Singular-
formen des Präsens eingedrungen, weil es lautlich nicht hervortritt. In den
Mundarten aber findet sich d teilweise verbannt (prenre, je prenrai), teilweise
am unrichtigen Platze eingeschoben (il prendait für il prenait). Außerdem
kommt Metathese des r vor: nous pernons, je pernais, je pernis (für je pris).

Prendre (oder emporter) une ville (einnehmen) wird gesagt, wo lediglich
ausgedrückt werden soll, daß der Eingang erzwungen wurde. Conquérir une
ville (erobern) dagegen, wenn die Einnahme zugleich zum dauernden Besitz führte.

Wie craindre alle auf -aindre, -eindre, -oindre:

contraindre zwingen   empreindre aufprägen
plaindre beklagen   enfreindre übertreten
astreindre verpflichten   éteindre auslöschen
atteindre erreichen   étreindre zusammenziehen
ceindre umgürten   feindre vorgeben, sich verstellen

7*

Vivre (leben, St. *viv-*); je vécus; vécu.

Präf.	je vis	nous vivons	Präf.	je	vive
Inb.	tu vis	vous vivez	Konj.	nous	vivions
	il vit	ils vivent	Fut.	je	vivrai

Suivre (folgen, St. *suiv-*); je suivis; suivi.

Präf.	je suis	nous suivons	Präf.	je	suive
Inb.	tu suis	vous suivez	Konj.	nous	suivions
	il suit	ils suivent	Fut.	je	suivrai

Écrire (schreiben, St. *écriv-*); j'écrivis; écrit.

Präf.	j'écris	nous écrivons	Präf.		j'écrive
Inb.	tu écris	vous écrivez	Konj.	nous	écrivions
	il écrit	ils écrivent	Fut.		j'écrirai

Boire (trinken, St. *buv-*); je bus; bu.

Präf.	je bois	nous buvons	Präf.	je	boive
Inb.	tu bois	vous buvez	Konj.	nous	buvions
	il boit	ils boivent	Fut.	je	boirai

---

geindre ächzen, jammern
peindre malen
restreindre beschränken
teindre färben
joindre verbinden; j. qn zusammentreffen mit

enjoindre auftragen, einschärfen
rejoindre wieder verbinden, treffen
oindre salben
poindre sprossen, anbrechen (nur im
Inf. und Fut. gebräuchlich)[1].

Wie vivre:
revivre (wieder aufleben, nochmals durchleben)   survivre à qn überleben.

Wie suivre:
poursuivre (verfolgen) und das unpersönliche il s'ensuit (es folgt, es ergiebt sich).

Wie écrire:
décrire beschreiben
inscrire einschreiben
prescrire vor-, verschreiben
proscrire ächten
souscrire unterschreiben, s. pour qe
subscribieren
transcrire ausschreiben, anführen.

Boire. Wo trinken durch boire und wo es durch prendre zu übersetzen ist, läßt sich schwer feststellen. Jedenfalls ist das früher verworfene

---

[1] Vgl. jedoch das Ergänzungsheft. Ebenda s. die öfter vorkommenden
unrichtig gebildeten Formen.

Anm. Dieser Gruppe schließen sich einige andere Stämme an. Coudre (nähen, St. *cous-*) und moudre (mahlen, St. *moul-*) schließen sich an prendre und behalten wie dieses d im Sing. des Präf. Ind. Résoudre (beschließen, St. *résolv-*) schließt sich an craindre; es hat wie dieses t in der 3. Sing. des Präf. Ind. und résou- vor Konsonant, résolv- vor Vokal.

Coudre (nähen); je cousis; cousu.

Präf. je couds nous cousons	Präf. { je couse	
Ind. tu couds vous cousez	Konj. { nous cousions	
il coud ils cousent	Fut. je coudrai	

Moudre (mahlen); je moulus: moulu.

Präf. je mouds ⌐ nous moulons ⌐   Präf. { ⌐je moule ⌐
Ind. tu mouds [vous moulez]   Konj. { [nous moulions]
il moud └ ils moulent ┘   Fut. je moudrai

Résoudre (beschließen); je résolus; résolu.

Präf. je résous nous résolvons   Präf. { je résolve
Ind. tu résous vous résolvez   Konj. { nous résolvions
il résout ils résolvent   Fut. je résoudrai

---

boire du café ganz unanfechtbar. Boire sagt man bei gewöhnlichen Getränken (boire du vin, de la bière, de l'eau, du lait u. a.), prendre bei solchen, welche (nach franz. Brauch) nur ausnahmsweise oder in bestimmten Fällen (z. B. als Arznei) getrunken werden (daher prendre du thé, du chocolat, du petit-lait, de la tisane, les eaux, d. h. Gesundbrunnen u. a.). Für boire läßt sich meist prendre einsetzen und gilt dann als gewähltere Ausdrucksweise.

§ 97. Anm. Wie coudre:

découdre auftrennen, recoudre wieder nähen.

Wie moudre:

émoudre (schleifen), rémoudre (wieder schleifen) und remoudre (wieder mahlen).

Wie résoudre:

absoudre (lossprechen, seltener: freisprechen) und dissoudre (auflösen), welche aber im Part. Prät. absous (absoute), dissous (dissoute) haben. Das hist. Perf. derselben ist nicht üblich.

Die Formen absolu (unbedingt, unbeschränkt) und dissolu (ausschweifend) sind Adjektive. Weil sie keine Verbalformen sind, meidet man auch die (ihnen ähnlichen) hist. Perfekte. — Résous ist eine wenig übliche Nebenform des Part. Prät. résolu.

III. Gruppe.

§ 98.   S-Stämme (ℛ 1 b c).

Conduire, lire, plaire, connaître, naître, croître, dire, faire.

Conduire (führen, St. *conduis*-); je conduisis; conduit.

Präf.	je conduis	nous conduisons	Präf.	je	conduise
Ind.	tu conduis	vous conduisez	Konj.	nous conduisions	
	il conduit ils	conduisent	Fut.	je	conduirai

Lire (lesen, St. lis-); je lus; lu.

Präf.	je lis	nous lisons	Präf.	je	lise
Ind.	tu lis	vous lisez	Konj.	nous lisions	
	il lit ils	lisent	Fut.	je	lirai

Plaire (gefallen, St. plais-); je plus; plu.

Präf.	je plais	nous plaisons	Präf.	je	plaise
Ind.	tu plais	vous plaisez	Konj.	nous plaisions	
	il plaît ils	plaisent	Fut.	je	plairai

Ebenso taire verschweigen, se taire schweigen, doch ohne Cirkumflex in der 3. Sing. Präf. Ind. (il tait, il se tait).

---

§ 98. Wie conduire:

se conduire sich betragen   réduire zurückführen, beschränken
   reconduire zurück begleiten   séduire verführen
   éconduire abweisen   traduire übersetzen
déduire abziehen, folgern   construire erbauen
enduire überziehen   reconstruire wieder errichten
induire verleiten, folgern   détruire zerstören
introduire einführen   instruire unterweisen
produire hervorbringen   cuire kochen
   reproduire reproducieren

Ferner nuire (schaden) und luire (leuchten), doch Part. Prät. nui, lui. Letzteres mit reluire (erglänzen), dessen hist. Perf. je reluisis gebraucht werden kann (je luisis ist unüblich), Part. Prät. relui. — Das Parf. déf. je nuisis fehlte vor 1878 in dem Wörterbuch der Akademie, obwohl das Impf. Konj. je nuisisse gegeben war.

Wie lire:
élire erwählen, réélire wieder erwählen, relire wieder lesen.

Wie plaire:
complaire gefällig sein, déplaire mißfallen.

Connaitre (fennen, St. *connaiss-*); je connus; connu.

Präf. je connais nous connaissons Präf. ⎰ je   connaisse
Ind. tu connais vous connaissez Konj. ⎱ nous connaissions
   il connaît ils   connaissent Fut. je   connaîtrai
Der Cirkumflex steht vor t.

Naître (zur Welt kommen, St. *naiss-*); je naquis; né.

Präf. je nais nous naissons   Präf. ⎰ je   naisse
Ind. tu nais vous naissez   Konj. ⎱ nous naissions
   il naît ils   naissent   Fut. je   naîtrai
Cirkumflex vor t.

Croître (wachsen, St. *croiss-*); je crûs; crû.

Präf. je crois nous croissons   Präf. ⎰ je   croisse
Ind. tu crois vous croissez   Konj. ⎱ nous croissions
   il croît ils   croissent   Fut. je   croîtrai

Cirkumflex in allen Formen, welche mit den gleichen von croire (§ 99) verwechselt werden könnten; doch que je crusse.

Wie connaître:
méconnaître verkennen   apparaître erscheinen
reconnaître erkennen   comparaître vor Gericht erscheinen
paraître scheinen, erscheinen   disparaître verschwinden
       reparaître wieder erscheinen.

Ferner repaître, meist nur se repaître de qe (sich nähren von, sich ab= speisen lassen mit) und paître (weiden, Intransitiv; nur in poetischer Sprache auch Transf.), welchem histor. Perf. und Part. Prät. fehlen.

Wie naître:
renaître (wieder erstehen), dessen Part. Prät. jedoch selten ist.

Die Behauptung, daß von renaître das Parf. béf. und Partic. Passé fehlen, ist unrichtig: Ainsi, l'imagination des modernes *renaquit* peu à peu de celle des anciens (d'Alembert). L'ordre, la population, le commerce, l'agriculture, la prospérité *renaquirent* en France comme par enchantement (Th. Lavallée). La population *renaquit* (Ders.). Dans ces siècles où l'ordre social *renaquit* sous cette forme fragmentaire (Littré). Il est *rené* à l'espé-rance (Ders.).

Naître (von lat. *nascere*, nicht von *nasci*) ist durchaus aktivisch; er wurde geboren il naquit oder il est né (nicht il fut né).

Wie croître:
accroître vermehren   décroître abnehmen
s'accroître anwachsen   recroître wieder wachsen.

Dire (ſagen, St. *dis*-); je dis; dit.

Präf.	je dis	nous disons		Präf.	{ je	dise
Ind.	tu dis	vous **dites**		Konj.	{ nous	disions
	il dit	ils disent		Fut.	je	dirai

Imperativ: dis, disons, **dites**.

Ebenſo (auch in der 2. Pl. Präf. Ind. und Imp.) redire (wieder ſagen).

Faire (machen, thun, St. *fais*-); je fis; fait.

Präf.	je fais	nous faisons		Präf.	{ je	fasse
Ind.	tu fais	vous **faites**		Konj.	{ nous	fassions
	il fait	ils **font**		Fut.	je	ferai

Croître und ſeine Zuſammenſetzungen haben den Cirkumflex im ganzen Sing. Präf. Ind. und in der 2. Sing. Imper. Im hiſtor. Perf. (aber nicht im Impf. Konj. je crusse) hat nur das einfache Verb den Cirkumflex. Im Part. Prät. (crû, crus, crue, crues) hat ihn auch nur das einfache Verb und recroître (recrû). Le cru (Ackerlage, Wachstum) ohne Accent. Vgl. devoir, mouvoir.

Wie dire (doch disez in der 2. Pl. Präf. Ind. und Imp.):

contredire qn widerſprechen   interdire unterſagen
dédire in Abrede ſtellen   médire übles nachreden
se dédire widerrufen (§ 79)   prédire vorherſagen

Maudire (verwünſchen) hat im Inlaut ss: nous maudissons, vous maudissez, que je maudisse, je maudissais u. ſ. w. Außer Inf. und Part. Prät. bildet das Verb daher ſeine Formen wie die II. Hauptkonjugation. Wahrſcheinlich Angleichung an bénir, da beide Verben ihrer Bedeutung wegen oft nebeneinander geſtellt werden.

Wie faire:

contrefaire nachmachen, fälſchen   surfaire überfordern
défaire völlig ſchlagen   méfaire u. malfaire (übel thun) nur im Inf.
refaire abermals thun   forfaire à qe (ſich vergehen gegen) hat
satisfaire befriedigen   nur Inf. und umſchreibende Zeiten.

Ferner:

Confire (einmachen); je confis; confit.

Präf.	je confis	nous confisons		Präf.	{ je	confise
Ind.	tu confis	vous confisez		Konj.	{ uous	confisions
	il confit	ils confisent		Fut.	je	confirai

Ebenſo suffire (genügen), doch Part. Prät. suffi.

Imperativ: fais, faisons, faites.

In den mehrsilbigen Formen (also außerhalb der Tonsilbe) klingt ai der Stammsilbe wie e, man spricht nous faisons, faisant, je faisais wie *fezon, fezan, fezè* u. s. w. Doch ist nicht beim Schreiben e für ai zu setzen.

Anm. 1) faire in Verbindung mit dem Inf. eines Intransitivs bildet transitive, in Verbindung mit dem Inf. eines Transitivs dagegen kausative Verbalbegriffe: Faire naitre (hervorrufen), faire mourir (hinrichten), faire partir une lettre (abschicken), faire ressortir un fait (hervorheben), faire sentir une difficulté (hinweisen auf), faire valoir ses droits (zur Geltung bringen), faire valoir une ferme (bewirtschaften) u. a. Faire écrire une lettre, faire jeter un pont sur une rivière u. a. Besonders zu erwähnen sind faire observer und faire remarquer (darauf aufmerksam machen: ich mache Sie darauf aufmerksam, daß . . . . je vous fais observer (remarquer) que . . .).

Wenn im Deutschen kein einzelnes Verb für solche Verbindungen existiert, so tritt lassen vor dem Infinitiv, welches sowohl ein Veranlassen (durch faire auszudrücken) als ein Zulassen (durch laisser auszudrücken) sein kann: On a fait évader le prisonnier (zum Entweichen verholfen). On a laissé échapper le prisonnier (ungenügend bewacht). Nous avons une magnifique salle de billard où les hirondelles ont fait leurs nids. J'ai fait laisser en paix les nids d'hirondelles.

2) Unser machen in Verbindung mit einem Abjektiv ist französisch meist durch rendre (wie lat. reddere) zu geben: rendre heureux, rendre malade. Faire tritt jedoch ein, sobald nicht der Übergang aus einem Zustand in einen anderen, sondern die erste Schöpfung bezeichnet wird: Il allait sous la mitraille aussi tranquille que si Dieu l'avait fait invulnérable. — Ce meuble est assez joli, mais vous l'avez fait trop petit. — Faire ist das stärkere Wort und tritt manchmal nachdrücklich statt rendre ein: Les Autrichiens raillaient Frédéric. La terrible boucherie de Lissa (Leuthen) les fit sérieux. — Je veux vous faire heureuse, je veux vous faire heureuse et puissante. — Oder faire tritt ein, weil rendre ganz verkehrten Sinn gäbe: Mᵐᵉ Fratief s'endetta pour la (sa fille) faire belle (herausputzen).

Niemals darf rendre mit einem Part. Prät. verbunden werden, daher: sich verhaßt (beliebt) machen se faire haïr (aimer). Vgl. faire mépriser, rendre méprisable.

3) Faire tritt öfter an die Stelle eines vorausgehenden Verbs: Connaissez-vous mieux que vous ne faites. Selten steht jetzt dieses faire vor einem Accusativ: Elle vénérait son tuteur comme on ferait un père (engl. she worshipped her tutor as she would have done her father).

IV. Gruppe.

§ 99. Vokalische Stämme.

Rire, conclure, croire (ℒℛ 4).

Rire (lachen, St. *ri-*); je ris; ri.

Präj.	je ris	nos rions		Präj.	je	rie
Ind.	tu ris	vous riez		Konj.	nous	riions
	il rit	ils rient		Fut.	je	rirai

Conclure (schließen, St. *conclu-*) je conclus; conclu.

Präj.	je conclus	nous concluons		Präj.	je	conclue
Ind.	tu conclus	vous concluez		Konj.	nous	concluïons
	il conclut	ils concluent		Fut.	je	conclurai

Croire (glauben, St. *croi-*); je crus; cru.

Präj.	je crois	nous croyons		Präj.	je	croie
Ind.	tu crois	vous croyez		Konj.	nous	croyions
	il croit	ils croient		Fut.	je	croirai

Anm. Zu diesen Stämmen gehört auch

Traire (melken, St. *trai-*); —; trait.

Präj.	je trais	nous trayons		Präj.	je	traie
Ind.	tu trais	vous trayez		Konj.	nous	trayions
	il trait	ils traient		Fut.	je	trairai

Ferner clore, welches jetzt s-Stamm zeigt und daher auch Circumflex auf der 3. Sing. Präs. Ind. hat, ursprünglich aber (in Übereinstimmung mit

§ 99. Die Konjugation von rire hat manche äußere Ähnlichkeit mit der I. Hauptkonjugation; zu warnen ist vor il ria u. a.

Ebenso se rire de (sich lustig machen über, verachten) und sourire (lächeln).

Für conclure gilt in Bezug auf die äußere Ähnlichkeit mit Formen der I. Hauptkonjugation dasselbe wie für rire; zu warnen ist vor je concluerai u. a. Ebenso: exclure (ausschließen). Von reclure ist nur das Part. Prät. reclus (klausnerisch abgeschlossen) üblich.

Die einzige Zusammensetzung von croire (accroire) findet sich nur in faire accroire qe à qn (weismachen).

Zur Anm. Wie traire:

abstraire (abtrennen), distraire (zerstreuen), extraire (ausziehen) und soustraire (entwenden, entziehen, subtrahieren).

Ferner das nur in der 3. Sg. u. Pl. des Präsens Ind. und beider Future, sowie im Infinitiv vorkommende braire (ÿanen, brüllend singen).

dem lat. Stammwort claudere, vgl. rire von ridere, conclure von concludere) Vokalstamm hatte.

Clore (schließen, St. *clo(s)-*); —; clos.

Präf. Ind. je clos, tu clos, il clôt. Konj. que je close. Fut. je clorai werden als vorhandene Formen aufgeführt. Man kann jedoch alles außer dem Inf. clore, dem Part. Prät. clos, close und der 3. Sing. il clôt als unüblich betrachten.

Ungleichförmige Verben auf -oir.

I. Gruppe.

§ 100.   Stämme auf -ev- und -al(l)-.

Recevoir, valoir, falloir (ℒℛ 1c, 6; Sℛ 5).

Recevoir (erhalten, St. *recev-*); je reçus; reçu.

Präf.	je reçois	nous recevons	Präf.	{ je	reçoive
Ind.	tu reçois	vous recevez	Konj.	{ nous	recevions
	il reçoit ils	reçoivent	Fut.	je	recevrai

Valoir (gelten, St. *val-*); je valus; valu.

Präf.	je vaux	nous valons	Präf.	{ je	vaille
Ind.	tu vaux	vous valez	Konj.	{ nous	valions
	il vaut ils	valent	Fut.	je	vaudrai

Wie clore:

éclore (ausschlüpfen, aus dem Ei; aufblühen) mit folgenden Formen:

Präf. il éclôt   Präf. qu'il éclose   Fut. il éclora (früher ô)
Ind. ils éclosent   Konj.

Aber auch hier sind nur der Inf. éclore, das Part. Prät. éclos, éclose und il éclôt als wirklich üblich anzusehen.

§ 100.   Wie recevoir:

Apercevoir (wahrnehmen), concevoir (fassen, begreifen), décevoir (täuschen), percevoir (erheben, von Abgaben). Décevoir wird von vielen auf den Inf. und die umschreibenden Zeiten beschränkt.

Ferner devoir (schulden, sollen, müssen), welches jedoch im Part. Prät. dû (aber dus, due, dues) hat; ebenso das Part. redû von redevoir (heraus= zahlen müssen), nicht das Adjektiv indu (ungehörig).

Wie valoir:

équivaloir (gleichkommen) und prévaloir (vorwalten), doch hat letzteres im Präf. Konj. je prévale. Von revaloir (entgelten lassen) findet sich nur das Futur öfter gebraucht.

Falloir (nötig fein, St. *fall-*); il fallut; fallu.

Präf. Jnb. il faut. Präf. Konj. il faille. Jmpf. il fallait. Fut. il faudra.

Kommt als unperfönliches Verb nur in der 3. Sing. vor.

II. Gruppe.

§ 101. Sonstige v- und l-Stämme.

Vouloir, pouvoir, savoir (LR 1c, 6; SR 5).

Vouloir (wollen, St. *voul-*); je voulus; voulu.

Präf. je veux	nous voulons	Präf. je	veuille
Jnb. tu veux	vous voulez	Konj. nous	voulions
il veut	ils veulent	Fut. je	voudrai

Jmperativ: [veuille, veuillons], veuillez.

Zu falloir:

Der abhängige Satz nach il faut hat regelmäßig den Konjunktiv und kann durch die Infinitivkonstruktion ersetzt werden:

1) Il faut que chacun rende compte de ses actions.

2) Il faut qu'on rende compte de   Il faut rendre compte de ses actions.
ses actions.

3) Il faut que vous en rendiez compte.   Il vous faut en rendre compte.

4) Il faut que vous me rendiez compte.

1) Niemals, wenn das Subjekt des abhängigen Satzes ein anderes Wort als ein Personalpronomen oder on ist.

2) Wenn das Subjekt des abhängigen Satzes on ist, fällt es in der Infinitivkonstruktion weg.

3) Wenn es ein Personalpronomen ist, so tritt es als Dativ vor falloir; vor dem Infinitiv darf jedoch kein weiteres Personalpronomen stehen, wohl aber ein Reflexiv oder Pronominaladverb.

4) Daher vermeidet man im letzten Fall die Infinitivkonstruktion, wenn nicht das Subjekt als selbstverständlich ausgelassen werden kann (il faut me rendre compte Sie müssen mir Rechenschaft geben, vgl. il me faut rendre compte ich muß R. geben). Doch kamen in älterer Sprache auch Verbindungen wie il vous faut le rendre u. a. vor und finden wieder Aufnahme.

§ 101. Zu vouloir:

Die 1. Plur. Jmper. kommt nie vor. Die 2. Sing. findet sich kaum anders als in der Redensart en vouloir à qn (böse sein auf jem.) und lautet

Pouvoir (können, St. *pouv-*); je pus; pu.

Präf. je peux (puis) nous pouvons   Präf. { je   puisse
Ind. tu peux   vous pouvez   Konj. { nous puissions
    il peut   ils   peuvent   Fut. je   pourrai

In der affirmativen Form steht sowohl je puis als je peux;[1] in der negativen meist je ne peux pas oder je ne puis (vgl. bei der Negation); in der Frage nur puis-je. — Der Imperativ ist unmöglich, ebenso das öfter angeführte Femininum des Part. Passé.

Savoir (wissen, St. *sav-*); je sus; su.

Präf. je sais nous savons   Präf. { je   sache
Ind. tu sais vous savez   Konj. { nous sachions
    il sait ils   savent   Fut. je   saurai

Imperativ: sache, sachons, sachez. Part. Präf. sachant.
Im ganzen Sing. Präf. Ind. ist *sé* zu sprechen.

Anm. Außer dem Hülfsverb avoir gehören in diese Gruppe mouvoir (für den Sing. Präf. Ind. vgl. M 1c) und pleuvoir.

dann gewöhnlich veux. Früher gab man die Formen voulons, voulez an als Ausdruck bestimmter Willensmeinung.

Das Part. Präf. ist voulant, das alte (veuillant) ist in bienveillant, malveillant erhalten.

Zu savoir:

Anm. Je ne saurais ist der Bedeutung nach soviel wie je ne puis, ist demnach eine (logische) Präsensform. Folgt auf diesen Ausdruck ein von demselben abhängiger Konjunktiv, so ist es derjenige des Präsens. — Je ne saurais ist die höflichere, mit dem eigenen Urteil zurückhaltende Form. Vgl. die Tempuslehre und Zeitenfolge.

Das deutsche können ist mit pouvoir zu übersetzen, wenn es sich um eine physische Möglichkeit handelt: Pouvez-vous jouer du piano aujourd'hui? Il peut jouer du piano pendant trois heures consécutives sans être fatigué. Wo es sich dagegen um eine Fertigkeit handelt, die erlernt werden muß, tritt savoir ein: Savez-vous jouer du piano? oder savez-vous le piano? Ebenso il sait l'anglais er kann Englisch (engl. he can speak French, aber he knows French).

---

[1] Vaugelas und La Touche hielten je peux für weniger gut als je puis, Régnier Desmarais erklärte es sogar für veraltet. Laveaux will es auf den Gebrauch im Vers beschränken.

Mouvoir (bewegen, St. *mouv-*); je mus; mú (mus, mue, mues).
Präs. je meus nous mouvons   Präs. ⌠ je   meuve
Inb. tu meus vous mouvez   Konj. ⌡ nous mouvions
    il meut ils meuvent   Fut.   je   mouvrai
    Pleuvoir (regnen, St. *pleuv-*); il plut; plu.
Präs. Inb. il pleut (ℛ 1c). Präs. Konj. il pleuve. Imperf. il pleu-
vait. Fut. il pleuvra.

III. Gruppe.

§ 102. Vokalische Stämme.

Asseoir, voir (ℛ 4).

Asseoir (setzen, begründen, St. *assey-*); j'assis; assis.

Präs. j'assieds nous asseyons	Präs. ⌠	j'asseye
Inb. tu assieds vous asseyez	Konj. ⌡	nous asseyions
il assied ils asseyent	Fut.	j'assiérai
		(j'asseyerai)

§ 101. Anm. Wie mouvoir (doch hat ihr Part. Prät. keinen Cirkumflex) émouvoir (erregen, wofür meist émotionner) und promouvoir (befördern),
welches außer dem Inf. und den umschreibenden Formen nicht vorkommt.

Auch von mouvoir sind für die gewöhnliche Sprache viele Formen so
gut wie nicht vorhanden, in dem wissenschaftlichen Ausdruck aber häufig.

§ 102. Zu asseoir:
Daneben findet sich auch folgende Konjugationsweise, doch werden die y
erfordernden Formen nicht mehr gebraucht.
Präs. j'assois ⌜nous assoyons⌝   Präs. ⌠ j'assoie
Inb. tu assois ⌊vous assoyez⌋   Konj. ⌡ [nous assoyions]
    il assoit ils assoient   Fut.   j'assoirai
Ebenso wie asseoir haben beide Konjugationsweisen s'asseoir (sich setzen;
être assis sitzen), rasseoir (wieder setzen, beruhigen) und se rasseoir (sich
wieder setzen).

Surseoir (à qe, selten qe verschieben) bildet seine Formen nur nach der
zweiten Konjugationsweise (mit oi), hat jedoch im Fut. je surseoirai.

[Seoir] (sitzen, stehen, von Kleidern; anstehen, geziemen) hat nur die
3. Sing. und Plur.
Präs. il sied   Imperf. il seyait   Fut. il siéra
Inb. ils siéent   ils seyaient   ils siéront
Die umschreibenden Formen fehlen, da das Part. Prät. (sis, sise) nur
als Adjektiv (gelegen) üblich ist. Sis gehört dem Attenstil an; gelegen von
Städten und dergleichen ist assis (oder situé u. a.). — Das Part. Präs. ist
nur als Substantiv üblich: se mettre sur son séant (sich aus der liegenden

Voir (ſehen, St. *voi-*); je vis; vu.

Präj.	je vois nous **voyons**	Präj.	je	voie
Ind.	tu vois vous **voyez**	Konj.	nous **voyions**
	il voit ils voient	Fut.	je	**verrai**

§ 103. Defektive Verben *(verbes défectifs, verbes défectueux).*

Die von einzelnen Verben mangelnden Zeiten wurden bei dieſen Verben angegeben. Dabei iſt nicht ausgeſchloſſen, daß einzelne Schriftſteller manche Formen gebrauchen, welche für die gewöhnliche Sprache als nicht vorhanden gelten. Andere Formen ſind ſelten, werden aber noch von der Grammatik anerkannt; ſo einzelne Zeiten von conquérir, décevoir, mouvoir u. a.

Was von den eigentlichen Defektiven (accroire, braire, clore, éclore, choir, dépourvoir, querir, reclure, seoir und traire) erhalten iſt, findet ſich an der dieſen Verben zukommenden Stelle verzeichnet.

Bruire (rauſchen, lärmen) geht jetzt nach der II. Hauptkonjugation in den Formen il bruissait, ils bruissaient. Außer dem Infinitiv kommt ſonſt nur il bruit vor. Bruyant iſt Adjektiv geworden.

Von chaloir (daran gelegen ſein) iſt nur die 3. Sing. Präſ. Ind. erhalten in il ne m'en chaut (daran iſt mir nichts gelegen) und peu m'en chaut (es kümmert mich wenig). Das Part. Präſ. liegt in nonchalant (ſorglos, phlegmatiſch).

---

zur ſitzenden Stellung aufrichten). Wie [scoir] geht [messeoir] (übel anſtehen, nicht geziemen).

Wie voir:

entrevoir (ahnen, vermuten) und revoir (wieder ſehen). — Ferner pourvoir à qc (ſorgen für etwas) und prévoir (vorherſehen), welche im Fut. je pourvoirai, je prévoirai bilden; das erſtere hat im hiſt. Perf. je pourvus.

Von dépourvoir iſt nur das Part. Prät. dépourvu (entblößt, nicht im Beſitze von etwas) erhalten.

Ferner:

Déchoir (herabſinken, St. *déchoi-*); je déchus; déchu.

Präj.	je **déchois**	⌈nous déchoyons⌉	Präj.	je déchoie
Ind.	tu **déchois**	⌊vous déchoyez⌋	Konj.	[nous déchoyions]
	il déchoit	ils déchoient	Fut.	[je **décherrai**]

Die Formen mit y und das Futur kommen nicht mehr vor.

Ebenſo geht échoir (zufallen, fällig werden), doch iſt es der Bedeutung gemäß nur in der 3. Perſon üblich. Es hat ein Part. Präſ. échéant (le cas échéant vorkommenden Falles); auch méchant (böſe) iſt urſprünglich Part. Präſ. eines hierher gehörigen Verbs. Das einfache choir iſt noch im Inf. üblich, beſonders in (se) laisser choir.

Von férir (stoßen, schlagen) findet sich der Inf. in sans coup férir (ohne Schwertstreich), seltener das Part. Prät. féru (versessen auf).
Frire (backen) hat im Part. Prät. frit. Von den einfachen Zeiten ist nur der Sing. Präs. Ind. (je fris, tu fris, il frit), der Sing. des Imp. (fris) und die Future (je frirai, je frirais) erhalten. Die fehlenden Formen werden mit faire frire umschrieben (vgl. faire bouillir und faire cuire neben cuire).
Von gésir (liegen) ist erhalten die 3. Sing. und Pl. des Präs. Ind. (il gît, ils gisent), dieselben Personen des Imperf. (il gisait, ils gisaient) und das Part. Präs. (gisant). Nach i klingt s immer scharf; früher schrieb man auch ss. — Gésir ist von Sachen oder Toten (ci-gît hier ruht) zu gebrauchen. Auf Sachen angewandt, heißt es meist: unbeachtet daliegen, als wertlos weggeworfen sein. Auf Lebende angewandt bedeutet es: hülflos daliegen.
Von issir ist nur das Part. Prät. issu (hervorgegangen aus, abstammend von) erhalten.
Von ouïr (hören) findet sich noch das Part. Prät. ouï in altertümlich scherzhafter Rede, selten in ernster Sprache. — Ouïr steht entendre gleich (hören), beide stehen écouter gegenüber (zuhören, lauschen). Ouïr und entendre nie: hören = erfahren, daher: ich habe es gehört (= erfahren) je l'ai entendu dire, j'en ai entendu parler (alt je l'ai ouï dire).
Zu erwähnen sind noch folgende Formen: von apparoir (erhellen, sich ergeben) findet sich im Aktenstil il appert; von souloir (pflegen) noch il soulait vor Infinitiven (aber nur scherzhaft), von sourdre (hervorquellen) die Form il sourd (l'eau sourd ist noch ziemlich häufig), von tistre (weben, wofür jetzt tisser) das Part. Prät. tissu. Von dem alten Verb ouvrer (bearbeiten), welches im Präsens j'euvre (vgl. alt je treuve von trouver u. a.) bildete, findet sich noch das Part. Prät. ouvré (engl. wrought zu to work) in du fer ouvré (durch Schmieden in bestimmte Form gebrachtes Eisen), dafür auch ouvragé. Weitere Einzelheiten im Ergänzungsheft.

§ 104. Unpersönliche Verben *(verbes impersonnels)*.

Defektiv sind auch die unpersönlichen Verben, weil sie ihrer Bedeutung nach nur in der 3. Sing. vorkommen können: il pleut, qu'il pleuve, il pleuvait, il pleuvra u. s. w.

Die üblichsten sind il y a[1] (es giebt), il est[2] (es giebt),

---

[1] Nur ausnahmsweise hat y doppelte Funktion und ist zugleich als Ortsadverb zu übersetzen: C'est une chapelle un peu profane: il y a des statues de toutes les divinités. — Die Auslassung von y war der alten Sprache geläufig. Notre ancienne langue ne disait pas *il y a*, mais *il a*, ce qui voulait le cas-régime du substantif (Brachet). Vgl. den süddeutschen Ausdruck: es hat für es giebt.
[2] Meist in der Poesie, doch auch in Prosa, wo es sich um die Existenz im allgemeinen handelt: Il n'est pire valet que celui qui raisonne.

il s'agit de (es handelt sich um), il y va de (es dreht sich um, es gilt, ;. B. il y va de la tête), il importe (es ist wichtig), il arrive (es geschieht), il s'entend (es versteht sich), il vaut mieux (selten il est mieux, es ist besser), il résulte und il s'ensuit (es folgt daraus; il suit nur im wissenschaftlichen Gebrauch).

Ferner il neige, il tonne (donnert), il grêle (hagelt), il gèle, il dégèle (taut), il fait beau, il fait froid, il fait nuit u. a.

Anm. 1) Wenige dieser Verben sind ausschließlich unperfönlich[1]. Auch pleuvoir wird manchmal perfönlich konstruiert: Les tuiles pleuvaient sur la chaussée. So deutsch: regnen, hageln = dicht fallen.

2) Der unperfönliche Gebrauch kennt nur den Singular, auch wenn das Subftantiv, welches zu il das logische Subjekt bildet, im Plural steht: Dans tous les temps, il s'est trouvé des hommes qui ont cherché un moyen de succès dans le contre-pied des opinions reçues (im Kampfe gegen die herr-schende Ansicht).

3) Unperfönliche Konstruktion im Passiv findet sich hauptfächlich bei Verben des Denkens und Sagens: comme il a été dit plus haut, il fut convenu que . . ., il fut connu que . . ., il fut décidé que . . . Sonst meidet man dieselbe und wählt als Subjekt on, welches ältere Grammatifer daher ein unperfönliches Pronomen nannten: On dansera (es wird getanzt). On ferme! (es wird geschlossen!). Dine-t-on bientôt? (wird bald gegessen?).

4) Bei Zahlenangaben darf nicht statt il y a der unserem es sind entsprechende Ausdruck gewählt werden: Combien y a-t-il de maisons dans ce village? — Il y en a cent soixante (nicht ce sont). Il y a trois lieues d'ici à Nantes. Dagegen nous sommes cinq (es sind unser fünf), ils étaient huit.

Trotzdem findet sich il y a hin und wieder durch anderes erfetzt: Je suis comme ce soldat de Waterloo, qui, couvert de blessures, regarde, devant lui, les plaines inondés d'ennemis jusqu'à l'horizon, et se laisse tomber en disant: *Ils sont trop* (Souvestre). Les dix lieues qui *sont* de Damiette à Mansourah (Michelet). Et dire qu'*ils sont* en France quarante mille galopins à qui notre profession fait venir l'eau à la bouche (A. Daudet). Ne parlez pas de déportation quand *ils sont* sept ou huit mille que la République a déportés et qui attendent que vous les délivriez (J.). On dirait des inscriptions cunéiformes, qu'il n'est qu'au pouvoir de cinq ou six Ledrain — *sont-ils* même autant? — de couramment déchiffrer (J.).

Sehr selten ist ce sont in solchen Fällen: De 1803 à 1835, *ce sont* trente-deux ans (Génin).

---

[1] Der unperfönliche Gebrauch hat sich nämlich erst verhältnismäßig spät und allmählich aus dem Gebrauch des männlichen il entwickelt.

5) Das unpersönliche il fehlt öfter: suffit, n'importe, à (de) quoi sert?, que sert? Jn mieux vaut, autant vaut, point n'est besoin, force me fut hindert die Stellung den Zusatz von il.

Die Volkssprache läßt il noch häufiger weg: faut y aller, y a pas à dire, comment va? (wie geht's?) u. s. w.

Die Auslassung muß stattfinden:

a) Jn einer Reihe von meist der Volkssprache angehörigen Redensarten: qu'importe?, peu importe, peu me chaut (es liegt mir wenig daran), peu s'en faut, tant s'en faut, reste à savoir (es fragt sich nur), mal lui en[1] prit (übel bekam es ihm), si bon vous semble?, que vous en semble?, m'est avis[2] (mich dünkt), si tant est que . . . (wenn überhaupt), que sert? d'où vient?, de là vient que . . ., soit dit entre nous (en passant), und ohne Verb in libre (permis) à vous (es steht Ihnen frei). Besonders auch in formelhaften Wunschsätzen ohne que, vgl. den Konjunktiv im Hauptsatze. Daher z. B. soit que . . . soit que.

b) Wenn das zugehörige Verb im Part. Präs. steht[3]: Il prit sur lui d'obtenir ce consentement, n'y ayant rien qui pût faire un légitime obstacle (About).

§ 105. Im Deutschen unpersönliche Ausdrücke, welche es im Französischen nicht sind[4]:

Es ärgert mich je me fâche, je suis fâché, j'enrage. Fâcher war früher unpersönlich und findet sich manchmal noch so gebraucht: Il lui fâchait de le voir (Saint-Marc Girardin). Dont bien me fâche (Courier). Il vous fâche d'avoir travaillé si longtemps sans faire fortune? (J.). Ein Beispiel von Pons findet sich in der Zeitschr. f. neufrz. Spr. u. Litt. III, 127.

Es sieht aus als ob ich j'ai l'air de: Je désire que vous n'ayez pas l'air de me fuir (J.).

Es ist mir bekannt je sais, je connais, je n'ignore pas, doch auch Il est à notre connaissance que . . . (J.). Es ist bekannt on sait u. s. w. Selten il est connu: Dieu m'est témoin de ce que je dis. Il est connu à tout le monde qu'on a cherché à former des complots dans l'armée (Jeudy-Dugour).

Es bekommt ihm gut il s'en trouve bien.

Es bläst on sonne, es bläst zum Sturm on sonne la charge, la charge sonne. Le ralliement sonne de part et d'autre (L. Halévy).

---

[1] Dieses (genetivische) en fällt weg, sobald ein de eintritt: Bien a pris à la France de ne renier ni son nom ni sa foi (Gerusez).

[2] M'est avis steht sehr selten mit il: Mais il nous est avis que l'initiative de ces modifications ne partira point de Friedrichsruhe (J.).

[3] Mit Unrecht manchmal als veraltet bezeichnet.

[4] Die meisten dieser Redensarten waren auch im Französischen früher unpersönlich und finden sich manchmal noch so gebraucht.

Dabei bleibt es c'est convenu (arrêté); je l'ai dit.
Dabei blieb es nous en restâmes là, les choses en sont là.
Es brennt! au feu! Es brennt im Hause le feu est à la maison.
(Brennt es irgendwo? y a-t-il le feu?) Es hat gebrannt le feu (un incendie) s'est déclaré. Beim Volk findet sich aber auch unpersönliches brûler: Sais-tu où il a brûlé? (J.).

Es dauert lange bis être long oder longtemps à faire qc, être longtemps, sans faire qc, être longtemps avant de faire qe b. h. être long kann nur den Inf. mit à, être longtemps[1] kann außerdem den Inf. mit sans oder avant de nach sich haben: Le style est une chose longue à venir (J. Janin). C'est très long à broder, les étoiles (A. Dumas). Je fus bien longue à comprendre que ma mère avait tout simplement l'esprit malade (Droz). On a été longtemps à s'apercevoir combien une telle dogmatique est voisine du rationalisme (A. Vinet). L'occident ne fut pas longtemps sans reconnaître son irréparable faute (Paganel). Mon père fut longtemps avant de savoir si je n'avais pas péri dans ce sinistre (Mme A. Tastu). Die unpersönliche Konstruktion ist viel seltner: Nous en mangerons avant qu'il soit longtemps (M. de Villemer).

Jedenfalls ist nicht unpersönliches il dure zu verwenden, was im Elsaß als Germanismus vorkommt. In dem Satze: Il ne saurait durer qu'il ne fasse mal à quelqu'un (Lacretelle) ist das Verb persönlich gebraucht: er kann es nicht aushalten, nicht über sich gewinnen . . .

Mich dürstet (Johannes XIX, 28) J'ai soif.
Es ekelt mich. Le cœur me soulevait à ce seul souvenir (Rousseau).
Es ekelt einen le dégoût (vous) prend quand on voit . . .
Es eilt nicht rien ne presse (encore).
Wenn es ihm einfällt, mich zu beunruhigen s'il s'avise de m'inquiéter.
Es ergeht einem . . . S'il les avait tenus dans ses puissantes mains, ils auraient mal passé leur temps, avec quel plaisir il les eût étranglés (Cherbuliez).
Es fehlt. Il manque ist französisch gleichfalls unpersönlich: Il ne manquait pas de traîtres pour éclairer les étrangers sur la situation de la France (Lavallée). Il n'a pas manqué de gens qui, avec des ressources infiniment moindres, ont essayé de compléter le travail de l'Académie (Génin). So steht es in Sätzen allgemeinen Inhalts. Ebenso findet es sich in der Konstruktion mit doppeltem Subjekt: Il lui manque un doigt à la main gauche. Il ne vous manque rien (Mme de Staël). Il nous manquait celui-là (der fehlte uns gerade noch. A. Dumas). Il me manque à présent d'avoir vu la Sicile (Courier). Il leur (aux chevaux anglais) manque la grâce et la

---

[1] Statt longtemps kann jede andere Zeitbestimmung stehen: Je fus près d'une heure avant de retrouver mon chapeau et ma canne (Jouy). Le jeune prince fut quelque temps sans oser paraître à la cour (Lacretelle). La Pucelle fut vingt ans à paraître (A. Dumas).

8*

souplesse (Buffon). Bei Zufügung eines Dativobjekts ist das zweite Subjekt mit dem bestimmten Artikel oft unangebracht, während der Teilungsartikel ganz unmöglich ist[1]. Daher: es fehlt der Besatzung an Lebensmitteln la garnison manque de vivres. — Es fehlt = es ist ein Leiden vorhanden, wird durch avoir ausgedrückt. Was fehlt Ihnen? qu'avez vous? Beide Gebrauchs= arten des deutschen „es fehlt" enthält folgende Stelle: Qu'a-t-elle? Rien. Que lui manque-t-il? On ne sait (Courier).

Mir flimmerte vor den Augen je voyais trouble.

Es steht Ihnen frei etwas zu thun vous êtes libre de faire qe, oder libre à vous de faire qe b. h. persönliche und unpersönliche Konstruktion[2] sind möglich, letztere meist mit fehlendem il: On n'est pas libre en France de ne pas lire Boileau (Nisard). Je vous retire la parole et quant à votre projet de résolution, libre à vous de le lire à la fin de la séance (J.). Il était libre à chacun de trouver grande et poétique la guerre de Troie, mais . . . (Barante).

Es freut mich je suis bien aise, charmé, heureux, ravi, enchanté (de pouvoir vous rassurer). Nous sommes heureux d'annoncer que l'état du malade s'est amélioré très sensiblement. Dieser Gebrauch von être heureux wird von Fr. Wey beanstandet, wenn es sich um zu geringfügige Dinge han= delt; so tadelt er den Satz Ce tableau est digne du nom du peintre; nous sommes heureux de lui rendre cette justice. Superlative Ausdrucksweise ist sonst der französischen Sprache nicht fremd, weshalb sollte man hier empfind= licher sein?

Es friert mich j'ai froid. Es hungert mich j'ai faim.

Es gefällt mir j'aime: J'aime ta comparaison (O. Feuillet). Je n'aime pas beaucoup Marais (un acteur) en Louis XIV (Sarcey). — Es gefällt mir irgendwo: Te voilà, pauvre garçon, comment te plais-tu ici (A. de Musset). Hélas! je languis dans l'attente, Et l'ingrat se plaît loin de moi (de Maistre). Je me plais, je ne me plais pas (je me déplais) dans une ville. — Es gefällt mir nicht je me déplais: Il se déplaisait avec nous (Lesage). In anderer Bedeutung als „gerne irgendwo sein" ist déplaire so gut unpersönlich verwendbar wie plaire: Il ne lui déplaisait pas de voir développer ses promesses (J.).

Es geht. Comment allez-vous? Comment va? So geht es in der Welt ainsi va le monde. Aber il en va de même de oder en qe. — Es geht mir gut je vais bien. Wie geht es Ihnen? comment allez-vous? com- ment cela va-t-il? Es geht mir wie ... Êtes-vous comme moi et ne trouvez- vous pas que ce soit une tâche nouvelle de suivre ainsi le poète à chaque pas de sa course haletante, à travers les passions de son âge et ses passions

---

[1] Fälle wie il me manque de l'argent widersprechen nicht, da der Sinn nicht ist „es fehlt an", sondern „es ist abhanden gekommen".

[2] Bei permis ist die persönliche Konstruktion ausgeschlossen: il vous est permis oder permis à vous de faire qe.

personnelles? (J. Janin). — Es geht mir wie je suis comme. En lisant
ces vers, je suis comme le dindon de la fable:
Je vois bien quelque chose,
Mais je ne sais pour quelle cause
Je ne distingue pas très bien (A. France).

Es iſt mir baran gelegen zu erfahren je tiens à savoir . . . Ebenſo:
es iſt mir an etwas gelegen quelque chose m'importe: Les domaines du
prince captif étaient précisément ces villes de la Loire dont la possession
importait tant aux Anglais (H. Martin). Ju qu'importe fann man baher mit
ebenſo großem Recht eine perſönliche Konſtruktion wie eine unperſönliche (mit
fehlendem il) erfennen. Nur wenn ber Gegenſtand, an welchem etwas gelegen
iſt, nicht ausgebrückt iſt, tritt unperſönliche Konſtruktion ein: il importe peu,
il n'importe ober n'importe.

Es gelingt mir etwas zu thun je réussis à faire qe, je parviens à
faire qe. Es mißlingt mir j'échoue à faire qe. Les plus habiles échouent
à persuader les hommes qu'ils ont souvent trompés (Guizot). Es iſt nicht
gelungen . . . On n'a pu encore réussir à atteindre le pôle nord.

Es gelüſtet mich le cœur m'en dit: Si le cœur vous en dit (Lesage).
Es geſchieht ihm recht c'est bien fait; il est servi à souhait; il ne l'a
pas volé; il n'a que ce qu'il a mérité.

Es flingelt on sonne. Es flingelt mir in ben Ohren les oreilles me
cornent, me tintent.

Es flopft on frappe; on frappe (oft on gratte) à la porte.

Es fümmert mich, wird in ber Regel perſönlich gegeben: je me soucie
de qe. Der unperſönliche Gebrauch von soucier (ſehr ſelten) ſcheint eine An=
lehnung an peu m'e chaut (vgl. 104,5a): Mais peu lui souciait (Jules Mary).

Es langweilt mich je m'ennuie (à faire qe¹). Der unperſönliche
Gebrauch war früher häufig; ſo findet man bei Mme de Sévigné: Je vous
assure, ma fille, qu'il m'ennuie ici. Nos deux Grignons sont revenus, j'en
suis ravie, il m'ennuyait de leur absence. Je sens qu'il m'ennuie de ne plus
vous avoir. Avec tout cela il m'y ennuie fort. Jetzt findet ſich bieſer Ge=
brauch noch vereinzelt und wird von Littré für elegant erflärt: Il m'ennuie de
penser . . . (Cadol). Quelques jours après, d'Epinai, compatissant à la
tristesse de son prisonnier Dudley, lui demanda s'il lui ennuyait en si bonne
compagnie (Lacretelle). Das Sprüchwort Il ennuie à qui attend findet ſich
noch im Wörterbuch ber Afademie. Oft wird cela verwendet: Les hommes,
quand cela les ennuie trop d'aller à la manœuvre donnent quelques pièces
de monnaie à leur officier qui s'empresse de les porter »malades« ou
exempts sur la feuille de présence (J.).

Es läßt ſich aushalten, leben: un endroit où la vie est fort suppor-
table; une belle ville fort agréable à habiter.

¹ Je m'ennuie de faire qe ich bin es überbrüſſig.

Es läutet on sonne: Bon, voilà qu'on sonne (H. Monnier). Es läutet zur Messe voilà une messe qui sonne (Acad.); es hat zur Messe geläutet la messe est sonnée. Vgl. bei Furetière: Voilà l'eau bénite qui sonne. Alt: le couvre-feu sonne. Es läutet Sturm le tocsin sonne. Doch ist il sonne nicht ganz unüblich, daher das scherzhafte Sonne comme il écoute (für écoute comme il sonne).

Es thut mir leid je suis fâché, désolé, contrarié, vexé, j'ai bien du regret.

Es liegt mir nichts daran je ne me soucie pas de . . .

Es ist mir recht cela m'arrange bien; je le veux bien. T'arrangerais-tu qu'on te mît à la porte? (Soulié).

Es reut mich je me repens de . . .

Es riecht gut, übel. Que diable voulez-vous que j'aille faire trois ou quatre heures durant dans une salle insalubre, où il fait trop chaud, où ça pue, où je ne puis pas étendre mes jambes (J.).

Es schaudert mich je frémis de . . .

Es schlägt l'horloge sonne, l'heure sonne. Au moment où la tour de l'église Saint-Marc sonnait deux heures (Topin). Dix heures sonnaient. Voilà les trois quarts qui sonnent. Sept heures trois quarts sonnèrent à l'horloge. La demie de onze heures sonna. Trois heures et demie sonnaient à l'horloge. A onze heures et demie sonnant (unveränderlich!) Elle sortit furtivement lorsque sonna dix heures (Jules Mary). Onze heures venaient de sonner à l'église Saint-Louis. C'est trois heures qui viennent de sonner. Deux heures du matin allaient sonner. Quatre heures et demie vont sonner. Il était temps que six heures sonnassent. In den umschreibenden Zeiten steht nur être: Lorsque trois heures furent sonnées. Midi est sonné. Sept heures trois quarts n'étaient pas même sonnées. Im übertragenen Sinne kann auch avoir eintreten: L'heure de la liberté est sonné. Les plus jeunes savent que leur heure n'a pas sonné.

Der unpersönliche Gebrauch ist in der guten Sprache (auch der des Umgangs) ausgeschlossen. Beispiele wie Il sonne, à la cheminée (Beauplan) sind nur vereinzelt. Il sonne ist ein Helvetismus, der sich auch im Elsaß findet: Il venait de sonner onze heures (Erckmann-Chatrian). Grangier (Germanismes) billigt Il y a déjà longtemps qu'il a sonné deux heures und wendet sich nur gegen qu'il a frappé deux heures. Develly (gleichfalls Schweizer) sagt gar: Quelques personnes prétendent qu'on doit dire, l'heure a frappé, d'autres, l'heure a sonné; ces deux expressions sont reçues. On dit, l'heure a frappé, il a sonné midi[1], il est deux heures sonnées, l'heure vient de sonner, l'horloge a sonné deux heures. — Es schlägt Generalmarsch la générale bat (Villemain).

---

[1] Enthält zwei Verstöße: il ist nicht gut französisch und a ist unfranzösisch. Die französischen Grammatiker scheiden mit Recht: l'horloge a sonné, aber l'heure est sonné.

Es schmeichelt mir, je suis flatté. Sourire kann unpersönlich stehen: *Il souriait* à sa vanité d'être appelée madame la marquise.

Es ist der 2. September nous sommes au 2 septembre ober le 2 septembre, auch c'est aujourd'hui le 2 septembre. Nous étions au dimanche 4 avril (Beaumarchais). Tu n'as plus d'argent, et nous sommes le 4 du mois (J.). On était (on se trouvait) au dimanche. On était en nouvelle lune. Mir ist, als sähe ich ihn noch je le vois encore. Auch je crois le voir encore, il me semble encore le voir. Ähnlich vous me voyez (Guizot), Ihnen ist, als sähen Sie mich vor sich, Sie können sich vorstellen, wie ich es machte. — Mir ist, als sähe ich das kommen je vois cela d'ici. Mir ist, als hörte ich . . . Je les entends encore, ces voix éloquentes, ces cris joyeux (J. Janin).

Es spukt. La maison, le château est hanté(e). Das Volk gebraucht auch il revient (vgl. un revenant): On vous dira que la maison est hantée, *il y revient* (J.).

Es setzt mich in Staunen je suis étonné (surpris), je m'étonne. Der unpersönliche Gebrauch findet sich: *Il ne m'étonnerait pas* le moins du monde que Faustine se fût échappée sans réfléchir d'avance où elle irait (A. de Musset). Littré erklärt diese Ausdrucksweise sogar für elegant.

Es steht ihm gut an il a bonne grâce à faire qe. — Es steht ihm übel an, sich noch zu beklagen il est mal venu (il a mauvaise grâce) à se plaindre.

Es träumte mir je rêvais.

Mir wird übel le cœur me tourne, le cœur me faut, j'ai mal au cœur, je défaille (vgl. § 93 A.).

Es überläuft mich j'ai froid dans le dos. Auch ähnliche Ausdrücke: Il eut froid dans les os (O. Feuillet). Elle en eut froid au cœur, après avoir fait cela (Léo).

Es überrascht mich je suis surpris. Selten unpersönlich: *Il m'eût fort surpris*, monsieur le comte de Provence, que vous donnassiez gain de cause, contre la reine, à l'homme qui cherche à la déshonorer (A. Dumas).

Es währt lange. *Il[1] se passera* longtemps avant qu'on s'accoutume à voir un paysan semer et recueillir pour lui (Courier). Was wird aus uns werden que deviendrons-nous? Vgl. que devient-il? wo er nur stecken mag? Doch auch unpersönlich Qu'adviendra-t-il de nous[2]? ober Que sera-ce de moi? (Lamennais).

---

[1] Nicht in unserem Sinne unpersönlich; il ist grammatisches, longtemps (long temps) logisches Subjekt.

[2] Ebenso arriver: Que va-t-il arriver de nous? (A. Karr). Advenir steht in der Regel unpersönlich: Nous demandons ce qu'il adviendra de cette unité nationale (J.). Persönliches advenir wird von manchen verworfen, ist aber üblich: Nul ne sait ce qui est advenu de lui (J.). Combien ont passé les sermons de Julie et les dissertations de Corinne, pour savoir plus vite ce

Es wird niemals etwas aus ihm werden il ne sera jamais rien (Scribe); es wird nie ein Staatsmann aus ihm werden il ne sera jamais un homme d'État (Ders.).

Es ist mir nicht wohl je suis mal à mon aise, je suis indisposé.

Es widerstrebt mir etwas zu thun je répugne à faire qe (doch auch il me répugne de faire qe).

Es wundert mich je m'étonne.

Es ist Zeit il est temps. Auch persönliche Konstruktion: L'armée était encore à temps de prendre un rôle actif (Villemain). Cheik Ibrahim s'y opposa, leur représentant qu'ils seraient toujours à temps de faire la guerre (Lamartine).

Da die Grammatik in der Regel nur angiebt je réussis à faire qe, halten Schüler den Ausdruck quelque chose me réussit für unrichtig. Das ist keineswegs der Fall, da nur die unpersönliche Konstruktion unfranzösisch ist: Miette passait pour avoir un don des fées, parce que tout lui réussissait (Léo). Rien ne lui réussit que la gloire (Cherbuliez). L'imitation des littératures étrangères ne réussit à aucune nation (Nisard). Il y a des gens à qui rien ne réussit. — Nach réussir hat der Inf. à, das Substantiv à, en (dans): Je ne réussis à (oder en) rien, parce que je manquais de constance en toutes choses (Berthet).

II. Der Artikel (l'article).

§ 106. Bestimmter und unbestimmter Artikel.

Der bestimmte Artikel (l'article défini) lautet le für das männliche, la für das weibliche Geschlecht. Beide werden vor vokalischem Anlaut apostrophiert: le lion der Löwe, la fleur die Blume, l'homme der Mensch, l'âme die Seele.

Im Plural verschmelzen die Präposition de und à mit dem Artikel zu des, aux; im Singular findet die Verschmelzung zu du, au nur bei dem (nicht apostrophierten) männlichen Artikel statt.

Anm. Eine ähnliche Verschmelzung hatte früher bei der Präposition en und dem Plural des Artikels statt: ès (s laut) für en les. Erhalten ist diese Form in bachelier (licencié, docteur) ès lettres (ès sciences) u. a. Hieraus ergiebt sich, daß die in Frankreich häufige Anwendung dieses ès vor einem Singular ein grober Fehler ist.

qui devait advenir de leurs amours (Patin). Beispiele mit ce qui sind jedoch nicht sehr beweiskräftig, weil (in Folge der Aussprache des il mit stummem l) ce qui und ce qu'il leicht in einander übergehen. Vgl. hierüber das Ergänzungsheft.

Der unbestimmte Artikel *(l'article indéfini)* lautet un für das männliche, une für das weibliche Geschlecht.

§ 107. Der sogenannte Teilungsartikel *(l'article partitif)*.

Stoffnamen und Abstrakte behalten im Singular wie im Plural[1] den Artikel, auch wenn sie nicht ihrem ganzen Begriff nach zu fassen sind: du pain, du raisin, du vin, de l'eau, du cuivre, du courage, de la bravoure. Des raisins, des ambitions malsaines. Das partitive de mit dem Artikel nennt man den Teilungsartikel.

Konkrete Substantive lassen nur im Plural[2] einen Teilungs= artikel zu: des maisons, des arbres.

Substantive mit dem Teilungsartikel können als Subjekt und Objekt gebraucht werden und nehmen alle Präpositionen, auch die Kasuspräposition à, vor sich: Des maisons entourées de petits jardins couvraient la plaine. Partout on voyait des visages heureux. Nous sommes toujours exposés à des revers de fortune. Dans l'adversité comptez toujours sur des temps meilleurs.

Das partitive de mit seinem Artikel fällt dagegen weg, so= bald ein zweites de einzutreten hätte. Aus La voiture était suivie par des soldats wird, sobald de für par eingesetzt wird: La voiture était suivie de soldats.

III. Das Substantiv *(le substantif, le nom)*.

Die Pluralbildung[3] *(la formation du pluriel)*.

§ 108. Regelmässiger Plural.

Der Plural der Substantive wird in der Regel durch An=

---

[1] Stoffnamen werden im Plural gewöhnlich zu Appellativen, Abstrakte häufig zu Konkreten, vgl. § 116. Abstrakte Substantive sind im Plural mit dem Teilungsartikel kaum möglich. Sehr verbreitet ist des fois (für quelque= fois, parfois), welches aber von der Grammatik verworfen wird: Des fois . . . elle contemplait sa fille (R. Maizeroy).

[2] Im Singular nur abhängig von Quantitätsbestimmungen (vgl. Syntax), oder wenn sie als Stoffnamen aufgefaßt werden können, daher du raisin (vgl. § 119,3).

[3] Vgl. Zeitschr. f. neufrz. Spr. u. Litt. III, 423 ff.

fügung eines s an den Singular gebildet: l'arbre, les arbres; la maison, les maisons

Anm. 1) Früher ließ man in den Wörtern auf -ant und -ent, besonders in mehrsilbigen, das auslautende t vor dem Plural-s weg; man schreibt jetzt l'enfant, les enfants (nicht enfans). Doch les gens (zu dem Sing. la gent). Tout hat im Plural tous (aber les touts als Plural zu dem Substantiv le tout das Ganze). Über den Plural auf x vgl. § 110. In älterer Zeit hatten die Wörter auf -é den Plural -ez: la bonté, les bontez.

2) Als im Französischen noch zwei getrennte Kasus (Nominativ und Accusativ) bestanden, hatte die französische zweite Deklination (wie die entsprechende lateinische) s als Zeichen des Nom. Sing. murs (murus) und des Acc. Pl. murs (muros). Der Acc. Sing. und Nom. Pl. hatten im Lateinischen (murum, muri) kein s und erhielten im Französischen keine Endung: mur. So wurden zunächst auch die Masculina der anderen Deklinationen, dann die Feminina behandelt. Als der Kasusunterschied wegfiel, wurde s für die Bezeichnung des Plurals verwendbar.

§ 109.   Fehlen des Pluralzeichens.

Keinerlei Pluralzeichen nehmen an:

1) Die Wörter auf (tönenden oder stummen) Zischlaut, s, x. z (LR 1c): le bras, la voix, le nez: les bras, les voix, les nez.

2) Die Indeklinabilien, d. h. Wörter, welche nicht zum Nomen gehören: des a, des si, des peut-être.

Anm. Zu den Indeklinabilien sind zu zählen die Namen der Ziffern, die Adverbien, die zusammengesetzten Ausdrücke, welche besonderen Sinn haben, daher auch konjugierte Infinitive: On retire du jeu les quatre sept et deux huit (Belèze). Tous les combien cela revient-il, les guerres civiles? (A. Dumas). Un bon aujourd'hui vaut mieux que deux demain (Compl. du Dict. de l'Acad.). Les hiers[1] où nous fûmes heureux (R. Maizeroy). C'étaient des bonjour, ohé! des au revoir répétés par les épouses (H. de Braisne). Les plus à craindre sont souvent les plus petits (La Fontaine). Les »attendu« de l'arrêt.

Die Fremdwörter werden verändert, wenn sie eingebürgert sind: des accessits (lobende Erwähnung), des albums, des alibis, des alinéas, des apartes (beiseite Gesprochenes), des déficits, des duos, des impromptus, des numéros, des opéras, des pensums (Strafarbeit), des quiproquos (Verwechslung), des

---

[1] Diese Form ist daher unrichtig.

spécimens (Probeexemplar), des vivats u. a. Nicht verändert werden dagegen des errata (Druckfehlerverzeichnisse[1]), des post-scriptum, des Te Deum u. a. Einzeln ist noch für die aus neueren Sprachen entlehnten Wörter zu bemerken: des bravos (Bravorufe), aber des bravi (besoldete Banditen); carbonaro, dilettante, lazarone haben den italienischen Plural carbonari, dilettanti, lazaroni. Deutsche und englische Wörter können mit ihrem richtigen Plural m das Französische übertragen werden, doch genügt auch bloße Anfügung eines s.

§ 110. Plural auf x.

Statt s tritt (§N 5) x ein:

1) Bei den Wörtern auf -au (meist -eau) und -eu: le noyau (Kern), le château, le cheveu, Plural les noyaux, les châteaux, les cheveux.

2) Bei den meisten Wörtern auf -al, welche (nach §N 6) l vor Konsonant in u verwandeln: un amiral, le canal, le général, le piédestal, le rival, le signal, le vassal u. f. w. Plural les amiraux u. f. w.

3) Bei einigen Wörtern auf -ou:
le bijou Kleinod, le caillou Kiesel, le chou Kohl, le genou Knie, le hibou Eule, le joujou Spielzeug, le pou Laus.

Anm. 1) Die Endung -au ist in franz. Wörtern sehr selten. Sie findet sich in étau (mit unsicherer Herleitung) und nach i (vgl. mundartlich siau, coutiau für seau, couteau) in sabliau, noyau, tuyau. Außerdem in Fremdwörtern z. B. le landau (früher landaw), le nilgau, welche s statt x annehmen. Manche schreiben auch les tuyaus in der Bed. „fachmännische Winke bei Wetten auf dem Rennplatz".

2) Von den Wörtern auf -al bilden u. a. folgende den Plural durch bloße Anfügung eines s: le bal (Ball), le cal (Schwiele), le carnaval, le chacal, le choral (Choral), le narval (Narwal), le nopal (Opuntia), un orignal (Art Elenntier), le régal (Festschmaus), le serval (kleiner Parder). Ebenso un aval (Mitunterschrift) und meist un idéal[2] (Ideal), le pal, le val.

---

[1] Ein Druckfehler: une faute d'impression, une erreur typographique, seltner un erratum.

[2] Wogegen das Adjektiv idéal besser idéaux. — Substantivierte Adjektive behalten vielfach ihre Endung, so les Élémentals (Elementargeister), les curials, les festivals. Dagegen les matériaux mit fehlendem Singular. Der Plural fehlt von archal, bacchanal, bancal, diurnal, official, pluvial, pointal, sandal, tribal. — Viele Wörter schwankten in früherer Zeit, so arsenal, bocal, canal, fanal, sidarchal, local, madrigal, piédestal, réal, signal, vassal.

Namen auf -al können nicht den Plural auf -aux bilden: les Gals (= Gaëls); les monts Ourals. Dans leurs combats les crabes ne sont pas les Achilles, mais plutôt des Annibals. — Ebenſowenig Wörter auf -ál: les máls.

Die Subſtantive auf -ail hatten meiſt eine Nebenform auf -al[1]. Fol= gende Subſtantive bilden ihren Plural von dieſer Nebenform, alſo auf -aux: le bail Pachtvertrag — le travail Arbeit; le corail Koralle — le vantail[2] Flügel eines Fenſters (oder einer Flügeltüre) [Scheibchen]; un émail Schmelz — le soupirail Kellerfenſter — le vitrail[3] Fenſter aus vieleckigen

Zu le bétail gehört der Plural les bestiaux[4] (beides: das Vieh d. h. Horn=, Woll= und Borſtenvieh; Pferde meiſt ausgeſchloſſen).

Ail (Knoblauch) bildet noch ails und aux (oder auix), beſſer beides ver= mieden durch des gousses d'ail, des chapelets d'ail. — Travail im Sinne von „Notſtall" ſoll travails haben; früher fand ſich derſelbe Plural in der Bed. „adminiſtrative Arbeiten".

Von einzelnen z. B. attirail, bercail meidet man den Plural; ſtatt caravansérail ſchreibt man jetzt caravansérai.

3) Daß nur einzelne Subſtantive auf -ou das Pluralzeichen x an= nehmen, hat keinerlei Begründung. — Früher ſchrieb man le genouil (vgl. l'agenouiller), le pouil (vgl. pouiller), le verrouil (vgl. verrouiller). — Einzelne Subſtantive bildeten den Sing. auf -ol, den Plural auf -ous, ſo le col, le licol, le sol. Aus dem Plural bildete ſich die neuere Singularform le cou, le licou, le sou, doch blieb in der Orthographie noch lange 1 erhalten. — Früher ſtand x auch nach anderen Vokalen, z. B. l'Esprit des Loix.

§ 111. Doppelte Pluralbildung.

Drei Subſtantive haben einen Plural auf x nach ver= wandeltem und einen Plural auf s nach erhaltenem 1: un aïeul (Großvater); les aïeuls (die Großväter väterlicher und mütterlicher

[1] Dieſe lebt im Volke noch fort. So kommt auch les bestiaux von einem in der Bauernſprache noch vorhandenen le bestial. Formen auf -al und -ail fanden ſich z. B. von bail, corail, cristal, émail, étal, gouvernail, piédestal, poitrail, portail, quintal. Dieſelben gehen auf die alten Kaſusformen zurück (-ail für Acc. Sing. u. Nom. Plur., -als für Nom. Sing. u. Acc. Plur.). Métail erhielt ſich lange im Sinne von alliage de métaux.
[2] Manche ſcheiden vantail und ventail.
[3] Der Sing. iſt noch üblich. — Oft wird auch le plumail (Federwiſch) aufgeführt; derſelbe heißt nur le plumeau, was nicht auch Federbett (le duvet) bedeutet.
[4] Bétail (le gros bétail, le menu bétail) iſt ein Kollektiv, der Plural iſt daher ziemlich ſelten. Auch le détail ſteht vielfach im Sing., wo wir eher den Plur. erwarten und früher wurde der Plural dieſes Wortes geradezu als unüblich bezeichnet.

Seite), les aïeux (die Vorfahren). Le bisaïeul und andere Zusammensetzungen haben nur den Plural auf s.

Le ciel hat les cieux in der gewöhnlichen Bedeutung (Himmel), dagegen des ciels de lit (Betthimmel), ce peintre a des ciels à lui (eigene Art, Firmament und Wolken zu malen); in der Bedeutung Klima findet sich beides: En automne beaucoup d'oiseaux passent sous d'autres cieux. La Provence est sous un des plus beaux ciels de l'Europe. Nur im religiösen Sinne muß der Plural cieux Verwendung finden.

Un œil (Auge) hat im Plural les yeux, aber des œils-de-bœuf (runde Fenster[1]; runde Wanduhren).

Anm. Homme hat bald hommes, bald gens. Un jeune homme, des jeunes gens. Le bonhomme (ehrliche Haut; Wachspuppe u. dgl.) hat les bonshommes, le bon homme (redlicher Mann, meist homme de bien) dagegen les gens de bien. Leute (d. h. Soldaten) les hommes (les gens eher: Dienstboten).

Die meisten Substantive auf -eul oder -euil bildeten früher den Plural mit x. Öfter kamen beide Formen vor: chevreul neben chevreuil, jetzt noch le linceul und le linceuil.

§ 112. Plural der zusammengesetzten Substantive.

In Zusammensetzungen sind nur nominale Bestandteile (Substantiv, Adjektiv, Pronomen) veränderlich[2]. Im einzelnen ist zu bemerken:

1) Bei voller Verschmelzung der Bestandteile wird der erste als unveränderlich behandelt: un orfèvre, le gendarme, la grand'mère[3], le portefeuille, un acompte (Abschlagszahlung) haben im Plural les orfèvres, les grand'mères u. s. w.

2) Bei bloßer Anreihung werden alle nominalen Bestandteile verändert: le chef-lieu (chef = principal, Hauptort), la

---

[1] Auch deutsch „Bullenaugen" für runde Fenster auf Schiffen.

[2] Diese verständig aussehende Regel führt in der Anwendung zu mancherlei Schwierigkeiten und Widersprüchen. Besser wäre es, Zusammensetzungen nicht zu verändern (wie z. B. Littré in keinem Falle bei garde . . . ein Plural-s zulassen will) oder nur den letzten Bestandteil zu verändern. Wenn man z. B. von arc-en-ciel das Verb arc-en-ciéler bildet, so ist schwer abzusehen, warum der Plural nicht arc-en-ciels bilden soll.

[3] Apostrophiertes Wort verwächst mit dem folgenden zu einem einzigen.

longue-vue (Fernrohr), Plural les chefs-lieux, les lon-
gues-vues.

3) Wenn zwei Substantive durch eine Präposition verbunden
sind, so bleibt das zweite unverändert: le chef-d'œuvre
(Meisterwerk), un arc-en-ciel (Regenbogen), Plural les
chefs-d'œuvre, les arcs-en-ciel (binde *arkan ciel*).

4) Ein Substantiv, welches mit einem Adverb oder einer (dann
zum Adverb gewordenen) Präposition verbunden ist, wird
allein verändert: le vice-roi, un avant-coureur (Vorläufer),
Plural les vice-rois, les avant-coureurs.

5) Bei einer Verbindung von Substantiv und Verb (Imperativ)
bleiben beide Teile unverändert: la perce-neige (Schneeglöckchen), le tire-bouchon (Pfropfenzieher), le pèse-lait
(Milchwage), Plural les perce-neige u. j. w.

6) Verbindungen, welche kein nominales Element enthalten,
sind unveränderlich: le passe-partout (Hauptschlüssel), le
tohu-bohu (Wirrwarr), Plural les passe-partout, les
tohu-bohu.

Anm. 1) Trotzdem haben le gentilhomme, le bonhomme den Plural
les gentilshommes (spr. *gentizom'*), les bonshommes. Ebenso die mit dem
Possessiv zusammengesetzen, also messieurs, mesdames, mesdemoiselles, nosseigneurs[1]. Bemerke le chevau-léger, les chevau-légers.

2) Steht das angereihte Substantiv in dem unbezeichneten possessiven
Genetiv, so darf es nicht das Pluralzeichen erhalten: l'Hôtel-Dieu, Plural
des Hôtels-Dieu[2]. In les Anglo-Saxons (Angelsachsen) und ähnlichen ist der
erste Bestandteil unveränderlich. Vgl. § 144.

3) Le tête-à-tête, ebenso les tête-à-tête u. a., weil nicht ein zusammengesetztes Substantiv, sondern ein mehrgliedriger Ausdruck vorliegt. Le timbre-
poste, le wagon-poste (Briefmarke, Bahnpostwagen) u. a. haben les timbres-
poste, les wagons-poste, weil zwischen beiden Wörtern eine Präposition ausgefallen ist.

4) Man schreibt auch les après-midis; früher les après-midi, weil man
après als wirkliche Präposition ansah.

5) Auch le tire-botte (Stiefelzieher); le couvre-pied (Steppdecke u. a.

---

[1] Verächtlich monsieurs, madames: Un tas de petits monsieurs. — In
der Anrede messeigneurs.

[2] Wörtlich „Gottes Haus" (früher war auch la Maison-Dieu üblich).
So heißt ein Pariser Spital und in vielen anderen Städten das Hauptspital.
Nicht aber darf jedes Spital so genannt werden.

bleiben im Plural unverändert. Wenn man trotzdem des tire-bottes geschrieben findet, so hat dies seinen Grund darin, daß viele schon im Singular le tire-bottes schreiben.

Bei den mit garde zusammengesetzten Substantiven herrscht keine Einstimmigkeit. Nach der Akademie ist der zweite Bestandteil veränderlich in le garde-fou (Brückengeländer)[1], la garde-robe, unveränderlich in le garde-boutique (Ladenhüter).

Ganze Ausdrücke können kein Pluralzeichen erhalten: Plusieurs autres madame-une-telle (Fr. Coppée). Unrichtig ist daher des riens du tout oder J'essaie d'éclaircir mes entre-chiens et loups autant qu'il m'est possible (Mme de Sévigné). Einzelne Ausdrücke haben schon im Sing. das s: un vingt-huit-jours, des vingt-huit-jours (Reservisten).

Bei den mehrteiligen Ausdrücken, die vermittelst de oder a gebildet sind, erhält der zweite Bestandteil das Pluralzeichen nur, wo es nötig ist. Man sagt daher des noms d'homme, de nation, de lieu, de fleuve, de ville, des corps d'armée, des forêts de sapin, des maisons d'école, des coups de poing u. s. w., obwohl auch der Plural sich öfter findet. Man wird aber sagen des coups de dés, des voyages de découvertes, des maisons de fous, weil der Singular sinnlos wäre. Ebenso sagt man schon im Singular la saison des chasses, un marchand de draps, un marchand de vins[2], un baril d'olives, une fabrique de papiers, la manufacture des tabacs u. s. w. Daß der Plural oft angezeigter ist, beweist die Akademie, welche neben couverture de mulet giebt couverture de chevaux, d. h. den Plural setzt, wo er hörbar ist, den Singular, wo beide Numeri gleichlauten.

§ 113. Nur im Plural sind üblich:

1) Einzelne Ländernamen: les Asturies, les Grisons (Graubünden). Früher noch andere und oft noch les Indes (Indien überhaupt, Ostindien). In der alten Geographie nur l'Inde, was jetzt auch meist für Ostindien gebraucht wird. Vorderindien l'Hindoustan, Hinterindien l'Indo-Chine, Westindien les Antilles (früher les Indes occidentales). Stehende Ausdrücke: la guerre des Gaules (Cäsars gallischer Krieg), l'empereur de toutes les Russies (gewöhnlich l'empereur de Russie). La route (maritime) de l'Inde und des Indes. Früher sagte man oft les Flandres, les Calabres, auch les Espagnes u. a. neben dem Singular.

2) Ortsnamen können nur pluralisch sein, wenn sie gleichzeitig den Artikel haben: les Sables d'Olonne, les Quatre-Bras, les Aix d'Angillon (Aix[3] = lat. aquae).

---

[1] Treppen-, Stiegengeländer la rampe.
[2] Auch marchand de vin, was manche für allein richtig halten.
[3] Sonst ist Aix stets Singular, ebenso Aigues-Mortes u. a.

Ohne den Artikel werden selbst ursprüngliche Plurale zu Singularen, z. B. Deux-Ponts, Ponts-de-Cé.

Die übrigen auf s, es auslautenden Städtenamen sind Singulare: Châlons-sur-Marne (aber besser Chalon-sur-Saône), Londres, Lucques, Naples, Athènes, Bruxelles u. a.[1]

Städtenamen bleiben in der Regel unverändert, auch wenn sie wirklichen Plural bilden, z. B. les deux Saint-Valery; il y a deux Vienne. Stets, wenn sie für ein Produkt stehen: des vieux Rouen (Porzellan), des Ostende (Austern), des Bristol (Visitenkarten) u. dgl.

3) Folgende Substantive finden sich nur im Plural:

alentours m. Umgebung
appointements m. Gehalt
archives f. Archiv
arrérages m. Rückstände
catacombes f. Katakomben
confins m. äußerste Grenze
cortès f. Cortes
décombres m. Schutt
dépens m. Unkosten
dommages et intérêts[2] m. Schad-
    loshaltung
échecs[3] m. Schachspiel
entrailles f. Eingeweide, Herz
environs m. Umgebung
épinards m. Spinat
fastes m. Fasten (Jahrbücher)
fiançailles f. Verlöbnis
fonts (baptismaux) Taufstein
Fourches Caudines f. Caudinisches
    Joch
frais m. Kosten
funérailles f. Leichenbegängnis

bonnes grâces Gunst
gens m. Leute
hardes f. Kleider u. dgl.
mânes m. Manen
matériaux m. Materialien
mœurs f. Sitten
nippes f. Putzsachen
obsèques f. feierliches Leichen-
    begängnis
oubliettes f. Verließ
pénates m. Hausgötter
pierreries f. Edelsteine
pleurs m. Thränen
prémices f. Erstlinge
régates f. Regatta
rênes f. (de l'État) Zügel
sévices m. grausame Behandlung
ténèbres f. Finsternis
thermes m. Thermen
vêpres f. Vesper
vivres m. Lebensmittel

Sehr selten ist der Singular von:

annales f. Annalen
armoiries f. Wappen
arrhes f. Handgeld
broussailles f. Gestrüpp

délices f. Wonne[4]
embûches f. Hinterhalt
entraves f. lästige Fessel
fouilles f. Ausgrabungen

---

[1] Dieses s ist zwar auf die latein. Pluralform zurückzuführen, kann aber so wenig als Pluralzeichen betrachtet werden wie das s in Jacques u. a., welches von dem alten -s des Rom. Sing. stammt.

[2] Meist dommages-intérêts, was von Vielen verworfen wird.

[3] Un échec ein Mißerfolg, eine Schlappe.

[4] Der Singular le délice ist veraltet.

honoraires m. Honorar
jumelles f. Operngucker
mathématiques f. Mathematik [1]

préliminaires m. Vorverhandlungen
préparatifs m. Vorbereitungen
voies de fait f. Gewaltthätigkeit

Anm. Sehr oft finden sich auch im Singular: ancêtres[2] m. Ahnen, débris m. Trümmer, landes f. Heideland.

Adverbiale Ausdrücke im Plural: être aux aguets, seltner à l'aguet oder au guet (auf der Lauer sein), être aux écoutes (lauschen), rire aux éclats (laut lachen), être aux prises (handgemein sein), être aux ordres de qn (zu Diensten stehen), parvenir à ses fins (sein Ziel erreichen), à ses côtés (ihm zur Seite; aber à côté de lui), à reculons (rückwärts), à tâtons (tastend); à chevauchons (rittlings), familiär à cropetons (hockend), par les soins de qn (durch seine Bemühung, auf sein Betreiben), sans commentaires (ein Kommentar ist überflüssig), sous réserves (unter Vorbehalt), être sur ses gardes (auf seiner Hut sein), aller sur les brisées de qn (jemanden ins Gehege gehen), sur ces entrefaites (mittlerweile), à telles enseignes que (so sehr, daß), oft sur (par) les ordres de qn (neben par ordre de qn).

§ 114. Nur im Singular sind üblich:

Kollektive, die sich nur im Singular finden sollten: la foule, le public, la noblesse u. a. Doch ist auch bei diesen der Plural nicht ausgeschlossen: Au XIVe siècle, il y avait encore trois publics, les prêtres, les nobles et le peuple (A. de Montaiglon). Besonders die zahlreichen Kollektive auf -aille, meist mit verächtlichem Nebensinn z. B. la marmaille, la parentaille. Doch findet sich gerade bei diesen letzteren sehr oft der Plural z. B. des ferrailles, des trouvailles, des volailles.

§ 115. Nebenbedeutung im Plural.

Außer der Bedeutung des Singulars[3] haben im Plural eine weitere Bedeutung:

Singular.	Plural.
une arme Waffe	les armes Wappen
un arrêt Einhalt, Urteil	les arrêts Arrest (milit.)
un artifice Kunstgriff	les artifices Ränke
la bouche Mund	les bouches (Fluß-)Mündung
le cadre Rahmen	les cadres Cadres (milit.)

---

[1] Ohne Artikel ist der Singular ziemlich üblich.

[2] Der Singular ancêtre wird von den Wörterbüchern noch als Ausnahme erwähnt, kommt aber geradezu massenhaft vor. In der Nebenbedeutung „Altmeister, Urvater, Familienoberhaupt" (bei patriarchalischen Einrichtungen) ist ancêtre der üblichste Ausdruck.

[3] Welche im Plural nur fortbesteht, wenn der Begriff es erlaubt.

Singular.	Plural.
le ciseau Meißel, Schermesser	les ciseaux Schere[1]
la défense Verbot	les défenses Hauer, Stoßzähne
le droit Recht	les droits Zoll, Gebühr
un effet Wirkung	les effets Effekten, Staatspapiere
un enfer Hölle	les enfers Unterwelt
une épingle Stecknadel	les épingles Nadelgeld
un esprit Geist	les esprits Lebensgeister, Besinnung
un état Zustand	les États Landstände[2]
un être Wesen	les êtres d'une maison innere Einrichtung eines Hauses
l'étrenne f. erste Benutzung	les étrennes Neujahrsgeschenk
la force Kraft	les forces Streitkräfte
le gage Pfand	les gages (Dienstboten-)Lohn[3]
l'humanité f. Menschlichkeit	les humanités Humaniora
un intérêt Interesse	les intérêts Zinsen
la lettre Brief	les lettres Litteratur[4]
la lunette Fernrohr	les lunettes Brille
le neveu Neffe	les neveux Kindeskinder
la noce Hochzeitsgesellschaft	les noces Ehe (en secondes noces)[5]
l'ouïe f. Gehör	les ouïes Kiemen[6]
la planche Brett	les planches Bühne
la pratique Ausübung	les pratiques Kniffe
le procédé Verfahren	les procédés Höflichkeit
le soin Sorge, Sorgfalt	les soins Pflege
la vacance Stellenvakanz	les vacances Schulferien[7]
la vérité Wahrheit	les vérités bittere Wahrheiten

Außerdem bemerke être aux abois (in verzweifelter Lage sein, eigentlich[8]

---

[1] Eine Schere une paire de ciseaux.

[2] Auch der Staat (das Reich) heißt les états (États), wenn vom Verhältnis zum Fürsten die Rede ist: Un prince sans états. Le landgrave consentit à livrer à l'empereur sa personne et ses états. — Kirchenstaat: les États de l'Église (du Pape, de Rome) oder l'État ecclésiastique (pontifical, romain).

[3] Die Gage hat im Französischen keinen entsprechenden Ausdruck.

[4] Les lettres humanistische Wissenschaften, les sciences exakte Wissenschaften. — Ein Brief früher auch des lettres (lat. litterae); noch in lettres patentes, lettre(s) de créance, lettres de rappel, lettres de grâce, lettres de noblesse.

[5] Hochzeit als Feierlichkeit heißt la noce oder les noces.

[6] Der wissenschaftliche Name ist les branchies f. Unter les ouïes versteht die Naturwissenschaft nur die Kiemenlöcher.

[7] Oft auch (statt les vacations) Gerichtsferien.

[8] Und daher auch im Todeskampf liegen, aber nicht von Menschen (obwohl von C. Delavigne sogar in der Poesie so gebraucht).

von dem durch die Hunde gestellten Hirsch) von l'aboi m. (Gebell). Les Français = le Théâtre-Français oder la Comédie-Française und so les Italiens (Pariser italienische Oper), les Invalides = l'Hôtel des Invalides.

§ 116. Plural der Stoffnamen und Abstrakten.

1) Die Stoffnamen bilden einen Plural nur, wenn die Stoffe nach ihrem Ursprung, ihrer Qualität u. dgl. unterschieden werden: les cafés, les cuirs, les fers, les foins, les huiles, les soies[1]. Oder, wenn sie eine abgeleitete Bedeutung annehmen: les glaces (Eisfelder), les neiges (Schneefälle, -massen, -flächen), les sables (Sandwüsten), les gazons (Rasenflächen), les avoines, les orges[2] (Hafer-, Gerstenfelder), les eaux (Gesundbrunnen, Bad[3]), les grandes eaux (Wasserkünste), les fers (Ketten, schwerer Kerker), les cuivres (Blechinstrumente) u. a. — Vielfach kann der Sing. stehen, wo wir nur den Plural verwenden, so du raisin (aber des raisins de caisse Korinthen), du charbon, du poisson; manche verwerfen geradezu un raisin. — Aus dem Plural entwickelt sich manchmal eine neue Singularform, welche den unbestimmten Artikel duldet z. B. une avoine, une trèfle ein Haferfeld, ein Kleefeld. Doch ist auch sonst unbestimmter Artikel vor Stoffnamen üblich, wenn auch die Grammatik den Gebrauch verwirft: doux comme un miel, comme un velours, se fondre comme une cire, tenir à la main une paille u. a.

2) Unter den Abstrakten bilden die Thätigkeitsbegriffe (le cri, le regard u. a.) leicht einen Plural; seltener Substantive, welche eine Eigenschaft bezeichnen (la justice, l'ambition, l'intelligence u. a.). Sehr üblich sind les amours-propres, les colères, les désespoirs, les espérances (seltner les espoirs), les peurs, les vengeances. Insbesondere steht der Plural,

a) wenn Abstrakte eine konkrete Bedeutung annehmen oder derselben sich nähern: les vies (Lebensbeschreibungen), les richesses (Schätze, Reichtum), les libéralités (Geschenke), les misères (unglückliche Umstände, Ereignisse). Öfter bezeichnet der Plural die Einzelhandlungen, welche aus der (durch den Singular ausgedrückten) Eigenschaft hervorgehen: la politesse Höflichkeit, des politesses Höflichkeitsbezeigungen; la bassesse Gemeinheit, des bassesses niedrige Handlungen; la bonté Güte, des bontés Beweise von Güte u. a.;

b) wenn der Begriff an mehreren Objekten oder an demselben Objekt mehrfach zur Erscheinung gelangt: L'empereur balançait entre les sièges d'Arles et de Marseille. Les règnes de Henri IV et de Louis XIII. Henri VIII ne respectait pas mieux les propriétés que les vies de ses sujets. Souffrir mille morts.

---

[1] Da les soies die Bed. „Borsten" hat, nennt man Seidenstoffe meist soieries. — Stets les saintes huiles.

[2] Bildlich faire ses orges sein Schäfchen ins Trockne bringen.

[3] Bad = Badestadt une ville d'eaux, une station balnéaire.

9*

§ 117. Plural der Personennamen.[1]

1) Wenn mehrere Einzelwesen gleichen Namens bezeichnet werden sollen, bleibt der Name unverändert: les deux Racine, les deux Corneille, les trois Otton.

Dagegen werden (nach lateinischem Muster) antike Namen verändert: les deux Gracques, les trois Curiaces.

2) Wenn eine Familie gemeint ist, bleibt der Name unverändert: les Dumont, les Fourchambault. Eine Ausnahme bilden historische Namen, daher les Condés, les Guises, les Stuarts, les Tudors. Nichtfranzösische Namen, welche unfranzösische Konsonantenverbindung oder lauten Vokal am Ende haben, bleiben jedoch unverändert: les Hohenzollern, les Wasa. les Nassau[2].

3) Ein Name, der im emphatischen Plural steht, bleibt unverändert: les Racine (ein Racine, auch un Racine). Das Pluralzeichen tritt ein, wenn mehrere Personen gemeint sind: les Estiennes (spr. *étièn'*, Leute wie die Brüder Stephanus).

4) Wenn ein Name zum Appellativ wird (antonomastisch gebraucht ist), so soll er das Pluralzeichen haben: des Esculapes de village. Oft aber fehlt dasselbe: ces Mirabeau de carrefour (demagogische Volksredner).

5) Wird ein Kunstwerk nach dem Urheber genannt, so bleibt der Name unverändert: des Raphaël (Gemälde von R.). Viele verlangen des Raphaëls.

Wenn dagegen Gegenstände der Industrie nach dem Erfinder oder Verfertiger genannt sind, tritt das Pluralzeichen ein: les krupps, les chassepots. Aber les canons Krupp, les fusils Chassepot (kein s und großer Buchstabe).

6) Wenn ein Kunstwerk nach der dargestellten Person benannt ist, so tritt das Pluralzeichen ein: les christs de l'art byzantin.

------

[1] Vgl. Études de grammaire et de littérature françaises, I, 134 ff.

[2] Les Médicis (sprich s) ist scheinbare Ausnahme; auch der Singular dieses völlig französischen Wortes hat s.

## § 118.	Plural der Namen der Wochentage.

Die Namen der Wochentage nehmen im Plural in der Regel das Pluralzeichen an: J'attends toujours les vendredis avec impatience (Mme de Sévigné). Les jeudis et les dimanches, je m'escrimais à dessiner des vues passablement informes de Sainte-Luce et de l'église romane (Girardin). Doch steht auch der Plural ohne s[1] oder der Singular: Ils prêcheraient en outre les lundi, les mercredi et les vendredi de chaque semaine (Migret). Le jeudi et le dimanche, je faisais de longues promenades pour chercher les endroits d'où l'on voyait le mieux le clocher (Girardin). Zusätze von soir, matin gelten als adverbial und bleiben unverändert (vgl. hier soir für hier au soir): Les lundis soir, André va prendre le thé chez eux (P. Margueritte).

Der Artikel wird entweder wiederholt oder (vor Singularen) zusammenfassend gesetzt: also le lundi et le jeudi, les lundis et les jeudis, les lundi et jeudi (aber nicht les lundis et jeudis).

## § 119.	Zahlvertauschung: Singular für Plural.

Der Singular tritt häufig statt des Plurals ein:

1) Bei Völkernamen[2]: L'Écossais passe pour fier aussi bien que l'Espagnol. Quant au jeune tzar Pierre, il voulait que la Pologne restât son alliée, son instrument contre le Turc et le Suédois (H. Martin).

2) Bei Gattungsnamen: Le paysan est de sa nature soupçonneux. Le soldat sera nourri par l'habitant (die Soldaten werden von den Bürgern verpflegt werden). Tu ne sais pas qu'il y a le loup dans la montagne (A. Daudet). Vgl. Promenons-nous dans le bois, Tandis que le loup n'y est pas (Ronde enfantine). So besonders häufig: la femme, le bourgeois, le consommateur (Konsument), le courtisan, le riche, le pauvre, l'infidèle u. a.

3) Ebenso im kollektiven Sinn: Le canon (das Geschütz) grondait depuis cinq heures du matin. Le poisson est rare dans cette rivière. Vgl. le raisin (die Trauben), le corail (die Korallen), le vers (die Poesie), la troupe (das Heer), la rue, le boulevard (die Hauptstraßen), le dogme (die Glaubenslehre), la loi (die Gesetze).

[1] Bei dem Zusatz von tous ist dies ausgeschlossen.
[2] Dieser Gebrauch ist allen Sprachen eigen. Schon im Lateinischen Poenus, Samnis.

Anm. Im Französischen steht der Singular, während wir den Plural zu setzen pflegen in: l'actif, le passif (Aktiva, Passiva, d. h. Vermögen und Schulden): le pantalon, le caleçon (Unterbeinkleider); être au service de qn, prendre (du) service dans une armée; se battre à l'épée, au pistolet; je n'ai pas fermé l'œil de la nuit; être sur pied, mettre sur pied; il n'a rien à se mettre sous la dent; être en voyage; ouvrir la tranchée; se faire illusion sur qc (doch auch se faire des illusions und oft je ne me fais pas d'illusions). Bemerke auch en faveur de qn (zu Gunsten). Argent nie als Plural: die öffentlichen Gelder les fonds (les deniers) publics.

Nach der Präposition en kann recht wohl der Plural stehen. Doch haben die Franzosen das Gefühl, daß hier der Singular eher am Platze ist und sie setzen daher diesen Numerus öfter, wo der Plural besser oder allein richtig ist, z. B. des haies d'aubépine en fleur, un ouvrage en fascine, mettre les fusils en faisceau, un peintre en bâtiment, entrer en négociation, en pourparler und sogar manchmal briser en éclat, les vitres volaient en éclat.

§ 120. Zahlvertauschung: Plural für Singular.

Der Plural steht, wo im Deutschen der Singular üblich ist, in:

Les apparences sont trompeuses; garder les apparences. Mettre le feu aux poudres (die Sache zur Entscheidung bringen); la soute aux poudres (Pulverkammer); la conspiration des poudres. Mettre, remettre les pieds quelque part. Le ministère des cultes; ebenso oft un employé des postes, des télégraphes. Les temps modernes; les temps héroïques; les temps fabuleux; dans les derniers temps, ces derniers temps. Dans les commencements (aber au commencement). Les mauvais traitements (schlechte Behandlung, Mißhandlung). Prendre les devants (vorausgehen); les derrières (Rücken) d'une armée. A vos risques et périls[1]. Les Hautes Terres (schottisches Hochland), les Basses Terres[2] (schottische Niederung). Les campagnes (le plat pays, das platte Land). Les croyances populaires. Devenir amis. Rendre ses comptes (Rechenschaft ablegen). Faire des aveux. Faire ses adieux, ses compliments à qn. Faire ses preuves, faire ses premières armes (sich die Sporen verdienen). Prendre ses aises (es sich bequem machen). Jeter qc (z. B. l'argent) par les fenêtres[3]. Se rendre aux désirs de qn (dem Wunsche willfahren). Être, se rendre sur les lieux (Ort der That).

Außerdem bemerke: Un fossé large de quatre pieds (4 Fuß u. s. w. La garde (Garde als Elitetruppe) darf nicht auf Verhältnisse vor 1789 übertragen werden, es hieß les gardes. — Son nom était dans toutes les bouches

---

[1] Früher beide ohne s. Daher ist die Bindung ris-ké hier richtig.
[2] In beiden wird seltener das Adjektiv nachgestellt.
[3] Der Singular wird von manchen für unrichtig erklärt.

(in aller Mund); des vers dignes d'être retenus par toutes les mémoires [1]. — Par principes (grundsätzlich); par moments, par instants (zeitweise), par degrés (allmählich), par endroits (stellenweise); aber natürlich par an, par semaine (jährlich, wöchentlich).

Das Geschlecht (le genre des substantifs).

§ 121. Bestimmung desselben.

Das Geschlecht der Substantive kann im Französischen nicht nach kurzen Regeln bestimmt werden. Einzelne Anhaltspunkte, nach denen man dasselbe mit annähernder Sicherheit finden kann, gewähren

1) die Bedeutung,
2) die Endung,
3) die Entstehung und Herkunft der Wörter.

Das natürliche Geschlecht leistet nur sehr geringe Hülfe bei der Bestimmung des grammatischen Geschlechts, und zwar nur bei der Mehrzahl der Bezeichnungen von Personen und bei einer geringen Zahl von Tiernamen. Die Sachnamen sind wie im Deutschen unter die verschiedenen Geschlechter verteilt.

Auch die Endung ist für das Geschlecht nicht überall maßgebend und die Regeln, die man aufstellt, werden durch die zahlreichen Ausnahmen in ihrem Werte beeinträchtigt. Da aber viele dieser Ausnahmen selten vorkommende Wörter enthalten, lassen sich immerhin einzelne Regeln aufstellen, die für den Schulgebrauch sich sehr nützlich erweisen.

§ 122. Männlich sind der Bedeutung nach

1) die Namen der Himmelsgegenden und der Winde: le nord, le sud, l'occident, l'orient (ebenso le Levant [2] die Levante); le nord (meist le vent du nord), l'aquilon, le zéphyr(e) u. a.;

2) die Namen der Jahreszeiten, der Monate und Wochentage: le printemps, l'été, l'automne, l'hiver; janvier, mars, juin, octobre; le dimanche, le lundi, le samedi;

3) die Namen der Berge und Gebirge [3] (die pluralischen auf -es ausgenommen): le Har(t)z, le Hunsrück, le Jura, le

---

[1] Und so in ähnlichen Fällen zur Vermeidung des substantivischen de tous.
[2] Le Levant (auch l'Orient, l'Anatolie bedeuten: Morgenland) die östlichen Mittelmeerländer. Gegensatz le Couchant (oder l'Occident, alt auch le Ponant, le Ponent) Abendland.
[3] Vgl. Études etc. II. 114.

Liban. Weiblich dagegen les Alpes, les Andes, les Ardennes, les Cévennes, les Pyrénées, les Vosges u. f. w.;

4) die Namen der Metalle: l'or, le platine, le cuivre, le fer u. f. w.;

5) die Baumnamen: le chêne (Eiche), le hêtre (Buche), un orme (Ulme), le tilleul (Linde), le sapin (Tanne), le cèdre (Ceder).

Anm. 1) Weiblich: la bise (scharfer Nordost), la brise (leichter Küsten= wind), la moussou, les moussons (Paffatwind), la tramontane (Nordwind am Mittelmeer).

2) Monatsnamen mit vortretendem mi- (aus medius) werden weiblich und erhalten den Artikel: la mi-juin. — Ebenso le carême, aber la mi-carême (Mittfasten).

3) Männlich find daher les Apennins, les Balkans.

4) Bemerke la fonte (Gußeisen), la tôle (Eisenblech).

5) Ausgenommen find z. B. une aubépine (Weißdorn), la vigne.

§ 123. Weiblich sind der Bedeutung nach

1) Die Ländernamen:[1] la France, la Russie.

2) Die Städtenamen:[2] Rome, Athènes.

3) Die Namen der Wissenschaften: la philosophie, la géo- graphie. Ebenso meist die Bezeichnungen moralischer Eigenschaften: la sagesse, la gaieté, la douceur.

4) Die meisten Namen von Edelsteinen: une agate (Achat), une améthyste, une émeraude (Smaragd), une hyacinthe (la jacinthe die Blume), une opale, une topaze, une turquoise.

Anm. 1) Männlich find Ländernamen auf Konsonant oder lauten Vokal: le Danemark, le Japon, le Dauphiné, le Chili, daher le Languedoc troß der Zusammensetzung. Außerdem le Bengale (en = ë), le Hanovre, le Mexique, le Péloponn(n)ése (aber la Chersonèse, ch = k), le Maine, le Perche.

2) Die auf -e, -es auslautenden Städtenamen find in der Regel weib= lich; ebenso die antiken (auch die auf -um auslautenden: l'ancienne Patavi- um), daher find Jérusalem, Ilion, Tyr u. a. stets Feminine. Die konfonantisch auslautenden Städtenamen können weiblich gebraucht werden, außer einigen

---

[1] Vgl. Études etc. II, 3e livr.
[2] Vgl. Études etc. II, 104.

größeren Städten Frankreichs (besonders Paris, Lyon). — Nur männlich sind le Caire, le Havre, le Locle u. a.

In poetischer Sprache sind Städtenamen immer weiblich, daher kann das Adjektiv als schmückendes Beiwort nur weibliche Form haben: la savante Montpellier. Sobald aber das Adjektiv gleichnamige Städte oder einen Stadt-teil von dem anderen unterscheidet, tritt männliche Form ein: le Petit-Bâle, le Grand-Bâle, Marseille-le-Petit. Daher Vieux-Brisach, Neuf-Brisach (Neuf-brisach), doch la Nouvelle-Orléans.

Tout vor Städtenamen hat immer männliche Form, vgl. Syntax.

3) Weiblich sind naturgemäß alle Bezeichnungen für weibliche Wesen, mögen sie auch männliche Endung haben, z. B. la cendrillon, la laideron, la jument. Vgl. Namen wie Goton, Margot, Isabeau (de Bavière) u. a.

§ 124. Die Flussnamen[1].

Die Flußnamen sind der Mehrzahl nach männlich, auch wenn sie auf -e auslauten (doch von den französischen Flüssen nur le Rhône).

Anm. Besonders zu merken als männlich: l'Adige (Etsch), l'Aller, le Danube, l'Elbe, l'Elster Blanc und l'E. Noir, l'Escaut (Schelde), le Havel, le Nogat, le Raab, le Tibre, le Vahal (Wahal Waal), le Volga, le Weser (aber alt la Visurge). Bei kleineren nicht französischen Flüssen ist der Ge-brauch schwankend.

§ 125. An der Endung[2] sind als männlich erkennbar:

1) die Wörter auf lauten Vokal: Doch sind weiblich:

le choléra, un opéra, le dahlia,   la guérilla, la gutta-percha (ch = k),
le victoria régia und so alle   la polka, la razzia, la victoria (als
Pflanzennamen auf -a;   Wagen);
le dé, le thé, le côte, l'été,   Die Abstrakten auf -té, -tié (la santé,
le fossé;   la pitié), ferner la Franche-Comté,
   la vicomté, la cité;
le chapeau, le château;   une eau, la peau;
le cheveu, le neveu;
le parti, le souci (vgl. la partie);   la fourmi, la merci;
le domino, le zéro;
un emploi, le roi;   la foi, la loi, la paroi;
le caillou, le bambou;
le cru, le tissu (vgl. la crue).   la bru, la glu, la tribu, la vertu.

---

[1] Vgl. Études etc. II, 5e livr.

[2] Näheres i. im Ergänzungsheft. Eine eingehende Zusammenstellung enthalten die Études de grammaire et de littérature françaises, I, 3 ff., II, 1 ff.

2) Die Wörter auf Nasalvokal:

le talent, le serment;	la dent, la gent;
un essaim;	la faim;
le bain, le pain, le train;	la main;
le saint;	la Toussaint;
le chagrin, le jardin, le matin;	la fin;
le bouchon, le salon, le chardon,	la façon, la leçon, la rançon, la garni-
le poisson, le gazon, le hanneton;	son, la prison, la maison, la chanson,
	la cloison, la toison, la boisson, la
	moisson, la mousson;

3) Die Wörter auf -age, -ège:

un apanage, le bagage, le	la cage Käfig, la rage Wut,
bandage, un équipage, un	la page Seite, une image Bild,
ermitage, un étage, le passage,	la plage Strand, à la nage
le potage;	[schwimmend;
le cortège, le manège, le siège.	la Norvège (Norwege).

§ 126. An der Endung sind als weiblich erkennbar:

1) Die Wörter auf lauten Vokal + e: Doch sind männlich:

la cognée, la chaussée, la livrée;	le colisée, le mausolée, le musée u. a.;
la folie, la géographie, la partie;	un incendie u. a.;
la joie, la courroie;	le foie;
la charrue, la crue, la tortue.	

2) Die Wörter auf Nasalvokal + e:

la jambe, la sentence, la hanche,	un iambe, le silence, le dimanche,
la sonde, la grange, une orange,	le monde, le change, un échange,
une éponge, la banque, la fonte,	le mélange, le linge, le singe, le
la honte, la jacinthe, une épingle,	mensonge, le songe, le manque, le
une tringle, une ombre, une ancre,	compte, le conte, le labyrinthe, le
une encre, la salamandre, la cendre,	bronze, le comble, un exemple, le
la montre, la rencontre;	temple, un angle, un ongle, décembre,
	le timbre, le nombre, le cylindre,
	un antre, le centre, le ventre, le
	monstre, le chanvre u. a.;

3) Die Abstrakten:

a) auf -eur: la faveur, la peur;	l'heur, le bonheur, le malheur (alle
	vom lat. augurium); vgl. § 129, A. 2.
b) auf -son und -ion: la trahison,	le blason (Wappenkunde), le million,
une occasion;	le septentrion, la loi du talion (Ver-
	geltungsrecht).

Einzelne Wörter haben kein erkennbares Geschlecht, weil sie nie mit dem Artikel oder in anderer das Geschlecht kennzeichnender Verbindung vorkommen, so cesse, conteste, tire-d'aile u. a. Die drei genannten betrachtet man als weiblich.

§ 127. An dem Ursprung sind als männlich erkennbar

1) Die substantivisch gebrauchten Wörter[1] und Verbindungen: un cinq, le vert, un mais, le dire (Aussage), un a, le c, le couleur de feu u. a.

2) Alle mit Verben gebildeten Zusammensetzungen: le cure-dent (Zahnstocher), le porte-voix (Sprachrohr); daher alle mit para (pare à schütze vor, schützt vor): le parachute (Fallschirm), le parapluie, le parasol[2], le paratonnerre (Blitzableiter).

3) Die Zusammensetzungen haben das Geschlecht des Grundwortes: un ordre: le désordre, la garde: une avant-garde. Ebenso die Diminutive: le manteau: le mantelet, la maison: la maisonnette.

Anm. 1) Unter den Buchstabennamen[3] werden 7 (f, h, l, m, n, r, s) meist weiblich gebraucht, weil sie nach der (außer beim Leseunterricht) üblichen Benennung ein stummes e+ am Schlusse haben (une effe, une ache u. s. w.).

2) Weiblich sind u. a. la garde-robe, la perce-neige (Schneeglöckchen). — Auch einzelne nicht mit Verben zusammengesetzte Substantive ändern das Geschlecht: le malaise (Übelkeit, von aise f.), le chèvrefeuille (Geißblatt), minuit m. (von la nuit); dagegen jetzt besser un (als une) après-midi. Un hémisphère, le planisphère, le monosyllabe u. a. sind nur scheinbar mit la sphère, la syllabe zusammengesetzt.

3) Männlich sind die aus Infinitiven gebildeten Substantive: le plaisir, le repentir, au revoir. Weiblich sind meist die aus Participien gebildeten Substantive, auch die mit südfranzösischer Form: la vue, la montée, la promenade.

§ 128. Geschlecht durch Ergänzung bestimmt.

Viele substantivierten Adjektive wenden sich dem Geschlechte zu, welches dem zu ergänzenden Substantiv eigen ist. Daher z. B. l'Adriatique m. (golfe), l'Atlantique m. (océan), la Baltique (mer), la circulaire (lettre), le formulaire (livre), la diphtongue (voyelle), la dentale (consonne), la diagonale (ligne), l'exécutif m. (pouvoir), la dynamite (poudre), le bulle (papier), la Béchamel (sauce), les cactées, les crucifères, les céréales alle f. (plante, graine), les conifères m. (arbre), un amphibie, les cétacés m. (animal), les perdicés (oiseau) u. s. w.

---

[1] Ausgenommen Fälle, in welchen ein weibliches Substantiv zu ergänzen ist. Vgl. § 128.

[2] Une ombrelle kleiner Sonnenschirm, le parasol großer S. (daher meist für Herren).

[3] Vgl. Études ꝛc. II, 114 und hier § 38.

[4] Daher schreibt Littré für z: un zèd' (Akad. zède). Die Ausnahme rührt von dem sprichwörtlichen Ausdruck her fait comme un Z, Gegensatz droit comme un I.

§ 129. Bestimmung des Geschlechts nach der Etymologie.

Dieselbe besitzt geringe Zuverlässigkeit. Man merke:

1) Die lateinischen Neutra sind meist zum männlichen Geschlecht über-getreten: le château (castellum), le cœur (cor), un écu (scutum).

2) Die lateinischen Abstrakten auf -or sind weiblich geworden: une erreur (error, -óris), une odeur (odor, -óris).

Anm. 1) Eine Anzahl von Neutren ist zum Femininum übergegangen, z. B. la corne, la dépouille, la feuille, une huile, la joie, la lèvre, la muraille (von cornu, spolium, folium, oleum, gaudium, labrum, muralia). Den Anstoß gaben pluralische Neutra, die im gall. Latein singularische Feminina geworden waren (arma, ae f. statt arma, orum n.).

Die früher erwähnten Masculina auf -age kommen gleichfalls von Neutren (voyage von viaticum); die Ausnahmen (außer nage) sind von lateinischen Femininen abgeleitet.

2) Auszunehmen sind un honneur und un déshonneur, ferner le labeur (mühsame Arbeit) und le labour (Ackerarbeit) sowie un amour. Letzteres gilt jedoch im Plural für voranstehende[1] Adjektive (les folles amours) als weiblich; selten auch für nachstehendes. Nur in der Poesie kann amour im Singular weiblich gebraucht werden.

Bemerke la bravoure als einziges Wort auf -oure (vom italienisch-span. bravura).

3) Bekanntere Wörter, deren Geschlecht sich von dem des lateinischen Stammwortes unterscheidet:

un arbre (arbor f.)	les annales f. (annales m.)
un art (ars f.)	la cendre (cinis m.)
le dialecte (dialectus f.)	la comète (cometes m.)
le dimanche (dies dominica)	la dent (dens m.)
un épi (spica f.)	une écorce (cortex m.)
un ongle (ungula f.)	une épigramme (epigramma n.)
un orchestre (ch = k: orchestra f.)	la fin (finis m.)
le paragraphe (paragraphus f.)	la fleur (flos m.)
le phare (pharus f.)	la mer (mare n.)
le porche ⎱ (porticus f.)	les mœurs (mores m.) vgl. § 129, 2.
le portique ⎰	une obole (obolus m.)
le salut (salus f.)	la paroi (paries m.)
le sort (sors f.)	la planète (planeta, oder -es m.)
le sphinx (sphinx f.)	la poudre (pulvis m.) und
le synode (synodus f.)	die Flußnamen la Loire (Liger m.)
les thermes m. (thermae f.)	la Marne (Matrona m.)

---

[1] Doch nur tous les amours. D. h. für amours gilt dieselbe Regel wie für gens, welcher früher auch automne und ordre folgten.

Außerdem sind **personne** und **chose** männlich in den Verbindungen ne . . . personne, quelque chose. Letzteres ist eher ein Neutrum.

Zusatz. Bei 3 Substantiven, die von lateinischen Neutren kommen, ist zweierlei Geschlecht eingetreten:

Orgue (Orgel, von organum) ist im Singular männlich, im Plural weiblich: un bon orgue, de bonnes orgues.

Orge (Gerste, von hordeum) ist weiblich; doch männlich in den Verbindungen orge mondé, orge perlé (ersteres: größere, letzteres: kleinere Gersten= graupen).

Œuvre (Werk, von dem Plural opera) ist weiblich; doch männlich
a) le gros œuvre (Rohbau),
b) le grand œuvre (Stein der Weisen, la pierre philosophale),
c) als Kollektiv: l'œuvre (Gesamtwerke) d'un compositeur, d'un peintre, l'œuvre (Gesamtlitteratur) d'une nation.

Die aus neueren Fremdsprachen entlehnten Wörter haben ein bestimmtes Geschlecht, wenn das natürliche Geschlecht maßgebend sein kann. Lady, miss u. a. sind daher weiblich. Sonst herrscht das männliche Geschlecht vor, doch finden sich Schwankungen. So wird humour vorwiegend als männlich, interview vorwiegend als weiblich betrachtet.

§ 130. Wechsel des Geschlechts.

Das Geschlecht vieler Wörter, besonders gelehrter Wörter, hat im Laufe der Zeit geschwankt oder ist ein anderes geworden. Hauptsächlich ist dies der Fall gewesen bei Substantiven, die ursprünglich mit einem anderen als dem etymologisch richtigen Geschlecht in die Sprache eingedrungen waren und durch die Bemühungen der Grammatiker einem Geschlechtswechsel zugeführt wurden. Eine Änderung hat stattgefunden beispielsweise bei folgenden Wörtern: une absinthe, une ancre, un armistice, le chanvre, le cigare, le cyclone, le diocèse, la dot, le doute, un échange, une encre, une énigme, un épiderme, une épigramme, un épisode, une épitaphe, une épithète, une erreur, un espace, un évangile, un exemple, la fourmi, le guide, une idole, une idylle, un insecte, un ivoire, la limite, le mensonge, le navire, une offre, une ombrelle, un ongle, un oratoire, un orchestre, un organe, un ovale, le poison, le reproche, le reste, le risque, la stalle, la tige, un ustensile, la vipère.

Schon ein flüchtiger Überblick zeigt, daß die vokalisch anlautenden Wörter überwiegen. Auch unter den Wörtern, die in der heutigen Volkssprache noch schwanken, bilden die Wörter mit Vokalanlaut die größere Mehrzahl, weil bei ihnen das richtige Geschlecht weniger deutlich hervortritt[1].

---

[1] Hauptsächlich aus dem Grunde, weil vor Vokal un und une bei vielen ganz gleichen Laut haben.

§ 131. Scheideformen.

Häufig wird zu einem weiblichen Substantiv eine Scheideform mit veränderter Bedeutung und männlichem Geschlecht geschaffen; selten umgekehrt. So werden gegenübergestellt:

1) Das Land oder der Ort und ihr Produkt: la Champagne: le champagne, la Bourgogne: le bourgogne[1], Beaune: le beaune (in diesen 3 Fällen das männliche Geschlecht für den Wein), la Havane: le havane (Cigarre), la Brie: le brie (Käse), la Chine: le Chine, la Saxe, Sèvres: le Sèvres (in diesen 3 Fällen das männliche Geschlecht für das Porzellan).

2) Der Bestandteil und das Ganze: le pendule[2] (Pendel): la pendule (meist: Stutzuhr).

3) Die Sache und die Person, welche dieselbe benutzt: la trompette (Trompete): le trompette[3] (Trompeter). — Meist gilt der Name des Musikinstruments mit gleichem Geschlecht auch für den Musiker, so la clarinette, le clairon (Signalhorn), la flûte (Flöte), la harpe (Harfe), le tambour (Trommel), le violon[4] (Geige). Vgl. § 135 Anm. 3.

4) Die Thätigkeit oder Eigenschaft und die Person, welcher sie beigelegt wird: une aide (Hülfe): un aide (Gehülfe), la garde (Wache, Garde): le garde (Aufseher, Gardist), la manœuvre (Manöver, Handhabung): le manœuvre (auch manouvrier, Handlanger, Taglöhner).

Anm. Neben une enseigne (Firmenschild, Fahne) stand früher un enseigne[5] (Fähnrich), neben la cornette (Reiterung) le cornette (Cornet).

Außerdem sind als einzeln stehende Scheideformen zu bemerken:

un aigle Adler (Tier; Ordenszeichen) — une aigle (Wappentier; Heereszeichen)

le couple Paar[6] (z. B. un couple d'amis, un couple de pigeons) — une couple ein Paar (d. h. zwei oder einige); une couple d'années

le foudre[7] Blitzstrahl (in bildlicher Darstellung) — la foudre Blitz

le guide Führer — les guides f. Zügel

le manche Stiel — la manche Ärmel, la Manche der Kanal

[1] Doch ist zu bemerken, daß viele dafür nur le vin de Champagne, le vin de Bourgogne dulden wollen.

[2] Nur in der Physik üblich; der Perpendikel heißt le balancier.

[3] Der Hornist oder Signalbläser heißt le clairon.

[4] Le violoniste (Violinist) nur für hervorragende Virtuosen.

[5] Nur noch in der Marine, obwohl auch da durch lieutenant de frégate ersetzt. — Der Fahnenträger: le porte-drapeau (Infanterie), le porte-étendard (Reiterei und Artillerie).

[6] Bei Sachen la paire; une paire de bottes. Auch von Tieren wie le couple.

[7] Alt (oder vielmehr altfränkisch) un foudre de guerre, d'éloquence Kriegsheld, großer Redner. — Homonym le foudre (Fuderfaß).

le masque Maske, Larve | la masque Heuchlerin (nicht veraltet)
le mémoire Rechnung, Denkschrift, | la mémoire Gedächtnis
les mémoires m. Denkwürdigkeiten
(le) merci Dank | la merci Gnade
le paillasse Hanswurst[1] | la paillasse Strohsack
Pâques m. (u. Sing.) Ostern als | Pâques Ostern im kirchlichen Ge-
Zeitbestimmung | brauch; la Pâque (pâque) Passah
le parallèle vergleichende Gegenüber- | la parallèle Parallellinie, Parallele
stellung; Parallelkreis (geogr.) | (bei Belagerungen)
le période Gipfelpunkt | la période Periode
le pourpre Purpurfarbe; Friesel. (In | la pourpre antike Purpurfarbe; sou-
poet. Sprache auch la p. Purpur- | veräne oder Kardinalswürde
farbe)
le solde Saldo, Ausverkauf[2] | la solde Sold
le vapeur Dampfer | la vapeur Dampf
le voile Schleier | la voile Segel

Hymne wird am besten nur als Mask. gebraucht, kann aber in der
Bed. Kirchenhymne Fem. sein.

§ 132. Homonymen.

Nachstehende Wörter haben gleiche Form, aber verschiedenes Geschlecht
und, weil sie verschiedener Herkunft sind, auch verschiedene Bedeutung:

un aune3 (lat. alnus) Erle | une aune (lat. ulna) Elle
le livre (lat. liber) Buch | la livre (lat. libra) Pfund, Frank
le mousse (span.) Schiffsjunge | la mousse (deutsch) Moos, Schaum
le page (griech. paidion) Edelknabe | la page (lat. pagina) Seite
le poêle Ofen; Bahrtuch | la poêle (lat. patella) Pfanne
le poste (lat. positum) Posten | la poste (lat. posita) Post
le somme (lat. somnus) Schlummer | la somme (lat. summa) Summe
le tour Umkreis, Gang | la tour (lat. turris) Turm
le vase (lat. vas) Gefäß, Vase | la vase (deutsch) Schlamm

§ 133. Les gens.[4]

Les gens (Leute) ist männlichen Geschlechts; jedoch

1) weiblich für alle vorausgehenden attributiven Adjektive: les
bonnes gens (dagegen les gens heureux);

---

[1] Weil seine Tracht aus Barchent bestand. Nur noch im Cirkus.
[2] Üblicher la liquidation.
[3] Manchmal noch aulne (l stumm). Le roi des Aulnes der Erlkönig.
[4] Vgl. Études etc. I. 3e livr., II, 97.

2) weiblich für tout nur, wenn dieses direkt vor gens oder durch ein Adjektiv mit weiblicher Form von ihm getrennt steht: toutes gens, toutes les vieilles gens (dagegen tous les braves gens).

Gens de bien, gens de lettres u. a. Zusammen= setzungen sind nur männlich.

Anm. Gens (vom lat. gens) war weiblich. Der Singular (la gent moutonnière u. a. in der Fabel, la gent lettrée u. a. allgemein üblich[1]) ist es geblieben; der Plural bedeutet les hommes und wurde männlich, aber nur für Adjektive, welche nicht in enger Verbindung mit dem Substantiv stehen (voran= stehendes Adjektiv bildet mit dem Substantiv fast eine Zusammensetzung). Daher

1) immer männlich im prädikativen Gebrauch, sogar heureux les vieilles gens qui ont conservé l'usage de toutes leurs facultés[2];

2) ebenso für prädikatives tous: Les plus grands seigneurs recevaient Duclos, Grimm, Crébillon, tous gens qui étaient sans conséquence.

Gens de bien ist der Plural zu homme de bien und kann aus diesem Grunde nur männlich gebraucht werden.

§ 134. Wörter, deren Geschlecht leicht verfehlt wird.[3]

un abricot eine Aprikose	une absinthe ein Absinth
un acte eine Akte	une agate ein Achat
un air eine Arie	une alarme ⎱ ein Alarm
un aloès eine Aloe	une alerte ⎰
un amphibie eine Amphibie	une alcôve ein Alkoven
un ananas eine Ananas	une améthyste ein Amethyst
un artichaut eine Artischocke	une anagramme ein Anagramm
un assignat eine Assignate	une ancre ein Anker
un axe eine Achse (am Wagen un essieu)	une apostrophe ein Apostroph
	les archives f. das Archiv
le bastion die Bastei	l'argile f. der Thon
le beurre die Butter	une aumône ein Almosen
le bilan die Bilanz	une aventure ein Abenteuer
le bill die Bill	Babel f.
le billion+ die Billion	a baïonnette (jetzt le sabre-baïonnette)
le blasphème die Lästerung	la baïoque der Bajocco

[1] Die oft vorkommende Angabe, la gent sei veraltet, ist demnach unrichtig.

[2] Nur diese Form ist richtig, richtiger ist es, solche Satzkünsteleien zu meiden.

[3] Eine etwas vollständigere Liste findet sich in dem Programm der Realsch. zu Wasselnheim 1889 „Unsere Fremdwörter" u. s. w. S. 12 ff.

+ Billion französisch = 1000 Millionen (le milliard). Männlich auch le million u. a.

le blocus (s laut) die Blokade
le boa die Boa
le bol die Bole
le bouillon[1] die Bouillon
le brick die Brigg
le bronze die Bronze
le buste die Büste
le camée die Kamee
le camellia (§ 41) die Kamelie
le caprice die Laune
le capuchon, le capuce die Kapuze
le caret die Karettschildkröte
le carrosse die Karosse
le Charybde (ch = k) die Charybbis[2]
le chiffre die Chiffre, Ziffer
le chocolat die Schokolade
le choix die Wahl
le choléra (ch = k) die Cholera
le cierge die Kerze
le cigare die Cigarre
le citron die Citrone
le cloaque die Kloake
le contrôle die Kontrolle
le crabe die Krabbe
le diagnostic[3] die Diagnose (g-n)
le diocèse die Diözese
le dividende die Dividende
le divorce die Ehescheidung
le dogue die Dogge
le domaine die Domäne
le double, le doublet die Doublette
le doublon die Dublone
l'épiderme m. die Epidermis
un épisode[4] eine Episode

la banqueroute der Bankerott
la barrette das Barett
la basalte der Basalt
la basse der Baß
la batiste der Batist
la benzine das Benzin[5] (en = $\breve{e}$)
la camisole das Kamisol
la carabine[6] der Karabiner
la cataracte der Katarakt; der graue Star
la charnière das Scharnier
la chaux der Kalk
la chiragre das Chiragra
la circulaire das Cirkular
la citation das Citat
la colophane das Kolophonium
la comète der Komet
la compote das Kompott
la consonne der Konsonant (weil la lettre)
la Convention der Konvent
la coriandre der Koriander
la cornaline der Karneol
la cour der Hof
la créosote das Kreosot
la cuirasse der Küraß
la date das Datum
la dictée das Diktat
la diphtongue (nicht th) der Diphthong
la dispute der Disput
la dynamite der Dynamit
une enclume ein Amboß
une énigme ein Rätsel
une épigramme ein Epigramm

[1] Meist le consommé genannt.
[2] Bemerke die Stellung tomber de Charybde en Scylla. Auch in anderen Fällen entspricht die französ. Stellung nicht der deutschen: le flux et le reflux (beide x stumm, Ebbe und Flut), aide et conseil (Rat und That), au pain et à l'eau (bei Wasser und Brot) le boire et le manger (Essen und Trinken), le tien et le mien (das Mein und Dein). Neben nuit et jour, soir et matin u. a. ist auch die uns geläufige Stellung üblich.
[3] Nur dieses ist das übliche Wort.
[4] Längst nicht mehr weiblich.
[5] Ebenso die ähnlichen, z. B. la caféine, la fuchsine, la quinine (Chinin).
[6] Eigentlich: Büchse. Die Reiterwaffe heißt le mousqueton.

Plattner, Grammatik. I. r. 10

un escadron eine Schwadron
un étendard eine Standarte
le fibre die Fiber
le firme die Firma[1]
le foie die Leber
le front die Front, die Stirn
le gala die Gala
le geste[2] die Geste
le gilet die Weste
le groupe die Gruppe
le harpon die Harpune
un hémisphère eine Hemisphäre
un hiéroglyphe eine Hieroglyphe
un hyménée (poet.) eine Ehe
un incendie eine Feuersbrunst
un incunable eine Inkunabel
un insigne eine Insignie
le jury die Jury
le jute die Jute
le Levant die Levante
le lis (s laut) die Lilie
le macaron die Makrone
le marc (c stumm) die Mark (Gewicht,
   Geld[3]), aber la marche (Grenz-)
   Mark
le marron die Marone
le masque die Maske, die Larve
le matelas die Matratze
le melon die Melone
le mille die Meile
le milliard die Milliarde
le mollusque die Molluske
le mot (d'ordre) die Parole
le motet die Motette
le mousquet die Muskete
le muscle die Muskel
le myrte die Myrthe; aber la couronne
   d'orangers

une épigraphe ein Motto
une épitaphe ein Epitaph
une épithète ein Epithet
une épopée ein Epos
une escadre ein Geschwader
une escarmouche ein Scharmützel
une étable ein Stall
une expérience ein Experiment
l'exportation f. der Export
la flanelle der Flanell
la fosse das Grab, die Grube
la frise der Fries (Archt.)
la gare der Bahnhof
la glu der Vogelleim
la gomme das Gummi
la grosse das Gros (12 Dutzend)
la halte der Halt
une idole ein Götzenbild
une idylle ein(e) Idyll(e)
une impériale ein Imperial
une insulte ein Insult
la liqueur der Liqueur
la locomobile das Lokomobil
la malachite der Malachit
la malvoisie[4] der Malvasier
la manne das Manna
la manœuvre das Manöver
la marjolaine der Majoran
la martre der Marder
la maxime der Grundsatz
la mesure das Metrum
la molécule das Molekül
la mousseline das Musselin
la nasale der Nasal (weil la lettre)
une obole ein Obolus
une offre ein Anerbieten
une opale ein Opal
la grande Ourse der große Bär

---

[1] Meist la raison sociale. Firma = Handelshaus la maison.
[2] Aber la geste = chanson de geste altes Ritterepos.
[3] Le marc für die Reichsmünze hat meist lautes c.
[4] Seltener männlich.

le mythe die Mythe

le naphte die Naphta

le narcisse die Narcisse

le numéro die Nummer

un opéra eine Oper

un ordre eine Order

le panais die Pastinake

le pantalon die Hose

le parti die Partei[1], (Heirats-)Partie

le pâté die Pastete

le pétard die Petarde

le pistolet die Pistole (Waffe[2])

le pore die Pore

le quadrille die Quadrille (qu = k)

le réséda die Reseda

le restaurant die Speisewirtschaft

le réveil die Reveille

le rideau die Gardine

le rôle die Rolle

le sacre die Krönung

le Sahara die Sahara

le sequin die Zechine

le sphinx die Sphinx

le steppe[3] die Steppe

le synode die Synode

le tantième die Tantième

le tenson die Tenzone

le tercet die Terzine

le termite die Termite

le terne die Terne

le trophée die Trophäe

le type die Type

un uniforme eine Uniform

le vestiaire die Garderobe (in öffentlichen Anstalten)

le vestige die Spur

le violon die Violine

le vocable die Vokabel

une outre ein Schlauch

la pantoufle der Pantoffel

la panthère der Panther

la part der Teil, Anteil

la passe der ((Eng-)Paß

la patenôtre das Paternoster[4]

la pédale das Pedal

la peluche der Plüsch

la pénombre das Halbdunkel

la percale der (das) Perkal

la piastre der Piaster

la planète der Planet

la podagre das Podagra

la porcelaine das Porzellan

la poudre der Puder, das Pulver

la poutre der Balken

la préparation das Präparat

la prérogative das Prärogativ

la prison das Gefängnis

la quantité das Quantum

la queue das Queue (Billard)

la régale das Regal(e), Hoheitsrecht

la rencontre das Zusammentreffen

la rhubarbe der Rhabarber

la rosse, la rossinante[5] der Klepper

la ruine das Verderben

la salamandre der Salamander

la salade der Salat

la servitude das Servitut

la solde der Sold

la stalactite der Tropfstein

la strontiane der Strontian

la térébenthine das Terpentin

la topaze der Topas

la torpille der Torpedo

la tourbe der Torf

la tribu der (Volks-)Stamm

la trombe der Wolkenbruch

---

[1] Partei vor Gericht la partie.

[2] Das Geldstück la pistole.

[3] War früher weiblich und wird jetzt wieder häufig so gebraucht.

[4] Aber le l'ater (spr. patèr).

[5] Doch Rossinante m. als Pferd Don Quixote's.

10*

le yacht (fpr. ïak) die Jacht	la troupe der Trupp
le zéro die Null	la turquoise der Türkis
	une urine ein Urin
	la valériane der Baldrian
	la valse der Walzer
	la victime das Opfer
	la visière das Visier
	la voyelle der Vokal
	la zibeline der Zobel.

Vorstehende Liste ist zum raschen Nachschlagen bestimmt. Kleinere Gruppen nach verschiedenen Gesichtspunkten kann der Schüler selbst aussondern.

§ 135. Natürliches und grammatisches Geschlecht.[1]

Aus dem natürlichen Geschlecht ist das grammatische Ge=
schlecht bei vielen Bezeichnungen für Personen und einigen Tier=
namen zu erkennen. So werden unterschieden:

1) Bezeichnungen für Personen im allgemeinen: un homme:
la femme, le garçon: la fille.[2]

2) Bezeichnungen für verwandtschaftliche Beziehung: le père:
la mère, le beau-père (Stief=, Schwiegervater): la belle-
mère (Stief=[3], Schwiegermutter), le gendre (Schwieger=
sohn): la bru[4] (Schwiegertochter).

3) Namen für Stand und Beruf: le comte: la comtesse[5],
le baron: la baronne, le marchand: la marchande,
le tailleur (Schneider, alt couturier[6]): la couturière
(Kleidernäherin), le chemisier (Wäschefabrikant): la lingère
(Weißzeugnäherin). — Seltner für Titel[7]: le maréchal:
la maréchale (Gemahlin eines Marschalls).

4) Taufnamen: Adrien: Adrienne, Joseph: Joséphine.

---

[1] Vgl. Études etc. II, 3e und 5e livr.

[2] Da la fille noch mehrere andere Bedeutungen (z. B. Dienstmagd) hat,
ist es üblich la jeune fille zu sagen. Ebenso un jeune (oder petit) garçon
(Knabe), le jeune prince (Prinz).

[3] Das alte la marâtre hat nur noch die Bed. böse Stiefmutter,
pflichtvergessene Mutter.

[4] Dafür verlangen viele la belle-fille (zugleich: Stieftochter). In der
Litteratur ist la bru weitaus häufiger, im gewöhnlichen Leben aber meidet
man (thörichter Weise) das Wort.

[5] Französisch nicht etwa auch auf Töchter auszudehnen.

[6] Jetzt le couturier der Damenschneider.

[7] Es ist nicht französischer Brauch, Frauen den Titel ihres Mannes zu
geben. Nur scherzhaft la générale, la colonelle, la préfète u. a.

5) Tiernamen: le lion: la lionne, un étalon (Hengst): la jument (Stute), le lièvre (Hase): la hase (Häsin), le coq: la poule.

Anm. 1) Enfant im Sing. ist nur weiblich, wenn ausdrücklich ein kleines Mädchen bezeichnet werden soll. Auch les enfants kann männlich gebraucht werden, wenn ausschließlich von Mädchen die Rede ist[1]. Ähnlich vieillard: Cet asile est exclusivement réservé aux vieillards du sexe féminin.

2) Das in solchen Namen zugefügte beau hatte früher den Sinn von cher (alt mon beau fils mein lieber Sohn).

3) Nur männlich, wenn auch auf Frauen angewandt, sind le peintre (Maler, Malerin), le compositeur (Komponist, Komponistin; dagegen la compositrice die Schriftsetzerin), un auteur, un écrivain (Schriftsteller, Schriftstellerin); ebenso le poète, le professeur (z. B. de piano), le romancier, le juge, le témoin, un assassin u. a. Selten sagt man une femme poète, une femme auteur[2]. Weibliche Formen dringen allmählich ein, werden anfangs nur scherzhaft gebraucht, gehen dann aber in den allgemeinen Gebrauch über, z. B. la poétesse.

Nur weiblich, wenn auch auf Männer angewandt, sind la connaissance (Bekannte), la pratique[3] (Kunde), la caution (Bürge), la dupe (Betrogene, Gimpel), la victime (Opfer), la visite (Besucher). Ebenso, obwohl nur von Männern gesagt: une estafette (Stafette), la sentinelle (Schildwache), la vedette (Reiterschildwache), la vigie (Auslugeposten, bes. auf Schiffen), la ronde (Rundeoffizier), la recrue[4] (Rekrut) und einzelne Bezeichnungen für Musiker oder Singstimmen: la harpe (Harfenspieler im Orchester), la flûte, la clarinette, la basse (Bassist, Baßgeige).

4) Mit gleicher Form z. B. Camille (Kamillus, Kamilla). Familiennamen sind unveränderlich: une Jagellon, une Stuart. Familiär und dialektisch erhalten (wie im Deutschen) auch Familiennamen weibliche Form. Vgl. hierüber das Ergänzungsheft.

---

[1] Sonst stehen die Plurale les aïeuls, les cousins, les enfants, les époux, les vieillards, manchmal auch les adolescents für Personen beiderlei Geschlechts.

[2] Motionsfähige und -unfähige Substantive können verbunden werden: L'illustre Mme Deshoulières, le poète des moutons et l'ennemie de Racine. Persönliche Fürwörter v o r motionsunfähigem Substantiv folgen dem natürlichen Geschlecht: On la croyait un émissaire des Français en Allemagne. Nach demselben können sie auch dem grammatischen Geschlechte folgen: Les passants s'emparèrent de l'auteur du meurtre et la remirent à des gardiens de la paix. — Mirabeau vent se jeter sur l'assassin et le tuer. In beiden Fällen ist von einer Mörderin die Rede. L'auteur (Mlle de Scudery) ne faisait que se répéter, mais surtout il répétait la belle scène de Polyeucte . . .

[3] Nur noch bei sehr untergeordneten Geschäften üblich. Sonst gebraucht man nur client, cliente trotz dem Einspruche von Akad. und Littré.

[4] Gewöhnlich jetzt: jemand, der einer Partei u. dgl. neu beigetreten ist.

5) Meist haben die Tiernamen nur eine Form: le lynx, la girafe. Um das Geschlecht zu bezeichnen, sagt man le mâle de l'antilope, la femelle[1] de l'éléphant oder une antilope mâle, un éléphant femelle.

IV. Das Adjektiv (*l'adjectif*[2]).

Die Motion des Adjektivs und des Substantivs.

§ 136. Die Motion.

Unter Motion versteht man die Bildung der weiblichen Form des Adjektivs. Auch eine große Zahl von Substantiven hat eine Motion.

Letztere wird hierher gezogen, weil Adjektiv und Substantiv ihre weibliche Form im ganzen nach gemeinsamen Regeln bilden und weil das motionsfähige Substantiv vielfach in adjektivischer Verwendung vorkommt.

§ 137. Motionsunfähige Adjektive und Substantive.

Facile, difficile, politique, ovale (oval);   *Le* und *la concierge* (Pförtner, -in), *le* und *la signataire* (Unterzeichner, -in), *le* und *la camarade.*

Hauptregel: Die weibliche Form wird durch Anfügung eines stummen e an die männliche gebildet.

Adjektive und Substantive, welche auf stummes e auslauten, bilden daher keine besondere weibliche Form (sind einer Endung).

Anm. 1) Einzelne Substantive auf -e haben -esse für das Fem., z. B. le comte, le duc, le maitre, le prophète, le prêtre, le prince, le tigre: la comtesse, la duchesse, la maîtresse, la prêtresse, la princesse, la prophétesse, la tigresse. Ebenso einzelne substantivierte Adjektive: la pauvresse, la sauvagesse, la Suissesse.

2) Einzelne Adjektive (éthéré, igné, instantané, augenblicklich, plötzlich eintretend, momentané, augenblicklich, einen Augenblick dauernd, simultané, spontané) hatten früher immer stummes e. Vgl. les champs élysées (Champs-Élysées). Bemerke compacte neben exact, -e (§ 43).

---

[1] Das erste e ist nicht etwa wie in femme zu sprechen.
[2] Diese Bezeichnung wird auch von anderen attributiven Bestimmungen gebraucht; die franz. Grammatik spricht von adjectifs possessifs, démonstratifs, indéfinis, numéraux und faßt dieselben als adjectifs déterminatifs (im Gegensatze zu den adjectifs qualificatifs) zusammen.

3) Konsonantisch auslautende Adjektive einer Endung giebt es (außer leur, plusieurs) nicht mehr[1]. Früher fanden sich solche (von lateinischen Adjektiven einer oder zweier Endungen stammend). Reste davon sind erhalten in la grand'mère, grand'chose (viel), welche daher keinen Apostroph haben dürften. In anderen Verbindungen kann auch grande[2] gebraucht werden: la grand'messe (Hochamt), la grand'route (Chaussee[3], Landstraße), en grand'hâte (eiligst) u. f. w.

Aus dem gleichen Grunde wird se faire fort de faire qe (sich anheischig machen) meist im Fem. nicht verändert[4].

Merci ist in der Bed. Dank Mask. geworden, weil man grand merci unrichtig als männlich ansah.

§ 138. Motion der Adjektive und Substantive auf lauten Vokal und Nasalvokal.

1) *Rusé, rusée; joli, jolie;   Un ami, une amie.*
nu, nue;

Die weibliche Form wird nach der Hauptregel gebildet.

Wenn in diesem Falle vor u ein g steht, so erhält e das Trema: aigu, aiguë (§ 15). — Zu an abbé gehört das Fem. une abbesse.

2) *Fin, fine;   Le voisin, la voisine;*
européen, européenne;   le citoyen, la citoyenne;
bon, bonne;   le baron, la baronne.

Ebenso Adjektive und Substantive auf Nasalvokal, welcher nach LR 2 wieder rein wird.

Dabei wird n verdoppelt bei den Wörtern auf -en; der Nasalvokal ist aus offenem e entstanden, welches wieder hervortritt und nach § 139,4 durch Doppelkonsonant angedeutet wird. — Unnötig war die Verdoppelung bei denen auf -on, denn in bonne ist das o nicht kürzer[5] als in Vérone u. a. Früher waren bourguignon, bourguignone, wallon, wallone übliche Schreibarten.

---

[1] Eine Neubildung dieser Art ist chic: des gens chics, aber ohne weibliche Form: une femme chic. Pour une chic cousine, tu es une chic cousine (Gyp.). Ebenso select: Point de soirée select sans lui (P. Peltier).

[2] Vgl. Études etc. I, 11 ff.

[3] La chaussée: Damm, Dammweg; mittlerer (Fahr-)Weg auf Landstraßen, Straßen, Brücken.

[4] Dagegen ist prendre à garant (deutscher Herkunft: zum Bürgen anrufen) wie prendre à témoin (als Zeugen anrufen) durchaus unveränderlich auch im Plural. Vgl. Kongruenz des Adjektivs.

[5] Nebenbei ist zu bemerken, daß die Konsonantengemination im Französ. (wie teilweise auch im Englischen) nicht zur Kürzung der Silbe dient.

§ 139. Motion bei konsonantischem Auslaut.

1) *Lent, lente; ras* (glatt), *rase; Le mendiant, la mendiante.*
Die weibliche Form wird nach der Hauptregel gebildet.

2) *Long, longue; public, publique.*
Adjektive auf g und c werden nach SR 2 behandelt.
Grec (griechisch) hat grecque (statt grèque, QR 3 b,
vgl. la Mecque).
Blanc, franc (frei), sec (trocken) haben blanche, franche,
sèche.
Franc (fränkisch) hat franque, doch schreibt man jetzt vielfach frank,
franke.[1] — Le duc hat als Fem. la duchesse.
Die Adjektive auf -c sind so wenig zahlreich, daß man öfter vor=
geschlagen hat, sie als ganz regellos zu behandeln. Das ist jedoch un=
praktisch, da der Übergang von c zu q durchaus in der geltenden Ortho=
graphie begründet ist. Auf c endigen folgende Adjektive: grec, sec,
public, blanc, franc, caduc, turc. Die einen bilden laïc, laïque, die
anderen schreiben laïque für beide Geschlechter. Sehr zahlreich sind die
Adj. auf -ique; solche auf -ac ober -oc giebt es überhaupt nicht, vgl.
maniaque, baroque, réciproque.

3) *Neuf, neuve; heureux, heu-*   *Le veuf, la veuve; un*
reuse;   *époux, une épouse*[2].
Auslautendes f tritt wieder in v zurück (vgl. neuf, le
neuvième, QR 1), auslautendes x wird wieder zu s (lat.
-osus, SR 6).
Doux bildet douce; faux, roux (rot, bes. von der Be=
haarung) haben fausse, rousse.
Préfix (voraus festgesetzt) hat préfixe.

4) *Léger, légère; étranger,*   *Le meunier, la meunière;*
étrangère;
muet, muette; mortel,   *le sujet, la sujette; Gabriel,*
mortelle;   *Gabrielle.*

---

[1] Nur auf die Verhältnisse vor Teilung des Frankenreiches anwendbar.
Die fränkischen Kaiser les empereurs franconiens (la maison de Franconie).

[2] Époux, épouse gehören nicht mehr der gewöhnlichen Sprache an.
Man gebraucht immer le mari, la femme. Der Fürst und seine Gemahlin
le prince et la princesse; der Präsident und seine Gemahlin M. le Président
de la République et Mme Faure. Le prince Arthur d'Angleterre et la
princesse sa femme. Les époux (die Ehegatten) ist noch üblich.

Das **e** der Tonsilbe wird dabei zu offenem **e**, welches vor **r** durch den Gravis, vor anderen Konsonanten durch Verdoppelung des Konsonanten angedeutet wird.

Das vorausgehende e kann geschlossen gewesen sein: léger, légère (vgl. espérer, j'espère), oder offen: mortel, mortelle (vgl. un appel, j'appelle). Über nasales e s. § 138, 2. Adjektive auf -er mit stets offenem e sind amer, cher und fier. Vgl. sincère.

Vor **t** tritt **è** statt der Konsonantenverdoppelung ein (vgl. j'achète neben je jette) bei 8 Adjektiven [1]

complet, complète vollständig   inquiet, inquiète unruhig
concret, concrète konkret   replet, replète stark beleibt
discret, discrète verschwiegen   secret, secrète geheim
nebst incomplet unvollständig,   indiscret schwatzhaft.

5) *Pareil, pareille; vieillot* (ält-   *Le sot, la sotte;* lich, altmodisch), *vieillotte.*

Konsonantenverdoppelung tritt ein bei den Wörtern auf **-eil** (wegen des geschliffenen l) und auf **-ot**.[2]

Außerdem wird der Konsonant verdoppelt (s aus etymologischen Gründen, 1 in gentil wegen des geschliffenen Lautes, die übrigen grundlos) in

bas, basse niedrig   profès, professe jemand der
las, lasse müde   Klostergelübde abgelegt hat
gras, grasse fett   gentil, gentille niedlich
gros, grosse dick   nul, nulle[4] kein, nichtig
épais, épaisse dicht   le chat, la chatte Katze
exprès[3], expresse aus-   le paysan, la paysanne Bauer, drücklich   Bäuerin

Einzelne auf -ot verdoppeln nicht: dévot, dévote (fromm).

6a) *Meilleur, meilleure; su-   Le prieur, la prieure* (Prior, *périeur, supérieure;*   Priorin);

[1] Sie gehören kaum der Sprache des Volkes an und schließen sich daher enge an die lat. Grundform (-etus). Ganz regelwidrig ist suret, sureté (säuerlich), da -et hier Diminutivendung ist und im Fem. -ette bilden müßte.
[2] Bei letzteren ebenso unnötigerweise wie bei denen auf -on, § 138, 2.
[3] Alt auch déconfès, déconfesse (ungebeichtet).
[4] Auch dieses ll ist Anlehnung an die lat. Form (nullus), aber für den Laut überflüssig, wie sich aus annuler (annullieren) ergiebt.

b) *Flatteur, flatteuse;*   *Le danseur, la danseuse;*
c) *Créateur, créatrice;*   *Un acteur, une actrice; le*
  (schöpferisch)   *spectateur, la spectatrice.*

a) Die (von lateinischen Komparativen kommenden) Wörter auf -eur nehmen im Fem. e ohne weitere Veränderung.

b) Die wirklich französischen Substantive auf -eur[1], welche auch adjektivisch gebraucht werden können, haben im Fem. -euse. Meist existiert zu ihnen ein Verb nach der I. Konjugation (flatter, danser).

c) Die (aus dem Lateinischen kommenden) Substantive auf -teur, welche auch adjektivisch gebraucht werden, bilden ihr Fem. auf -trice.

Anm. Einige Substantive haben ein altes Fem. auf -eresse: l'enchanteur (Zauberer), le pécheur (Sünder), le vengeur (Rächer); une enchanteresse, la pécheresse, la vengeresse. Dieselben haben fast nur adjektivischen Gebrauch. Neubildungen sind doctoresse, professoresse (letzteres noch öfter ironisch). Aus fremden Sprachen entnommen sind die weibl. Formen zu un ambassadeur, un empereur, le chanteur: une ambassadrice, une impératrice, la cantatrice neben la chanteuse[2]. Bemerke le procureur: la procuratrice.

Einzelne der unter c) genannten Substantive können nicht als Adjektive gebraucht werden: inventeur, inventrice, aber esprit inventif, imagination inventive: Les peuples du midi ont une imagination vive, ardente, inventive (Barrau). — Destructeur hat überhaupt kein Fem., daher une doctrine destructive.

§ 140. Abweichende Motionsformen.

1) Ein ausgefallener Konsonant tritt öfter im Fem. wieder hervor (für gn s. LR 2):

bénin, bénigne (gütig,   frais, fraîche (frisch, a. d.
lat. *benignus*)   Deutschen)

---

[1] Alt und mundartlich noch -eux: le faucheux für le faucheur. Vgl. Lefaucheux als Name. Die Endung -eur hatte früher stummes r, und diese Aussprache hat sich in den Mundarten erhalten. Südfranzösisch ist dasselbe bei -our der Fall, z. B. provenz. Mayou (lat. major-); ähnlich normännisch le mentoux (für le menteur). Vgl. hierüber das Ergänzungsheft.

[2] Chanteuse ist a) eine beliebige Dame, welche singt; b) Bühnensängerin untergeordneter Art (une chanteuse d'opéra-comique, de café-concert); c) die Theatersängerin, soweit die technische Seite in Frage kommt (elle a beaucoup gagné comme chanteuse, mais son jeu laisse encore à désirer). Cantatrice (ital.) ist ursprünglich Sängerin der Italienischen Oper in Paris, dann Opernsängerin überhaupt; jetzt auch manchmal für jede Dame, deren Talent künstlerisch ausgebildet ist.

malin, maligne¹ (bösartig,

   lat. *malignus*)

favori, favorite (Lieblings-)   coi, coite (ruhig, *quietus*).

Zwei Participien nehmen im Fem. te statt des im Mask. stehenden s:

absous, absoute (los-   dissous, dissoute (aufgelöst).

  gesprochen).

2) Bei folgenden Adjektiven ist neben der Form mit vokalisiertem l (LR 6) eine andere männliche Form auf l üblich, welche vor vokalischem Anlaut steht und (nach der angeführten LR) nur im Singular vorkommen kann. In der weiblichen Form blieb (Vokal folgt!) l erhalten:

    beau: bel, belle schön

  nouveau: nouvel, nouvelle neu

  jumeau: —— jumelle Zwillings-

    fou: fol, folle thöricht

   mou: mol, molle weich

Dazu: vieux: vieil, vieille (alt) und einzelne Substantive, z. B. le Tourangeau: la Tourangelle Bewohner(in) der Touraine, le chameau: la chamelle.

Die Nebenform des Mask. auf l steht nur² vor Substantiven (sie fehlt daher für jumeau, welches nie vor Substantiv steht): un bel arbre, un fol orgueil.

Vieil homme und seltner vieux homme werden in letzter Zeit sehr häufig gebraucht im Sinne von vieillard; früher sagte man nur dépouiller le vieil homme (den alten Adam ausziehen).

Vieux findet sich auch vor Vokalen³: un vieux ami, besser un vieil ami. Ein altes bel ist erhalten in den Namen der französischen Könige Charles le Bel, Philippe le Bel (dagegen Philippe le Beau Vater Karls V.). Ähnlich Charles Martel und se mettre martel en tête (sich Grillen machen). Die nichtvokalisierte Form war die ältere und hat

¹ Früher maline gesprochen, da n und ñ vielfach sich vertreten. Für chagrin, chagrine (bekümmert) hört man mundartlich chagrin, chagrigne.

² Ausgenommen das adjektivische bel et bon und die adverbialen bel et beau, bel et bien. Vieil kann vor et stehen, aber sonstige Ausnahmen sind selten. Vgl. das Ergänzungsheft.

³ Weil die Doppelform nicht auf lautlichen Gründen beruht, sondern von verschiedenen Kasusformen herrührt. Vieil fand sich daher früher vor Konsonanten.

sich daher besonders in Eigennamen erhalten. Über col, licol, sol
vgl. § 110.

Die Nebenform darf nie substantivisch gebraucht werden, daher le beau
antique (antike Auffassung des Schönen), un fou orgueilleux.

3) Folgende Substantive stehen einzeln: le pair: la pairesse,
le dieu: la déesse, le doge: la dogaresse, le diacre:
la diaconesse oder diaconisse, le mulâtre: la mulâtresse
(neben la mulâtre), le métis: la métisse (alt métive), le
héros: une héroïne, le czar: la czarine, le compagnon:
la compagne (auch la compagnonne), le gouverneur:
la gouvernante, le serviteur: la servante, le loup: la
louve, le pays: la payse (Landsmann, Landsmännin), le
poney: la ponette (auch poneyte geschrieben), le mulet:
la mule. Statt la paysanne (von paysan) wird oft la
villageoise gebraucht.

§ 141. Einzelne Verwendungsarten der substantivischen Motionsformen.

1) Dieselben treten attributiv vor oder hinter ein Substantiv und bilden so
Zusammensetzungen: une maîtresse cheminée (Hauptkamin), des idiomes
frères oder des langues sœurs (Schwesterprachen), la valeur marchande
(Verkaufswert). — Manchmal unterbleibt die Motion: la race nègre (für
négresse) oder sie stimmt nicht mit dem Geschlecht des Hauptsubstantivs:
un pied mère (Mutterstamm, Gegensatz: Pfropfreis).

Auch im appositiven und prädikativen Gebrauch sind die Motions-
formen zu verwenden: La vanité, sœur de l'incapacité. La poésie et
la peinture sont sœurs.

2) Substantive, welche nicht attributiv gebräuchlich sind, treten (besonders
im Affekt) mit eingeschobenem de vor ein Substantiv: un chien de
village (elendes Dorf), une chienne de carrossée (Wagen voll abscheu-
licher Insassen). Manchmal unterbleibt die Motion, aber determinative
Bestimmungen werden verändert: ce bête de glacier, une bête d'idée;
cette diable d'affaire-là. Letzteres findet auch bei (substantivierten)
Adjektiven statt: une imbécile de créature, cette damnée de musique.
Attributive Adjektive können nicht anderes Geschlecht annehmen als das
des Substantivs, vor welchem sie stehen; wohl aber prädikative: Ce
petit bout de femme est si intelligente (Fr. Sarcey).

3) Die substantivischen Ausdrücke maximum, minimum werden häufig
einem Substantive in adjektivischer Verwendung beigefügt und erhalten
dann im Femininum meist die Form auf -a: le nombre maximum,

l'espace minimum, aber la hauteur maxima, la température minima; ielmer la largenr maximum u. a. Sogar im Plural findet die singularische Femininform Verwendung: les déclivités maxima.

§ 142. Einzelne Bemerkungen zum Adjektiv.

1) In adjektivischer (eigentlich appositiver Weise) können die Namen von Himmelsgegenden zu einem Substantiv treten[1]: le côté nord, le versant sud d'une montagne. Ebenso une ville frontière, la désinence plurielle (Pluralendung) u. a. Zur Angabe der Farbe: des gants paille, des gants perle u. a. (couleur de fann dabei eingeschoben werden).

Wie wirkliche Adjektive werden verwendet colère, chagrin (fém. chagrine). Adjektivisch gebrauchte Substantive stehen immer nach, ausgenommen zéro: La température était exactement zéro degré (J.). Eine weitere Ausnahme hat man mit wenig Glück versucht, um den schleppenden Verbindungen eines Ländernamens mit septentrional, occidental u. a. zu entgehen, z. B. la Nord-Hollande (Biogr. univ.). Noch ungeschickter wird die Bildung, wenn das vorangestellte adjektivische Substantiv als das eigentliche Substantiv betrachtet wird und das Geschlecht bestimmt: Les habitants du Nord-Amérique. Besser gebildet ist das jetzt sehr übliche l'Est-Africain, weil der Ländername in adjektivischer Verwendung. Form und Stellung erscheint: la colonie allemande de l'Est-Africain (J.).

2) Einzelne Adjektive finden sich nur in einem oder dem anderen Geschlecht. Hébreu z. B. ist nur Mask. und bei weiblichen Substantiven ist hébraïque zu wählen. Über diese defektiven Adjektive vgl. das Ergänzungsheft.

3) **Mal** war früher Adjektiv und ist es noch in Bon an mal an (ein Jahr in das andere gerechnet), male peste! (alle Wetter!) und vielen Ortsnamen. Näheres hierüber sowie über quantes fois, souventes fois f. im Ergänzungsheft.

4) Einzelne Namen werden wie Adjektive behandelt: la colonne Trajane, la porte Dauphine, la bibliothèque Mazarine. Alt la dime saladine (Saladinszehnt).

Die Pluralbildung des Adjektivs.

§ 143. Plural der einfachen Adjektive.

Für die Pluralbildung der Adjektive gelten dieselben Regeln wie für die der Substantive. Doch ist zu bemerken:

1) Bleu und feu (verstorben) bilden den Plural durch Anhängen von s (statt x): bleus, feus.

---

[1] Adjektiv und Substantiv haben soviele Wechselbeziehungen, daß die älteren franzöf. Grammatiker beide gar nicht trennten.

2) Der Plural auf -aux von einzelnen Adjektiven auf -al wird vermieden[1]. So besonders von bancal (krummbeinig), fatal (verhängnisvoll[2]), final, frugal, glacial, initial, matinal, natal, naval, pénal, sentimental; papal wird im Plural durch pontifical (pontificaux) ersetzt.

Diese Adjektive haben demnach keinerlei Plural der männ= lichen Form[3]; Aushülfe muß in anderen Wörtern gesucht werden (z. B. funestes für fatals, simples für frugals, batailles navales für combats navals) oder in Um= schreibungen (des gens qui se lèvent de bonne heure für gens matinals[4]; des combats de mer).

Ein Plural fatals ist zugestanden, wird aber besser ver= mieden.

Neben den Pluralen nasaux, triviaux, vénaux, findet sich öfter nasals, trivials, vénals gebraucht. Einzelne Adj. auf -al haben Nebenformen auf -el (z. B. original, originel, partiel, partial, sacramental, sacramentel), andere finden sich überhaupt nicht (z. B. temporal[5]). Manche schwankten und behielten teilweise nur den Plural der einen Form. S. unten pénitentiaux.

3) Von beau, bel u. s. w. kann eine Nebenform für den Plural nicht existieren; un bel esprit (Schöngeist), des beaux esprits.

4) Von grand'mère und ähnlichen lautet der Plural grand'- mères.

Anm. Divers (verschieden) wird mit Unrecht von einzelnen auf den Gebrauch im Plural beschränkt. — Bemerke, daß aise (froh) und quitte (ledig, quitt) Adjektive und demnach veränderlich sind: nous sommes aises, quittes; ebenso à deux heures précises präcis um 2 Uhr.

---

[1] Vgl. Zeitschr. f. neufrz. Spr. u. Litt. III, 428. Eine vollständige Liste der hierhergehörigen Adjektive wird das Ergänzungsheft enthalten.

[2] Nicht etwa auch = unangenehm, verdrießlich.

[3] Einzelne Adjektive auf -al(e) kommen überhaupt nur in der weiblichen Form vor, weil sie nur in Verbindung mit weiblichen Substantiven üblich sind, so palatal, rostral, théologal. In arvale (les frères arvales) ist die Form -al auch für das Maskulinum aufgegeben. — Zu dem Plur. pénitentiaux, sapientiaux existiert kein Sing. (vgl. pénitentiel). Universaux ist subst. Adj. ohne Sing.

[4] Der von der Synonymik gemachte Unterschied (matinal wer einmal, matineux wer regelmäßig früh aufsteht) bleibt meist unbeachtet.

[5] Als Neubildung les conjonctions temporales.

§ 144. Motion und Plural der zusammengesetzten Adjektive.

Die Motion und Pluralbildung der zusammengesetzten Adjektive folgt gemeinsamen Regeln (mit Ausnahme von tout-puissant, s. bei dem Indefinitum.

1) Beide Bestandteile sind veränderlich, wenn nicht der eine dem andern untergeordnet ist: des sourds-muets, des sourdes-muettes (Taubstumme), des paroles aigres-douces.

Oft wird (besonders bei Adjektiven von Völkernamen) dem ersten Bestandteil die unveränderliche Form auf -o gegeben: la monarchie hispano-autrichienne, les lettres gréco-romaines.

2) Wenn ein Bestandteil dem anderen untergeordnet ist, finden sich vielfache Widersprüche.

a) Zusammengesetzte Farbenadjektive bleiben unverändert (und erhalten nicht den Bindestrich, § 45, 4): Des cheveux blond ardent. Das erste Adjektiv wird hier zum Substantiv (wie in des gants paille § 142,1), das zweite giebt die Abstufung der Farbe.

b) Das Adjektiv eines zusammengesetzten Völkernamens wird in seinen beiden Bestandteilen verändert: les populations basses-bretonnes. Dagegen les villes franc-comtoises (franc-comtois durch rückwärtige Motion aus la Franche-Comté). Bemerke des mots grecs-moderne (neugriechische Wörter).

c) Wenn vor einem Particip ein Adjektiv in adverbialer Geltung steht, so bleibt dieses Adjektiv unverändert, so in clairsemé, court vêtu, haut placé. Frais bildet eine Ausnahme: des fleurs fraiches cueillies[1].

Wenn dagegen (nach lateinischem Brauch) statt eines Adverbs ein wirkliches Adjektiv anzunehmen ist, so muß es veränderlich sein, also: le premier-né (der als Erster Geborene), les premiers-nés, ebenso les derniers venus, les nouveaux venus, les nouvelles converties. Gegen diese Regel bleibt aber in les mort-nés (als Tote Geborene) und les nouveau-nés der erste Bestandteil unverändert[2].

Die Komparation des Adjektivs
(les degrés de signification).

§ 145. Regelmässige Komparation.

In regelmäßiger Weise wird der Komparativ eines französischen Adjektivs gebildet, indem plus vor den Positiv gesetzt wird: fort, forte, plus fort, plus forte.

[1] Daneben auch fraichement cueilli, ebenso nouvellement arrivé u. a.
[2] Wörter wie premier-né, nouveau-né sind demnach pluralsähig, sie sind aber nicht motionsfähig: un nouveau-né du sexe féminin.

Aus dem Komparativ wird der Superlativ durch Voran-stellung des bestimmten Artikels gebildet: le plus fort, la plus forte.

Statt des Artikels kann vor dem Superlativ das adjekti-vische Possessivpronomen stehen: son plus grand désir (sein größter Wunsch).

Wenn der Superlativ dem Substantiv nachgestellt wird, darf der Artikel vor ihm nicht wegfallen[1]: l'événement le plus dé-plorable (das beklagenswerteste Ereignis), son désir le plus intime (sein innigster Wunsch).

Von zwei verbundenen Adjektiven kann bei dem ersten die Steigerung unterbleiben. Ist aber dieses gesteigert, so muß das folgende es auch sein[2]: Un événement inattendu et plus douloureux que tout le reste, aber un événement plus douloureux et plus inattendu vint nous frapper.

Von mehreren verbundenen Superlativen muß ein jeder den Artikel vor sich haben: L'événement le plus douloureux et le plus inattendu.

Anm. 1) Einen eigentlichen Superlativ besitzt demnach das Französische nicht; ein von dem bestimmten Artikel begleiteter Komparativ ist von dem Superlativ nicht zu unterscheiden (und demselben gleichwertig): la loi du plus fort (das Gesetz des Stärkeren).

2) Auch Substantive werden gesteigert: La postérité est le plus tribunal de tous les tribunaux (Desnoyers). La rose-thé est la moins rose de toutes les roses (J. Janin). Ami de Platon, mais plus ami de la vérité (Proverbe).

3) Participien werden häufig mit mieux gesteigert: Cette cavalerie était la plus belle et la mieux disciplinée de l'Europe; l'artillerie, la plus puissante et la mieux dirigée qu'on eût encore vue. Les admirations contemporaines les plus unanimes et les mieux méritées ne peuvent rien contre l'oubli. Voltaire était le mieux muni et le mieux préparé des hommes pour mettre à profit les loisirs de la retraite. Der Grund ist, daß Parti-cipien in adjektivischer Geltung meist ein bien (mal, peu oder andere Adv.) vor sich verlangen.

4) Es giebt kaum einen Gebrauch von plus, in welchem sich die Volks-

---

[1] Über den Superlativ nach einem Substantiv ohne Artikel oder mit unbestimmtem Artikel vgl. das Ergänzungsheft.

[2] Dieselbe Regel gilt für die Komparation des Adverbs und für sämt-liche Intensivadverbien (zu welchen plus gehört), also für moins, si, tant, très u. a. Über Ausnahmen vgl. das Ergänzungsheft.

sprache nicht auch des Adverbs davantage bediente. Die französischen Grammatiker sagen meist, daß davantage für plus eintreten kann außer bei nachfolgendem que. So einfach ist aber die Sache nicht. Vgl. hierüber das Ergänzungsheft.

5) Nach rien kann das Steigerungsadverb fehlen: Rien n'était amusant à voir comme sa stupéfaction. Wir ergänzen plus, der Franzose eher aussi. Vgl. Nothing so good as forbidden fruit. Wegen des folgenden comme vgl. § 359, b, Anm. 2.

6) Ein geringerer Grad als der Positiv wird durch die sog. Pejoration (moins, le moins) ausgedrückt: L'air n'est pas moins nécessaire aux plantes qu'aux animaux. On donne le nom de houille maigre à la houille la moins bitumineuse.

§ 146. Organische Komparation.

Unregelmäßige (organische) Steigerung findet bei drei Adjektiven statt:

bon gut	meilleur besser	le meilleur der beste
———	*pire* schlimmer, ärger	le *pire* der schlimmste, ärgste
mauvais	plus mauvais	le plus mauvais
schlecht	schlechter	der schlechteste
petit klein, ge-	*moindre* geringer	le *moindre* der geringste
ring	plus petit kleiner	le plus petit der kleinste

Anm. 1) Außerdem sind folgende Komparativformen aus dem Lateinischen in das Französische übergegangen: antérieur, postérieur, inférieur, supérieur (vgl. § 129 Anm.), citérieur, ultérieur, intérieur, extérieur, plusieurs, majeur, mineur (l'Asie Mineure Kleinasien). Auch le maire (von lat. major), le seigneur (von lat. seniórem[1]) gehören hierher.

2) **Bon** läßt in keinem Falle regelmäßige (unorganische) Steigerung zu[2], daher auch de bonne heure (frühe), de meilleure heure (früher); à bon marché (billig), à meilleur marché (billiger); sentir bon (gut riechen), sentir meilleur (besser riechen); il fait bon ici (hier ist eine angenehme Temperatur), il fait meilleur ici que dehors. — Dagegen läßt bon die Herabminderung (Pejoration) durch moins zu: Les jours les *moins bons* (Lamartine). Daher ist auch *plus* ou moins bon zulässig: Il y a des esprits plus ou moins bons (O. Comettant). Toutes les conceptions mécaniques aboutissent à une plus ou moins bonne utilisation des forces connues (J.).

[1] Von dem Nom. sénior kommt le sire, von dem Acc. majórem kommt das franz. majeur.

[2] Plus kann nur als Zeitadverb vor bon treten: Ce vin n'est plus bon, il tourne au vinaigre.

3) Für den Unterschied von pire und plus mauvais läßt sich nur
sagen, daß ersteres viel stärker ist und daher auch als Komparativ für méchant
dienen kann: Avec le bâton (durch Anwendung des Stockes), le bon devient
méchant, et le méchant, pire (Viardot). Für den Positiv mauvais, welcher
in einer stehenden Redeweise sich findet, darf nie pire[1] eintreten: Sa santé est
mauvaise (er ist kränklich), sa santé est encore plus mauvaise. Je lui en sais
mauvais gré (das danke ich ihm nicht), je lui en sais plus mauvais gré. Cette
drogue sent mauvais, plus mauvais.

4) Moindre ist eigentlich: geringer an Wert, an Bedeutung; les plus
petits détails (die kleinsten, d. h. aufs genaueste verzeichneten Einzelheiten),
les moindres détails (die geringfügigsten Einzelheiten). Cuervo, une des
moindres (unbedeutenderen) îles des Açores, au nord-ouest du groupe (E.
Souvestre). Le plus petit être (das winzigste lebende Wesen), la moindre
créature (das unbedeutendste Geschöpf), par cela seul qu'ils existent, excitent
la curiosité du poète. Le moindre mot pourvu du plus petit sens (Robert).
Bei der Antithese bleibt meist die Form petit: Le moyen de se délivrer des
petites choses, c'est d'être présent (acht haben) à de plus petites encore
(D. Nisard).

§ 147. Einzelne Bemerkungen.

1) Das deutsche als nach einem Komparativ ist durch que zu
übersetzen: Le soleil est plus grand que la terre.

2) Die Präpositionen von, in, unter, auf bei einem Super=
lativ sind mit de oder (d')entre wiederzugeben: Le Volga,
qui a 3500 kilomètres, est le plus long fleuve de
l'Europe. Achille tua un grand nombre de Troyens
et sourtout Hector, le plus brave d'entre eux. Les
Huns étaient le plus redoutable entre tous les peuples barbares.

3) Komparativ und Superlativ können durch Adverbien verstärkt
werden. Bei der Verstärkung durch beaucoup kann dieses
Adverb mit oder ohne de vor den Komparativ treten, bei
dem Superlativ und nach dem Komparativ dagegen kann
nur de beaucoup stehen: Son frère est (de) beaucoup
plus instruit que lui. Son frère est plus instruit de
beaucoup. Il est de beaucoup le plus instruit de
toute sa famille.

---

[1] Weil dieses der Komparativ zu dem alten, als Adjektiv aufgegebenen
mal ist.

179

Anm. 1) Eine scheinbare, nur durch die deutsche Übersetzung hervor=
gerufene Ausnahme bilden antérieur, postérieur, inférieur, supérieur
(früher, später, tiefer, höher als), nach welchen nicht que, sondern die Dativ=
präposition à steht: Un monument antérieur au XVᵉ siècle ein Denkmal,
welches früher (älter) ist als das 15. Jh. (eigentlich ein dem 15. Jh. voran=
gehendes Denkmal). Analog manchmal extérieur à: Les huit cantons du
département extérieurs à Paris (J.).

2) Parmi steht nur, wenn der Superlativ partitiv gebraucht ist: L'ordre
du jour adressé à l'armée, du quartier général de Cherasso, est un des plus
célèbres parmi ceux de Napoléon (Thoumas). — En, à sind selten und
stehen meist nur in lockerer Verbindung mit dem Superlativ. Vgl. das
Ergänzungsheft und die Études 2c. I. 3ᵉ livr.

3) Sollte mieux (statt plus) zur Bildung eines Komparativs gebraucht
sein, so tritt als Verstärkung bien ein: D'autres parleront à la raison . . .
et bien mieux éloquemment que . . . je ne saurais le faire (J.). Die super=
lativischen Zahlwörter premier, dernier erhalten tout zur Verstärkung: tout
le premier, tout le dernier (der allererste, =letzte). Bei dernier steht auch
folgende Verstärkung: Après la dernière représentation, n'y a-t-il pas la dernière
sans remise? (F. Bouillier). Vgl. § 149 A. 2.

Das deutsche immer beim Komparativ wird durch de plus en plus,
de moins en moins ausgedrückt: Il se rendait de plus en plus insupportable. Il
devenait de moins en moins propre à l'emploi auquel on le destinait.
Organische Komparative werden wiederholt: Sa maison devenait de meilleure
en meilleure (A. Houssaye). Ebenso de mieux en mieux, de pis en pis
(doch auch de bien en mieux, de mal en pis). Bei dem Verb sind folgende
Ausdrucksweisen üblich: Sa vue diminue de plus en plus. Sa vue diminue
de jour en jour (davantage). Sa vue va (en) diminuant. Sa vue ne fait
que diminuer. Sa vue diminue toujours oder chaque jour.

§ 148. Steigerungsunfähige Adjektive.

Der Bedeutung nach erlauben keine Steigerung[1]: premier,
dernier, aîné (älteste), cadet (zweitälteste, jüngere)[2], extrême,
suprême, unique. immortel, éternel, immense, principal
(hauptsächlichste) u. a.

Anm. Trotzdem finden sich einzelne dieser Adjektive (besonders extrême)
gesteigert. Les habitants étaient dans l'agitation la plus extrême (Lamartine).

---

[1] Dieselben Adjektive vertragen in der Regel auch nicht den Zusatz von
si, très, trop u. a.
[2] Manchmal auch = le plus jeune. — Kadettenanstalt ist une école
militaire; da aber Frankreich früher eine école des cadets besaß, so kann diese
Bezeichnung von nichtfranzösischen Anstalten noch gebraucht werden.

11*

De la plus extrême misère il est passé au plus extrême luxe (Th. Gautier).
Auch central: Le point le plus central de la Servie (Lamartine). Ebenſo
Farbenadjektive: Il est plus blanc que neige.

Die organiſchen Komparative inférieur, extérieur u. a. können geſteigert
werden: inférieur (untere), plus inférieur, le plus inférieur (weiter, am meiſten
nach unten liegend). — Das Volk ſteigert ſogar die organiſchen Komparative
meilleur, pire, moindre: Il a des joues *plus pires* que la hue au plein (J.).

Prochain bedeutet nächſtfolgend von der Reihenfolge und der Zeit
(la prochaine maison. l'année prochaine), wogegen le plus prochain die
geringſte Entfernung ausdrückt: Il sortit de la ville par la porte la plus
prochaine[1]. — Prochain (nicht auch le plus prochain) rechnet immer von dem
Zeitpunkt aus, in welchem der Sprechende ſich befindet: l'année prochaine
das nächſte Jahr vom heutigen Tage gerechnet; in der Erzählung heißt daher
im nächſten Jahre l'année suivante, l'année d'après. Ebenſo: Cette affaire
sera jugée dans la prochaine session (in der nächſten, d. h. demnächſt abzu-
haltenden); aber Ces sortes d'affaires-là doivent être jugées dans la plus
prochaine session (in derjenigen, welche unmittelbar auf das Geſchehene folgt).[2]

§ 149. Absoluter Superlativ.

Der abſolute Superlativ drückt aus, daß eine Eigenſchaft in
ſehr hohem oder dem höchſten Grade vorhanden iſt, ohne daß
ein Vergleich ſtattfände. So iſt le Très-Haut (der Allerhöchſte,
Gott) abſoluter Superlativ, dagegen Chez les Mérovingiens le
maire du palais était le plus haut dignitaire de la cour
relativer Superlativ.

Anm. Der abſolute Superlativ wird ausgedrückt:
1) Durch die Adverbien bien, fort, extrêmement, infiniment und
beſonders durch très: le roi Très Chrétien (Titel der franzöſiſchen
Könige).
2) Durch das adverbiale3 tout: Ils sont arrivés les tout premiers (J.).
Tenir une toute première place (A. Carrel). Meiſt mit anderer Stellung
tout le premier; vgl. § 147 A. 3. Auch le beau premier, tout le
beau premier.

---

[1] Alſo prochain = engliſch next, le plus prochain = nearest.
[2] Wenn jemand einer Zeitung eine Berichtigung zuſchickt, ſo ſchreibt er:
Veuillez insérer cette lettre dans votre plus prochain numéro d. h. in die
nach Empfang des Briefes nächſte Nummer. Le prochain numéro wäre die
nächſte Nummer vom Zeitpunkte der Abfaſſung des Briefes, welche ſchon
gleichzeitig mit dieſem zur Ausgabe gelangt.
3 Durch das adjektiviſche tout, wenn ſtatt des Adjektivs ein Subſtantiv
eintritt: Il est de toute nécessité (äußerſt nötig).

3) Durch Voransetzung von tout ce qu'il y a de oder ähnlichen Ausdrücken vor den Positiv oder gewöhnlichen Superlativ ohne Artikel: Il est d'une famille tout ce qu'il y a de plus honnête et de plus estimable (J.). Ce salon est tout ce qu'on peut imaginer de riche et de magnifique.

4) Durch Zusatz von entre tous (toutes)[1]: Un métier dur et ingrat entre tous. Vous êtes heureuse entre toutes les mères (Courier).

5) Durch Zusatz desselben Adjektivs im (partitiven) Genitiv: le Saint des Saints (das Allerheiligste im biblischen Tempel), Roland le brave des braves. Besonders üblich ist le dernier des derniers. Auch bei Substantiven: Qui est-ce qu'ils attendent? l'enclos se fatigue à la fin des fins (A. Daudet).

6) Der Superlativ tritt in den (partitiven) Genitiv: Une réclamation qui me paraît des plus justes (J.).

7) Zusatz von on ne peut plus, on ne saurait plus, on n'est pas plus: Un homme on ne peut plus aimable[2]. Des détails on ne saurait plus amusants. On n'est pas plus laborieux et plus actif (Th. Gautier).

8) Zusatz von au possible u. a.: Une tribu belliqueuse au possible. Une harangue qu'il composa le mieux qu'il put (J.). Ce mot «secours» blessant s'il en est (E. Gaboriau).

9) Wiederholung des Adjektivs[3]: Le tableau ne contenait que deux figures, ni trop antiques, ni trop modernes, et humaines, humaines, humaines! (E. About).

10) Durch die dem Lateinischen nachgebildeten scherzhaften Superlative rarissime, richissime (steinreich) u. a. In älterer Sprache stand -isme (saintisme, grandisme, généralisme). Ähnlich archiprêt (völlig bereit), archivieux.

Zusatz. Als absoluten Superlativ bezeichnet man oft auch den adverbialen Superlativ, welcher durch Voransetzung des unveränderlichen le plus gebildet wird. Er tritt ein, wenn eine Eigenschaft nicht an verschiedenen Gegenständen verglichen wird, sondern wenn ausgedrückt werden soll, daß die Eigenschaft an einer bestimmten Stelle, zu einer bestimmten Zeit oder in bestimmter Beziehung sich an einem und demselben Gegenstande im höchsten Grade zeigt: C'est dans les Landes que la population est le plus clairsemée. C'est en fer que l'Allemagne est le plus riche. Le dix-septième siècle est l'époque où la littérature française a été le plus brillante.

---

[1] Selten steht parmi. Veraltet ist sur. Vgl. das Ergänzungsheft.

[2] Die Ausdehnung dieses ungemein häufigen Gebrauchs auf Sachen wird verworfen. Vgl. Etudes etc. I, 25.

[3] Hauptsächlich der Sprache der Kinder und Ungebildeten angehörig.

§ 150. Vertauschung der Komparationsgrade.

Eine Vertauschung der Komparationsgrade, d. h. vom deut=
schen Gebrauch verschiedene Verwendung der Steigerungsformen
des Adjektivs und Adverbs findet statt in folgenden Fällen:

1) Der Positiv steht für unseren Komparativ in souvent[1] (öfters), tôt ou
tard[2] (früher oder später), les hautes classes de la société (höheren
Klassen). Ebenso wird der Ältere, der Jüngere bei historischen
Personennamen durch den Positiv wiedergegeben: Tarquin l'Ancien, le
jeune Cyrus, Henri le Jeune[3].

2) Der Positiv steht für unsern Superlativ: Rira bien (am besten) qui rira
le dernier. Vouloir le bien de qn (jemandes Beste im Auge haben).
Faire (tout) son possible pour qe (sein möglichstes thun). Dans toute
l'acception du mot, dans toute la force du terme (in des Wortes vollster
Bedeutung). Le petit nombre, le grand nombre (die wenigsten, die
meisten). Besonders findet sich dies bei beau, bon, grand[4]: En bonne
forme (in bester Form), de la belle manière (nach schönster Art). Le
premier mouvement (Eingebung) n'est pas toujours le bon. Condé
était un des grands hommes de guerre qui eussent jamais paru.

3) Der Komparativ steht für unseren Superlativ: La profession d'homme
de lettres est de toutes les professions la plus difficile, parce que c'est
celle qui soutient moins (am wenigsten) l'homme. Diese noch immer
sehr übliche Ausdrucksweise trat früher besonders in den Fällen ein, wo
jetzt der adverbiale Superlativ zu stehen pflegt: Ce fut là que la défense
fut plus opiniâtre, wofür jetzt le (nicht la) plus opiniâtre. Ebenso tritt
davantage für le plus ein, während die Grammatiker es auf die Be=
deutung von plus beschränken wollen: Ceux qui parlent moins bien
sont ceux qui parlent davantage.

4) Der Komparativ steht für unseren Positiv in cité plus haut (oben
erwähnt).

5) Der Superlativ vertritt anscheinend unseren Komparativ überall da, wo
der französische Komparativ mit dem Artikel auftritt: Le droit du plus
fort. Pour la meilleure intelligence de ce qui va suivre, il faut se
rappeler les faits antérieurs. Qui peut le plus, peut le moins. C'est
à moi de donner le mot d'ordre, car je suis le plus vieux soldat (älter
im Dienst; ergänze de nous deux).

---

[1] Plus souvent kann negativen Sinn haben: Vous pensez qu'il vous
aidera; Plus souvent! (er wird sich hüten).
[2] Plus tôt que plus tard je eher um so besser.
[3] Aber saint Jacques le Majeur, le Mineur.
[4] Diese Adjektive haben dann eine emphatische Bedeutung, welche unseren
Superlativ ersetzt.

V. Das Adverb (l'adverbe).

Die Bildung der Adverbien.

§ 151.　Aus dem Lateinischen stammende und zusammengesetzte Adverbien.

Nur wenige französische Adverbien stammen von lateinischen Wortformen: assez (ad satis), bien (bene), certes (certe), hier (heri), loin (longe), mal (male), où (ubi), peu (paucum), souvent (subinde), tôt[1] (tot cito), très (trans), volontiers[2] (voluntarie), y (ibi), u. a. Geradezu entlehnt sind gratis (s laut) und quasi[3].

Außerdem werden Adverbien gebildet durch Zusammensetzung oder mit Hülfe von Präpositionen: beaucoup[4], aujourd'hui, avant-hier, après-demain, sur-le-champ, tout à l'heure, tout de suite[5], tout à coup (plötzlich, d. h. in einem Augenblick), tout d'un coup[6] (auf einmal, d. h. ohne Wiederholung der Handlung), d'abord, d'avance, davantage, quelquefois, toujours, plutôt (kein s in diesen drei), bientôt[4], alors, maintenant[7], dorénavant (§ 47).

§ 152.　Adverbien gewöhnlicher Bildung.

Das Adverb der Art und Weise wird gebildet durch Anhängen von -ment[8] an die weibliche Form des Adjektivs. So

1) Bei den Adjektiven einer Endung: brave (tapfer), bravement; grave (schwer, ernst), gravement[9].

---

[1] Tôt steht selten ohne Zusatz von plus, assez u. dgl., daher die Zusammensetzungen bientôt, tantôt, sitôt, aussitôt.

[2] Volontiers gern, volontairement freiwillig. Volontiers hat familiär die Bedeutung meist, häufig: On croit volontiers que l'Académie a été instituée pour les écrivains seuls.

[3] Familiär auch quasiment.

[4] Vor beaucoup und bientôt darf man nicht très, si oder andere Intensivadverbien setzen; die richtigen Ausdrücke sind bien (sehr viel), tant (so viel), très tôt, si tôt (meist sitôt geschrieben).

[5] Tout de suite (unverzüglich), tout à l'heure (gleich, vorhin). De suite (nach einander, in ununterbrochener Folge) wird familiär für tout de suite gebraucht, was nicht nachzuahmen ist.

[6] Tout d'un coup kann für tout à coup stehen, aber nicht umgekehrt.

[7] Maintenant, à présent (lat. nunc) bedeuten den gegenwärtigen Augenblick; in der Erzählung also besser alors (lat. tum, tunc, iam), doch nur bei voller Gleichzeitigkeit, sonst muß puis, ensuite (lat. postea) stehen.

[8] Aus lat. mens f. (Abl. mente) in der späteren Bedeutung Art, Weise.

[9] Daneben grièvement (von einer Nebenform) in grièvement blessé, atteint, brûlé, offensé u. a.

2) Bei den auf Konsonant anslautenden: franc (freimütig), franchement; complet (vollständig), complètement; lent (langsam), lentement[1].

§ 153. Von der gewöhnlichen Bildung abweichende Adverbien.

Anscheinend vom Mask. werden die Adverbien gebildet:

1) Von Adjektiven mit lautem Endvokal: joli (hübsch), joliment; hardi (kühn), hardiment. So besonders von Part. Prät. assurément (sicherlich), décidément (entschieden), forcément (notwendiger Weise).

2) Von den Adjektiven auf -ent, -ant, bei welchen t ausfällt und n dem m assimiliert wird: insolent (unverschämt), insolemment; savant (gelehrt), savamment.

Anm. 1) Das e der weiblichen Form ist ausgefallen[2] und nicht durch den sonst üblichen Cirkumflex (il marira, le dévoûment) ersetzt worden. — Der Cirkumflex steht jedoch in[3]

assidûment beharrlich	goûlûment gierig
congrûment passend	incongrûment unpassend
continûment anhaltend	indûment ungehörig
crûment rund heraus	gaîment (und gaiement) munter
dûment gehörig	nûment einfach

Von nouveau, fou, mou werden die Adverbien regelmäßig gebildet: nouvellement, follement, mollement. Das Adverb zu beau ist bien oder Umschreibung: d'une belle façon.

2) Die Adjektive auf -ent, -ant waren früher einer Endung, ihr Adverb ist also regelmäßig gebildet. Von dem neuen Femininum kommen présentement (gegenwärtig), véhémentement (meist véhémentement soupçonné dringend verdächtig); ähnlich grandement (für altes grammment): Il est grandement temps (hohe Zeit).

Aus demselben Grund (mit Ausfall des nicht lautenden l) ist gentiment das Adverb zu gentil (alt auch gentillement, gentement).

---

[1] So von bon auch bonnement (meist tout bonnement ganz einfach), wofür gewöhnlich bien steht; als Ausruf auch bon!

[2] Besonders wegen der vielen Adjektive auf -é, bei welchen -ément nicht möglich war (wie es il créra von créer nicht wäre).

[3] Nicht mehr in résolument. Die Akademie setzte den Cirkumflex nicht in absolument, ambigument, ingénument, irrésolument. Sie führt gar nicht auf bourrument, drument, prétendument u. a.

3) Folgende 20 Adverbien haben é vor der Endung:

aveuglément blindlings, ohne Be=	importunément in lästiger Weise
commodément bequem [sinnen	impunément ungestraft [1]
incommodément unbequem	obscurément dunkel
communément gemeinhin	opiniâtrément hartnäckig
conformément gemäß	opportunément zeitgemäß
confusément verworren, undeutlich	inopportunément unzeitgemäß
diffusément weitläufig	précisément genau, gerade [2]
énormément ungeheuer	profondément tief
expressément ausdrücklich	profusément übermäßig.
immensément unermeßlich	uniformément gleichförmig.

Die unter 3 aufgeführten Adverbien schwankten lange im Sprachgebrauch; ihnen ist das é erhalten geblieben, während andere es wieder verloren oder nur im mundartlichen Gebrauch erhalten haben. So stand früher é auch in aucunément, certainément, distinctément, efficacément, entièrément, extrêmément, fixément, impertinément (impertinemment), intensément, intimément, maturément, pertinément, timidément u. a. — Über dorénavant neben dorénavant vgl. § 47.

§ 154. Fehlende Adverbien.

Von einzelnen Adjektiven werden keine Adverbien gebildet, so z. B. von convexe, convergent, content, corpulent, crédule, hautain, possible u. a. Von anderen Adjektiven ist das Adverb nur wenig üblich oder wird gemieden z. B. calmement.

Für fehlende Adverbien muß ein Ersatz in adverbialen Aus= drücken gesucht werden z. B. avec hauteur (zu hautain), avec satisfaction (zu content) u. dgl. Auch sonst stehen vielfach statt der Adverbien adverbiale Ausdrücke.

Kein Adverb ist ferner möglich von den Farbenadjektiven, außer wenn sie bildlich gebraucht sind z. B. tancer vertement tüchtig ausschelten. Ersatz für diese Adverbien haben die Fran= zosen in dem neutralen Adjektiv mit den Präpositionen de, en gefunden z. B. peint en noir, vêtu de blanc, tout de noir

---

[1] Impunément ist das Adv. zu (nicht von) impuni. Für die Bildung der übrigen vgl. Ortsnamen wie Verneville und Vernéville (Dorf bei Metz, Lunéville aus Luneville, Mirécourt neben Mirecourt, wie man meist noch sagt.

[2] Bedeutet die Identität: C'est précisément ce que je lui ai dit (eben, just das habe ich ihm gesagt). Nicht für bestimmt, scharf, gründlich zu verwenden.

habillé. Dieser Gebrauch übertrug sich auch auf andere Adjektive, so habillé de neuf, ganté de frais u. s. w. Über alles dieses vgl. das Ergänzungsheft.

§ 155. Adverbien zu fehlenden Adjektiven.

Einzelne Adverbien haben kein zugehöriges Adjektiv, von dem sie gebildet sein könnten. So apertement (verständig), bigrement (verteufelt), compendieusement (knapp gefaßt), dévotieusement (andächtig), dextrement (geschickt), incessamment (sofort), journellement (täglich), notamment (namentlich), nuitamment (nächtlicherweile), précautionneusement (vorsichtigerweise), profusément, révéremment (unterwürfig), sciemment (wissentlich) u. a.

Artistement und rageusement scheinen jetzt von den Adjektiven artiste und rageur gebildet, die beide jünger sind als die zugehörigen Adverbien. Letztere müssen daher als Bildungen aus den Substantiven artiste, rageur angesehen werden.

§ 156. Quantitätsadverbien.

Eine Menge oder unbestimmte Anzahl bezeichnen folgende Adverbien: beaucoup, peu, un peu, plus, le plus, moins, le moins, assez, trop, trop peu, combien, tant, autant, pas mal, combien peu, peu ou point, plus ou moins, que.

Bien ist dagegen kein eigentliches Quantitätsadverb, obwohl es als solches Verwendung findet wie andere Modaladverbien.

Anm. Die Mundarten haben noch weitere Quantitätsadverbien z. B. grand, grandement oder grammient.

Daß bien eigentlich ein Gradadverb ist, ergiebt sich aus seiner Verwendung zur Steigerung in Fällen, wo beaucoup unrichtig wäre oder nur eintreten könnte, wenn auf die Quantität ein besonderes Gewicht gelegt wird. So sagt man nur bien plutôt[1], bien loin, und vorzugsweise bien plus, bien moins, bien davantage, bien meilleur, bien mieux, bien moindre. Statt très peu wollten manche nur bien peu oder fort peu zulassen.

---

[1] Sehr selten sind Ausdrucksweisen wie des considérations *beaucoup plutôt* pratiques que théoriques (J.)

Trop wird oft durch par verstärkt: C'est par trop fort. In abge=
schwächter Bed. „nicht recht": Je ne sais pas trop. Je m'inclinai sans trop
comprendre (Fr. Sarcey). Trop peu muß nach de durch moins ersetzt werden:
un de moins (nicht de trop peu). Vgl. § 157 A.

Einzelne Quantitätsadverbien nehmen abgeschwächte Bedeutung an oder
gehen zu temporaler Bedeutung über.

So hat besonders un peu die Bed. „einmal": devinez un peu, jugez
un peu, je vous demande un peu, voyez un peu cette prétention. Dites un
peu ce qu'il en coûte pour être immortels (Toepffer). Temporal: avant peu,
peu après, depuis peu. Il l'avait vu très peu (Sainte-Beuve). — In der
Bed. „nicht recht, nicht sehr, nicht besonders" ist peu sehr üblich: Nous
croyons peu à l'influence réformatrice du théâtre (Villemain). Les deux
éditions des Mémoires de Mornai sont peu correctes et mal sûres (H. Martin).

Beaucoup hat temporale Bed. in je l'ai beaucoup connu[1] (gut, d. h.
lange gekannt): Vous l'avez connu? — Beaucoup, beaucoup (É. Augier).
Ebenso on a beaucoup dit que . . . (man hat oft behauptet).

Dasselbe ist der Fall bei Verben, die temporalen Sinn haben. So
sagt man durer peu, durer moins, durer plus, durer autant, régner peu, dater
peu, attendre plus, vivre peu, vivre plus, vivre assez pour voir qe (etwas
erleben), vivre plus, vivre autant, survivre peu oder plus: La deuxième république a peu duré (Barrau). Le moindre rocher dure plus que le plus
magnifique des temples (Lamartine). Les œuvres de l'homme durent plus
que sa pensée (Derj.). Il régna peu (H. Martin). Sa noblesse datait peu
(Glatron). Sans plus attendre (Derj.). Il vit peu, ses fils encore moins
(Michelet). La seconde république espagnole n'aurait guère plus vécu que
la première (J.) Tu ne vivras pas plus que moi (Aycard). Mascaron, dont
le nom a survécu plus que les œuvres (H. Martin). Il a fort attendu (Vauvenargues). — Nur beaucoup ist in diesem Gebrauch nicht zu finden und wird
durch tard[2] ersetzt: Cet entretien dura fort tard (Toepffer). Si l'on attend
plus tard (Buffon). La province a retenu ce mot (pour lors) plus tard (Fr.
Wey). Ce travail l'avait conduit fort tard (J.). Comptez-vous rester tard?

Die Komparation des Adverbs.

§ 157. Regelmässige und organische Komparation.

Wie das Adjektiv wird auch das Adverb durch plus, le
plus gesteigert: souvent, plus souvent, le plus souvent.

---

[1] Rein modal ist je l'ai bien (très bien) connu, je l'ai intimement connu.
[2] Welches gleichzeitig an Stelle von longtemps tritt.

Eine organische Steigerung findet sich bei

bien gut	mieux	le mieux
mal schlimm	pis	le pis
peu wenig	moins	le moins
beaucoup viel	plus	le plus.

Anm. Mal (schlecht) bildet plus mal, le plus mal. Für den Unterschied von pis und plus mal gilt dasselbe wie für pire und plus mauvais. Il ne va ni mieux ni plus mal (J.)

Plus und moins als Quantitätsadverbien haben de (nicht que) nach sich[1]. Plus de trois milles personnes assistaient a cette représentation. Tout ce changement s'était produit en moins d'une année. Doch sagt man plus qu'à moitié neben plus d'à moitié: Le tonneau est plus d'à moitié (plus qu'à moitié) vide. Viele erklären in solchen Fällen de für besser als que. De hat für sich den Umstand, daß im Altfrz. de überhaupt nach Komparativen stand. Eine logische Erklärung führt dagegen zur Bevorzugung von que; plus (moins) d'une année erklärt sich nämlich als „mehr (weniger) von einem Jahre her" (d. h. von dem Begriffe „ein Jahr" ausgehend). Diese Erklärung ist unzulässig vor Ausdrücken, die eine Präposition vor sich haben. Übrigens kann man z. B. nur sagen plus qu'aux trois quarts: Cette belle langue provençale, plus qu'aux trois quarts latine (A. Daudet). — In einem unvollständigen Vergleichungssatz kann dagegen nur que gebraucht werden: Un éléphant mange plus que six chevaux (ergänze ne mangent). — Über andere Fälle, in welchen de und que in Frage kommen, vgl. das Ergänzungsheft.

Moins heißt zu wenig in Sätzen wie: Ce rouleau devait être de 50 écus, mais il y en avait un de moins. Ebenso de trop (zu viel).

Verwendung der Adverbien.

§ 158. Bemerkungen zu einzelnen Adverbien.

Bald darauf peu après; **bald** nach seinem Tode peu après sa mort.

Gestern, morgen im Sinne von **Vergangenheit, Zukunft** werden besser durch la veille, le lendemain übersetzt: Souvent les martyrs de la veille deviennent les oppresseurs du lendemain.

Immer noch ist encore oder (öfter) toujours, nie beides zusammen: Vous allez toujours en Angleterre? haben Sie immer noch vor . . . ? — Ebenso auch noch encore oder aussi, nicht beides vereinigt.

Lange. In longtemps ist die Zusammensetzung (un long temps) noch fühlbar und daher pendant, depuis oft unentbehrlich: Le chameau peut se

---

[1] Ebenso das mundartliche für plus gebrauchte mieux: Ce boeuf vaut mieux de cent francs plus que l'autre (Jaubert).

passer d'eau pendant longtemps. Il a quitté la ville depuis longtemps (ſchon lange).

Räumlich, à savoir meiſt bei Aufzählungen: Les temps simples sont au nombre de 11, à savoir 4 pour l'indicatif, 2 pour le subjonctif, le reste pour le conditionnel, l'impératif, l'infinitif et le participe. — Soit bei Zahlenangaben: Le montant de l'abonnement, soit: un an 48 fr., six mois 24 fr., etc. — Sonſt bedient man ſich der Ausdrücke je parle de; je veux dire; j'entends: Henri II voulut avoir dans sa main la tête de l'Église anglicane: je veux dire l'archevêché de Canterbury.

Sehr bei Adjektiven und Adverbien très, fort; bei Verben beaucoup, bien. Vor Particip Prät., wenn dasſelbe adjektiviſch gebraucht iſt, ſteht très: L'affaire est très avancée. Vor Subſtantiven meiſt bien: Il a bien raison, oft auch grand: avoir grand'faim.

Nicht ſehr überſetzt man durch die vorausgehenden mit Negation oder durch peu bei Adjektiven, durch ne . . . guère bei Verben: Une affaire peu sérieuse. On ne l'estime guère. L'affaire est peu (n'est guère) avancée.

Vollſtändig complètement, entièrement, absolument, tout à fait u. a. Parfaitement hat nur guten Sinn, außer im Scherze (un homme parfaitement inutile).

Übrigens du reste, au reste und

Wenigſtens du moins, mindeſtens au moins ſollen nach manchen unterſchieden werden. Die voranſtehenden Formen (du r., du m.) ſind die üblicheren. Daneben ſtehen pour le moins, tout au moins, à tout le moins. Dasſelbe gilt für de nouveau und à nouveau (von neuem).

Von Subſtantiven ſind gebildet bêtement, couardement, diablement, diantrement, liardement; traitreusement gehört zu traitre[1]. — Das Subſt. matin wird als Adverb gebraucht: Se coucher tard, se lever matin (Mme de Sévigné). Quel bon hasard t'amène si matin? (Th. Barrière). Que fais-tu là si matin (A. de Musset). Früher wurde auch espoir ſo gebraucht. Zu dem Adjektiv neutre (neutral) gehört das Adverb neutralement. Über artistement, rageusement vgl. § 155.

§ 159. Die Adverbien en und y scheinbar pleonastisch.

1) En ſteht bei einer Reihe von Reflexiven: s'en aller[2], s'en venir[3], s'en revenir, s'en retourner, il s'en faut, il s'ensuit, s'en remettre à son étoile (ſich verlaſſen auf), s'en rapporter à und s'en référer à (gleiche Bed.),

———

[1] Setzt aber ein Adj. traitreux voraus: Je n'ai pas perdu un mouvement de sa physionomie. — Et tu l'as trouvée? — Traitreuse (A. Dumas).
[2] Familiär ganz wie aller: Je m'en vais à Lyon. Je m'en vais le lui dire. Le bruit s'en alla mourant.
[3] Va-t'en gehe fort, viens-t'en komme mit.

il fallait s'en tenir à cette proposition (sich genügen lassen), je m'en prendrai à vous (ich werde mich an Sie halten)[1].

Bei Verben der Bewegung: en venir là (so weit kommen, getrieben werden), en venir aux coups, aux mains (zu Thätlichkeiten übergehen), il n'en revenait pas (war stumm vor Staunen), il faudra en arriver au procès (es wird zum Prozeß kommen müssen).

Il en est pour ses frais (er hat sich die Kosten umsonst gemacht), j'en suis pour ce que j'ai dit (bleibe bei dem, was ich gesagt habe); il en est (öfter il en est réduit) à regretter son opiniâtreté (er hat jetzt zu bereuen); il en a pour six mois (das macht ihm zu schaffen), il n'en a plus que pour six mois (es kann mit ihm nicht länger dauern als); à qui en a-t-il? (auf wen hat er es abgesehen?); en vouloir à qn (auf jemand böse sein).

En conter oder en faire accroire à qn (weismachen, betrügen); en croire qn (glauben), à en croire les apparences (dem Anschein nach zu urteilen); en user oder en agir[2] (sich benehmen, handeln); en revendre oder en remontrer à qn (aufzuraten, Nüsse zu knacken geben); le cœur m'en dit (ich habe Lust); en finir (ein Ende machen), des mots qui n'en finissent pas (ellenlange Wörter); en coûter[3] (kosten, Mühe machen); malgré qu'il en ait oder quoi qu'il en ait (so ungern er es auch thut); en être quitte pour la peur (mit dem Schrecken davon kommen); il faut en rester là (damit genug); où en êtes-vous? (wie weit sind Sie?), où en êtes-vous resté? (wo sind Sie stehen geblieben?). En appeler à qn[4] (appellieren an); je n'en peux plus (das ertrage ich nicht länger); en imposer à qn[5] (täuschen).

In c'en est fait de nous (es ist um uns geschehen) wollen einzelne en verbannen; in il en est des hommes comme des feuilles (die Menschen sind den Blättern vergleichbar) ist dagegen en jetzt unbestritten.

2) Y steht hauptsächlich in il y a (es giebt), il y va de ma vie (es handelt sich um), tout y passe (daraufgehen), il y parait (man merkt es wohl), rien n'y fait (nichts fruchtet), le compte y est (die Rechnung stimmt), le vers n'y est pas (der Vers ist unrichtig, d. h. zu lang oder zu kurz), ça y est (so! d. h. das wäre gelungen), on y va (ich komme schon), je n'y suis pour personne (niemand wird vorgelassen), j'y suis (ich hab's, jetzt geht mir ein Licht auf), y regarder à deux fois (sich besinnen etwas zu thun, d. h. unterlassen), on n'y voit plus (man sieht nichts mehr).

---

[1] Se prendre à qn jemand angreifen.

[2] En agir für agir wird von vielen Grammatikern ohne Grund verworfen. Es findet sich bei den besten Schriftstellern; daß agir nicht mit de verbunden wird, ist kein triftiger Grund.

[3] Bei il en coûte (unpersönlich) darf en nie fehlen, in der persönlichen Konstruktion darf es nie stehen.

[4] Im juristischen Gebrauch ohne en.

[5] Dagegen imposer à qn (imponieren), obwohl auch dieses sich oft mit en findet.

Durch zu große Häufung der hierhergehörigen Ausdrücke würde die Liste an Übersichtlichkeit verloren haben. Ein vollständigeres (alphabetisches) Verzeichnis wird das Ergänzungsheft geben.

Vertauschung von Adjektiv und Adverb.

§ 160. Adverb für Adjektiv.

Das Adverb vertritt ein attributives Adjektiv in le temps jadis (scherz-haft: die alte Zeit), un souper debout (wo jeder sich am Büffet selbst bedient), le plan ci-contre (gegenüberstehender Plan) u. a. Besonders steht so presque: la presque-totalité (nahezu die Gesamtheit), à la presque unanimité (fast mit Stimmeneinheit). La presqu'ile[1] ist volle Zusammensetzung.

Prädikativ kann z. B. loin statt eines Adjektivs stehen: La langue de Joinville n'est pas aussi loin de la nôtre qu'on le pense. Aber nicht etwa auch en vain: alle seine Anstrengungen waren umsonst tous ses efforts furent inutiles (vains).

Bien steht prädikativ statt eines Adjektivs in être bien (hübsch, wohl auf sein), mal in être mal (häßlich, bedenklich krank sein). Ebenso auch mieux[2].

Zusatz. Adverbien der Zeit mit de dienen als Ersatz eines fehlenden Adjektivs: Les Grecs d'aujourd'hui die heutigen Griechen, notre promenade d'hier unser gestriger Spaziergang, l'année d'après im folgenden Jahr.

§ 161. Adjektiv für Adverb.

Nach lateinischem Muster steht ein prädikatives Adjektiv für ein deutsches Adverb in vivre oder dormir tranquille; arriver le premier, le dernier. Attributiv: en pleine rue (mitten auf der Straße); en plein dix-neuvième siècle.

Das Adjektiv vertritt die Rolle eines Adverbs vor einem Adjektiv, welches mit dem folgenden Substantiv einen Gesamtbegriff bildet: un parfait honnête homme (durchaus ehrenwerter Mann), un véritable grand homme, une grossière mauvaise foi (eine schmähliche Unredlichkeit), un excessif bon marché (ausnehmend billig) u. a.

---

[1] La presqu'ile und la péninsule bedeuten ohne merklichen Unterschied die Halbinsel, aber nur ersteres kann auch von kleinen halbinselförmigen Landvorsprüngen in Flüssen oder Landseen gesagt werden.

[2] Nicht auch pis. Man findet être pis und être plus mal (noch kränker sein), am besten meidet man beides. Stehende Redensart ist aber qui pis est. — Pire ist Adjektiv, pis nebenbei neutrales substantiviertes Adjektiv (etwas Schlimmeres): L'aquarelle n'était ni meilleure ni pire que bien d'autres (J.). Desmarets était pis qu'un mauvais poète (Despois). Vgl. das Ergänzungsheft.

Folgende Adverbien haben die Form des Adjektivs beibehalten: bon (gut! als Ausruf, bel et bien (durchaus), tout beau und tout doux (gemach), bref (kurzum), exprès (eigens, absichtlich), juste (gerade), soudain (plötzlich), vite[1], früher auch possible. Incontinent (unverzüglich) ist nicht das Adverb des gleichlautenden Adjektivs.

§ 162. Neutrales Adjektiv bei Verben.

In einer Anzahl von Adjektiven in Verbindung mit Verben erblickt man jetzt ein Adverb, während ein wirkliches (neutrales) Adjektiv vorliegt, welches einen adverbialen Accusativ darstellt. Wie man sagt ce parfum sent le réséda (riecht nach Reseda) und cette fleur ne sent rien (riecht nicht d. h. eigentlich: nach nichts), so sagt man cette fleur sent bon (riecht gut d. h. nach etwas Gutem).

Der Accusativ ist noch sehr fühlbar in den zahlreichen Verbindungen des Verbums faire mit einem neutralen Adjektiv (z. B. faire grand, faire original Originelles leisten), sowie in den Verbindungen von parler mit einem Gentiladjektiv (parler français u. s. w.). — In anderen Verbindungen ist dagegen ein dem Adjektiv gleichlautendes Adverb anzunehmen z. B. dire tout droit les choses. Hier und in Sätzen wie Votre Majesté n'ignore pas que le roi de Prusse a coutume de vendre cher ses défaites läßt das nachfolgende Sachobjekt die Annahme eines gleichartigen neutralen Objekts nicht zu[2].

In den meisten Fällen liegt demnach ein neutraler Accusativ vor. Hierfür ist ein weiterer Beweis darin zu finden, daß diese Adverbialadjektive wohl die Komparation des Adjektivs annehmen (z. B. sentir meilleur), nicht aber seine Motion (z. B. elle s'arrêta court). Die üblichsten dieser Verbindungen sind:

Bas: parler bas leise sprechen.
Bon: tenir bon standhalten, coûter bon viel kosten, il fait bon es ist angenehm, rätlich, sentir bon gut riechen.
Cher: acheter, vendre cher teuer kaufen, verkaufen, coûter, valoir cher teuer sein, faire payer cher schwer büßen lassen.

---

[1] Vite soll nicht mehr als Adjektiv gebraucht werden (dafür prompt, rapide).
[2] Nach der Fundamentalregel: Kein französisches Verb kann zweimal denselben Kasus von sich abhängig haben.

Clair: on n'y voit plus clair man fieht nicht mehr genug, voir clair dans qe deutlichen Einblick haben in etwas, prouver clair comme le jour sonnen=klar beweisen.

Court: arrêter court plötzlich aufhalten, s'arrêter, rester, demeurer court plötzlich einhalten, stecken bleiben, tourner court eine plötzliche Wendung machen, couper court à qe abschneiden, vorbeugen.

Creux: sonner creux hohl klingen, rêver creux wachend träumen.

Double: peser, payer, compter, voir double doppelt wiegen, bezahlen, zählen, sehen.

Doux: filer doux gelinde Saiten aufziehen.

Droit: aller, marcher, viser, tirer droit gerade nach einem Punkte gehen, zielen, schießen.

Dru: tomber dru dicht, in Strömen fallen, pousser dru dicht wachsen.

Dur: entendre dur schwerhörig sein, travailler dur hart arbeiten.

Faux: chanter, jouer faux falsch singen, spielen (nur von Musikinstrumenten), voir faux unrichtige Ansichten von etwas haben.[1]

Ferme: parler ferme mit Festigkeit sprechen, frapper ferme tüchtig zuschlagen, acheter, vendre ferme fest kaufen, verkaufen, travailler ferme.

Franc: parler franc offen reden.

Grand: faire grand die Ausgaben nicht scheuen.

Gros: coûter, rapporter gros viel kosten, eintragen.

Haut: parler haut laut sprechen, viser haut hoch hinaus wollen.

Juste: chanter, deviner, parler juste richtig singen, raten, sprechen, rencontrer, toucher, voir juste das Richtige treffen, sehen. Frapper juste den richtigen Fleck treffen, meist mit frapper fort (tüchtig zuschlagen) zusammen= oder diesem gegenübergestellt.

Lourd: peser lourd schwer wiegen.

Mauvais: sentir mauvais übel riechen.

Menu: hacher menu klein hacken.

Net: parler net deutlich sprechen, s'arrêter net = s'arrêter court, refuser net rundweg abschlagen.

Raide: tuer raide auf dem Flecke töten.

Rude: travailler rude = travailler dur.

Sec: boire sec tüchtig zechen (eigentl. den Wein unvermischt trinken).

Serré: écrire serré eng (klein) schreiben, jouer serré alle Minen springen lassen, raisonner serré streng logisch denken.

Vrai: à vrai dire, à dire vrai die Wahrheit zu sagen.

Ähnlich stehen die Adjektive der Völkernamen nach parler[2]: parler anglais, parler français, parler berrichon (Dialekt

---

[1] Jurer faux darf (obwohl noch von der Akad. gegeben) nicht gebraucht werden; falsch schwören heißt se parjurer, prêter un faux serment.
[2] Parler ist intransitiv und nimmt nur Objekte wie die folgenden oder ähnliche zu sich (§ 231 A. 2).

von le Berry) und so auch parler chrétien (so daß ein Christen=
menſch es verſteht), parler Vaugelas (genau nach der Grammatik)
u. a. Dagegen tritt in nachdrucksvoller Sprechweiſe das ſub=
ſtantivierte Adjektiv (mit Artikel) ein: Charlemagne parlait le
latin aussi facilement que l'allemand.

Alle vorſtehend aufgeführten Verbindungen haben eine ſcharf ausgeprägte
Bedeutung, und eine Übertragung derſelben auf die bildliche Ausdrucksweiſe
kann nicht ſtattfinden. Daher il le dit hautement (das erklärt er ohne
Rückſicht, unumwunden), voir clairement (deutlich einſehen); und ſo wird
man auch ſagen vendre chèrement sa vie, une victoire chèrement achetée.

Deutsche Adverbien durch verbale Ausdrücke umschrieben.

§ 163. I. Temporale Verhältnisse.

Zu=
kunft
{
Il va revenir er wird (ſogleich) zurückkommen
Il ne tardera pas à rentrer er wird ſogleich nach
Hauſe kommen
Il vient vous remercier er kommt, um Ihnen zu danken[1]
}

S'il venait à mourir wenn er etwa ſterben ſollte;
lorsqu'il vint à mourir als er ſchließlich ſtarb
On en vint à lui disputer son nom ſchließlich
machte man ihm ſogar ſeinen Namen ſtreitig

Ver=
gangen=
heit
{
Le soleil vient de disparaître die Sonne iſt gerade
untergegangen
Le jour ne faisait que de naître die Sonne war
gerade aufgegangen
}

Il ne fait qu'entrer et sortir er macht nur Thüre
auf und Thüre zu
Il faut commencer par arrêter un plan zuerſt
muß man einen Plan machen
La raison finit toujours par avoir raison die
Vernunft bekommt zuletzt immer recht.

---

[1] Der umſchriebene Zeitbegriff (jetzt eben) tritt im Deutſchen hinter dem
Ausdruck der Abſicht zurück.

Eine unmittelbar bevorstehende Zukunft wird durch aller (oder ne pas tarder à) faire qe ausgedrückt.

Eine Absicht bezeichnet venir faire qe (pour fehlt nach Verben der Bewegung vgl. § 267, 2). Ebenso devoir, welches neben aller zur Umschreibung des Futurs dient: Il doit publier tous ces papiers. Toute la cour doit y assister.

Venir à faire qe heißt: zufällig oder schließlich etwas thun (oft aber ist venir à pleonastisch). Si la plus jeune fille venait à ne pas se marier, Belcourt hériterait plus tard de toute la fortune de ce roi des tanneurs (Berthet). En venir à faire qe bedeutet: sich hinreißen lassen etwas zu thun.

Venir de faire qe (oder ne faire que de faire qe) be= deuten eine unmittelbar vergangene Zeit. Die Einschiebung von à l'instant findet sich häufig zur Verstärkung des Ausdrucks. Venir wie faire können nur im Präsens oder Impf. stehen. Venir de faire qe eigentlich: herkommen von einer Handlung (auch revenir de faire qe). Familiär auch sortir[1] (§ 90): Nous sortons de dîner (Th. Barrière). Des leçons, nous sortons d'en prendre (Deri.). Revenir de faire qe (oft ver= worfen) kann richtig sein: Bastien revenait de faire son tour de France (É. Souvestre).

Ne faire que faire qe heißt unaufhörlich etwas thun. Ne faire que de . . . er st: Je n'ai pas fini, qu'elle disait, je ne fais que de commencer (L. Halévy).

Commencer, finir par faire[2] qe: anfangs, zuletzt etwas thun. Tous les ans, à l'approche de l'automne, les feuilles commencent par changer de couleur et finissent par tomber (Zeller). La goutte finit par creuser le roc. Ebenso arriver à faire qe: La chaîne arrive toujours à se rompre (Barante). Finir de faire qe beinahe fertig sein mit: Nous finissions de dîner (A. Daudet). Le couvre-feu finissait de sonner, les officiers se séparèrent (H. Le Roux).

---

[1] Und rentrer: Rentrer de faire une commission.
[2] Selten mit Part. Präs.: J'avais commencé croyant au moins en Dieu j'ai fini le niant (É. Estaunié).

12

Anm. Fortwährend, weiter, unaufhörlich, auch: Dans une bonne pièce l'intérêt ne cesse de croître. Übertragen mit dem Nebenbegriff der vergeblichen Anstrengung: Je me tuais de lui répéter qu'il se trompait: rien n'y faisait. (Se tuer à faire qe sich zu Tode abmühen). — Il continue à (de) se bien porter. Mᵐᵉ Moucherat n'arrête pas de gémir et de pleurer (Ch. Leroy). Être toujours à faire qe.

Nicht mehr: Les marches de l'escalier cessaient d'être en pierre à partir du premier étage (Balzac). Vers l'an 200, il n'y eut plus de distinction entre les Gaulois et les Romains, et le nom de Gaulois cessa presque d'être en usage (Barrau).

Rasch: Les secours s'empressèrent (se hâtèrent, se dépêchèrent) d'accourir. Il avait eu hâte de se retrouver en France.

Zu früh: On s'était trop pressé d'applaudir (H. Martin). Vgl. auch être long oder longtemps à faire qe, § 105.

§ 164. II. Modale Verhältnisse.

S'accorder à (pour) faire qe u. a. Gemeinsam, einstimmig: Tous ses amis s'accordent (sont unanimes) à blâmer sa conduite. Tous ses amis sont d'accord (unanimes) pour le blâmer. Tous les chefs des croisés se réunirent pour donner la royauté à Godefroi. Tous se joindront à moi pour nier le fait. Ebenso s'entendre pour faire qe.

Achever de faire qe. Vollends: L'expulsion des juifs avait affaibli l'industrie en Espagne, l'expulsion des Maures acheva de l'y ruiner.

Aimer à faire qe. Gern: Il aime à jouer des tours aux autres. Ebenso se plaire à faire qe. — J'aime à croire. Hoffentlich: J'aime à croire que les suites fâcheuses de son imprudence l'auront (l'ont) rendu sage. (Nicht espérer, auf welches nie Präteritum, selten Präsens folgt.)

Aimer mieux faire qe. Lieber: Le temps n'est pas sûr; j'aime mieux rester chez moi.

Aller jusqu'à faire. Sogar: Il est allé (vgl. s'avancer) jusqu'à prétendre que malgré tout il arriverait à ses fins. Auch en venir, en arriver à faire qe.

Aller zur Verstärkung des negativen Imperativs. Ja nicht: N'allez pas (qu'on n'aille pas) croire que l'affaire en soit restée là.

S'avancer jusqu'à. Sogar: S'avancer jusqu'à dire . . . (vgl. aller).

Avoir beau faire qe. Vergebens: Vous aurez beau dire, il n'en fera qu'à sa tête. On a beau prévoir tous les événements, celui qui vous arrive est toujours le seul auquel on n'ait pas songé (C. Delavigne). — Avoir beau eigentlich: leichtes Spiel haben (wofür jetzt avoir beau jeu à faire qe) kommt nur in obiger (ironisch) zu verstehenden Bedeutung vor; den ursprünglichen Sinn hat es noch im Sprichwort (a beau mentir qui vient de loin).

Avoir (de la) peine à faire qe. Kaum, schwer: Ce sont des choses qu'on à (de la) peine à comprendre. — Regiert: leicht, unbedenklich: Je n'aurai pas de peine à consentir (à vous le prouver).

Être convenu de faire qe. Gewöhnlich: Ces poèmes forment ce qu'on est convenu d'appeler le cycle de la Table ronde (Geruzez).

Faire. Quand j'ai tant fait (einmal) que de prendre cette fatigue (Mme de Staël). Quand nous pouvons tant faire que de vous trouver (Mme de Sévigné). On a tant fait que de venir, on reste (J.).

Avoir tôt fait de faire qe. Leichtfertig: Quelques braves gens qu'on a tôt fait d'accuser de sensiblerie (J.).

Il s'en faut que . . . Bei weitem nicht: Il s'en faut que, dans les nobles spéculations de Montesquieu, tout soit vérité. Il s'en faut (de) beaucoup (il s'en faut bien) que tout y soit vérité. Tant s'en faut que tout y soit vérité. Tout n'y est pas vérité, tant s'en faut (il s'en faut, il s'en faut bien, bien s'en faut).[1]

Beinahe, fast wird durch denselben Ausdruck mit der Negation über-setzt: il ne s'en faut pas (de) beaucoup, il ne s'en faut (de) rien, il ne s'en faut guère oder durch il s'en faut (de) peu, peu s'en faut. Vgl. über diese und das folgende ne § 391, III, 2. La direction approche d'être parallèle (Ganot). — Beinahe durch faillir, penser, manquer § 93 Anm. Wie penser wird auch seltner croire gebraucht: J'ai cru deux fois m'évanouir de chaleur (Gyp).

Finir. Être fini de fertig, vollständig: De cahier en cahier, je suis arrivé à celui qui n'est pas fini d'écrire (nicht ausgeschrieben, P. Bourget).

Ne pas hésiter à faire qe. Unbedenklich: Je n'hésite pas à re-connaitre mes torts.

Ne pas laisser de faire qe. Doch: L'entreprise n'est pas aussi lucrative qu'il a pu l'espérer, mais il ne laisse pas (que) d'y gagner beaucoup. Die Einschiebung von que sehen viele für unrichtig an.

Ne pas manquer de faire qe. Sicher, natürlich: Il ne manquera pas de vous raconter la chose. L'assemblée ne manqua pas de rejeter cette proposition. — Auch: Vous n'êtes pas sans en avoir entendu parler[2]. L'état de santé de Foucart n'était pas sans me causer de grandes inquiétudes (Catat). Vous avez dû en entendre parler.

Nommer. J'ai nommé. Nämlich: Mais quel esprit m'engagez-vous à évoquer, mon cher ami? — Si vous évoquiez celui du père du genre humain, j'ai nommé le vénérable Adam (Thiaudière). Ebenso je veux dire,

---

[1] Die nachgestellten Formen können bei längeren Satzgefügen auch ein-geschoben werden. — De wird ohne Unterschied gesetzt oder weggelassen; doch kommt es im ersteren Falle mehr auf die Quantität, im letzteren mehr auf den Grad an, daher steht vor bien und guère niemals de.

[2] Doppelte Negation ist verstärkte Affirmation. Selten unpersönlich in heutiger Sprache: Il n'est pas que vous n'en ayez entendu parler.

je parle de, je viens de nommer u. a. Ferner savoir, à savoir, welche be=
fonders vor Aufzählungen üblich find. Vgl. § 158.

Pouvoir faire qe. Bielleicht, etwa: L'empereur Alexis exigea des
croisés la promesse qu'ils lui rendraient hommage pour toutes les conquêtes
qu'ils pourraient faire. Auch je ne dis pas: Quand j'aurai fait plus que mon
devoir, je ne dis pas, nous verrons (J. Claretie).

Ne pas pouvoir ne pas faire qe. Nicht umhin können: Choses que
Dieu ne peut point ne pas accomplir (H. Martin). M. de Vesvres ne put
moins faire que de s'en apercevoir (Barracand). Auch ne pouvoir se défendre
de faire qe.

Savoir. Bekanntlich: Tout le monde sait que . . ., on sait que . . .,
personne n'ignore que . . ., il est de fait que . . ., nous ne l'apprendrons
à personne.

Suffire de faire qe. Genug: Il ne suffit pas (ce n'est pas assez,
ce n'est pas tout oder le tout) de connaître le bien, il faut le pratiquer.
Ne pas suffire à faire qe etwas nicht mehr thun können.

Se trouver faire qe. Zufällig: Je me trouvais faire une dizaine de
lieues avec un certain baron de Guernay (G. Sand).

Venir à faire qe. Zufällig: Si leur cavalier vient à tomber, les
juments arabes s'arrêtent tout court. Ebenfo: Il appela un gardien de la
paix qui se trouvait à passer. Si la chaîne arrivait à se rompre, le navire
serait perdu.

Über il est vrai que (zwar, allerdings) vgl. beim Demonftratio (Syntax).

Bielfach werden Verben der Bewegung anscheinend pleonaftifch gebraucht.
Bei näherer Betrachtung aber ergiebt fich, daß fie doch in den Gedanken ein
eigentümliches Element hineintragen: Il porte constamment une calotte de
velours noir dont le gland de soie vient chatouiller son oreille gauche (foweit
herabhängt daß fie . . . Catat).

Anfcheinend pleonaftifch ift auch oft die Einfchiebung von voir: Cependant Antioche était en proie à la disette qui avait si longtemps désolé les
croisés, et voyait chaque jour diminuer le nombre de ses défenseurs (Michaud).
Geradezu widerfinnig wird die Einfchiebung in folgendem Satze: On a trouvé
un papier sur lequel étaient inscrits les noms des personnes que les deux
femmes désiraient voir assister à leurs obsèques (J.).

Nach Angabe vieler Grammatifer follen alle Umfchreibungsformeln
nicht mit dem Paffiv verbunden werden. Man foll daher nicht fagen ce qui
vient d'être écrit, fondern ce que nous venons d'écrire. Daß trotzdem das
Paffiv häufig ift, f. im Ergänzungsheft.

VI. Die Zahlwörter *(les adjectifs numéraux, les noms de nombre).*

§ 165. Einteilung derselben.

Man unterscheidet die Zahlwörter in

1. rein adjektivische: Kardinal= oder Grundzahlen,
2. adjektivisch und substantivisch gebrauchte und zwar
   a) Ordinal= oder Ordnungszahlen,
   b) Multiplikativzahlen,
3. rein substantivische: Zahlsubstantive oder =kollektive.

Die Kardinalzahl giebt an, wie oft die Einheit vorhanden ist, die Ordinalzahl dagegen, die wievielste Einheit gemeint ist. Die Ordinalzahlen dienen auch als Bruchzahlen und zur Bildung der Zahladverbien. Die Multiplikativzahlen geben das Vielfache einer Einheit an.

§ 166.

Kardinalzahlen *(nombres cardinaux)*	Ordinalzahlen *(nombres ordinaux)*
1 un, une	le premier, la première
2 deux (ƏR 5)	le second, la seconde oder le (la)
3 trois	le troisième [deuxième
4 quatre	le quatrième
5 cinq	le cinquième
6 six	le sixième
7 sept	le septième
8 huit	le huitième
9 neuf	le neuvième (ƏR 1)
10 dix	le dixième
11 onze	le onzième
12 douze	le douzième
13 treize	le treizième
14 quatorze	le quatorzième
15 quinze	le quinzième
16 seize	le seizième
17 dix-sept	le dix-septième
18 dix-huit	le dix-huitième
19 dix-neuf	le dix-neuvième
20 vingt	le vingtième
21 vingt et un(e)[1]	le vingt et unième

[1] Das auf 21, 31, 41 u. f. w. folgende Substantiv steht im Plural: vingt et un chevaux, cinquante et une maisons. Früher setzte man auch den Singular; jetzt aber sind Fälle wie Conflans avait vingt et un *vaisseau* contre vingt-trois (H. Martin) bloße Druckfehler.

22 vingt-deux	le vingt-deuxième
29 vingt-neuf	le vingt-neuvième
30 trente	le trentième
40 quarante	le quarantième
50 cinquante	le cinquantième
60 soixante	le soixantième
70 soixante-dix	le soixante-dixième
71 soixante et onze	le soixante et onzième
75 soixante-quinze	le soixante-quinzième
79 soixante-dix-neuf	le soixante-dix-neuvième
80 quatre-vingt(s)	le quatre-vingtième
81 quatre-vingt-un(e)	le quatre-vingt-unième
90 quatre-vingt-dix	le quatre-vingt-dixième
91 quatre-vingt-onze	le quatre-vingt-onzième
95 quatre-vingt-quinze	le quatre-vingt-quinzième
99 quatre-vingt-dix-neuf	le quatre-vingt-dix-neuvième
100 cent	le centième
101 cent un(e)	le cent unième
105 cent cinq	le cent cinquième
200 deux cent(s)	le deux-centième
500 cinq cent(s)	le cinq-centième
1000 mille	le millième
1001 mille un	le mille unième
1100 onze cent(s), mille cent	le onze-centième, le mille centième
1500 mille cinq cent(s), quinze	le mille cinq-centième
2000 deux mille [cent(s)	le deux-millième
10000 dix mille	le dix-millième
100000 cent mille	le cent-millième

§ 167. Aussprache der Zahlwörter.

Deux und trois haben stummen Endkonsonant, welcher aber gebunden wird. — In quatre verstummt vor Konsonanten[1] das r vielfach in der Umgangssprache, regelmäßig in quatre cent, quatre mille und ähnlichen (nicht in quatre-vingt). — In cinq, six, sept, huit, neuf (f bindet als v), dix ist der Endkonsonant laut, er verstummt aber vor einem konsonantisch anlautenden Worte, welches durch diese Zahlwörter multipliciert

---

[1] Auch in entre quatre yeux, in welchem außerdem die Einschiebung eines z üblich ist: entre quat'-z-yeux.

wird.[1] — **Huit** hat aspiriertes h. Vor **onze** muß gleichfalls Elision und Bindung unterbleiben, gewöhnlich auch vor **un** (§ 39), in keinem Falle darf in quatre-vingt-un und cent un eine Bindung stattfinden. — In sämtlichen Zahlen von 21 bis 29 hat **vingt** ein deutlich hörbares t, dagegen ist t von vingt stumm in der Reihe 80 bis 99.

Im Auslaut hat x den scharfen s-Laut (six, dix), im Inlaut hat es den weichen Laut (deuxième, sixième, dixième), außer soixante (x = ss). In der Bindung hat es gleichfalls den weichen Laut, ebenso in dix-sept, dix-huit, dix-neuf (vgl. § 26).

In **second** lautet c wie g. — In der Endung -ième ist iè einsilbig (diphthongisch) als ziemlich kurzes offenes è mit rasch vorgeschlagenem i zu sprechen[2]. Ausgenommen ist le quatrième, in welchem iè zweisilbig ist; nach allgemeinem Sprachgesetz verschmilzt i niemals mit dem folgenden Vokal, wenn ihm zwei Konsonanten vorangehen, deren letzter l oder r ist (muta cum liquida).

§ 168. Bildung der Zahlwörter.

Die Einschiebung der Konjunktion et hat statt in vingt et un, trente et un u. s. w. (doch nie in quatre-vingt-un, cent un[3], mille un); daneben findet sich seltner vingt-un u. s. w. Erlaubt ist die Einschiebung von et in der Zahlenreihe 70 bis 79, nötig in soixante et onze[4] (aber quatre-vingt-onze.)

Quatre-vingt(s) und **deux** (trois u. s. w.) **cent(s)** er=halten ein s nur, wenn unmittelbar auf diese Zahlen das Wort

---

[1] Das letztere ist nicht der Fall bei Datumangaben, daher ist in le cinq mai das q laut. Ähnlich ist zu erklären, daß q gehört werden muß in cinq pour cent. — Die obige Regel galt noch zu Hindret's Zeit (1686) auch für un, deux, trois.

[2] Also le troisième zu sprechen le *troizièmm'*. Die Aussprache i-äḧm enthält zwei Fehler.

[3] Nach cent und mille findet sich manchmal et eingeschoben: A la cent et unième fois (J.). La mille et unième fois (J.). Une mille et unième cause (O. Feuillet). A cent et un ans (Diderot). Ebenso nach älterem Brauch le Livre des Cent-et-un, les Mille et une nuits (beides sind Büchertitel. Hier ist auch Bindestrich gleichzeitig mit et möglich. — Sehr selten ist et nach quatre-vingt: Une masse de seize mille trois cent quatre-vingt et un peintres (A. Capus).

[4] In nachdrücklicher Rede wird die Form mit eingeschobenem et gern gewählt. Selten ist sie, wenn eine größere Zahl vorausgeht und kommt in Jahrzahlen so gut wie nie vor (ausgenommen natürlich mil huit cent soixante et onze). Die Einschiebung war in älterer Zeit viel üblicher.

folgt, zu welchem fie attributiv ftehen, ober wenn biefes Wort zu ergänzen ift: Quatre-vingts francs, six cents hommes (aber quatre-vingt-dix francs, six cent cinquante hommes); les trois cents (ergänze Spartiates), cinq cents pour cent (500 Prozent, ergänze francs). Le recueil de ses lettres qui s'élè-vent à deux cents environ (Ampère). Bemerfe deux cent mille (Zahladjektiv folgt), aber deux cents milliers, deux cents millions (Zahlstubstantive folgen).

Mille fann nur in ber Bedeutung **Meile** ein **Plural=s** an= nehmen. In Jahrzahlen zwischen 1000 und 1999 schreibt man **mil**: mil huit cent quatre-vingt-deux. Doch l'an mille neben l'an mil.

Anm. Französisch mil ift lateinisch mille, französisch mille dagegen lateinisch milia; barauß erklärt fich, baß mil nur in ber Einzahl ftehen fann. — In ber Reihe von 11 bis 16 ift in bem Außlaut ze baß lateinische decem erhalten: onze auß undecim u. f. w. — Die Bildungen nach bem 20er=Syftem (quatre-vingt) fanden fich früher (bialeftisch noch) auch bei anderen geraben Vielfachen von 10; hierüber und über septante, octante, nonante f. im Er= gänzungsheft.

Die Weglaffung beß s in einzelnen Fällen ift rein willfürlich und läßt eine grammatische Erflärung nicht zu. So fagt auch Littré: La suppression de l's dans certains cas n'est qu'une abréviation orthographique et n'a rien de syntaxique.

Die Einschiebung von et quelques u. a. hindert baß Antreten beß s ebenso gut wie bie Einschiebung einer fleineren Zahl: Quatre-vingt et quel-ques mille (Labiche). Malgré ses quatre-vingt et quelques années elle semble avoir conservé une inaltérable jeunesse (J.). Unrichtig ift baher: En quatorze cent quatre-vingts et tant (V. Hugo).

Wie in anderen Sprachen werden in ben Zahlen 1100 und barüber Taufende und Hunderte oft zusammengefaßt: quinze cent(s) u. f. w. Onze cent(s) ift fo gut wie außschließlich üblich. — Gleichfalls bem Gebrauch anderer Sprachen gemäß werden in Jahreßzahlen oft Taufender und Hunderter weggelaffen, befonderß bei hiftorisch wichtigen Jahren ober fo naheliegenden, baß fofort flar ift, welche Jahrzahl gemeint ift, tritt häufig biefe Kürzung ein, und zwar für Außsprache und Schrift; doch geschieht bieß faum bei Zahlen unter 50; befonderß ftehen fo 89 für 1789, 93 für 1793, 48 für 1848, 70 für 1870 u. a. So fagt Baron: 89, 1815 et 1830. — Je vous embrasse mille fois et vous souhaite une heureuse année 89 (Mme de Sévigné).

Wenn man zwischen verschiedenen Zahlen schwankt, fönnen fowohl bie erften Ziffern wegbleiben, alß bie letzten; um erften Falle ift ber Abftand

zwischen den beiden Zahlen ein minimaler, im zweiten ein ziemlich bedeuten=
der. A cinquante-quatre ou cinq ans qu'il avait (E. Gaboriau). Un jour,
en 1868 ou 69, ces messieurs furent attaqués par des maraudeurs afghans
(H. Tessier). Dans les deux années 1562 et 63 (Voltaire). 14 ou 1,500
bouches à feu (Thiers). Quinze à dix-huit cents établissements (E. Rendu).
Les pertes sont évaluées à 6 ou 800,000 francs (J.).

Da cent und mille Adjektive sind, können sie nicht un vor sich haben,
was beim Lesen französischer Zahlen zu beachten ist. Man liest 1800 mille
huit cent(s), 22,132 vingt-deux mille cent trente-deux u. s. w.

§ 169. Bildung der Ordinalzahlen insbesondere.

Ganz nach dem Lateinischen sind premier und second
gebildet. Neben letzterem steht deuxième[1], welches, wie alle
folgenden, aus der Grundzahl gebildet ist. Stummes e vor
-ième fällt aus. Bei den zusammengesetzten Ordinalzahlen erhält
nur der letzte Bestandteil die Endung -ième: le vingt et unième,
le quatre-vingt-dix-neuvième.

Die weiteren Zahlen werden in ähnlicher Weise gebildet:
un dix-millionième, un quarante-millionième, un cent-mil-
lionième, un milliardième, un quadrillionième, un novem-
décillionième (Nenner 1 mit 57 Nullen) u. s. w.

In der Orthographie unterscheiden sich le cinquième und
le neuvième, in der Aussprache le sixième und le dixième
von den zugehörigen Kardinalzahlen.

---

[1] Welches nach der gewöhnlichen Regel gebraucht werden soll, wenn die
Zählung weiter geht. Der Unterschied zwischen deuxième und second ist
schwer festzustellen. Meist ist es beliebig, welches Wort man wählt, so sagt
man demeurer au deuxième (étage) oder demeurer au second, während ein=
zelne nur letzteres zulassen wollen. Ohne ersichtlichen Grund sagt man aber
la deuxième république, während man nur von dem second empire spricht.
Stehende Ausdrücke sind ferner une équation du deuxième degré, la deuxième
guerre (z. B. punique), le deuxième siècle, le second capitaine, le capitaine
et le second, un lieutenant en second (im französischen Heer sous-lieutenant),
une seconde (de chemin de fer), être le second de qn (jemand nachstehen). Le
second (Sekundant) wird jetzt durch témoin ersetzt; der alte Name rührte daher,
daß der second wirklich als zweiter auf den Kampfplatz trat, um seinen
Freund zu rächen oder zu unterstützen. — Im übertragenen Sinn (Kampf=
genosse) steht das Wort auch in der neueren Sprache: Il s'agissait de le
(c.-à-d. Émile Augier) caresser, de l'attirer, d'en faire en quelque sorte le
second de Ponsard (L. Lacour).

Anm. Aus dem Lateinischen haben sich einzelne Ordinalzahlen in beschränkter Verwendung erhalten: le tiers, la tierce (Drittel), un quart (Viertel); le tiers état (oft Tiers État der dritte Stand, Bürgerstand), Charles-Quint (Kaiser Karl V.) und Sixte-Quint (Papst Sixtus V.), la dîme (der Zehnt).

Außerdem de prime abord (beim ersten Blick, sofort), il doit au tiers et au quart (er hat eine Menge Schulden) und in wissenschaftlichen Bezeichnungen: in der Arithmetik a prime (a₁), in der Medizin la fièvre quarte (Quartanfieber), in der Musik la tierce majeure, mineure, la quarte u. s. w. Vgl. hierüber das Ergänzungsheft.

Die Namen von Truppengattungen stehen jetzt nach einer Ordinalzahl ohne de: le 3e zouaves, le 7e hussards, le 27e chasseurs, le 12e chasseurs à pied, le 8e chasseurs à cheval, le 14e dragons, le 17e lanciers u. s. w. Doch kann noch ebensogut le 3e de zouaves u. s. w. gesagt werden. Nötig ist de vor Bezeichnungen wie infanterie, artillerie, ligne u. a. Le 140e de ligne, le 34e d'artillerie, le 1er d'infanterie légère u. s. w. Statt (de) territoriale gebraucht man lieber das Adjektiv territorial (auf das zu ergänzende régiment bezogen): Un sous-lieutenant au 130e territorial. — Eine übliche Abkürzungsweise ist: Le lieutenant X. de la 2e (compagnie) du 3e (régiment, bataillon).

§ 170. Bruchzahlen *(fractions, nombres fractionnaires)*.

Zur Bildung der Bruchzahlen wird im **Zähler** *(le numérateur)* die **Kardinalzahl**, im **Nenner** *(le dénominateur)* die **Ordinalzahl** gewählt (im Plural, sobald der Zähler mehr als 1 beträgt): deux tiers ($^2/_3$), un quart ($^1/_4$), trois quarts ($^3/_4$), neuf dixièmes ($^9/_{10}$) u. s. w. Bemerke un demi, une demie ($^1/_2$).

Anm. 1) Gemischte Brüche werden nicht nach unserer Art ungetrennt vor das Benennungswort gestellt: anderthalb Pfund une livre et demie, 33 ₄ Stunden trois heures et trois quarts. Ähnlich: ein bis zwei Jahre: un an ou deux. Seltner wird das Substantiv nachgestellt: Au bout d'un ou deux mois (P. Margueritte).

Das Substantiv kann wiederholt werden: Hier soir, entre neuf heures et dix heures (J.). Il y a un an ou deux ans (J.). La consultation n'a lieu que de deux heures à cinq heures (J. Montet). Dagegen findet keine Unterbrechung der Zahlenfolge statt bei de . . . à, wo es sich um eine in der Mitte liegende, annähernd zu bestimmende Zahl handelt: La secousse a duré de une à deux secondes (J.). Tous les jours de dix à quatre heures (Fr. Coppée). Quelques ponts de bois, longs de deux cents à trois cents pieds (E. Zola).

Im Französischen werden nicht gerne Jahre, besonders in geringer Zahl, als gemischte Zahl gegeben. Statt un an et quart sagt man quinze mois, statt un an et demi setzt man meist dix-huit mois, für deux ans et demi tritt oft trente mois ein. Doch findet man auch die gemischte Zahl: Un an et demi avait passé (Carmen Sylva). Depuis un an et demi (J.).

Auch wo gemischte Brüche zusammen geschrieben werden (was ausnahmsweise stattfindet), muß beim Lesen die Trennung eintreten: La machine était chauffée à $3^{1}/_{2}$ atmosphères (zu lesen à trois atmosphères et demie).

Ebenso wird die Multiplikation meist ausgeführt, wo sie deutsch nur angedeutet wird; „2×24 Stunden" ist in der Regel quarante-huit heures, seltner deux fois vingt-quatre heures. Hin und wieder findet man auch trois fois vingt-quatre heures, plusieurs fois vingt-quatre heures.

2) Bei Stundenangaben ist nicht trois quarts zu gebrauchen, außer wenn es zu einer vollen Stunde addiert wird: à deux heures (et) un quart (um $^{1}/_{4}$ nach 2 Uhr, um $^{1}/_{4}$ auf 3 Uhr), à trois heures moins un quart oder à deux heures (et) trois quarts (um $^{1}/_{4}$ vor 3 Uhr, um $3/_{4}$ auf 3 Uhr).[1]

Bemerke: um 12 Uhr à midi, à minuit; präcis um $2^{1}/_{2}$ Uhr à deux heures et demie précises. A midi (et) quinze; à une heure moins vingt. A six heures du matin (du soir), à deux heures de l'après-midi (oder à 2 heures après midi[2]), im Aktenstil auch à deux heures de relevée.

3) Eine Bruchzahl eigener Bildung ist centime (= centième partie du franc). Ebenso décime (= dixième partie du franc) und millime (= millième partie du franc): A quoi servirait-il à l'ouvrier hypothétique érigé en exemple par notre grave et scrupuleux confrère, de savoir qu'il a gagné à la seconde deux dix-millimes et une fraction, puisqu'il ne touchera jamais sa paye qu'en pièces blanches et en sous? (J.).

§ 171. Zahladverbien *(adverbes de nombre)* und Multiplikativzahlen *(nombres proportionnels, numéraux multiplicatifs)*.

Die Zahladverbien werden von den Ordinalzahlen in der gewöhnlichen Art durch Anfügung von -ment gebildet: premièrement, deuxièmement (secondement), troisièmement u. s. w. Da diese jedoch schleppend sind, verwendet man mehr d'abord, puis, ensuite oder en premier lieu, en second lieu u. s. w. Auch lateinische Formen sind üblich: primo, secundo (spr. se-

---

[1] Die üblichsten Ausdrücke (deux heures et quart, trois heures moins quart, beide nach Analogie von deux heures et demi gebildet), werden von den französischen Grammatikern ausnahmslos verworfen. So sagt man auch six un quart pour cent (H. Martin). Une dépêche télégraphique y arriverait en une seconde un quart (C. Flammarion). — Et kann vor allen Bruchzahlen außer demi wegfallen.

[2] Bei matin, soir kann der Artikel wohl beim Schreiben wegfallen (à 5^{h} matin, à $3^{h}.50$ soir), wird aber beim Aussprechen zugefügt.

gondo), tercio (ſpr. *tércio*), quarto (ſpr. *kouarto*), quinto (ſpr. *ku-into*) u. ſ. w.[1]
Die Abkürzungen ſ. § 49.

Als Zahladverbien dienen auch bis, ter[2], quater u. ſ. w. Bekannt iſt
bis im Sinne von da capo. Dieſe Adverbien werden hauptſächlich gebraucht,
um gleichartige Zahlen von einander zu unterſcheiden: La maison N° 2 bis.
Un article 34 bis.

Einmal. Une fois (achever qe en une fois). Une bonne fois (con-
venez-en, une bonne fois). Un peu (dites un peu). Über ne . . . pas même,
ne . . . pas seulement vgl. Negation. — Noch einmal une fois de plus. —
Zum erſten mal (pour) la première fois, zum hundertſten mal (pour) la centième fois; oft une centième fois u. dgl.

Die Multiplikativzahlen ſind: simple (einfach), double (doppelt),
triple (3fach), quadruple (ſpr. *kouadrupl'*, 4fach), quintuple (ſpr. *ku-intupl'*,
5fach), sextuple (6fach), décuple (10fach), centuple (100fach). Dazu multiple
(vielfach); die übrigen ſind ungebräuchlich und werden (was öfter auch bei den
angeführten geſchieht), durch sept fois autant, huit fois autant u. ſ. w. erſetzt.
Une fois autant und deux fois antant bedeuten genau dasſelbe.

Bei Diſtributivzahlen wird in der Regel das Subſtantiv wiederholt:
de deux heures en deux heures, de quart d'heure en quart d'heure, de cinq
minutes en cinq minutes, de dix pas en dix pas, de trois vers en trois vers,
etc. Doch kann man auch ſagen de trois en trois mois, de cinq en cinq ans,
etc. Les coups partaient de cinq en cinq minutes (Thiers). Nous fûmes
contraints de nous reposer de dix en dix pas (J.-J. Rouseau). Ähnliche Ausdrücke ſind descendre (monter) quatre à quatre, ne sortir qu'un dimanche sur
deux, faire qe de deux jours l'un, de deux années l'une, faire qe à huit
jours d'intervalle, faire qe chaque quatrième samedi, prendre une pastille
par heure, u. a.

On ne pouvait passer qu'un à la file sur cette corniche (Lamartine).
Un relai sur deux, il ne se trouvait pas de chevaux à la poste (J.). Unrichtig iſt natürlich un jour pour l'autre (einen um den andern Tag). Vgl.
auch bei den Präpoſitionen.

§ 172. Die Zahlsubstantive *(nombres collectifs)*.

Un cent, un millier (in dieſem und den folgenden Wörtern
ll nicht geſchliffen), un million, un milliard (1000 Millionen)

---

[1] Eine Grenze, bis zu welcher dieſe Formen üblich ſind, giebt es nicht.
Naturgemäß finden ſich kaum mehr als die angeführten Formen ſowie cen-
tesimo. — Scherzhaft auch deuxio, troisio oder deuzo, trizo.

[2] Nur dieſe beiden ſind eigentlich üblich.

[3] Hierher gehören auch die Verben doubler, tripler, quadrupler, quin-
tupler, sextupler, septupler, octupler, nonupler, décupler, centupler, von
welchen aber nur die drei erſten und die beiden letzten eigentlich im Gebrauch ſind.

oder seltener un billion[1], un trillion (Billion) u. s. w. Ein Paar une paire, un couple; ein paar une couple (§ 131 Anm.).

Die Zahlsubstantive auf -aine bedeuten manchmal eine bestimmte Zahl: une douzaine[2] (Dutzend), meist aber eine nur annähernd genaue Zahl: une huitaine, une dizaine, une quinzaine, une vingtaine, une trentaine, une quarantaine, une cinquantaine, une soixantaine, une centaine (ungefähr 8, 10 u. s. w.).

Un cent de fagots (Reisigbündel), un milliard de francs. Kein de nach mille![3]

Anm. Außerdem la huitaine (meist juristisch) 8 Tage, la quinzaine 14 Tage, 1/2 Monat (la première, la deuxième quinzaine du mois), la cinquantaine (oder les noces d'or) goldene Hochzeit. Wie un cent auch un demi-cent.

Centaine und millier stehen, wenn statt einer Zahl ein unbestimmtes Pronomen vorhergeht: quelques centaines de pas, plusieurs milliers de prisonniers. Doch auch quelques cents pas (ganz unrichtig quelques cent pas). Vgl. quelque cent pas etwa 100 Schritte.

Plein und tout plein sind populäre Zahlsubstantive oder Quantitätsadverbien: J'étais couché . . . avec de la terre plein la bouche (J.). Une sage-femme ne court pas les rues à quatre heures du matin avec des billets de banque plein ses poches (F. Pyat). J'en ai plein mes poches (G. Sand). J'ai tout plein d'infirmes autour de moi (Mme de Sévigné). Il y a tout plein de choses dans la vie qui font plaisir et déplaisir en même temps (Dief.). J'ai tout plein de mérite et de vertus quand je suis là (Dief.). Il a du mérite tout plein et est très habile (Dief.). Diese Ausdrucksweise, besonders tout plein de wird vielfach angefeindet. Vgl. auch beim Teilungsartikel.

§ 173. Zur Orthographie der Zahlwörter.

1) Bindestrich steht zwischen Zehnern und Einern (welche in den Bildungen nach dem 20er-System bis 19 reichen): dix-huit, vingt-deux,

---

[1] Deutsche und Engländer teilen von 6 zu 6, Franzosen von 3 zu 3 Stellen ab. Oktillion ist für uns 1 mit 48 Nullen, für die Franzosen un octillion nur 1 mit 27 Nullen.

[2] In der Volkssprache ist auch douzaine nicht immer = 12 Stück. Dans la Brenne, la douzaine de carpes est de vingt-quatre. A Bourges, la douzaine de fagots est de vingt-quatre (Jaubert). La quarantaine sanitätspolizeiliche Überwachung von ursprünglich 40 (jetzt auch von 3 bis 4) Tagen. La Quarantaine bedeutet jeden Zeitraum von 40 Tagen, also auch das 40tägige Fasten Christi: Sur ma tête se dressait le mont de la Quarantaine, où Jésus avait jeûné pendant quarante jours (J. Sigaux).

[3] In der Volkssprache un mille de houille (1000 Pfund Steinkohlen).

soixante-dix-neuf. Der Bindestrich steht in quatre-vingt(s), quatre-vingt-un[1], muß aber fehlen in cent un und bei der Einschiebung von et: vingt et un (neben vingt-un). — Un trois-centième ($^1/_{300}$), aber trois centièmes ($3/_{100}$).

2) Abteilung findet bei größeren Zahlen durch kleine Abstände von 3 zu 3 Stellen statt: 40 000. Bei 4stelligen Zahlen steht öfter Komma: 1,500. Durch Komma werden auch die Decimalstellen abgetrennt: 2,5, aber nicht bei benannten Brüchen: 0.30 m oder 0 m 30 cm (30 centimètres), 9 m 315 mil. (9 mètres 315 millimètres).

3) Abkürzung muß eintreten nach Regentennamen: Napoléon Ier, Frédéric II[2]. Jahre der republikanischen Zeitrechnung werden nur mit römischer Ziffer bezeichnet: l'an III. Auch bei dem Datum muß die Ziffer eintreten: le 1er mars. Die Abkürzung der Ordinalzahlen ist Ier (1er), IIe (2e), IIIe (3e) u. s. w.

Stundenangaben werden gekürzt in folgender Weise: 3^{h}45; ebenso l'express de 12^{h}5 (de midi cinq).

4) Die Namen der Monate (ebenso der Wochentage) haben kleinen Anfangsbuchstaben. — Man schreibt la guerre de Cent ans (Krieg mit den Engländern 1336—1452), de Trente ans, de Sept ans, weniger gut de Cent Ans u. s. w.

§ 174. Die Stellung der Zahlwörter.

Sowohl Kardinal- wie Ordinalzahlen stehen (außer den in der Syntax zu erwähnenden Fällen) vor dem Substantiv.

Wenn premier, dernier mit einer Kardinalzahl zusammentreffen, müssen sie derselben nachfolgen: les trois premières pages, les deux derniers siècles[3]. Ebenso autre und sonstige attributive Bestimmungen: Les trois autres divisions. Durant ses quinze plus belles années (Sainte-Beuve). Weiteres im Ergänzungsheft.

Von Zeitangaben (deutsch oft ein zusammengesetztes Adjektiv) kann ein (partitiver) Genitiv abhängig gemacht werden: ein Feldzug von 14 Tagen, ein 14tägiger Feldzug quinze jours de campagne (neben une campagne de quinze jours). So en deux jours de marche, après vingt ans de règne, trente heures de pillage, six mois de vivres, en cinq jours de temps u. a. Auch nach unbestimmter Angabe: après quelques jours de marche. So findet man: N'avez vous pas dix ans de mariage? (O. Feuillet). Il mourut après

---

[1] Er sollte hier vor un nicht stehen, weil auch keine Bindung erlaubt ist.
[2] Ohne Punkte. Ausgeschrieben müßten sie (dem englischen Gebrauch entgegen) kleine Anfangsbuchstaben haben. I (un) für Ier (premier) zu schreiben, ist ein grammatischer, nicht ein orthographischer Fehler.
[3] Englisch (meist auch deutsch) umgekehrt: the first three pages, the last two centuries.

vingt ans de règne (Hénault). Après deux années d'exercice (Nisard). J'eus deux ans de salle (2jährigen Fechtunterricht). En quatre ans de temps (Voltaire). En cinq ou six jours de temps (Mme A. Tastu). Après cinq heures d'une marche pénible (A. Scholl). Six mois de séjour en Allemagne (Bonnet). Quinze jours de campagne (Guizot). La ville fut livrée à trente heures de pillages et de massacres (Thiers). Les Russes sont à six kilomètres de marche de Sofia (J.). Ce fleuve a 1300 kilomètres de cours. Trois mille hommes de garnison. Sur dix lieues de Seine.

Üblich ist auch die Übertragung der Zeitangabe auf räumliche Entfernung: (Avant l'introduction du kilomètre) chacun savait ce que signifie une bonne journée de chemin, un quart d'heure, vingt-cinq minutes de chemin (Fr. Wey).

Im täglichen Leben wird vielfach ein partitiver Genitiv auch von Wertangaben abhängig gebraucht: Le garçon apporte à ce client les deux cents francs de toile (J.). So trois sous de pain, trois sous de lait, deux sous de caporal (Tabak) u. dgl. Hier, vers cinq heures, arrivèrent les tapissiers avec 4,500 francs de tentures, et les ébénistes avec 15,000 francs de meubles (J.).

VII. Das Pronomen *(le pronom).*

§ 175. Einteilung.

Man unterscheidet 1) persönliches Pronomen (mit Einschluß des Reflexivs), 2) possessives Pronomen, 3) demonstratives Pronomen (mit Einschluß des Determinativs), 4) relatives Pronomen, 5) interrogatives Pronomen und 6) indefinites Pronomen.

Persönliches Pronomen *(le pronom personnel).*

§ 176. Formen desselben.

Das französische hat ein verbundenes oder tonloses Personalpronomen *(pronom personnel conjoint)* und ein unverbundenes oder betontes Personalpronomen *(pronom personnel disjoint, auch absolu genannt).*

Plattner, Grammatik. I. r.   13

	a) Verbundenes Personal-pronomen					b) Unverbundenes Personal-pronomen			
	1. Pers.	2. Pers.	3. Pers.			1. Pers.	2. Pers.	3. Pers.	
			Mask.	Fem.	Neutr.			Mask.	Fem.
				Singular.					
Nom.	je ich	tu du	il er	elle sie	(il) es	moi ich	toi du	lui er	elle sie
Gen.	—	—	—	—	(en)	de moi	de toi	de lui	d'elle
Dat.	me	te	lui	lui	(y)	à moi	à toi	à lui	à elle
Acc.	me	te	le	la	le	moi	toi	lui	elle
				Plural.					
Nom.	nous	vous	ils	elles	—	nous	vous	eux	elles
Gen.	—	—	—	—	—	de nous	de vous	d'eux	d'elles
Dat.	nous	vous	leur	leur	—	à nous	à vous	à eux	à elles
Acc.	nous	vous	les	les	—	nous	vous	eux	elles

Dieselben Formen dienen als reflexives Pronomen. Doch lautet dasselbe für die 3. Person in der verbundenen Form se für Accusativ und Dativ (il se flatte d'un vain espoir; il se donne bien de la peine); in der unverbundenen Form steht soi (§ 314), neben lui, elle. —

Das Personalpronomen leur (ihnen) kann nie s an= nehmen.

a) Verbundenes Personalpronomen.

§ 177. Verwendung.

Die Subjektsformen (Nominativ) stehen an der dem Subjekt zukommenden Stelle vor dem Verb, in der Frage nach demselben (mit Bindestrich): Nous avons. Avons-nous? Über die Einschiebung von t vgl. S. 62, N. 2.

Die Objektsformen (Dativ, Accusativ) stehen vor dem Verb, aber nach dem affirmativen Imperativ: tu le rends; rends-le.

Nach dem Imperativ werden die tonlosen Formen me, te (außer vor en) in die volleren moi, toi verwandelt: donne-moi, promène-toi (aber donne-m'en, va-t'en).

Ebenso erhalten die vor dem Verb tonlosen Formen le, la nach dem Imperativ eine Betonung und verlieren dann (außer vor en, y) nicht ihren Vokal: promets-le à ton frère, ramène-la au logis (aber faites-l'en repentir).

Anm. Moi und toi müßten (wie vor en) auch vor y tonlose Form behalten, also mène-m'y, fie-t'y. Dafür soll aus Wohllautsrücksichten eine Umstellung eintreten: mènes-y-moi, fies-y-toi. Am besten umgeht man beides durch eine andere Ausdrucksweise, z. B. mène-moi là, tu peux t'y fier, veuillez m'y conduire u. a.

Die Verwerfung von m'y, t'y nach Imperativen ging von den Preciösen aus und drang teilweise durch. Denn während die Akademie mets-m'y verwirft, gebraucht sie mets-t'y, jette-t'y u. a. Das Volk gebraucht in der Regel weder Formen wie mets-y-toi noch wie mets-t'y, sondern sagt mets-toi-z-y, fie-toi-z-y, verfährt aber bei en ganz ebenso: Donnez-moi-z-en un verre (Delacour), Avise-toi-z-en (Th. Barrière), Sers-toi-z-en u. s. w.

Der neutrale Nominativ il steht nur bei unpersönlichen Verben: il pleut. Der Genitiv en und der Dativ y sind Adverbien und treten zur Aushülfe (statt de le, à le) ein; sie finden auf Sachen Anwendung: J'en suis convaincu. J'y renonce. Seltner auf Personen, vgl. Syntax.

§ 178. Kombination und Stellung der Objektsformen.

1) Die Objektsformen (Dativ und Accusativ) des verbundenen Personalpronoms (einschließlich der Pronominaladverbien en, y) stehen unmittelbar vor der Personalform des Verbs.

Sie stehen dagegen unmittelbar nach dem affirmativen Imperativ und werden mit demselben sowie unter einander durch Bindestriche verbunden.

2) Der Accusativ steht dem Verb näher als der Dativ, d. h. vor dem Verb geht der Dativ dem Accusativ, nach dem Imperativ dagegen der Accusativ dem Dativ voran: Tu me le rendras. Rends-le-moi. Jedoch stehen vor dem Verb die Dative lui und leur nach dem Accusativ: On me l'a donné. On le leur a promis.

En und y stehen den übrigen Objektsformen nach, y seinerseits steht vor en: Il m'en a parlé. Ces preuves suffiront, il est inutile d'y en ajouter d'autres.

3) Von Kombinationen der Objektsformen sind nur diejenigen zulässig, welche aus einem beliebigen Dativ und einem der Accusative le, la, les bestehen. Bei einem anderen

13*

Accusativ muß der Dativ der unverbundenen Form eintreten:
Je vous le présenterai, aber je vous présenterai à lui.

En und y sind in Bezug auf ihre Kombinationsfähigkeit nur den Beschränkungen unterworfen, welche durch den Wohllaut¹ geboten sind.

Anm. 1) Von mehreren (durch et, ou, mais, puis) verbundenen Imperativen konnte der letzte früher auch in der affirmativen Form das Objekts=pronomen vor sich haben: Sors d'ici et t'en va chercher fortune ailleurs (J. Janin). Copie cette phrase, et me l'envoie dans ta première lettre (P.-L. Courier). Il n'est pas moins certain que le *t* en français sert à l'euphonie; maintenant accordez-lui ou lui refusez cette épithète, peu m'en chaut (Génin).

2) In familiärer Sprache stehen nach dem Imperativ die Dative nous, vous vor dem Accusativ: Livrez-nous-les! (Auf bei der Erstürmung der Bastille). Besonders bei Reflexiven: Si vous tenez tant à cette amitié, con-servez-vous-la. Fast immer tenez-vous-le pour dit (lassen Sie sich das gesagt sein), ebenso tenons-nous-le pour dit; ersteres wird vermieden durch tenez-vous pour averti; selten tenez-le-vous pour dit, wogegen tiens-le-toi pour dit sehr üblich ist. In der Volkssprache finden sich auch Stellungen wie Dis-moi-le, hein, dis-moi-le (E. de Goncourt), Donnez-m'le (J.), Portez-moi-le donc au Pére-Lachaise (E. Chavette).

In älterer Zeit kam auch sonst andere Stellung vor und man konnte sagen je le vous révélerai, je le vous accorde u. dgl. Vulgär findet sich noch diese ausnahmsweise Stellung: Je ne le vous conseille pas (Dennery). Ältere Grammatiker verlangten, daß bei lui und leur die Sachobjekte le, la, les ganz wegfielen. Diese ganz unbegründete Forderung findet sich manchmal auch in neuerer Zeit wiederholt, wahrscheinlich infolge des Umstandes, daß bei einer Reihe von Verben das (im Deutschen übliche) Sachobjekt überhaupt selten gesetzt wird, auch wenn kein Dativobjekt vorhanden ist. Vgl. § 231 A. 3.

3) Diese Beschränkung der Kombinationsfähigkeit gilt für die Stellung vor wie nach dem Verb. Daher

Cette condition est injuste, ne vous y soumettez pas, aber
Cet homme vous tyrannise, ne vous soumettez pas à lui.
Ces gens méconnaissent votre autorité, soumettez-les vous, aber
Votre père est votre meilleur ami, soumettez-vous à lui.

§ 179. Stellung der zum Infinitiv gehörigen Objektsformen.

1) Die von einem Infinitiv abhängigen Objektsformen stehen vor demselben: J'irai vous voir. Il a voulu s'excuser

---

¹ Hiatus und Häufung sind möglichst zu meiden.

2) Wenn dagegen eines der Verben faire, laisser, entendre, voir (écouter, regarder), sentir vor dem Infinitiv steht, so müssen sämtliche Objektsformen vor dieses Verb treten: on le lui a fait dire; on vous l'a laissé ignorer; il se le voit refuser.

3) Bei dem verneinten Infinitiv können die Objektsformen zwischen ne ... pas oder nach der vollen Negation stehen: On s'étonnait de ne le point voir. C'est à ne pas y croire.

Anm. 1) Früher traten die Objektsformen auch vor ein modales Hülfs-verb (vouloir, devoir, pouvoir, savoir, oser, faillir und penser im Sinn von „beinahe", sembler, il faut u. a.), sowie vor ein zur Umschreibung dienendes Verb[1] (aller, venir, envoyer u. a.). Vor den letzteren ist die alte Stellung noch üblich[2]: je l'irai voir; on le vint avertir; il vous enverra chercher; je l'irai dire à Rome (dann will ich's loben). Vor modalen Hülfsverben können en und y noch recht wohl stehen: Les résultats qu'on en pouvait attendre. Les puissances y doivent intervenir. — En wird noch attrahiert von dem Hülfsverb avoir in dem Ausdruck je n'en ai que faire.

Auch das Reflexiv trat früher vielfach vor ein modales Hülfsverb, so daß dieses in der Form eines reflexiven Verbs auftrat[3]. Vgl. hierüber das reflexive Verb (Ergänzungsheft: aller, désirer, devoir, ne faire que, pouvoir, savoir, venir, vouloir).

2) Die sonst unüblichen Kombinationen müssen auch hier vermieden werden: Mon amitié si dévouée lui fit me pardonner mes injustes caprices (Fr. Soulié). Bei dem affirmativen Imperativ treten die Objektsformen

---

[1] Es konnten sogar, wenn dieses Verb im Imperativ stand, statt me, te die volleren Formen eintreten: Puis allez-moi rompre la tête De vos greniers (Lafontaine).

[2] Auch bei den modalen Hülfsverben findet sich die Attraktion noch ziemlich häufig. Vgl. das Ergänzungsheft. Nicht mehr üblich ist diese Stellung, wenn der Infinitiv präpositional ist z. B. comme nous le venons de dire (Vertot). Doch ist die Redensart pour m'achever (l'achever) de peindre erhalten (Sinn: um das Unglück voll zu machen; um ihn völlig zu kennzeichnen).

[3] Daß pouvoir reflexiv sein kann, ist eine Folge dieses Gebrauchs, denn cela se peut erklärt sich aus cela se peut faire. Der Grund dieser Attraktion war nicht etwa, daß das Pronomen die Tendenz gehabt hätte, zu dem ersten Verb zu treten, sondern es trat (wie die Negation) zu dem Verb, welches für den Gedanken das Hauptgewicht hatte, also hier zu dem modalen Hülfsverb. Das Pronomen bleibt nämlich noch jetzt mit dem Hülfsverb verbunden, auch wenn dieses nachsteht: Partout où faire se pourra, on suivra, dans les cours, un guide ou manuel (Règlement général des écoles normales d'instituteurs). C'est le devoir de la critique d'y remédier par la collation des manuscrits, et, quand faire ne se peut autrement, par la conjecture (Littré).

zwischen Imperativ und Infinitiv: Si vous ne savez pas cette histoire, faites-vous-la conter.

3) Die durch Umschreibung gebildeten Infinitive verteilen in der Regel die Negation vor und nach dem Hülfsverb, welches alsdann die Fürwörter vor sich nimmt: Il est furieux de ne vous avoir pas rencontrée (Sandeau) neben de ne pas vous avoir rencontrée. Il y aurait lâcheté à ne vous point blâmer, à ne pas vous crier casse-cou (Th. Barrière).

b) Unverbundenes Personalpronomen.

Vgl. Syntax.

Possessivpronomen.

§ 180. Einteilung.

Man unterscheidet ein adjektivisches (oder tonloses) Possessiv (*adjectif possessif*) und ein substantivisches (oder betontes) Possessiv (*pronom possessif*).

a) Adjektivisches Possessivpronomen.

§ 181. Formen desselben.

		mein	dein	sein, ihr	unser	euer, Ihr	ihr
Sing.	Mask.	mon	ton	son	notre	votre	leur
	Fem.	ma	ta	sa			
Plur.	Mask.	mes	tes	ses	nos	vos	leurs
	Fem.						

Ihr (von einer Besitzerin) heißt son, sa, ses: son frère, sa sœur, ses parents.

Ihr (von mehreren Besitzern oder Besitzerinnen) heißt leur, leurs: leur frère, leur sœur, leurs parents. Das Possessiv leur hat eine Pluralform, aber kein besonderes Femininum.

Die adjektivischen Possessive notre, votre schließen sich eng an das folgende Substantiv, werden mit kurzem (offenen) o gesprochen und haben keinen Cirkumflex.

Statt der weiblichen Formen ma, ta, sa werden die männlichen mon, ton, son gebraucht vor Wörtern, welche vokalisch anlauten: mon épée, ton hésitation, son aveugle colère.

Anm. In älterer Zeit wurden ma, ta, sa apostrophiert[1], was sich für die beiden ersten ziemlich lange erhielt. Reste sind noch vorhanden in m'amie (meine Liebe), meist falsch ma mie geschrieben, und des m'amours (Süßlich-keiten): Alors on m'a prié avec toute sorte de m'amours de m'en tenir aux simples questions de pédagogie (A. Daudet; er schreibt mamours ohne Apo-stroph). — Das Wort tante ist aus t'ante entstanden, d. h. dem apostrophierten ta vor dem altfrz. ante (vgl. engl. aunt). — Mon u. s. w. trat vor vokalisch anlautenden Femininen nicht des Wohllautes wegen ein, sondern damit dem Possessiv wie dem Substantiv seine volle Selbständigkeit erhalten blieb.

Das Possessiv leur erhielt im ältesten Französisch niemals ein s. In der Provence ist leur ganz unbekannt; wie im Lateinischen wird dort son mit Bezug auch auf mehrere Besitzer gebraucht.

§ 182. Das adjektivische Possessiv in Zusammensetzungen.

Die Wörter monsieur, madame, mademoiselle, monseigneur bilden den Plural messieurs, mesdames (aber meist messieurs et dames![2] in der Anrede), mesdemoiselles; über den Plural von monseigneur vgl. § 112 Anm. 1.

Das Possessiv ist in diesen Wörtern trennbar, außer in monsieur. Demnach mon cher monsieur, aber (ma) chère dame. Derartige Verbindungen werden jedoch besser gemieden. Vgl. die Anm.

Wie der bestimmte Artikel (ledit, ladite u. s. w.) geht auch das Possessiv eine Verbindung mit dem Parte. dit ein: mesdits amis.

Anm. Für die vom deutschen Brauch vielfach abweichende Verwendung dieser Wörter sei noch bemerkt:

In der Anrede gebraucht man monsieur, madame u. s. w. ohne Familiennamen (bei größerer Vertraulichkeit mit dem Vornamen). Spricht

---

[1] M'amie, t'amie, s'amie finden sich noch bei Estienne. — Im Volks-lied und im Patois sind ähnliche Formen noch üblich, vgl. z. B. den Refrain der chanson Du Guesclin (Haute-Bretagne): Vol' m'alouett', chant', m'alouett', Sur la lande et dans les prés. — Häufig findet man auch die männliche Form m'ami, besonders bei P. Bourget, R. Maizeroy u. a. Diese ist selbst-verständlich durch die volkstümliche Kontraktion aus mon ami, m'n ami zu erklären.

[2] Das Possessiv fehlt bei dem zweiten Substantiv, weil Zusammenfassung eintritt. Es fehlt daher nicht in Messieurs, mesdames! weil et fehlt, ebenso wenig in (dem nach englischem Brauch eindringenden) Mesdames et messieurs! weil bei monsieur das Possessiv untrennbar ist.

man dagegen von jemand zu seinen Angehörigen, so wird der Familienname beigefügt: Comment va monsieur Durand? Madame Durand[1] va bien? Bei madame halten es viele für höflicher, den Namen wegzulassen. — Auch Ehegatten, wenn sie von einander zu Fremden sprechen, bezeichnen sich meist mit dem Familiennamen und vorangesetztem monsieur, madame.

Monsieur (abgekürzt) tritt vor den Namen (auch beim Citieren), so oft man von Lebenden spricht. Bei einer Reihe von Namen wird nur vor die noch lebenden Personen M. gesetzt. — Öfter findet man monsieur auch noch vor den Namen lange verstorbener Personen, besonders wenn dieselben keinen Titel hatten, der als steter Begleiter ihres Namens auftreten könnte; so z. B. M. Guizot, M. Thiers.

Auf Büchertiteln stand früher M. vor dem Namen des Verfassers; jetzt nur noch in Buchhändleranzeigen.

Auch vor seinem eigenen Namen gebraucht der Franzose stets monsieur, wenn er einem Bedienten seinen Namen nennt. Auf Visitenkarten stehen nur Mme, Mlle vor dem Namen, nicht auch M. (doch M. et Mme).

Ehemals setzte man nach einer Briefüberschrift (Monsieur) in zweiter Zeile nochmals Monsieur. Auf Briefadressen setzt man einfaches Monsieur u. s. w. vor den Namen (kein à). Nach älterem Brauch stellt man noch manch= mal A Monsieur u. s. w. in einer Zeile für sich dieser Aufschrift voran. Diese Förmlichkeit ist nicht zur Nachahmung zu empfehlen, wird aber von manchem verteidigt.

Madame wird auch von unverheirateten Damen gesagt, wenn dieselben Glieder einer Fürstenfamilie oder Klosterfrauen sind.

Umgekehrt erhielten in älterer Zeit Bürgerfrauen die Bezeichnung made- moiselle (vor dem Namen ihres Mannes): mademoiselle Molière.

Monseigneur wird jetzt in der Anrede an fremde Prinzen noch ge= braucht; in der Anrede und als Titel erhalten es Bischöfe, französische jedoch nur aus Courtoisie, da die Bezeichnung seit dem Konkordat nicht mehr staat= lich anerkannt ist. Der Plural von monseigneur ist nosseigneurs, manchmal auch messeigneurs. Vertreten werden kann das Wort durch Votre Altesse (bei Prinzen), durch Votre Grandeur bei Bischöfen.

Unter den Bourbonen hieß der Bruder des Königs Monsieur, seine Gemahlin Madame, seine Tochter Mademoiselle (ohne weitere Zusätze).

Das Wort monsieur hat verschiedene Anwendung gefunden. Es konnte in alter Zeit von Heiligen oder auch von Gott selbst gesagt werden und in der Bretagne kommt die Bezeichnung monsieur le bon Dieu noch vor. Mit monsieur de Rome bezeichnet Mme de Sévigné den Pabst. Monsieur de Paris war im vorigen Jahrhundert die Benennung für den Scharfrichter.

Mons (s laut) ist eine Abkürzung aus monsieur, die nur scherzhaft (oder im verächtlichen Sinn) gebraucht wird, etwa unserm Meister X. ent=

---

[1] In Frankreich äußerst häufiger Name.

sprechend. Mons Louvois öfter bei Voltaire. Im Patois ist mons noch ganz üblich und zwar ohne verächtliche Nebenbedeutung.

Das alte le sieur kommt nur noch im amtlichen Stil vor in der Bed. wie le nommé X. Ebenso la femme X., le fils X., la fille X. Im kauf= männischen Verkehr notre sieur X. unser Herr N. N.

Wenn auf eines der obigen Wörter ein Titel folgt, so wird die Ein= schiebung des Artikels nötig (vgl. § 287, 1). Nicht aber vor anderen Bezeich= nungen, daher cher monsieur et collègue (confrère, lieber Herr Kollege). Über den militärischen Gebrauch vgl. § 322, 2.

Die Wörter monsieur, madame, mademoiselle laffen natürlich den Gebrauch eines zweiten Poffessivs nicht zu; trotzdem kann man fagen mon cher monsieur, aber ma chère dame (nicht madame). Sobald jedoch der Familienname folgt, können alle diefe Wörter ein zweites Poffeffiv zu sich nehmen: ma chère madame Dupuis (O. Feuillet).

Monsieur, Madame u. f. w. stehen häufig für vous besonders in der Frage und in Ausdrücken mit fragendem Sinn: Monsieur ne se rappelle pas cela? — Für die 3. Person, wenn man von jemand in seinem Beifein spricht: Vous ne connaissez pas monsieur? Vgl. hierzu § 326 A. 2 b.

b) Substantivisches Possessivpronomen.

§ 183.   Formen desselben.

	Singular		Plural	
	Mask.	Fem.	Mask.	Fem.
Der, die meinige	le mien	la mienne	les miens	les miennes
Der, die deinige	le tien	la tienne	les tiens	les tiennes
Der, die seinige (ihrige)	le sien	la sienne	les siens	les siennes
Der, die unsrige	le nôtre	la nôtre	les nôtres	
Der, die eurige (Ihrige)	le vôtre	la vôtre	les vôtres	
Der, die ihrige	le leur	la leur	les leurs	

Le nôtre, le vôtre haben langes (geschlossenes) o mit dem Circumflex. Der Plural wird im Unterschied zu den ad= jektivischen Formen durch Anfügung von s gebildet.

Anm. Le mien kommt vom lat. meum, aber le tien, le sien sind nach le mien gebildet, kommen also nicht von dem lat. tuum, suum. Aus letzteren Formen haben sich ton, son entwickelt und ihnen wurde mon nach= gebildet. — Der Unterschied in Quantität und Laut hat sich für le nôtre, le vôtre einerseits, notre, votre anderseits erst spät ausgebildet. In älterer Sprache hatten auch die adjektivischen Formen den Circumflex.

Demonstrativpronomen.

§ 184.　Einteilung.

Das Demonstrativpronomen zerfällt in ein adjektivisches oder tonloses *(adjectif démonstratif)* und ein substantivisches oder betontes *(pronom démonstratif)*.

§ 185.　Formen desselben.

Das adjektivische Fürwort ist ce (cet vor vokalischem Anlaut), weibliche Form cette, Plural beider ces; deutsch: dieser, diese. Ce jardin, cet arbre, cette maison; ces jardins, ces arbres, ces maisons.

Das substantivische Fürwort ist celui, celle (derjenige, diejenige), Plural ceux (ЯЯ 6), celles (diejenigen). Celui qui, celle qui u. s. w. Für das substantivische Fürwort giebt es ein Neutrum ce (dieses, das; dasjenige): Ce sont nos amis; ce qui est utile.

Anm. Das Mask. des adjektivischen Fürworts hieß ursprünglich auch vor Konsonanten cet. In der Aussprache lautet cet wie cette, doch, hat es etwas kürzeren Vokal: cet arbre spr. *sè-tarbre*[1].

Das adjektivische Mask. ce und das substantivische Neutrum ce sind auch ihrer Herkunft nach getrennte Wörter.[2]

§ 186.　Zusatz von ci, là.

Das adjektivische ce (cet), cette bedeutet sowohl dieser als jener. Wenn ein Unterschied gemacht werden soll, so treten die Adverbien ci, là an die Substantive, vor welchen ce steht: ce jardin-ci (dieser Garten), cette maison-là (jenes Haus).

Aus dem gleichen Grunde treten sie an das neutrale ce: ceci (dieses), cela (jenes).

Die substantivischen Fürwörter celui, celle müssen, wenn sie als eigentliche Demonstrative gebraucht werden sollen, diese Adverbien nach sich haben: celui-ci (dieser), celui-là (jener). Vgl. § 187.

---

[1] Einzelne sprechen dumpfes e (wie in ce), um den Unterschied zwischen Mask. und Fem. deutlich hervortreten zu lassen.

[2] Ce (cet) von lat. ecce-istum, neutrales ce von ecce-hoc.

Anm. Ci ist allerdings aus ici entstanden, doch darf nicht etwa auch ici bei Demonstrativen gebraucht werden.[1] — Für cela giebt es eine verkürzte (familiäre) Form ça (wie cela ohne Accent).[2]

§ 187. Demonstrativ und Determinativ.

Für den Gebrauch sehr wichtig ist die Scheidung der demonstrativen Fürwörter in eigentliche Demonstrative und Determinative, d. h. in wirklich hindeutende Fürwörter und solche, welche nur das Antecedens (Beziehungswort) zu einem folgenden Korrelat (Relativ, partitiver Genitiv, Infinitiv mit de u. a.) bilden können. Die Verteilung ist folgende:

	Demonstratives Pronomen		Determinatives Pronomen	
	Mask. u. Fem.	Neutr.	Mask. u. Fem.	Neutr.
Adj. Pron.	ce (cet), cette dieser, diese	——	ce (cet), cette der, die	——
	ce...-ci (-là) cette...-ci(-là) dieser, jener	——	——	——
Subst. Pron.	——	ce das	celui, celleder-jenige, diejenige	ce dasjenige
	celui-ci (-là) dieser, jener	ceci, cela dieses, jenes	——	——

Hieraus ergiebt sich hauptsächlich,

1) daß celui nur vor qui oder de stehen kann, also niemals dieser bedeutet;

2) daß nach celui-ci, celui-là, ceci, cela kein Relativ und kein de (im oben angegebenen Sinn) folgen darf.

§ 188. Sonstige Demonstrative.

Zu dem Demonstrativ gehören einzelne Gebrauchsweisen von le même (derselbe) und tel, telle (solcher, solche). Ferner die demonstrativen Adverbien ici (hier) und là (da, dort); endlich voici (hier) und voilà[3] (da, dort). Vgl. hierüber die Syntax.

---

[1] Die Volkssprache gebraucht ici in diesem Falle.

[2] Nicht zu verwechseln mit dem Adverb çà (çà et là hie und da) und mit der Interjektion çà.

[3] Entstanden aus dem Imp. von voir (voi für vois) und ici, là. Früher war die Zusammensetzung nicht so innig und man brauchte auch den Plural des Imp. von voir.

Relativpronomen *(le pronom relatif)* und Interrogativpronomen *(le pronom bezw. l'adjectif interrogatif).*

§ 189. Formen derselben.

Das Relativpronomen hat nur substantivische Formen, das Interrogativpronomen dagegen hat auch eine adjektivische Form.

A. Relativpronomen.   B. Interrogativpronomen.

a) Adjektivisches.

Ein adjektivisches Relativ Sg. N. quel, quelle welcher? welche?
existiert nicht.   G. de quel, de quelle oder:
    D. à quel, à quelle welcherlei?
    A. quel, quelle

    Pl. N. quels, quelles
    G. de quels, de quelles
    D. à quels, à quelles
    A. quels, quelles

b) Substantivisches.

1. Zweigeschlechtiges mit für Relativ und Interrogativ gleicher Form.

Als Relativ: Als Interrogativ:

welcher, welche Sg. N. lequel   laquelle welcher, welche (von diesen)?
    G. duquel   de laquelle
    D. auquel   à laquelle
    A. lequel   laquelle

    Pl. N. lesquels   lesquelles
    G. desquels   desquelles
    D. auxquels   auxquelles
    A. lesquels   lesquelles

Wie bei dem Artikel tritt Verschmelzung mit den Präpositionen de und à, nicht aber mit den anderen Präpositionen ein.

2. Mit gemeinsamer Form für Mask. und Fem.

Mask. u. Fem.	Neutr.	Mask. u. Fem.	Neutr.
N. qui (que) welcher	qui (que) was	qui wer?	que (quoi) was?
G. de qui, dont	de quoi, dont	de qui	de quoi
D. à qui	à quoi	à qui	à quoi
A. que; qui[1]	que; quoi[1]	qui	que; quoi[1]
Plural ebenso.	Ohne Plural.	Plural zu meiden[2].	Ohne Plural.

Über die Verwendung der in Klammern stehenden Formen giebt die Syntax Auskunft (§ 342, 351).

Ebenso über den Unterschied der Relative qui und lequel (§ 338 f.). Für den Unterschied der Interrogative ist zu merken: qui wer? und que (quoi) was? fragen allgemein nach einer Person oder einem Gegenstand: Qui avez-vous vu? Wen haben Sie gesehen? Qu'y a-t-il pour votre service? Was steht Ihnen zu Diensten? — Lequel fragt in bestimmter Weise nach einer Person oder Sache aus einer begrenzten Anzahl: Lequel de mes deux frères avez-vous vu? Welchen von meinen beiden Brüdern haben Sie gesehen? De ces dix tableaux lequel vous plaît le mieux? Welches von diesen zehn Ge= mälden gefällt Ihnen am besten? In Verbindung mit einem Substantiv kann natürlich nur quel stehen: Quel homme est-ce là? Was ist das für ein Mann? Quel est cet homme? Was ist das für ein Mann? Wer ist dieser Mann?

Quel wird auch im Ausruf gebraucht: Quel homme! Was für ein (bewundernswerter, oder auch: seltsamer) Mann[3].

Anm. 1) Die fragenden Fürwörter sind dieselben für die direkte wie für die indirekte Frage. Das neutrale Interrogativ jedoch darf nur in der direkten Frage stehen, im indirekten Fragesatz tritt dafür das neutrale Relativ ein (ce qui). Nur vor dem Infinitiv steht auch in diesem Falle que, quoi: Il ne savait que répondre. J'ai de quoi le confondre.

2) Der Hauptunterschied zwischen quel und lequel ist, daß ersteres

---

[1] Diese Formen qui, quoi sind die schwereren, betonten Formen. In ihrer Verwendung zeigen sie viele Ähnlichkeit mit den unverbundenen Formen des Personalpronomens; nur sie dürfen nach Präpositionen stehen. Qui ist alter Objektskasus (cui), nicht Nominativ.

[2] Vgl. Syntax § 349 A. 1. Das fragende qui ist eigentlich nur Mask. und Sing. (Littré).

[3] Qui? = englisch who? Lequel = which? Quel = what?

abjektiviſch, letzteres ſubſtantiviſch iſt. Ein abjektiviſches lequel iſt nur als Relativ erhalten (vgl. Syntax). Lequel ſteht daher auch neutral: Un misérable ou un fou, je ne sais trop lequel dire (Fr. Sarcey). Un officier supérieur, général ou colonel, je ne sais lequel (A. Achard). Couturière, lingère, nous n'avons pas trop distingué lequel (Th. Gautier). Lequel vaut mieux d'être ici ou d'être là? (Mme A. Tastu). Elle dit, éveillée ou en rêve, je ne sais lequel des deux (Diderot).

Dagegen tritt öfter quel ein, wo lequel zu erwarten wäre und zwar

a) im Anſchluß an ein vorausgehendes lequel: Il est facile de dire lequel des deux est le futur docteur, quel le jurisconsulte en herbe (Robert);

b) als Fortſetzung eines vorausgehenden abjektiviſchen quel: L'ambitieux se fût demandé quelle impression il avait produite, quels caractères il avait rencontrés, quels, parmi les salons où on l'avait prié, valaient une seule visite et quels une fréquentation assidue (P. Bourget). On conçoit maintenant combien il est difficile de savoir quels hommes étaient libres, et quels ne l'étaient pas (Guizot). Il est également intéressant d'y rechercher quels projects Richelieu exécuta et quels il abandonna (H. Martin);

c) abſolut als Subjekt im direkten oder indirekten Frageſatz: De ces deux aspects, quel est celui où se reflète le plus fidèlement le fond même de son être moral? (G. Duruy). Quel est le plus malin des trois? (J.). C'étaient deux systèmes eu présence; quel était le bon? (Fr. Sarcey). De ces deux bergères, quelle est celle qui est la plus occupée de son troupeau? Quelle est celle qui est la plus simple? (Saint-Marc Girardin). M. de Bellegarde demandait à Malherbe quel était le plus français, de »dépensé« ou »dépendu«? (A. Dumas). Il y a deux façons de profiter des leçons des jésuites, et depuis Voltaire on sait quelle est la bonne (J.). Pepin fait demander au pape quel est le vrai roi, celui qui en porte le titre ou celui qui en possède le pouvoir (Guizot);

d) ſeltner als Objekt: Quel choisirons nous? (J.);

e) abſolut und alleinſtehend: Toutes les qualités sont là. Quelles? — l'unité, la mesure . . . (P. Albert). J'ai acquis une connaissance de plus, de trop. — Quelle? (A. Hermant). Elle travaillait quand elle trouvait de l'ouvrage. Quel? n'importe (G. Haurigot). Revenons à notre propos. Quel? La monarchie et les monarques (J.). On refusait du monde. Et quel! (Cadol).

Man ſieht hieraus, wie ſehr Littré recht hat, wenn er quel als eines der dunkelſten, vieldeutigſten Wörter der franz. Sprache bezeichnet. Im prädikativen Gebrauch tritt es nicht an Stelle von lequel, wohl aber von qui und zwar in beiderlei Frageformen: On voudrait bien le connaître. Quel était-il? (Mme de Sévigné). D'abord, une dame mystérieuse, une grande dame qui s'introduit la nuit dans la prison du roi . . . Je le sais, il me l'a dit.

Quelle est-elle? (Scribe). Vous moquez-vous? dit l'autre; ah! vous ne savez guère Quelle je suis (La Fontaine). Während dieser Gebrauch (quel prädikativ bei pronominalem Subjekt) altertümlich ist, findet sich quel für qui bei anderem Subjekt sehr häufig. Vgl. Syntax.

Qui tritt manchmal für lequel ein: Zerbin, Zerbin, répétaient en cœur toutes ces têtes folles, qui de nous choisis-tu pour femme? (E. de Laboulaye). A l'heure où j'écris, ce pauvre diable n'est pas mort; mais sa fin est proche, et l'on ne sait à qui des deux (au curé catholique ou au pasteur protestant) on livrera le corps pour l'enterrement (Fr. Sarcey).

Indefinites Pronomen *(le pronom* bezw. *l'adjectif indéfini).*

§ 190. Einteilung.

Die unbestimmten Fürwörter werden teilweise nur substantivisch, teilweise nur adjektivisch gebraucht; die meisten finden sowohl als Adjektive wie als Substantive Verwendung.

§ 191. Substantivische Fürwörter.

Nur substantivisch werden gebraucht: on (man), personne[1] (jemand), rien[1] (etwas).

Anm. Für on (aus latein. homo) tritt öfter[2] l'on ein (gewöhnlich ur Vermeidung des Hiatus)

1) nach et, ou, où, qui, quoi (nebst pourquoi), si (nebst aussi, ainsi), que als Relativ und Konjunktion (nebst lorsque, puisque u. a.),

2) manchmal nach déjà, aujourd'hui, ici, comme und sogar nach Konsonanten[3], z. B. nach donc, dont, car, mais, plus, cependant u. a.,

3) sehr selten zu Anfang des Satzganzen oder des Nachsatzes.

Statt qu'on tritt fast regelmäßig que l'on ein, wenn eines der nächsten Wörter mit hartem c (besonders con-) anlautet. — L'on wird nicht gesetzt, wenn eines der nächstfolgenden Wörter mit l anlautet. Niemals kann l'on nach dem Verb stehen.

§ 192. Adjektivische Fürwörter.

Nur adjektivisch werden gebraucht: certain, certaine (gewisser, gewisse), différents, différentes und divers, diverses (beide: verschiedene), maint, mainte (gar mancher, manche).

---

[1] Ne . . . personne (niemand), ne . . . rien (nichts).
[2] L'on ist nicht etwa nötig.
[3] In diesem Falle wollte der Schriftsteller die Bindung dieses Konsonanten mit dem folgenden on vermeiden.

Anm. Différents und divers kommen als Adjektive im Singular und Plural, als Fürwörter nur im Plural vor. Maint gehört mehr der familiären Sprache an: mainte fois oder maintes fois (gar manches mal), en mainte et mainte occasion (bei gar manchem Anlasse). Certain kann den unbestimmten Artikel vor sich haben; im Plural kann es de vor sich haben oder nicht: Je connais certaines gens oder de certaines gens[1]. Die übrigen dürfen kein de vor sich haben.

§ 193. Adjektivische und substantivische Fürwörter.

1) Mit gleicher Form für beiderlei Gebrauch:

Un, une; l'un, l'une ein; der eine

Pas un, pas une ⎫
Aucun, aucune ⎬ kein; keiner
Nul, nulle ⎭

Tel, telle; un tel, une telle mancher; solcher

Un autre[2], une autre anderer; ein anderer

Le même, la même derselbe

Plusieurs mehrere, sehr viele[3]

Tout im Sing. ohne Artikel: tout peuple, toute nation (jedes Volk)

Tout im Sing. mit Artikel: tout le[4] peuple, toute la nation (das ganze Volk)

Tout im Plur. mit Artikel: tous les peuples, toutes les nations (alle Völker)

Le tout (das Ganze); tous (sprich s scharf), toutes (alle).

Toute médaille a son revers (Prov.) Tout bourgeois veut bâtir comme les grands seigneurs; Tout petit prince a des ambassadeurs; tout marquis veut avoir des pages (La Fontaine). A Pultava Charles XII perdit tout le fruit de ses succès antérieurs (Lamotte). Clovis avait non seulement toute la bravoure et toute l'audace d'un conquérant, mais toute l'habileté d'un homme d'État consommé (Barrau).

---

[1] Selten steht de vor certains als Subjekt.
[2] Über autrui vgl. Syntax (§ 335 A. 3).
[3] Plusieurs (ohne besondere weibliche Form) ist zugleich Komparativ und absoluter Superlativ. Die meisten la plupart.
[4] Statt des bestimmten Artikels kann auch der unbestimmte, sowie adjektivisches Possessiv oder Demonstrativ eintreten.

La réunion de toutes les lettres d'une même langue s'appelle alphabet (Brachet). Il y a éclipse du soleil toutes les fois que la lune passe entre cet astre et la terre, et le cache ainsi en tout ou en partie (Lamotte). Les ouvrages d'Aristote, que nous possédons encore presque tous, forment une espèce d'encyclopédie des connaissances humaines (Derj.) La question s'adresse à tout le monde, à tous et à toutes (J.).

2) Mit verschiedener Form für abjektivischen und substantivischen Gebrauch:

Abjektivisch.	Substantivisch.
Quelconque (welcherlei immer, jeder beliebige), Plur. quelconques.	Quiconque (wer immer; ein jeder, welcher), ohne Plural.
Chaque (jeder, jede), ohne Plural.	Chacun, chacune (ein jeder, eine jede), ohne Plural.
Quelque (einige), Plural quelques.	Quelqu'un, quelqu'une (irgend einer, eine), Plural quelques-uns, quelques-unes (einige). Neutrum quelque chose (etwas).

VIII. Die Präposition *(la préposition)*.

§ 194. Die eigentlichen Präpositionen.

Die eigentlichen Präpositionen, welche sämtlich mit dem Accusativ verbunden werden, sind folgende:

à zu, nach, in, an	depuis seit
après nach	derrière hinter
attendu in Anbetracht	dès von ... an, seit
avant vor	devant vor
avec mit	durant während
chez bei	entre zwischen, unter
concernant inbetreff	envers gegen
contre gegen	excepté ausgenommen
dans ⎱ in	hors ⎱ außer
en ⎰	hormis ⎰
de von, aus	jusque bis

Plattner, Grammatik. I. r.   14

malgré trotz	sans ohne
moyennant vermittelst, für	sauf unbeschadet, ohne, außer
nonobstant ungeachtet	selon ⎫
outre außer	suivant ⎬ zufolge, nach
par durch	sous unter
parmi unter	sur auf
passé nach	touchant inbetreff
pendant während	vers gegen
pour für	vu in Anbetracht

Anm. 1) Die Franzosen rechnen meist auch voici, voilà zu den Präpositionen. Deçà (diesseits) und delà (jenseits) sind fast veraltet, dafür en deçà de, au delà de, vgl. unten § 195.

2) Avant und après werden in Bezug auf Zeit und Reihenfolge, devant und derrière im räumlichen Sinne gebraucht. Doch kann auch après in Bezug auf räumliche Verhältnisse gebraucht werden.

3) Contre steht meist im feindlichen Sinne, vers in Bezug auf Raum und Zeit; envers steht für jederlei Beziehung auf ein Objekt, meist nach Adjektiven. Vgl. unten bei gegen.

4) Dans und en unterscheiden sich gewöhnlich nur der Form nach (vgl. jedoch unten bei in), indem dans vor dem bestimmten Artikel steht, während en denselben in der Regel nicht zuläßt. En tritt statt dans besonders ein vor dem Pronomen: en ce cas, en son dictionnaire (neben dans ce cas, dans son dictionnaire), sogar en tous les cas, en toutes les langues. En tritt manchmal vor den bestimmten Artikel; stehende Ausdrücke dieser Art sind: en l'honneur de (zu Ehren von), en l'absence de (in Abwesenheit von), en l'an, en l'étude de (auf der Amtsstube von) beide nur im Aktenstil, en l'air (in den Wind hinein, grundlos, unnütz, des mots en l'air), il y a péril en la demeure (es ist Gefahr im Verzuge).

En tritt außerdem öfter für à ein, wenn kein bestimmter Artikel folgt, besonders vor dem Pronomen[1]: au nom de mes amis, aber en mon nom; à la place de votre frère, aber en (neben à) ma place; tomber au pouvoir d'un ennemi, aber il tomba en leur pouvoir u. a. Daher auch au printemps, aber en été; croire aux dieux, aber croire en Dieu; au temps des croisades, aber en ce temps-là; vgl. en cas que neben au cas que (au cas où, dans le cas où nur mit dem Artikel wegen des folgenden Relativadverbs).

5) De steht bei den Wörtern côté und part auf die Frage w o h e r ? (de ce côté von dieser Seite, de part et d'autre von beiden Seiten), auf die Frage w o ? (d'un côté auf der einen Seite, de toutes parts auf allen Seiten) und bei côté auch auf die Frage wohin? (s'en aller du côté de la ville nach

---

[1] Wobei das substantivische Possessiv auszunehmen ist, weil es mit dem bestimmten Artikel steht. Vor lequel findet sich en öfter gesetzt, wenn das Relativ sich auf Sachen bezieht. Vgl. hierüber das Ergänzungsheft.

der Stadt hin gehen). Auch im Deutschen sagt man „beiseite schieben, beiseite treten" u. a., während die Präposition „bei" sonst nur vom Verweilen, nicht von der Bewegung auf ein Ziel hin üblich ist.

6) **Dès** erhält oft den Sinn unseres **schon**: Dès l'âge le plus tendre il montra de grandes dispositions pour la musique. — Dès lors steht öfter im Sinne von **folglich**.

7) **Entre** (zwischen, unter) wird eigentlich nur von zweien, parmi (inmitten von, unter) von mehreren gesagt. Doch tritt auch entre im Sinne von parmi ein: Il fut trouvé entre[1] les morts (parmi les blessés).

8) **Jusque** (in der Poesie noch manchmal das alte jusques) für sich allein kommt nur in jusqu'où, jusqu'ici, jusque-là vor. Sonst findet es sich immer in Verbindung mit den Präpositionen à, en, dans, sur, vers u. a. — Dann steht es öfter im Sinne von **sogar**: On lirait avec étonnement ce récit jusque dans un roman de chevalerie.

9) **Durant** folgt häufig dem Substantiv nach, und da es Particip ist, muß diese Stellung als die ursprüngliche gelten. Es hat dann die Bedeutung des deutschen **lang** und steht wie dieses in der Regel nach bestimmten Zeitangaben, daher six mois durant (neben durant six mois), aber nur durant cet intervalle, durant de longues heures.

10) Eine Auslassung der Präposition (besonders de) findet statt nach soit ... soit[2]: Soit lassitude de la guerre, soit crainte de l'influence étrangère, tout le monde désirait la conciliation (Bastide). Über moitié moins vgl. unten bei der Präposition „um"; über crainte de im nächsten Paragraphen; über den Wegfall von de vor folgendem à und von à nach vorhergehendem de s. unten bei „bis". Über die Auslassung von avec für den begleitenden Umstand, von à für das bezeichnende Merkmal s. unten bei „mit". Für die Auslassung der Präposition bei der Apposition und dem doppelten Accusativ sind die bezüglichen Kapitel zu vergleichen.

Eine uns überflüssig erscheinende Präposition (à) steht bei Ortsangaben: à deux pas de la maison; à trois lieues de la ville; à une journée de marche de la capitale. Il prit position à Maille, à deux lieues ouest de Tours (H. Martin). Über die Zufügung von par bei Ausdrücken wie voir, juger, régner par soi-même vgl. das Personalpronomen § 314 A. 3 b.

§ 195. Präpositionale Redensarten.

Außerdem besitzt das Französische eine große Zahl präpositionaler Redensarten (teilweise nur vor dem Infinitiv üblich):

---

[1] Der öfter gemachte Unterschied entre les morts (selbst tot), aber parmi les morts (selbst noch lebend) ist gänzlich unbegründet.

[2] Doch ist zu bemerken, daß die Ellipse für den Franzosen hier an einer anderen Stelle liegt, als wo der Deutsche sie vermutet. Nicht die Präposition de oder par fehlt für ihn nach soit, sondern er ergänzt eher soit ... étrangère *qui explique le fait*.

14*

à l'aide de mit Hülfe von, durch
au bout de nach Verlauf von, nach
au ⎫
en ⎬ cas de im Falle von
à cause de wegen
à côté de neben
à ⎫
au ⎬ défaut de[1] in Ermangelung von
au delà de jenseits
au-dessous de unter, unterhalb
au-dessus de über, oberhalb
au-devant de entgegen
à l'égal de in gleichem Grade wie
à l'égard de ⎫
à l'endroit de ⎬ in Bezug auf
à l'exclusion de mit Ausschluß von
à la faveur de unter dem Schutze von
en faveur de zugunsten
afin de um zu
à force de durch (vieles u. f. w.)
à l'intention de für
au lieu de anstatt
à même (de) unmittelbar aus, in
à mesure de ⎫
à proportion de ⎬ im Verhältnis zu
au milieu de mitten in
à moins de ohne
au moyen de vermittelst
à partir de von . . . an, feit
à . . . près[2] abgesehen von
auprès de neben, im Vergleich mit
au prix de im Vergleich mit
à propos de bei Gelegenheit von
à raison de für (bei Preis)
aux termes de nach, laut
à titre de als

autour de um
à travers ⎫
au travers de ⎬ quer über, durch
contrairement à im Unterschiede zu
d'après nach (Muster)
d'avec von (Unterscheidung)
(de) crainte de ⎫ damit nicht,
de peur de ⎬ um nicht
de façon à ⎫
de manière à ⎬ derart daß, so daß
de par (aus part) de von seiten, auf
Befehl
de préférence à eher, lieber als
en considération de in Anbetracht von
en deçà de diesseits
en dedans de innerhalb
en dehors de außerhalb
en dépit de trotz
en face de ⎫
vis-à-vis de ⎬ gegenüber
en fait de ⎫
en matière de ⎬ in, was anbelangt
en faveur de zu gunsten
en vertu de kraft
faute de aus (beim) Mangel an
grâce à dank, vermöge
hors de außer
le long de längs
loin de weit entfernt
lors de zur Zeit von
par-dessous unter
par-dessus[3] über
par devant vor
par rapport à rücksichtlich, gegenüber[4]
par suite de infolge von
pour l'amour de um . . . willen

---

[1] Der Zusatz des Artikels bedingt keinerlei Unterschied.
[2] A cela près davon abgesehen. A une dizaine de personnes près zehn Personen auf oder ab.
[3] Aber le pardessus (kein Bindestrich) der Überzieher, Paletot.
[4] **Par rapport à** ist das richtige Wort statt des oft falsch gebrauchten vis-à-vis de (gegenüber) in Bezug auf Personen: Ce serait une faiblesse par rapport aux autres et une faiblesse par rapport à vous-même.

pour ce qui est de } hinsichtlich, was   sous peine de bei Strafe von
quant à   } betrifft   sous prétexte de unter dem Vor-
près de, proche de bei   wande von
sauf à unbeschadet

Anm. 1) Hierzu tritt eine große Anzahl von Verbindungen einzelner Präpositionen (vgl. z. B. für jusque oben § 194, Anm. 8). De **chez** (nicht de allein) muß stehen, wenn das Kommen aus der Wohnung jemandes bezeichnet werden soll, daher: je sors de chez vous gerade komme ich von Ihnen, aus Ihrem Hause. D'**entre** (gewöhnlich nicht einfaches de) steht vor dem Pronomen nach Indefiniten (plusieurs d'entre nous), absolut gebrauchten Quantitätsadverbien (peu d'entre les siens) und Zahlwörtern (une d'entre elles, quatre d'entre vous). Des Mißklangs wegen wäre einfaches de in deux d'entre eux, ceux d'entre eux unmöglich.

2) **Près de** und **auprès de** unterscheiden sich dadurch, daß auprès de von Personen gebraucht wird. Selten findet sich près de von Personen oder auprès de von Örtlichkeiten.

3) **Près** steht ohne de bei Angabe der Lage oder Wohnung (vgl. bei 1); auch ambassadeur près le saint-siège u. a. **Vis-à-vis** kann ohne de gebraucht werden.

4) **Crainte de** ist üblicher als de crainte de: Dans la saison de l'été, les cerfs marchent tête basse, crainte de froisser leurs bois contre les branches.

Zusatz. Eine große Anzahl von Präpositionen wird adverbial gebraucht: voter pour (dafür stimmen), je ne dis rien contre (dagegen), passez devant (gehen Sie voraus), passer outre (sich um eine erhobene Einsprache nicht kümmern), c'est selon (je nachdem, das kommt darauf an). Ebenso avant, devant, après, depuis (später[1]), familiär auch avec[2], sans und parmi.

Umgekehrt können einzelne Adverbien wie Präpositionen gebraucht werden, so comme (an, in Bezug auf), aussitôt oder sitôt (sogleich nach): On fera une riche récolte comme quantité et qualité. Aussitôt la conclusion de la paix, l'armée fut remise sur le pied de paix.

Wiedergabe deutscher Präpositionen im Französischen.[3]

§ 196. An (meist à).

I. Auf die Frage wo?

1) Örtlich: am Flusse sur le bord du fleuve, an der Küste sur la côte, an dem Busen von Bengalen sur le golfe de Bengale (en = è), an der

---

[1] Wie im Engl. since, im Mhd. sit.

[2] Avec ist häufig in der Litteratur (besonders bei A. de Musset).

[3] Die von dem Deutschen ausgehende Darstellung blieb beibehalten, weil nur sie über die Unterschiede beider Sprachen eigentliche Aufklärung giebt

Grenze sur la frontière. Châlons‑sur‑Marne.[1] Cologne est située (assise) sur le Rhin (aber une ville située au confluent de deux fleuves, à l'embouchure d'un fleuve). Die Schlacht am Weißen Berg la bataille de la montagne Blanche. An der Spitze en tête. – Professeur au Collège de France. – Die Flöte am Munde haben avoir la flûte à la bouche, aux lèvres.

2) Statt in: am Leben en vie. Wenn ich an Ihrer Stelle wäre si j'étais à (en) votre place (si j'étais que de vous). An jemanden einen Helfer finden trouver un auxiliaire dans (en) qn. Das gefällt mir an ihm voilà ce qui me plaît de lui (en lui).

3) Zeitlich: meist mit dem Accusativ le matin, le soir, le jour (de jour), le lendemain, le lendemain matin, la veille au soir. Doch: am bestimmten Tage au jour fixé, am Abend dans la soirée, am hellen Tage en plein jour, en plein midi, gestern (am) Abend hier (au) soir, gestern (am) Nachmittag hier dans l'après‑midi.

Par une belle journée (un beau jour) d'hiver, par un dimanche d'été.

4) Mittel oder Grund: an der Hand führen mener qn par la main, an einem Nagel aufhängen suspendre qe par (à) un clou, an der Stimme erkennen reconnaître qn par la voix, am ganzen Leibe zittern trembler de tout son corps, de tous ses membres.

An einer Wunde sterben mourir d'une blessure, ebenso mourir de maladie (natürlichen Todes), mourir de la fièvre jaune (mourir empoisonné an Gift).

5) Statt in Bezug auf: Des nations diverses de mœurs. Un ouvrage irréprochable de style. Croître, décroître de diamètre. Ressembler à qn par qe. Économiser sur le combustible (an Brennmaterial). Le disputer à qn pour la puissance (de puissance), être supérieur à qn pour la taille. Il a beaucoup gagné comme esprit et comme manières. Leer an vide de, unschuldig an innocent de.

6) Einzelnes: zweifeln an douter de, glauben an croire à qn (à qe), croire en Dieu. Sich ein Beispiel nehmen an prendre exemple sur qn. Das liegt mir am Herzen cela me tient au cœur. Ich weiß, woran ich bin je sais à quoi m'en tenir. Soviel an mir liegt autant qu'il est en moi. Es ist nichts Wahres daran il n'y a rien de vrai là dedans. Verräter am Vaterland traître à la patrie. Es ist an (auf) der Tagesordnung c'est à l'ordre du jour. Das ist am Platz cela est de saison, de mise (nicht am Platze déplacé). Die Reihe ist an mir c'est mon tour de faire qe (c'est à moi à oder de faire qe). Wir waren sechs

und nur sie gestattet, auch anders geartete Ausdrucksweisen zu berücksichtigen. Eine eingehende Übersicht über die Präpositionen vom französischen Standpunkt aus bietet das Ergänzungsheft.

[1] Die wichtigsten Fälle sind in diesem und den folgenden Paragraphen durch fetten Druck kenntlich gemacht.

an der Zahl nous étions au nombre de six (nous étions six). An den Fingern zählen compter sur ses doigts.

II. Auf die Frage wohin?

1) Örtlich: ans Feuer stellen mettre qe au feu, sich an die Wand lehnen s'appuyer contre le mur, an der Zimmerdecke aufhängen suspendre au plafond (un portrait pendu contre la muraille), an die Schultafel schreiben écrire sur le tableau (noir), ans Herz drücken serrer qn sur le cœur.

2) Für eine unbestimmte Zahl: es fielen an die 3000 Mann dans cette bataille périrent jusqu'à 3000 hommes.

3) Übertragen: denken an jemanden penser à qn, sich wenden an jemanden s'adresser à qn; meine Empfehlungen an . . . ne m'oubliez pas auprès de . . .

III. Adverbial. Von . . . an dès ce moment, à partir de 1820. — An — vorbei (vorüber) passer sous les fenêtres de qn. Le passage de Mercure sur le Soleil. — An und für sich en soi (-même), seltener en lui-même u. s. w.

§ 197. Auf (meist sur).

I. Auf die Frage wo?

1) Örtlich: auf der Straße dans la rue, auf dem Platze sur (selner dans) la place, auf dem Forum dans le Forum, auf dem Festland dans le continent, auf der Insel dans l'île, auf einer Halbinsel dans une péninsule, auf Cuba dans (oder à) Cuba, auf dem Mittelmeer dans (selten sur) la Méditerranée, auf der Treppe dans l'escalier, auf seinem Zimmer dans sa chambre. Auf dem Bahnhof à la gare, auf dem Schlosse au château, auf der Rednertribüne à la tribune, auf dem Feld aux champs (dans son champ), auf dem Ball au bal, auf der Jagd à la chasse, auf dem Lande à la campagne, auf 20 Meilen in der Runde à 20 lieues à la ronde[1], auf der Höhe von à la hauteur du cap Finisterre. Auf dem Rücken tragen porter sur le dos, auf dem Rücken befestigt attaché dans le dos.

Auf Reisen en voyage, auf Besuch en visite, auf Urlaub en permission (en congé, wenn auf längere Zeit), auf dem Wege, unterwegs en chemin, en route (chemin faisant). — Auf einer Reise dans[2] un voyage, auf

---

[1] So steht à bei der Angabe der Entfernung (deutsch keine Präposition): à 20 kilomètres de la frontière. Obwohl die französische Präposition nicht von dem lat. ab sich herleitet, ist der entsprechende Gebrauch interessant: A milibus passuum duobus castra posuerunt.

[2] In Fällen, wo neben à andere Präpositionen (besonders dans) möglich sind, hat à in der Regel den Vorzug bei dem bestimmten Artikel, während vor unbestimmtem Artikel und Fürwörtern à nur für die Bewegung steht und für das Verweilen eher dans eintritt: au bal, aller au bal, aber dans un bal; aller à la maison, au champ, à son champ, aber être dans une (sa) maison u. s. w.

einem Besuche dans une visite, auf einem Feldzuge dans une campagne, dans une expédition. Auf seinem Posten à son poste, auf der Wache sein être de garde.

Auf der ganzen Erde par toute la terre; chercher qn par tout le champ de bataille. Auf der Welt au monde, doch steht de nach dem Superlativ: La chose la plus inutile du monde auf der Welt.

2) Werkzeug oder Mittel: auf beiden Augen blind aveugle des[1] deux yeux, auf dem linken Auge blind borgne de l'œil gauche, auf einem Pferde (Esel) reiten aller à cheval (à âne), sich auf Pistolen schlagen se battre au pistolet, auf dem Instanzenweg par la voie hiérarchique, auf trocknem (feuchtem) Weg par voie sèche (humide). Auf dem Klavier spielen jouer du piano.

3) Auf der Stelle sur-le-champ, auf der einen Seite d'un côté vgl. § 194 Anm. 5, schwarz auf weiß avoir qe en blanc et en noir (auch noir sur blanc), 4 Fuß Länge auf 2 Fuß Breite 4 pieds de long sur 2 de large.

II. Auf die Frage wohin?

1) Örtlich: auf die Erde fallen tomber à terre (meist tomber par terre, wenn der Fall nicht aus der Höhe erfolgt), auf die Bäume klettern grimper aux (sur les) arbres, auf jemand zukommen venir à qn (feindlich sur qn), zugehen aller à qn; auf die Kniee fallen tomber à genoux.

2) Zeitlich: auf lange Zeit pour longtemps, mieten auf das Jahr louer une maison à l'année, une voiture au mois, auf 8 Tage pour huit jours, von 1879 auf 1880 l'hiver de 1879 à 1880, dreiviertel auf 10 Uhr dix heures moins un quart, ein Waffenstillstand auf 3 Jahre une trêve de trois ans. Auf immer à jamais.

3) Übertragen: antworten auf répondre à qe, warten auf attendre qn, gefaßt sein auf s'attendre à qe, böse sein auf en vouloir à qn, stolz sein auf être fier de qe, eifersüchtig auf jaloux de, neidisch auf envieux de, auf die Gesundheit boire à la santé de qn, einen Preis auf den Kopf setzen mettre la tête de qn à prix, geht das auf mich? est-ce pour moi que vous parlez? sich auf die Lippen beißen se mordre les lèvres, auf französisch en français, auf gut Glück au hasard, auf Wiedersehen au revoir, auf heute Abend à ce soir, auf die Uhr sehen regarder sa montre, Rechte, Ansprüche auf avoir des droits sur qe (des titres, des prétentions à, seltner sur qe), aufs Gewissen en conscience, auf Ehre (und Gewissen) en honneur (d'honneur), dans mon âme et conscience, sur ma conscience, sur mon honneur et ma conscience, oder ohne Präposition: C'est insensé, parole d'honneur.

4) Reihenfolge: folgen auf succéder à qn, Schlag auf Schlag coup sur coup, Tropfen auf Tropfen goutte à goutte.

---

[1] Die Vorstellung ist: ne voyant pas . . .

5) **Distributiv**: auf den Kopf par tête, auf je 1000 Einwohner une école par mille habitants; une vitesse de 65 kilomètres à l'heure, 30 hectolitres à l'hectare.

6) **Gemäß, auf . . . hin**: auf Befehl par ordre de qn, par les ordres de qn, auf den Rat par le(s) conseil(s) de qn, de l'avis de qn, auf die Drohung sur la menace, auf die Bitte à la prière, à la sollicitation, sur la demande de qn, auf die Nachricht à la nouvelle de qc, auf einen bloßen Verdacht hin sur un simple soupçon.

7) **Art und Weise**: auf meine Kosten à mes frais, auf meine Unkosten à mes dépens, auf Ihre Gefahr à vos risques et (*ris-ke*) périls, auf die Gefahr hin au risque de périr, auf einmal ils parlèrent tous à la fois (nicht mit Unterbrechung, faire qc en une seule fois), aufs Geratewohl au hasard, auf alle Gefahr hin à tout hasard.

§ 198. Aus (meist de).

1) **Örtlich**: aus einem Hause treten sortir d'une maison, aus dem Ausland kommen venir de l'étranger, aus Südfrankreich sein être du Midi. Aus dem Fenster sehen (d. h. sich hinausbeugen) regarder par la fenêtre (sonst à la fenêtre).

Bei einer Reihe von Verben fragen wir: woraus?, während im Französischen gefragt wird wo? Boire **dans** un verre, manger **dans** une assiette, fumer dans une pipe de bois, prendre une prise dans une tabatière, prendre qe **dans** une armoire (sur une table), des pigeons qui mangent dans la main, des morceaux choisis dans un ouvrage, copier qe **dans** un livre, enlever qn dans son lit, puiser à des sources différentes (bildlich, aber ebenso puiser, boire à une source), un fait (pris) entre mille (eine Thatsache aus einer großen Menge) u. a.

2) **Stoff**: eine Kette aus Gold une chaine d'or, eine Kanone aus Geschützmetall un canon de bronze, eine goldne Tabaksdose une tabatière en or, eine hölzerne Brücke un pont en bois, eine Brücke aus Stein un pont construit en pierres, Maisbrod du pain fait avec de la farine de maïs, machen aus se faire un manteau avec une couverture. Faire de nécessité vertu aus der Not eine Tugend machen.

Bestehen aus être composé de, consister en.

3) **Beweggrund, Ursache**: aus Haß gegen en haine de, aus Stolz par orgueil, aus Gefälligkeit par amitié, par complaisance, aus Erfahrung par expérience, aus Verzweiflung il se tua de désespoir, aus Furcht **dans** (par) la crainte de, de peur de oder ohne Präposition: crainte de, aus Mangel an faute de und so besonders nach soit . . . soit, moitié . . . moitié: soit envie, soit crainte (sei es aus Neid oder aus Furcht), moitié distraction, moitié paresse (teils aus Zerstreutheit, teils aus Trägheit). Vgl. § 194 A. 10.

Aus biefem Grunde pour (seltener par) cette raison, aus mehreren
Gründen pour plusieurs motifs.

§ 199. Außer (meist hors).

1) Örtlich: außer bem Haufe hors de la maison, außer Schußweite hors
de la portée du canon.

2) Übertragen: außer Gefahr hors de danger, außer fich hors de
soi(-même), außer fich vor Wut transporté de rage, vor Freude außer
fich fein ne pas se sentir (se posséder) de joie, außer bem Gefeß (vogel=
frei) hors la loi.

3) Statt ausgenommen: excepté, à l'exception de. Außer wenigen Aus=
nahmen sauf de rares exceptions, la règle est absolue, auch à quelques
exceptions près. Il a toutes les vertus moins la patience. Les portes
ne se ferment plus, si ce n'est en temps de guerre. Niemand außer
mir personne autre que moi. Hors und befonders hormis, outre find
in biefem Sinne nicht rätlich.[1]

4) Statt ungerechnet: Le seul poète du grand siècle, avec la Fontaine
(außer la F.), qui paraisse avoir eu quelque sentiment des mœurs
champêtres, est Racan. La population est de trente mille habitants
non compris les indigènes (außer ben Eingeborenen), bafür auch indé-
pendamment de, feltner outre.

§ 200. Bei.

1) Örtlich: bei bem Dorfe près du village, ganz nahe bei ber Thüre
tout près (auprès) de la porte, tout contre la porte.

Nähere Bezeichnung ber Lage: le château de Babelsberg près Pots-
dam; bei franzöf. Orten meift lès (eigentl. lez § 45, 3): Villeneuve-lès-
Avignon, boch par auf Briefadreffen, wenn ber beigefügte Ort bie Poft=
ftation ift. — Die Schlacht bei Waterloo la bataille de Waterloo, er
fiel bei Wagram il fut tué à Wagram. Bei biefem Siege, biefer
Niederlage dans cette victoire, dans cette défaite.

Bei ben Germanen chez les anciens Germains, bei Montesquieu
dans (chez) Montesquieu, bei Leuten Ihrer Anficht chez (dans) les
gens de votre opinion, bei ben Säugetieren, ben Vögeln chez (dans) les
mammifères, les oiseaux. Bei Sachen nur dans: bei ben Pflanzen dans
les végétaux, bei ben Verben dans les verbes.

Ich war bei ihm (in feiner Wohnung) j'ai été chez lui, ich war bei
ihm (in feiner Gefellfchaft) j'étais avec lui. Er ift bei feiner Familie
il est (vit) dans sa famille. Sie bleiben bei uns zu Tifch ainsi vous

---

[1] Fors nur noch in bem befannten aber unrichtigen: Madame, tout est
perdu, fors l'honneur! Richtig: De toutes choses ne m'est demeuré que
l'honneur et la vie qui est sauve.

nous restez à dîner. Er dient bei den Husaren il sert dans les hussards. — Gesandter bei einer Regierung ambassadeur près un gouvernement (Sache!), dagegen ambassadeur de France auprès du roi d'Espagne (Person!).

Bei ihm ist nichts unmöglich avec lui rien n'est impossible. — Bei Tische à table (ebenso à table d'hôte). Gewehr bei Fuß l'arme au pied. Etwas bei sich haben: avoir de l'argent sur soi. Man kann noch sagen j'avais un livre sur moi[1]; aber bei Dingen, die man in der Hand trägt: il avait une canne oder il tenait à la main une canne. Er sagte bei sich il se dit, er dachte bei sich il songea à part lui.

2) Zeitlich: bei Tage de jour, le jour, dans la journée, pendant le jour, bei Nacht de nuit, bei einbrechender Nacht à la nuit, à la nuit tombante, bei meiner Ankunft à mon arrivée, bei seinen Lebzeiten de son vivant (du vivant de qn), bei diesen Worten à ces mots, à ces paroles, bei dieser Erzählung à ce récit. Bei Gelegenheit dans (seltner à) l'occasion, bei dieser Gelegenheit dans cette occasion, bei jeder Gelegenheit en toute occasion, aber à vor folgendem de: bei Gelegenheit dieses Festes à l'occasion de cette fête.

3) Einzelnes, meist statt anderer Präpositionen: bei prächtigem Wetter par un temps superbe, bei einem derartigen Wetter par (avec) un temps pareil, d'un temps pareil, bei strömendem Regen il partit sous (par) une pluie battante, bei 20° Kälte par 20 degrés de froid. — Bei Todes- strafe sous peine de mort, bei Strafe der Gütereinziehung sous (à) peine de confiscation (veraltet sur). Bei Wasser und Brot au pain et à l'eau (vgl. S. 145 N. 2).

Bei all seiner Trägheit malgré toute sa paresse il a réussi, bei seinem Stolze ist das kaum glaublich ce n'est guère à supposer avec son orgueil.

Die Dinge beim richtigen Namen nennen appeler les choses par leur nom, bei der Hand führen mener qn par la main, bei den Haaren ziehen tirer qn par les cheveux (aber tirer les oreilles à qn), er nahm mich bei der Hand il me prit la main, schwören bei jurer par. Bei jem. wachen veiller un malade; il n'avait plus besoin d'être veillé.

Bei Sinnen sein être dans son bon sens, bei Geld sein être en fonds, bei Stimme être en voix, bei Appetit être en appétit.

§ 201. Binnen.

Binnen heute und morgen d'ici à demain, binnen 3 Tagen d'ici à trois jours, öfter fehlt à: binnen wenig Tagen d'ici quelques jours.

Binnen 24 Stunden dans les vingt-quatre heures, ebenso dans les quinze jours, dans l'année u. f. w. Auch dans le délai de trois semaines,

---

[1] Vgl. Il était porteur d'un revolver à six coups er hatte . . . bei sich.

de deux ans. Statt dans mit dem Artikel steht auch sous ohne den=
selben: sous trois semaines, sous quatre jours; binnen kurzem sous peu
(de temps).

§ 202. Bis (meist jusqu'à).

1) Örtlich: Von der Elbe bis zur Ostsee de (depuis) l'Elbe à (jusqu'à)
la mer Baltique. De Paris à Rouen il y a trente lieues. Bis ins
unendliche à l'infini (örtlich und zeitlich).

2) Zeitlich: bis dann jusque-là, d'ici là, bis heute jusqu'aujourd'hui, vom
Morgen bis zum Abend du matin au soir. Die von uns erwartete
Präposition à fehlt fast regelmäßig nach d'ici bei Zeitangaben (z. B.
d'ici quinze jours, vgl. unten bei „in"), seltner bei Ortsangaben:
Le chemin d'ici la route forestière n'est guère visible sous la neige
(J. Mairet). Nach dem intransitiven attendre steht meist à statt jusqu'à:
attendez à ce soir, à demain, au lendemain u. s. w. Aber je vous
attendrai jusqu'à demain.

3) Bei unbestimmter Zahlangabe: er ist 13 bis 14 Jahre alt il a de
treize à quatorze ans. Das vorangehende de ist nicht unerläßlich und
muß bei einem zweiten de (oder einer andern Präposition) wegfallen:
nach Verlauf von 2 bis 3 Jahren au bout de deux à trois ans. Ou
muß eintreten, wenn ein mittleres undenkbar ist: 5 bis 6 Wochen de
cinq à six semaines, aber 5 bis 6 Personen cinq ou six personnes.

§ 203. Durch (meist par).

1) Örtlich: er kam durch Lyon il passa par Lyon, durch die Thüre gehen
passer par la porte, durch die Nase sprechen parler du nez.
A travers, aber au travers de.
Durch und durch de part en part, d'outre en outre, d'un bout à
l'autre.

2) Zeitlich: acht Tage hindurch, acht Tage lang huit jours, pendant huit
jours. Bemerke: ich habe die ganze Nacht hindurch nicht schlafen können
je n'ai pas fermé l'œil de toute la nuit.

3) Mittel: durch einen Boten, durch einen Brief jem. etwas mitteilen
apprendre qe à qn par un messager, par une lettre.
Mit dem Begriffe des Unablässigen à force de: durch unausgesetzte
Bitten à force de prier, à force de sollicitations.

4) Veranlassung (= infolge von): par suite des pluies continuelles les
chemins étaient devenus impraticables.

§ 204. Für (meist pour).

1) Preisangabe: ablassen für eine gewisse Summe donner (laisser) qe
pour une certaine somme. Bei acheter, vendre u. a. meist Accusativ

der Wertangabe (§ 305, 3). Verlangen für il demande 30000 fr. de sa maison, bieten für on lui offrit 150 fr. de son tableau. — Il s'engagea à raison de 30 sous par jour. Für ein kleines Trinkgeld moyennant un petit pourboire.

2) Distributiv: für den Tag il gagne 2 francs par jour. On paie 20 centimes par personne.

3) Reihenfolge: Tag für Tag jour par jour, Jahr für Jahr année par année (auch bon an mal an). Zug für Zug trait pour trait, Schritt für Schritt pas à pas, Zeile für Zeile ligne à ligne, Wort für Wort mot à (pour) mot, Stück für Stück pièce à pièce (d. h. stückweise, ein Stück nach dem andern, dagegen im distributiven Sinne la pièce oder au choix: tous ces objets se vendent 1 fr. au choix).

4) Einzeln: jem. danken für etwas remercier qn de qe, gestraft werden für etwas être puni de qe, sich entschädigen für etwas se dédommager de qe, empfänglich für sensible à, schädlich für nuisible à, gefährlich für dangereux à, nötig für nécessaire à, taub für sourd à; verantwortlich für responsable de, ein Mittel für eine Krankheit un remède contre (pour) une maladie, er ißt für vier il mange comme quatre, für immer pour toujours, pour (à) jamais, à tout jamais.

§ 205. Gegen.

1) Örtlich: gegen Süden vers le midi.

2) Zeitlich: gegen Mittag vers midi, gegen Abend vers (sur) le soir, gegen Ende vers (sur) la fin du XVIe siècle; gegen 9 Uhr vers (les) neuf heures mit oder ohne Artikel, sur les neuf heures nur mit Artikel.

3) Zahlangaben: gegen 20,000 Bände cette bibliothèque compte environ 20000 volumes. Auch près de (oder die Adverbien à peu près, environ).

4) Richtung auf ein Objekt: Stand halten gegen tenir contre une armée supérieure en nombre, gegen den Feind ziehen marcher à (contre) l'ennemi. Mann gegen Mann combattre homme à homme (corps à corps).

Nach Adjektiven ist gegen mit envers, à, pour, besonders aber mit avec zu übersetzen (wobei die freundliche oder feindliche Gesinnung durchaus unwesentlich ist): charitable envers, impitoyable envers: cruel à, hostile à, insensible à, rebelle à, sourd à; indulgent pour, sévère pour: brutal avec, généreux avec, ingrat avec, insolent avec, poli avec, sévère avec, sincère avec u. s. w.

5) Abweichung von: gegen die Ehre contre l'honneur, gegen seine Gewohnheit contre son habitude.

6) Im Vergleich mit: Qu'est-ce que la terre auprès de l'univers? L'or et l'argent ne sont rien au prix de la fidélité d'un ami.

Auch en comparaison de, à côté de.

7) Tauſch: changer, échanger, troquer une chose contre une autre; gegen bares Geld contre espèces, gegen Vergütung contre compensation, gegen Bürgſchaft sous caution.

§ 206. Hinter (meiſt derrière).

Hinter dem Hauſe derrière la maison, hinter jemand hergehen marcher derrière (après) qn, suivre qn, die Thüre wurde hinter ihm geſchloſſen la porte se ferma derrière (après, sur) lui. Das erſte Dorf, die erſte Station hinter Nantes le premier village, la première station après Nantes, hinter Schloß und Riegel sous les verrous, ſich hinter den Ohren kratzen se gratter l'oreille (la tête), hinter den Couliſſen dans la coulisse (à la cantonade von dem, was hinter den Couliſſen geſprochen wird).

§ 207. In (meiſt dans, en).

1) Örtlich: Bei Ländernamen en: en Allemagne, doch au Japon, dans la Grande-Bretagne, dans l'Amérique centrale (en Asie Mineure vgl. § 285, 2), aux Pays-Bas.

Bei Städtenamen à: à Paris, doch auch dans Paris hauptſächlich im Gegenſatze zur nächſten Umgebung.

Im Norden au nord, im Süden au midi, im ganzen Lande par tout le pays, in der Straße . . . dans[1] la rue Saint-Honoré, in ſeiner Wohnung à son domicile, im Garten au jardin, in der Küche à la cuisine, im erſten Stock au premier (étage), doch bei näherer Beſtimmung dans: dans notre jardin, dans cette cuisine u. ſ. w.

In der Stadt à la ville (d. h. nicht à la campagne, à la cour), dans la ville (d. h. nicht aux environs de la ville), en ville (d. h. nicht à la maison, au logis, chez soi): être en ville ausgegangen ſein, diner en ville zum Eſſen eingeladen ſein, en ville hier (auf Stadtbriefen).

In der Sonne au soleil (und ſo à l'air[2], au vent), in der Sonne glänzen briller au soleil, im Schatten à l'ombre (sous l'ombrage d'un arbre); dans l'ombre heißt im Dunkeln, im Verborgenen. In der Luft en l'air, dans les airs, in die Luft blicken regarder en l'air.

In guter Schule herangebildet formé à bonne école, ebenſo apprendre l'art de la guerre à l'école de qn.

In dieſem Tempus à ce temps (und ſo au présent, au subjonctif, à l'infinitif), im Plural au pluriel, in der 3. Perſon à la troisième personne.

Auf die Frage wohin: in das Meer (Waſſer) fallen (werfen) tomber (jeter qn) à la mer, à l'eau.

---

[1] Ohne Präpoſition bei Wohnungsabgabe: il demeurait alors rue d'Aboukir. Ebenſo le passage cité page 72.
[2] A l'air in friſcher Luft, en l'air in der Luft.

2) Zeitlich: im Sommer en été u. ſ. w. (aber au printemps, vgl. § 291, 3), im Januar en janvier (aber au mois de janvier), im Jahre 1880 en 1880 (aber meiſt l'an 31 av. J.-C. und immer l'an VII de la République, vgl. § 378, Zuſ.). Im 16. Jahrhundert au (dans le) XVIe siècle, im Alter von 30 Jahren à l'âge de trente ans.

In der Gegenwart actuellement, de nos jours, par le temps qui court; in der Vergangenheit par le passé, au temps de nos pères, dans un temps qui est loin derrière nous; in Zukunft à l'avenir, dans le temps à venir. In demſelben Augenblick au même instant, aber en ver Pronomen: en ce moment, en un instant.

In (d. h. innerhalb, vor Ablauf von) 2 Tagen en deux jours tout fut terminé; in (d. h. nach Ablauf von) 2 Tagen je reviendrai dans deux jours.

Heute in 8 Tagen d'aujourd'hui en huit (jours), morgen in 3 Wochen de demain en trois semaines, in einigen Jahren d'ici (à) quelques années. Im Jahr (d. h. durchſchnittlich) bon an mal an, année commune: Que gagnez-vous année commune?

In unſeren Tagen de nos jours; in meinem Leben (mit Negation) je ne le ferai plus de ma vie. Im voraus d'avance (zu meiden par avance und beſonders à l'avance).

3) Adverbiale Verbindungen: im Schritt aller au pas (au trot im Trab, au galop im Galopp, au pas gymnastique (au pas de course) im Laufſchritt u. a.), in zwei Reihen sur deux rangs, in einiger Entfernung à quelque distance, in dieſer Beziehung à ce sujet, à cet égard, in dieſer Hinſicht à ce point de vue (sous ce rapport), in geringerem Grade à un moindre degré, im Namen . . . au nom de mes amis, in den Augen . . . aux yeux de l'auteur, in meiner Abweſenheit en (pendant, nicht dans) mon absence, in Abweſenheit . . . en l'absence de son patron, in großem Maßſtabe dans une large mesure, sur une vaste échelle, en grand, im kleinen Maßſtabe en petit, im Begriffe ſein être sur le point de faire qc, im Augenblick d. h. in der jetzigen Zeit pour le moment (aber = ſofort à l'instant), eins in das andere gerechnet l'un portant l'autre.

4) Einzeln: jemand in ſeine Dienſte nehmen prendre qn à son service, in Vollzug ſetzen mettre qc à exécution, in Öl gemalt peint à l'huile, in die Lotterie ſetzen mettre à la loterie, in das Ohr flüſtern dire (glisser, chuchoter) à l'oreille, ins Geſicht ſagen dire en face, in je mandes Hände fallen tomber au pouvoir de qn, entre les mains de qn (auch aux mains de, dans le mains de, en leurs mains), in der Schlacht bei Prag à la bataille de Prague, in der Hand avoir une bougie à la main, im Mund avoir un cigare à la bouche (auch avoir toujours qc à la bouche im Munde führen, ſtets von etwas ſprechen). In Thränen gebadet le visage baigné de larmes, in ſüßlichem Tone

dire qe d'un ton doucereux, mit dem Koran in der einen, dem Schwert in der anderen Hand (tenant) le coran d'une main, l'épée de l'autre, es ist im Interesse aller il est de l'intérêt de tous, sich in fremde Angelegenheiten mischen se mêler des affaires des autres, in Lachen ausbrechen partir d'un éclat de rire, in die Hände klatschen battre des mains, der Unterricht im Französischen l'enseignement de la langue française, im Kopfe rechnen calculer de tête. Öl in das Feuer gießen jeter de l'huile sur le feu, in zwei Reihen stellen placer les soldats sur deux rangs, in drei Angriffssäulen heranrücken s'avancer sur trois colonnes, jemand im Wege (hinderlich) sein être sur le chemin de qn, jemand in einem Fache examinieren interroger qn sur une matière. Arm in Arm bras dessus, bras dessous, in See gehen prendre la mer, die Mündung der Dordogne in die Garonne le confluent (nicht l'embouchure) de la Garonne et de la Dordogne.

§ 208. Mit (meist avec).

1) Gemeinschaft: mit 500 Mann avec cinq cents hommes. . Oft suivi (accompagné) de: Le roi partit pour la Terre sainte, suivi de presque toute la noblesse du pays. Mit, samt seinen Großen le roi jura, lui et ses grands, de ne jamais commettre d'hostilité contre l'empereur. Um mit Boileau zu reden pour parler comme Boileau. Er kam mit einem Briefe M. Seymour arriva de la Haye, porteur d'une lettre du prince de Galles.

2) Begleitender Umstand: mit lauter, leiser Stimme à haute voix, à voix basse (aber d'une voix tonnante, d'une voix irritée u. s. w.), mit Einstimmigkeit à l'unanimité, d'une commune voix (vgl. s'accorder, § 164), mit Absicht à dessein, mit Unrecht à tort, mit Recht avec raison (aber à tort ou à raison), mit Lebensgefahr au péril de sa vie, mit langsamen Schritten à pas lents (aber: festen Schrittes d'un pas assuré, ferme), mit Verlust verkaufen vendre qe à perte, mit offenen Armen aufnehmen recevoir qn à bras ouverts, mit vollen Händen geben donner à pleines mains, mit großer Majorität angenommen, verworfen la loi fut adoptée (repoussée) à une grande majorité, mit Ausschluß von à l'exclusion de, mit Einwilligung, Zustimmung von du consentement, de l'aveu de qn, mit gutem Appetit de bon (grand) appétit, mit Stillschweigen übergehen passer qe sous silence.

Vielfach absolute Konstruktion: mit fliegenden Fahnen enseignes déployées, mit Thränen in den Augen les larmes aux yeux, mit der Feder in der Hand lesen lire la plume à la main, mit den Waffen in der Hand les armes à la main, l'épée à la main. Dans l'épreuve de l'eau froide on plongeait l'accusé dans une rivière, pieds et poings liés, et s'il surnageait, il était jugé coupable (Magin).

3) Eigenschaft oder bezeichnendes Merkmal: die Göttin mit den

Rosenfingern la déesse aux doigts de rose, der Mann mit dem leichten Herzen l'homme au cœur léger[1], ein Krug mit Henkeln une cruche à anses, Porzellan mit dem Wappen der Herzogin de la porcelaine aux armes de la duchesse und so zur Bezeichnung des unterscheidenden Merkmals, auch wo deutsch keine Präposition üblich ist: le serpent à sonnettes (Klapperschlange), un moulin à eau, à vent, à vapeur (Wasser= Wind=, Dampfmühle), une arme à feu (Feuerwaffe), un verre à vin (Weinglas; un verre de vin ein Glas Wein).

4) **Mittel, Werkzeug, Stoff**: mit bloßem Auge à l'œil nu, sich mit eignen Augen überzeugen s'assurer de ses propres yeux, mit einem Wort en un mot, mit anderen Worten en d'autres termes, mit diesen Worten par ces mots (aber à ces mots in der Bed. „indem er so sprach"), mit Füßen treten fouler qc aux pieds, jemand mit Steinen werfen jeter des pierres à qn, mit einem Namen bezeichnen la planète désignée sous le nom de Jupiter, mit der Post, der Eisenbahn reisen aller (voyager) en diligence, en chemin de fer (aber arriver, partir par la diligence, par le chemin de fer, par oder sur un bateau à vapeur), mit dem Diamant gravieren graver au diamant, mit einigen Hammer= schlägen en quelques coups de marteau, mit dem Finger zeigen montrer qe du doigt (montrer qn au doigt mit Fingern auf jemand deuten, zum Hohn), mit der Hand gezeichnet un dessin fait à la main, mit einem Mantel bedecken couvrir d'un manteau, seinen Hut mit beiden Händen fassen prendre son chapeau à deux mains, tenir son chapeau des deux mains, mit einer Kugel (scharf) geladen chargé à balle, (blind geladen chargé à poudre, à blanc), mit Fliesen gepflastert une cour pavée en dalles, mit Stroh gedeckt un toit couvert en chaume.

5) **Beziehung auf ein Objekt**: mit jemand sprechen parler à qn, sich beschäftigen mit etwas s'occuper de (à) qe, vergleichen mit comparer à, zu thun haben mit avoir affaire (nicht à faire) à qn, seine Zeit mit Plaudern verlieren perdre son temps à jaser, mit Undank belohnen payer qn d'ingratitude, multiplicieren mit multiplier par, sich entschuldigen mit etwas s'excuser sur qe (wegen etwas de qe). Zufrieden, unzufrieden mit content, mécontent de, parallel mit parallèle à, identisch mit identique à, im Vergleich mit en comparaison de, au prix de, auprès de. — Wie geht es mit der Gesundheit? Comment va la santé? Mit dem Magen geht es noch nicht l'estomac ne va pas encore (Gge. Sand).

6) **Zeit**: mit der Zeit avec le temps, vienne le temps, die Zahl wuchs mit jedem Tage le nombre croissait chaque jour, de jour en jour, er

---

[1] Stehende Beinamen können wie im Deutschen mit der Präposition ausgedrückt werden: Le chevalier au lion. Doch kann dieselbe auch fehlen (Baudouin Bras-de-Fer) oder durch andere Ausdrucksweise ersetzt werden z. B. Heinrich mit der Schmarre Henri le Balafré, duc de Guise.

starb mit 30 Jahren il mourut à trente ans, à l'âge de trente ans.
Mit der Sonne aufstehen se lever avec le soleil, mit der Nacht an=
kommen arriver à la nuit.

§ 209. Nach.

1) Räumlich: Bei Länder= und Städtenamen ist nach ebenso wie in zu
übersetzen. Doch steht nach partir und ähnl. pour: partir pour la
France, pour Paris. Nach marcher, se retirer, se diriger und ähnl. oft
sur. Die Reise nach Frankreich, nach Paris le voyage de France, de
Paris (dagegen un voyage en France,[1] à Paris), der Weg nach Paris, die
Post nach Rennes, die Eisenbahn nach Lyon le chemin de Paris, la
diligence de Rennes, le chemin de fer de Lyon, der Zug nach Bordeaux
le train de Bordeaux (aber le chemin de Paris à Versailles u. s. w.).
Nach Hause gehen aller chez soi, rentrer. Ein Zimmer nach der
Straße une chambre sur la rue.

2) Zeitlich: nach Christi Geburt après Jésus-Christ. Außer après: au
bout de trois jours; à cinquante ans de distance; passé minuit, passé
ces huit jours. Am Tage nach seiner Ankunft le lendemain de son
arrivée. 6 Stunden nacheinander pendant six heures de suite, pendant
six heures consécutives. Einer nach dem anderen un à un.

3) Beziehung auf ein Objekt: nach jemand fragen demander qn, er
fragte mich nach meinem Alter il me demanda mon âge, nach (um)
Rache schreien crier vengeance. Begierig nach désireux de. Nach etwas
riechen sentir qe, sentir la fumée, ne sentir rien.

4) Gemäßheit: nach Herodot selon (suivant) Hérodote, à en croire
Hérodote, au dire d'Hérodote, nach Plutarchs Bericht, Zeugnis au rapport,
au témoignage de Plutarque, nach dem Ausdruck Voltaires suivant l'expression de Voltaire, nach meiner Ansicht d'après mon opinion, à mon
sens, à mon sentiment, à mon avis, selon moi, nach Ansicht des Ver=
fassers dans la pensée de l'auteur, nach seinem System dans son système,
dans sa théorie, nach seinem Willen à sa volonté, nach meiner Weise
à ma guise, nach Landesbrauch à la manière du pays, nach diesem Ver=
trag aux termes de cette convention, nach dem Beispiel von à l'exemple,
à l'imitation de, nach Art von à la façon, à la manière de, allem
Anschein nach suivant, selon toute apparence, nach Hörensagen sur
ouï-dire, nach Diktat schreiben écrire sous la dictée, nach der Natur
zeichnen dessiner d'après nature, nach einer Melodie singen chanter qe
sur un air, nach Maß sur mesure, konjugieren nach retenir se conjugue
comme (sur) tenir, den Baum nach der Frucht beurteilen on juge l'arbre
par (sur) ses fruits, sich nach jem. richten se régler sur qn, nach Be=

---

[1] Ebenso l'expédition d'Égypte, aber une expédition en Égypte, contre
l'Égypte; vgl. la bataille de Pavie, aber la bataille fut livrée à Pavie,
près de Pavie.

stehen au choix (b. h. man wählt, was man will), à discrétion (b. h.
man giebt oder nimmt, soviel man will), der Reihe nach à tour de
rôle, tour à tour, der letzte der Zeit nach le dernier en date, dem
Alphabet, der Größe, der Zeit nach par ordre alphabétique, par ordre
de grandeur, de temps, dem Namen nach kennen connaître qn de nom,
nur dem Namen nach bestehen cela n'existe plus que de nom.

§ 210. Über (meist sur).

1) **Örtlich:** Meist sur, au-dessus de. Zur Angabe einer Zwischenstation
par: aller par Bellinzona à Milan, émigrer par Hambourg, ober par
la voie de (via): par la voie du mont Cenis, aller de Southampton
à Capetown (voie Madère). Ein Mann über Bord un homme à la
mer! über Bord werfen (bildl. = verloren geben) jeter par-dessus bord.

2) **Zeitlich:** Meist pendant. Über dem Essen à dîner. Heute über 8 Tage
vgl. in. Einen über den anderen Tag vgl. um. Über kurz oder lang
tôt ou tard. Briefe über Briefe schreiben, Fehler über Fehler begehen
écrire lettres sur lettres, commettre fautes sur fautes.

3) **Vorzug, Überlegenheit:** Die Pflicht über alles le devoir avant tout,
den Sieg davon tragen über jemand remporter la victoire, l'emporter
sur qn, triompher de qn.

4) **In Bezug auf:** ruhig sein über être tranquille sur qe, schreien über
Undank crier à l'ingratitude, verfügen über disposer de qe, Recht,
Macht über Leben und Tod le droit, le pouvoir de vie et de mort,
Erkundigungen einziehen über prendre des renseignements sur le compte
de qn, nachdenken über réfléchir à (sur) qe, ein Urteil fällen über porter
un jugement sur (de) qe. Nach Verben und Adjektiven des Affekts
steht de: se réjouir de, s'affliger, s'attrister de, être exaspéré de,
étonné de u. s. w.

§ 211. Um.

1) **Örtlich:** Bei Bewegung um einen anderen Gegenstand autour de, bei
Bewegung um die eigene Achse nur sur: la terre tourne autour du
soleil, la terre tourne sur elle-même. Die Reise um die Erde le tour
du monde. Um den Hals fallen se jeter au cou de qn.

2) **Zeitlich:** um 2 Uhr (genau) à deux heures, (= gegen) vers deux heures.
Um 1830 vers 1830.

3) **Reihenfolge:** Tag um Tag jour par jour; einen Tag um den andern
tous les deux jours, de deux jours en deux jours.

4) **Maß:** entfernt um 3 Meilen éloigné (distant) de trois lieues, um 2 Fuß
zu klein trop petit de deux pieds, um die Hälfte länger plus long de
moitié (aber moitié moindre, moitié moins), um einige Franken ver-
ringern diminuer son prix de quelques francs, um einige Fuß avancer,
reculer de quelques pieds. Ebenso bezeichnet de das Maß (deutsch keine
Präposition) nach den Adjektiven, welche eine Dimension bezeichnen: une

15*

planche longue de trois mètres, une rue large de quinze pas, une tour haute de trois cents pieds, un mur épais d'un mètre et demi. Diese Abjektive stehen auch substantivisch oder werden durch Substantive ersetzt: une chambre qui a cinq mètres de long (de longueur) sur (auf) quatre de large (de largeur).

Ferner steht de nach âgé, fort, riche: un enfant âgé de cinq ans, une armée forte de trente mille hommes, un homme riche de trois cent mille francs (doch auch riche à cinq mille livres de rente und immer riche à millions).

5) Bedingung, Preis: Meist Accusativ des Wertes. Um jeden Preis à tout prix, um keinen Preis à aucun prix. Auge um Auge, Zahn um Zahn œil pour œil, dent pour dent.

6) Beziehung auf ein Objekt: viel Lärm um nichts beaucoup de bruit pour rien, sich um des Kaisers Bart streiten se battre de la chape à l'évêque, sich um etwas reißen s'arracher qe.

§ 212. Unter (meist sous).

1) Örtlich: unter einem Baume sous un arbre (aber enfouir qe au pied d'un arbre), unter freiem Himmel en plein air, à ciel ouvert, unter freiem Himmel schlafen coucher à la belle étoile.

2) Zeitlich: unter Ludwig XIII. sous (sous le règne de) Louis XIII, unter dem 14. Oktober à la date, en date (nicht sous la date) du 14 octobre.

3) Abhängigkeit: unter jemand stehen être sous les ordres de qn (aber une escadre aux ordres de).

4) Art und Weise: unter dem Vorwand sous (le) prétexte de (que), unter keinem Vorwand sous aucun prétexte, unter einer Bedingung à une (seule) condition, unter dieser Bedingung à cette condition; wenn de oder que folgt, sous la condition und à la condition (à condition vor que oder de mit Infinitiv), unter diesen Umständen dans ces circonstances (conditions), unter dem Schutze der Nacht à la faveur de la nuit, unter den größten Anstrengungen au prix des plus grands efforts, unter Kanonendonner au bruit du canon, unter Trompetenschall verkünden publier à son de trompe, unter Jubelrufen aux acclamations, au milieu des acclamations de la foule.

5) Statt zwischen: unter uns (gesagt) entre nous, de vous à moi, unter vier Augen entre quatre yeux, unter anderem entre autres, einer unter ihnen l'un d' (meist d'entre) eux, mehrere, ein einziger unter uns plusieurs, un seul d'entre nous. Unter (von) 20,000 Einwohnern sur 20 000 habitants plus de 5000 périrent.

Unter, bei einem Superlativ de (auch entre) vgl. § 147. — Bemerke: unter Instinkt versteht man par instinct on comprend (entend) . . .

§ 213. Von (meist **de**).

1) Örtlich: von den Pyrenäen bis zur Loire depuis les Pyrénées jusqu'à la Loire, des Pyrénées à la Loire, vom ersten Stock an à partir du premier étage, von jemand kommen (b. h. aus seinem Hause) venir de chez qn, von vorn angreifen attaquer qn de face, de front, etwas vom Tisch wegnehmen prendre qe sur la table, vom Blatt spielen jouer à cahier ouvert, jouer à vue (traduire à livre ouvert aus dem Stegreif übersetzen).

2) Zeitlich: von 10 bis 12 Uhr depuis dix heures jusqu'à midi, de dix heures à midi, durch Beschluß vom 4. Juni par arrêté du 4 juin, von jeher, von Alters her de tout temps, de toute antiquité, von . . . an à partir de Corneille, dès cette époque, à dater (à compter) de ce jour.

3) Bewirkende Ursache: Beim Passiv meist par, mit geringerem Nach= druck de (le contrat fut signé par oder de tous les assistants). Gewöhnlich de bei Verben der geistigen Thätigkeit (aimé, estimé, respecté, haï, maudit, imité, connu[1] de qn) sowie bei être précédé de qn, être accompagné de qn, être suivi de qn, être entouré de (jemand vor, bei, hinter, um sich haben). Bei Affekten nur de: être charmé, ravi de qe, être attristé, affligé de qe.

Ein Gedicht von ihm des vers qu'il a composés, des vers de sa composition. Vor dem Namen des Verfassers par (Dictionnaire de la langue française, par É. Littré), doch nur de bei sehr bekannten Littera= turwerken (l'Iphigénie de Racine).

Grüßen Sie ihn von mir saluez-le de ma part, das ist sehr liebens= würdig von Ihnen c'est bien aimable de votre part oder à vous.

4) Beziehung auf ein Objekt: eine Ausnahme von der Regel une ex= ception à la règle, von seiner Arbeit leben vivre sur (de) son travail[2], etwas von seinen Ersparnissen kaufen acheter qe sur ses économies, von einer Summe zurückbehalten retenir 5 fr. sur une somme. Von etwas sprechen parler de qe, doch bloßer Acc. bei Angabe des Themas: parler chasse, parler politique, parler affaires.

5) Partitiv: einer von ihnen l'un d'eux, l'un d'entre eux.

§ 214. Vor.

1) Örtlich: vor der Stadt devant la ville (les meilleures troupes de Charles le Téméraire périrent devant oder sous Neuss), jemand vor die Thüre jagen mettre qn à la porte, das Schiff liegt vor Anker le navire est à l'ancre; im grammatischen Sinne avant (seltner devant): plusieurs adjectifs se placent aussi bien avant qu'après le substantif.

2) Zeitlich: vor Christi Geburt avant Jésus-Christ, am Tage vor seiner

---

[1] Daher le monde connu des anciens (weniger gut aux anciens), ebenso oft de statt à nach inconnu.

[2] Aber vivre de chasse, de pêche, du produit des terres.

Abreiſe la veille de son départ (à la veille de la guerre kurz vor dem Krieg); vor 3 Jahren (b. h. es ſind drei Jahre verfloſſen) il est parti, il y a trois ans (auch voici, voilà trois ans), aber il partit avant midi, il partira avant la fin du mois. Mon vieux domestique, par un soir du mois de juillet, voici deux ans, m'apporta une carte anglaise (P. Bourget).

3) Urſache: zittern vor Furcht trembler de peur, ebenſo mourir de frayeur, tomber de sommeil, mugir de douleur, vor Lachen kamen ihm Thränen in die Augen à force de rire, les larmes lui vinrent aux yeux.

4) Vergleich: vor allem (surtout et) avant tout, vor allem die Geſund= heit il faut mettre la santé devant toutes choses, den Vorzug geben vor donner à qn la préférence sur tout autre, man hat ihn vor allen anderen gewählt on l'a choisi de préférence à tout autre.

5) Beziehung auf ein Objekt: geſichert ſein vor être garanti de qe, ſich ſchützen vor se défendre de qe (se défendre contre qn ſich ver= teibigen gegen), den Hut abziehen vor jemand tirer, ôter son chapeau à qn, ſich vor die Stirne ſchlagen se frapper le front, vor dem Feinde fallen être tué à l'ennemi.

§ 215. Zu.

1) Örtlich: zu Berlin à Berlin, kommen Sie zu mir (in das Haus) venez chez moi (aber Mahomet commandait à la montagne de venir à lui), zu Wagen en voiture (en calèche u. ſ. w.), zu Schiff en bateau (d. h. in dem Wagen, dem Schiff, zu Pferde, zu Fuß (d. h. auf dem Pferde, auf den Füßen) à cheval, à pied (10,000 Mann zu Fuß 10 000 hommes de pied), zur Rechten à (notre) droite, eine Inſel links liegen laſſen laisser une île à gauche, sur la (sa) gauche. Zu Boden liegen être à terre, par terre, zu Boden werfen, fallen jeter, tomber à terre, par terre. Ein Knie zur Erde beugen mettre un genou en terre.

2) Zeitlich: Vor temps mit dem beſtimmten Artikel ſteht à (ſelten de), in anderen Fällen (beſonders vor Pronomen) dans oder en: au (du) temps des troubadours, au temps où, aber dans (ſeltener de) mon temps, dans ce temps, en même temps, en tout temps, dans tous les temps, dans (en) un temps où, zu rechter Zeit en temps utile (à temps), zu rechter Zeit und am rechten Ort en temps et lieu, von Zeit zu Zeit de temps en temps. Zu Lebzeiten von du vivant de.

3) Art und Weiſe: zum Tode verwundet blessé à mort, zum Glück par bonheur und ſo par malheur, par plaisanterie, par exemple u. ſ. w. Zu zweien, dreien à deux, à trois, zu je zweien, je dreien deux par deux, trois par trois, zu Hunderten, Tauſenden par centaines, par milliers, zum erſtenmal pour la première fois und ſo pour la deu-xième (troisième) fois, wofür auch une deuxième (troisième) fois.

Assiéger (investir) une ville par terre et par mer (eau), amener des secours par terre et par mer, des moyens de transport par terre et par eau, weil par das Mittel bezeichnet; aber commander, combattre, être redoutable sur terre et sur mer, weil sur den Ort bezeichnet.

4) Ziel, Zweck: zu diesem Zweck à cet effet, dans[1] ce but (t laut), zu welchem Ende? à quelle fin? wozu soll das dienen? à quoi bon? zum Beispiel par exemple, zu Ehren von en l'honneur de, zum Tode, zu 5 Jahren Gefängnis verurteilen condamner à mort, à[2] cinq ans de prison, zur Disposition stellen (einen Beamten) mettre en disponibilité (c'est à votre disposition steht Ihnen zur Verfügung), zum Verbrechen anrechnen imputer qe à crime. Was sagst Du zu diesem Einfall? que dis-tu de cette idée?

5) Bemerke: Au Lion d'or, aber hôtel du Lion d'or (beides: Gasthaus zum goldenen Löwen).

Von Thür zu Thür, von Haus zu Haus de porte en porte, de maison en maison; aber de . . . à nach Ausdrücken der Verschiedenheit: Chez le anciens les mœurs variaient de nation à nation (von Volk zu Volk, von einem Volk zum andern, bei den einzelnen Völkern verschieden).

IX. Die Konjunktion *(la conjonction)*.

§ 216.   I. Koordinierende Konjunktionen *(conjonctions copulatives[3]):*

1) Kopulative *(conjonctions copulatives)*:
   et und
   et . . . et sowohl . . . als auch
   encore auch, auch noch
   aussi auch, daher auch
   non plus auch nicht
   ni noch auch
   ni . . . ni weder . . . noch
   non seulement . . . mais encore nicht nur . . . sondern auch
   tant . . . que sowohl . . . als auch
   ainsi que ebenso wie, sowie

2) Disjunktive *(conjonctions alternatives)*:
   ou oder

---

[1] Einzig üblich, obwohl manche à verlangen.
[2] In der Gerichtssprache en.
[3] Gewöhnlicher durch Umschreibung: 1. Conjonctions servant à lier de simples mots et des propositions coordonnées. 2. Conjonctions servant à lier des propositions subordonnées.

ou . . . ou entweber . . . ober

soit . . . soit (soit . . . ou) fei es . . . fei es (ober)

3) Adverſative (conjonctions adversatives):

    mais aber, ſonbern

    toutefois jeboch

    cependant inbeſſen

    pourtant bennoch

    néanmoins nichtsbeſtoweniger

    toujours immerhin

4) Kauſale (conjonctions conclusives):

    car benn

    donc alſo, benn, folglich

    ainsi alſo, bemnach

    partant folglich.

§ 217.   II. Subordinierende Konjunktionen (conjonctions subordonnantes):

a) Mit bem Inbikativ.   b) Mit bem Konjunktiv.

    1) Temporale (conjonctions périodiques[1]):

quand als, wann, wenn   avant que ehe, bevor

lorsque als   en attendant que bis

sitôt que ⎫

aussitôt que ⎬ ſobalb als

dès que ⎭

à peine ... que (si) ⎫
              ⎬ kaum ... als
pas plus tôt ... que ⎭

une fois que ſobalb einmal

pendant que ⎫
        ⎬ während
tandis que[2] ⎭

tant que ſo lange als

depuis que ſeitbem

après que nachbem

jusqu'à ce que bis   jusqu'à ce que (bei finalem Sinn)

    2) Kauſale (conjonctions conclusives, motivales):

parce que weil

puisque ba ja, ba einmal

comme ba

vu que ⎫
        ⎬ in Anbetracht
attendu que ⎭

---

[1] Temporel hat nicht biefen Sinn unb bas Abj. temporal (les conjonctions temporales) ift nicht allgemein anerkannt.

[2] Oft adverſativ: während = wogegen.

3) Modale (*conjonctions explicatives*):

ainsi que
de même que } ebenfo, wie, fowie

comme wie

à mesure que
à proportion que
autant que } in dem Maße wie
au (à) fur et à me-
sure que

outre que
sauf que } außer, daß
hormis que

au lieu que während, wogegen

moyennant que dafür, daß; unter der
Bedingung, daß

selon que
suivant que } je nachdem

non que
ce n'est pas que } nicht als ob

loin que weit entfernt, daß

sans que ohne daß

(der Konj. steht wegen der in diesen
Wörtern liegenden Negation.)

4) Konditionale (*conjonctions hypothétiques*):

en cas que
(au¹ cas que) } falls

à moins que . . . ne wenn nicht

pourvu que wenn nur

supposé que
en supposant que } vorausgesetzt, daß

si² wenn
au cas où
(dans¹ le cas où) } falls

à condition que
moyennant que } unter der Bedingung,
daß (mit den Futuren)

Diese 3 auch fakultativ mit dem Konj.
Plusquamperf.

beide auch mit dem Konj.

5. Konsekutive (*conjonctions explicatives*):

si . . . que so sehr, daß
tellement que derart, daß

si bien que
de (en) sorte que
de (en) telle sorte que
de façon que
de manière que
à tel point que } so sehr, daß;
derart, daß

Beide mit dem Konjunktiv, wenn der
erste Bestandteil mit der Negation
verbunden ist.

Alle auch mit dem Konjunktiv bei
finalem Sinn.

---

¹ Weniger üblich als die voranstehende Form.
² Auch que si, wenn es den Satzanfang bildet. Littré bezeichnet diesen
Ausdruck als eleganter.

6. Konzessive (*conjonctions concessives*[1]):

quoique
bien que   } obgleich, obwohl
(encore que)
nonobstant que ungeachtet, daß
soit que … soit que } sei es, daß
soit que … ou que } … oder daß
pour peu que wenn irgend
über quel que u. f. w. § 370 f.

quand
quand même } wenn auch   } Beide auch fafultativ mit dem Konj. Plusquamperf.

7. Finale (*conjonctions finales*[1]):

afin que } daß, damit
pour que }
de peur que } damit nicht
de crainte que }

Anm. 1) Die allgemeinste unterordnende Konjunktion que dient zum Ausdruck der verschiedensten Verhältnisse und regiert daher beide Modi. Weil sie die allgemeinste Einleitung für abhängige Sätze bildet, hat man sie hin und wieder *conjonction conductive* genannt.

Sie allein vermittelt den Anschluß der indirekten Rede an den regierenden Ausdruck. Selten fehlt sie in diesem Falle: Il y a quelque temps, un ancien diplomate conseillait aux conservateurs d'accepter franchement la république, car aucun autre régime n'était désormais possible (J.).

2) Die einfache Konjunktion que tritt öfter an Stelle anderer Konjunktionen, d. h. sie tritt in Fällen ein, wo eine andere Konjunktion eher oder ebenso gut am Platze schiene. Hierüber vgl. die Syntax.

3) Die meisten Konjunktionen sind mit que zusammengesetzt und dieser Zusatz erst giebt ihnen den Charakter der Konjunktion. Daher ist es auch äußerst selten, daß que wegfällt. Öfter fehlt que nach à peine, so daß ein untergeordneter Satz in der Form eines Hauptsatzes eintritt: Mais à peine défilent-ils, on les enveloppe et on les égorge (Lacretelle). Mais à peine a-t-il eu quelques pièces de canon pointées contre la Bastille, il capitule (Ders.). A peine Henri a-t-il fait part de ce plan à ses officiers, ils se regardent sans mot dire (Ders.). A peine le fugitif a-t-il trouvé cet abri, le roi d'Aragon meurt sans enfants (Benazet). Statt des que im eigentlichen Nebensatz kann et eintreten, wenn que bereits in einem sekundären Nebensatz Verwendung gefunden hat: Il y avait à peine huit jours que le général était à Paris, *et* déjà le gouvernement des affaires lui arrivait presque involontairement (Thiers).

---

[1] Diese Bezeichnungen sind kaum üblich.

Statt pas plus tôt . . . que verwendet die Volkssprache gleiche Korrelate: Aussi, ça se dépêche d'apprendre, et *pas plus tôt que* ça sait, *pas
plus tôt que* ça chante (Fournier).

3) An Stelle eines konditionalen oder konzessiven Satzgefüges tritt öfter
eine zweigliedrige Konstruktion, welche im ersten Glied die Inversion, im
zweiten die Konjunktion que aufweisen kann, ohne daß beides nötig wäre:
Aujourd'hui j'aurais le même chapitre à écrire, je l'écrirais dans un sentiment
tout différent (J. Janin). Sauf en de certains milieux, il est rare de voir la
Française se promener la cigarette aux lèvres. Le fait-elle, que ce n'est
point sans intention évidente d'attirer sur sa liberté d'allures la galanterie des
hommes (J.). Ils le voudraient, qu'ils n'oseraient pas (Scribe). N'en eût-on
pas eu envie, qu'il fallait malgré tout songer à rentrer (E. Renoir).

4) **Alors que** für lorsque wird von vielen geradezu verworfen oder auf
die Poesie beschränkt. Littré weist es dem *style élevé* zu, welchem es keineswegs eigentümlich ist, da es in der Tagespresse ausgiebige Verwendung findet.
Elle n'était pas plus triste qu'auparavant, si ce n'est alors que ses douleurs
la tourmentaient (Tœpffer). Besonders bei der Tmesis ist diese Form beliebt
(lors même que dürfte gar nicht vorkommen): La justice ne s'est point retirée
du monde alors même qu'elle y trouverait moins d'appui (Guizot). Hin und
wieder steht es auch, um ein doppeltes lorsque zu vermeiden: M. Boulanger,
d'ailleurs, est assez coutumier de ces sortes d'aventures. On se rappelle ses
déguisements, alors qu'il commandait le 13e corps d'armée à Clermont-Ferrand,
lorsqu'il venait subrepticement à Paris, porteur de lunettes bleues et affectant
de boiter (J.).

Häufig aber ist alors que ganz anderen Charakters als lorsque, indem
es konzessiven oder adversativen Sinn erhält, also zu quand même oder tandis
que hinneigt: Quand la saisie a été opérée, les lettres étaient déjà arrivées
à leur adresse, et, alors même que la police fût arrivée à temps pour saisir
tous les exemplaires du manifeste, rien n'eût été changé quant au résultat (J.).
La nouvelle impératrice, irritée contre Girart, lui fait baiser son pied, alors
que le jeune vassal pense baiser celui de l'empereur (Gautier). L'aiguille de
raccordement était ouverte, alors que le règlement exige qu'elle soit attachée
par un cadenas (J.).

5) Ganz veraltet ist d'abord que im Sinne von dès que: Et d'abord
qu'il vit l'âne, il éclata de rire (P. Mérimée). Auch auparavant que fristet
nur noch im Dialekt sein Dasein.

Neben jusqu'à ce que findet sich vereinzelt jusque-là que und jusqu'à
tant que (unrichtig jusqu'à temps que geschrieben): Il l'irrite jusqu'à temps
qu'elle s'enfuie en lui lançant un regard courroucé (P. Radiot).

Devant que für avant que ist der Volkssprache eigen und findet sich
öfter in der Schriftsprache: Cet excellent citoyen qui dénonçait et paperassait
avec tant d'amour devant qu'on lui coupât le cou (A. France). Il arrive
devant que les chandelles ne soient allumées (L. Morin). Il reconnaît son

fils devant qu'il soit né (J.). Le froid a flétri les corolles devant que le suc y fut abondant (J.). Le peuple, patiemment, attend dans la rue, devant que les chandelles soient allumées (J.). Je me souviens de Panitza, roué de coups de peau d'anguille bourrée de sable, afin de lui voler sa fierté devant qu'il comparût au tribunal (J.).

Auch durant que findet sich für pendant que: De ses bagages, durant que s'ébranlait le train, elle tirait un cache-poussière (P. Bonnetain). La douceur de ces trois mots enveloppe le jeune homme d'une caresse durant qu'il se couchait à son tour (Derj.). Penché en arrière, durant que le train l'emportait, . . . il songeait (J. Berr de Turique). Pour nous faire patienter durant que l'opéra-comique a tant de mal à se remettre du coup qui l'a frappée, on songe à rehausser l'éclat des fêtes publiques (J.).

Sehr häufig ist cependant que statt pendant que: C'est ce que nous disons souvent chez votre altesse. — Cependant que chez vous mon peuple le redit (V. Hugo). Il entonnait lui-même le cantique, cependant que les autres le suivaient en braillant (E. Barbier). On rentrerait, dans les campagnes, les moissons, cependant que les jeunes moissonneraient des lauriers (A. Monniot). Il avait fait son devoir parmi les zouaves de Monsieur de Charrette, cependant que la plupart s'épuisaient à défendre pied à pied la patrie envahie (R. Maizeroy). Cependant que le pauvre Anatole humilié souffrait tristement de sa blessure encore saignante, personne que Gertrude et moi n'y prenant garde (V. Sardou). Elle songeait à autre chose, cependant que les mots lui tombaient des lèvres (P. Veber). Die Beispiele, besonders aus der Tagespresse, ließen sich leicht zu Dutzenden beibringen.

6) Unter den faufalen Konjunktionen ist vu que ziemlich selten: Alors, madame, vu que ma conscience n'est pas intéressée, mon opinion est faite (Scribe). Attendu que ist veraltet und auf den Gerichtsstil beschränkt. Auch à cause que gilt für veraltet, wird aber von Littré in Schutz genommen; es ist häufig noch bei Vauvenargues, ist aber im 19. Jh. fast verschwunden: Les hommes sont ennemis nés les uns des autres, non à cause qu'ils se haïssent; mais parce qu'ils ne peuvent s'agrandir sans se traverser (Vauvenargues).

In der Volkssprache ist das alte pour ce que im Sinne von parce que noch erhalten; manchmal bringt es auch noch in der Schriftsprache durch: Pour les rébellions et félonies du feu duc envers son suzerain, et spécialement pour ce que Charles ne s'était jamais acquitté de l'hommage féodal (H. Martin). Ils sont particulièrement estimés pour ce qu'ils redoutent le nombre (P. Veber). On disait plaisamment qu'il jouissait d'une considération rare auprès de ce corps, pour ce qu'il l'enrichissait par sa singulière façon de payer ses dettes (J.). Qui de nous se permet de sourire quand un pieux moribond, pour ce qu'il y voit son salut éternel, ordonne qu'on couse son suaire? (J.).

Ziemlich selten ist dès lors que: Dès lors que l'attaque de Sébastopol n'avait pas été brusquée par les alliés à leur arrivée devant la place, cette attaque devait présenter d'énormes difficultés (Thoumas). Dès lors que le paiement des loyers vous est garanti par un tiers solvable, vous pouvez vous dispenser d'intervenir immédiatement (J.). Ebenſo ſelten iſt dès là que: Le bien c'est ce qu'il fait; le mal devient le bien dès là que c'est lui qui le fait (Biré).

X. Die Interjektion *(l'interjection)*.

§ 218. Eigentliche und uneigentliche Interjektionen.

Eigentliche Jnterjektionen ſind Wörter, welche nicht einen Begriff darſtellen, ſondern einer Empfindung zum Ausbruck dienen. Aus dieſem Grunde ſind ſie öfter vieldeutig. Uneigentliche Jnter= jektionen ſind Wörter, mit welchen ſonſt ein beſtimmter Begriff verbunden wird, welche aber gleichzeitig als Ausbruck einer Em= pfindung üblich geworden ſind.

Die Jnterjektion iſt ein nachbrücklich und meiſt im Affekt hervorgeſtoßenes Wort; daher hauptſächlich kommt es, daß die ſonſt ſtummen Endkonſonanten oft laut werden.

Nach den Affekten kann man die Jnterjektionen einteilen in Ausbrücke
1) der Freude: ah! (auch für Schmerz, Verwunderung, Ungebuld). Lachen: ha, ha! hi, hi!
2) des Schmerzes und der Trauer: aïe! (au), oh! (ô douleur!), las! hélas! (s in beiden laut), ouf! (Ruf des Erſtickenden, Ausbruck der Erleichter= ung nach dem Gefühl des Erſtickens), hi, hi! (Weinen). Bei anſtrengen= der Arbeit iſt der Ruf han, ahan! auch ah!, bei dem Laſtenheben houp!, bei dem gemeinſamen Aufwinden einer Laſt oh hisse!
3) Ekel: fi! fi donc! foin! (fi de, foin de pfui über; faire fi de qe gering ſchätzen), pfff! pouah!
4) Schauder: brrr! vor Kälte brouou!
5) Verwunderung: oh! eh! eh quoi! euh! comment! ciel! juste ciel! bonté du ciel! bonté divine! grand Dieu! tudieu! (tubleu), miséri- corde! ouais! (ſprich einſilbig ouè; kaum noch üblich). Verwundernde Frage: hein?
6) Spott: oh! zest! (ſt laut; nichts da), populär bisquez! (ähtſch).
7) Geringſchätzung: peuh! bast! (baste!) nargue de . . .; flûte!; ſehr üblich, aber vulgär iſt zut, auch zut pour . . .; mince ſteht für ein viel ſtärkeres Wort.
8) Gleichgültigkeit: la la! (ſo, ſo), bah! (ah! bah!), ah, ouiche! ouitche!
9) Bitte: de grâce!

10) Ermunterung: çà! or çà! sus! (s ftumm), zou! va! allons! courage!
voyons! en avant! ferme! preste! presto! Zuruf an Pferde: yu! dia!
hue! hep! Hetzen eines Hundes: kiss, kiss! kss kss! pille! (faß), hardi!
Die sportsmäßigen Jäger haben viele Ausdrücke dieser Art, z. B. tay,
tay! taïaut! au-lit! hou vori! aucoute, aucoute! chou-là! chou-pille!
volle-ci, là! ça va là haut!

11) Beschwichtigung: chut! pchut! st! pcht! (t in allen laut), silence!
motus! (s gesprochen; ftill), paix! patience! tout doux! tout beau!
(fachte, gemach), halte-là! voyons! la la! minute! (gleich!)

12) Warnung: gare! (Imper. von se garer, vgl. § 81, 8). Zum Wegjagen
von Hunden houss, houst, houste, von Katzen fou fou fou.

13) Ruf: hê! ohé! holà! çà! dis donc! (höre doch), hem! (fpr. èm',
Räufpern um Aufmerkfamkeit zu erregen), psit psit! ps ps! p'st p'st!
'st 'st! (alle bft). Beifall: bravo! bis! (s laut; da capo). Als Anruf
beim Telephonieren und Antwort darauf dient allo, allo! (auch allô,
allô! gefchrieben).

14) Einwilligung: tope! c'est ça!

15) Billigung: bon! à la bonne heure! à merveille! soit! (t laut). Miß-
billigung: bah! baste! par exemple! (warum nicht gar). Für beides
suffit . . .

16) Verficherung: ma foi! parbleu! Beteuerung: mon Dieu! vrai Dieu!
juste Dieu! Seigneur Dieu! Dieu de Dieu! Dieu me pardonne! Cristi!
Verwünfchung[1]: morbleu! parbleu! tudieu oder tubleu! ventrebleu! tête-
bleu! corbleu! sambleu! par la sambleu oder palsambleu[2]! sacrebleu!
saprebleu! sarpejeu oder saperjeu (vulgär[3] auch sacredieu)! sacredié!
sacredienne (neben sacrédié, sacrédienne)! pardié! pardi! pardine! par-
gué! jarnibleu[4]! dame! (öfter unrichtig dam!) aus dominus = Gott,
peste! diantre! damnation! (m ftumm), mort de ma vie! populär màtin!
mazette! — Aus vulgären Ausdrücken dieser Art werden fcherzhafte

---

[1] Hiftorifche Ausdrücke: Ventre-saint-Gris! (Heinrich IV).
    Quand la *Pâque-Dieu* décéda (Ludwig XI).
    Par-le-jour-Dieu lui succéda: (Karl VIII).
    Le-diable-m'emporte s'en tint près; (Ludwig XII).
    Foi-de-gentilhomme vint après. (Franz I).

[2] Bleu u. f. w. fteht für Dieu, alfo ventre-Dieu, tête-Dieu, corps-
Dieu, sang-Dieu. Dieu ift der alte unbezeichnete Genitiv und parbleu ift
wahrfcheinlich ebenfo aus part-Dieu (nicht par Dieu) zu erklären. Tudieu,
tubleu ift Abkürzung aus vertu-Dieu, welches auch öfter in vertuchoux um-
gewandelt wird.

[3] Als vulgärftes Fluchwort gilt (sacré) nom de Dieu; foldatifch abgekürzt in crongneu (fpr. krõñeu).

[4] Aus je renonce Dieu; dafür auch jarnicoton, jarnonce (d. h. je renonce,
ergänze ma foi). Ebenfo find die fehr üblichen Fluchwörter bigre und fichtre
unkenntlich gemachte Nebenformen für unedle Ausdrücke (erfteres z. B. fteht
für das äußerft vulgäre Schimpfwort bougre).

gebildet 3. B. saperlotte! saquerlotte! saperlipopette! sabre de bois! sac à papier! ventre de chien! ventre de biche! ventre de carpe! nom d'un petit bonhomme! nom d'un nom! nom d'un chien! nom d'un sapeur!

Unter den lokalen Ausdrücken sind zu bemerken 3. B. tonnerre de Brest (bej. in der Bretagne), nom de Dieppe (für Dieu; in der Normandie), tron de l'air, troun de l'air (in dem Süden), pécaïre (aus peccatorem, in der Provence). Fouchtra wird den Auvergnaten in den Mund gelegt.

§ 219. Schallwörter.

Einem Schalle nachgebildet sind: cric crac! (Zerbrechen), drelin, drelin! drelin, din din! (Läuten), pan pan! (Klopfen), pouf! patatras! (Fallen), pif paf! (Flintenschuß), boum! baound! (Kanonenschuß), rataplan! ran plan plan! rlan, rlan! (Trommel), crin-crin (Geige), broom-brooum (Baßgeige), from-from (Guitarre), tarratata (Trompete), zim, zim, boum, boum! boum, boum, zim laï lä! Tara boom de ay! (alle für Blechmusik), dare dare! (rasches Fahren, Reiten), vlan! vli vlan! (rasches Thun), frrt! frrout! prrt! prrrout! pfft! pfuitt! (alle für rasches Laufen oder Fliegen), hop! crac! bing! couic (plötzliche Be: wegung), uit (schnelles Austrinken), floc! flick et flock! flock! pouf! plouf! (alle für ein Fallen, meist in das Wasser), cahin-caha (langfame, schleppende Bewegung), clopin-clopant (hinkende Bewegung), patati, patata[1]! tarare! (wüdfi: wajchi), tic tac (Uhr, Mühle), glonglon (Glucksen der Flasche), frou-frou (Raufchen der Seide), suip-suip (Fegen des Besens), cric-crac (Geräusch des sich drehenden Schlüssels), flic-flac (Klatfchen der Peitfche), cra-cra (Geräusch der fchreibenden Feder), sriss-sriss (Pfeifen mit dem Munde), atchi! athzi! atchitt! (Niefen).

Unter den Verben, welche auf Musikinstrumente angewandt werden, find besonders üblich: la clarinette nasille (oder piaule), le violon grince, le cornet à piston glapit, les cymbales bruissent, le tambour roule, la grosse caisse tonne u. j. w.

Die üblichsten Nachbildungen von Tierstimmen sind: cocorico (Hahn), coin coin, couan couan, quand quand (Ente und Gans), couac couac (Rabe), cri cri (Grille), gnouf gnouf (Schwein), guilleri (Sperling), hi-han (Efel), hou-oup (Kuduck), mê (Ziege), miaou (Katze), mmmbhh (Ochfe), ouâouâ oder ouah ouah (Hund), pionit oder pic-houit (Fink), zonzon (Biene).

Auf Tierstimmen finden hauptfächlich folgende Verben Anwendung: l'abeille bourdonne, vrombit, l'agneau bêle, l'aigle trompette, l'alouette tirelire, grisolle, trille, l'âne brait, le bélier blatère, le bœuf mugit, beugle, le bouc

---

[1] Die alliterierenden Verbindungen find hier fehr häufig; vgl. auch et gni et gna (und diefes und jenes), ric-à-ric (ruckweife, knauferud), du tac au tac (umgehend, fofort), taratata (papperlapap), turlutuu (ebenfo), entre le ziste et le zeste (fefo lala), zon-zon (Anfangsrefrain von Liedern) u. a.

chevrote, la caille courcaille, carcaille, le canard nasille, cacarde, le canari
babille, le cerf brame, rait (rée), le chameau blatère, le chat miaule, ronfle,
ronronne, fait ronron, fait la roue, le cheval hennit, piaffe, la chèvre chevrote, le chien aboie, jappe, la chouette hôle, chuinte, hue, huhule, la cigale
crécelle, la cigogne claquette, craquette, le coq chante, coquerique, le coq de
bruyère dodelit, le corbeau croasse, coraille, la corneille craille, le coucou
coucoue, coucoule, le crapaud coasse, le crocodile lamente, le daim brame, le
dindon glouglote, glougloute, l'écureuil grogne, l'éléphant barrit, barète, l'éper-
vier miaule, l'étourneau picote, gabote, la fauvette gazouille, le frelon
bourdonne, le geai cajole, la grenouille coasse, le hanneton bourdonne, le hibou
bouboule, piaule, piaille, croasse, l'hirondelle gazouille, le lapin glapit, le
lièvre glapit, le lion rugit, le loup hurle, le milan huit, le moineau pépie,
pipie, la mouche bourdonne, la mouette lamente, le mouton bêle, l'oie siffle,
l'ours gronde, le paon braille, criaille, la perdrix bourrit, cacabe, la pie
jacasse, la pie-grièche caquette, le pigeon roucoule, la poule (qui a pondu)
crételle, la poule (qui couve) glousse, le poussin piaule, le ramier caracoule,
le renard glapit, le rossignol gringotte, le sanglier grommelle, le sansonnet
gabote, le serpent siffle, le taureau mugit, le tigre rauque, la tourterelle gémit,
roucoule, la vache beugle, mugit, le veau vagit.

Dritter Teil.

Syntax.

§ 220. Einteilung.

Die Syntax oder Satzlehre betrachtet die Wörter mit Rücksicht auf die Rolle, welche dieselben verbunden mit anderen, nicht der gleichen Wortart angehörigen Wörtern im Satze spielen.

Die Interjektion bietet zu weiteren Bemerkungen keinen Anlaß; für das Zahlwort und die Konjunktion, soweit letztere nicht bei der Tempus- und Moduslehre zu berücksichtigen ist, genügt das in der Formenlehre Gesagte und das Substantiv (Kasuslehre) läßt sich mit dem Artikel gemeinschaftlich behandeln. Dagegen muß die Stellung der Wörter und Satzteile unter einander besonders besprochen werden.

Demnach ergeben sich folgende Abschnitte: 1) Die (gerade) Wortfolge oder die Wortstellung des Aussagesatzes. 2) Die Fragestellung oder Inversion im engeren Sinne. 3) Das Verb. 4) Der Artikel und das Substantiv. 5) Das Pronomen. 6) Das Adjektiv. 7) Das Adverb. 8) Die Präposition.

I. Die Wortstellung des Aussagesatzes
(la construction[1]).

§ 221. Bedeutung derselben.

Da im Französischen die Kasus nicht durch Endungen kenntlich gemacht werden können, so muß eine streng geregelte Wortstellung als Ersatz eintreten, hauptsächlich um das Subjekt und das Objekt des Satzes deutlich hervortreten zu lassen. Dabei wird im allgemeinen ein Unterschied der Stellung im Haupt- oder Nebensatz, Vorder- oder Nachsatz nicht gemacht.

[1] Wortstellung kann auch durch *l'ordre des mots, l'arrangement des mots (ranger les mots)* übersetzt werden.

§ 222. Regelmässige Wortstellung.

Masinissa, roi de Numidie, avait rendu de grands services aux Romains dans la deuxième guerre punique.

Die regelmäßige Wortstellung in dem Satze *(la proposition[1])* ist 1. Subjekt *(le sujet)*, 2. Verb, 3. Accusativobjekt *(le complément direct, le régime direct)*, 4. präpositionales Objekt, d. h. Dativ oder Genitiv *(le complément indirect, le régime indirect)*, 5. adverbiale Bestimmungen der Zeit, des Ortes, der Art und Weise *(le circonstanciel)*.

§ 223. Das Accusativobjekt vor dem Verb.

1 a) *L'avantage qu'il tirera de cette affaire ne sera pas grand.*

b) *Si l'avantage n'est pas immédiat, il saura l'attendre.*

c) *Quel avantage espérez-vous tirer de cette affaire?*

2 a) *La vie religieuse que l'empereur avait menée sur le trône, il la continua dans le monastère.*

b) *C'est le repos du cloître et non la vie monacale que Charles-Quint désirait trouver dans sa retraite.*

1) Das Accusativobjekt steht regelmäßig vor dem Verb

a) wenn es ein Relativpronomen ist,

b) wenn es ein verbundenes Personalpronomen ist,

c) wenn es ein Interrogativpronomen oder ein mit einem Fragewort (Pronomen oder Adverb) verbundenes Nomen ist. Vgl. § 227, III und § 280, 2.

2) Des Nachdrucks wegen kann das Accusativobjekt vor das Verb treten,

a) indem es absolut vorangestellt[2] und bei dem Verb durch ein Personalpronomen wieder aufgenommen wird,

---

[1] Jeder Satz, welcher ein Verb in Personalform enthält, heißt *proposition; la phrase* ist im grammatischen Sinn nur die Bezeichnung für eine Verbindung mehrerer *propositions.*

[2] Denselben Zweck erfüllt die Nachstellung des Objekts: La société demandait toujours davantage à la terre, et les mains qui la cultivaient, cette terre, devenaient chaque jour plus rares et moins habiles (Michelet). Auch Prädikate finden sich vorangestellt: Las, il ne sentait pas qu'il le fût (H. Malot). Fatigant, le voyage de Venise l'était vraiment (J.). Prêtres, nous le sommes. Non pas pour diviser, mais pour unir les hommes (C. Delavigne).

b) in der Umschreibung mit c'est . . . que.
Die letztere Form pflegt nur bei einer Gegenüberstellung einzutreten.

Anm. In Redensarten[1] hat sich vereinzelt die Voranstellung des Accusativobjekts erhalten: Il gèle à pierre fendre (es friert Stein und Bein), sans mot dire (ohne ein Wort zu sagen), sans coup férir (ohne Schwertstreich), sans bourse délier (ohne einen Pfennig auszugeben). Früher auch il ne sait pas l'eau troubler (jetzt troubler l'eau u. a.), il n'est que d'être à son blé moudre, sans main mettre, ne pas savoir l'eau troubler, savoir plus que son pain manger u. a. Noch im Sprichwort Qui terre a, guerre a, familiär C'est bien de l'honneur me faire (H. Le Verdier), est-ce une injure lui faire? (A. Thiaudière) und mundartlich être à pain chercher (betteln gehen).

Hierher gehören auch die Ausdrücke à vrai dire (neben à dire vrai), ce disant, ce faisant, chemin faisant (unterwegs), à son corps défendant (aus Notwehr, wider Willen) und ähnlich: Escalier montant, Mme Dekuzelle donnait à Clara, sur ladite commode, des détails à perte de vue (A. Thiaudière).

Ferner Ausdrücke wie avoir les yeux tournés, avoir toute honte bue (alle Scham abgelegt haben). Und wie das logische Subjekt vorangestellt wird in Ces poésies, puisque poésies il y a (da es nun einmal Gedichte sein sollen), kann auch das Objekt vor das Verb treten: La cour (si cour on peut dire) des barbares princes mérovingiens (Ampère).

Die dem Französischen eigene Wortfolge tritt nicht ein in j'ai une lettre à écrire, j'ai une course à faire (einen Gang zu thun), il me reste un mot à dire, il·y a une différence à mettre entre . . ., il lui demanda de l'argent à emprunter und ähnlichen: J'ai un petit service à vous demander (Cormon). Mon brave homme, lui dit l'étranger, si j'ai un conseil à vous donner, c'est de faire un échange avec moi (E. Laboulaye). Außer in sehr üblichen Verbindungen der familiären Redeweise wie die obigen kann indessen das Objekt auch nach dem Infinitiv stehen: j'ai à faire une tournée de recouvrements (eine Reise, um Ausstände einzukassieren): Il aurait à faire une traversée de huit jours au lieu de vingt-quatre heures, à franchir l'Atlantique au lieu de la Caspienne, qu'il ne serait pas plus pressé (J. Verne). Vous voyez que j'ai à faire peau neuve (J.). Man meidet die Aufeinanderfolge eines zweimaligen à, daher j'ai à écrire une lettre à mon frère. J'ai à transmettre un ordre à M. de Thémines (Edmond). Doch: Il n'arrivait que trop souvent qu'elles donnaient la brebis à garder au loup (Legendre). Je n'ai de compte à rendre à personne, monsieur (R. Maizeroy).

---

[1] Dieselben werden allmählich seltener; man findet oft schon sans bourse déliée geschrieben, ein Beweis, daß die Redensart nicht mehr richtig aufgefaßt wird.

16*

§ 224. Präpositionales Objekt vor dem Accusativobjekt.

1) *Les Carthaginois furent forcés de céder aux Romains toutes les conquêtes qu'ils avaient faites en Sicile.*

2) *Quelquefois on perd tout le fruit de la victoire en voulant imposer aux vaincus des conditions trop dures.*

Das präpositionale Objekt (hauptsächlich der Dativ) steht vor dem Accusativobjekt,

1) wenn der Accusativ einen Zusatz hat, besonders wenn er Beziehungswort eines Relativs ist,

2) wenn der Schein entstehen könnte, als sei das präpositionale Objekt nicht von dem Verb, sondern von dem Accusativ abhängig.

Anm. Für den letzten Fall vgl. z. B. Beaucoup d'aéronautes ont payé de leur vie leurs voyages aériens.

Der Accusativ steht gleichfalls nach, wenn das Nachfolgende in direktem Zusammenhang mit demselben steht: Il pria l'huissier de remettre au président ce billet: Le docteur X. demande à être entendu comme témoin.

Bei den Verben répondre, correspondre, joindre, succéder, appartenir, opposer und ähnlichen findet sich öfter das Dativobjekt an den Anfang des Satzes gestellt: A ce nouveau pouvoir correspondent des responsabilités nouvelles. A cet avis ils souscrivirent d'une commune voix.

§ 225. Stellung der Adverbien und adverbialen Bestimmungen[1].

I. Vor dem Infinitiv (und vor dem zugehörigen Personalpronomen) stehen

1) Die Adverbien der Quantität, sowie die neutralen Accusative tout[2], rien und das Gradadverb davantage: Il ne peut rien se permettre sans qu'on y trouve à dire. Faut-il tout vous dire? On se trouvait honteux de tant s'amuser à des bagatelles. Qui veut trop prouver, ne prouve rien. Se trop critiquer touche à s'estimer

---

[1] Vgl. Zeitschr. f. nfrz. Spr. u. Litt. VI, 189.
[2] Öfter wird auch das substantivische tous vor Infinitiv oder Particip gesetzt: Pour les tous absorber (A. Karr). De les tous nommer (A. Vinet). Elle nous a tous déshonorés (E. Nus).

trop. Il n'est rien qu'on doive davantage recommander aux jeunes gens que de . . . (Laveaux).

Tout und rien trennen sogar faire von dem folgenden Infinitiv: Il se
fait tout pardonner (Guizot). Steht faire gleichfalls im Infinitiv, so können
jene Wörter vor und nach ihm stehen: La poésie ne consiste pas à tout
dire, mais à tout faire rêver (Sainte-Beuve). Ils avaient en main le pouvoir de
faire ce qu'ils voulaient, mais non pas de me faire rien faire contre mon devoir.

Dagegen darf tout nicht von einem folgenden ce qui getrennt werden.
Vgl. § 337, A. 2.

Man vermeidet besser, obwohl Beispiele sich finden, beaucoup, peu, assez
vor den Infinitiv zu setzen. — Keine Klasse von Adverbien kann hier im
Grunde ganz ausgeschlossen werden, doch ist es nur für ein geübtes Ohr rat-
sam, über obige Regeln hinauszugehen.

2) Das Modaladverb **bien**: Il n'aura qu'à bien se tenir
(er wird das nicht leicht bewältigen, er soll sich hüten). Il
importe de se bien rendre compte des difficultés.

Ebenso stehen häufig die Adverbien mieux und mal. Vgl. das Ergänzungsheft. Ebenda f. über mal parler, mal faire, se mal trouver und
parler mal, faire mal, se trouver mal.

3) Gewöhnlich die Adverbien der Negation: Vous ferez bien
de ne pas vous fier à sa promesse. Vgl. § 387.

II. Zwischen dem Hülfsverb und Particip stehen

1) Alle Adverbien oder Accusative, welche auch vor dem Infinitiv stehen können, und zwar die Quantitätsadverbien
ohne Einschränkung: Il a assez vécu pour le savoir.

2) Die meisten Modaladverbien: J'aurais mieux aimé partir
le lendemain. Il était profondément touché. Les
ruminants sont ainsi appelés parce qu'ils mâchent
plusieurs fois leur nourriture.

Die Adverbien auf -ment stehen vielfach nach dem Particip; eine bestimmte Regel giebt es nicht.

3) Das unbestimmte Ortsadverbium partout und die unbestimmten Zeitadverbien bientôt, **plus tôt, auparavant,
souvent, rarement, toujours**[1] u. a. Il s'est partout

---

[1] **Toujours** steht oft vor dem Infinitiv: Il n'est pas loisible à un
homme de cœur de toujours garder la paix. Es kann sogar zwischen Subjekt
und Verb treten: L'instruction d'un père ne profite souvent qu'à lui seul;
celle d'une mère toujours se retrouve dans la personne de ses enfants.

introduit avec assez de facilité. Une question qu'on
a souvent agitée. Elle avait toujours respecté son
oncle comme un père.

Auch adverbiale Bestimmungen, oft von beträchtlicher Länge, werden
zwischen Hülfsverb und Particip eingeschoben: Cette faute n'a point sans
doute échappé à sa sagacité. A peine avons-nous dans cette expédition perdu quelques soldats. Ce danger qu'on a tant de fois, mais
jusqu'à présent inutilement, signalé à l'attention publique.

III. Nach dem Verb stehen

1) Die Ortsadverbien: Puisque vous n'avez pas trouvé
ici ce qui vous convient, cherchez ailleurs.

2) Die bestimmten Zeitadverbien: Il est parti hier.

Mit größerem Nachdruck treten Orts- und Zeitadverbien vor das
Subjekt: Là un paysage magnifique se déroulait sous nos yeux. C'est
pour apprendre comment aujourd'hui l'on parle et l'on écrit, qu'un
dictionnaire est consulté par chacun.

Über die Voranstellung der Adverbien bei Verben in einfacher Zeit
vgl. das Ergänzungsheft.

Zusatz. Unter den adverbialen Bestimmungen, deren Häufung man
am besten vermeidet, stehen die der Zeit den übrigen, die des Orts den
modalen voran: La guerre éclata, quelques mois après, en Bretagne avec
une fureur toute nouvelle.

Zeitbestimmungen, welche einzeln stehen oder von Ortsbestimmungen
getrennt werden sollen, stehen meist zu Anfang oder am Ende des Satzes:
En 1519, François Ier brigua l'empire d'Allemagne. En 261, le consul
Duilius vainquit, près de Myles en Sicile, la flotte carthaginoise. En 1476,
les Suisses défirent à Granson et à Morat (Murten) l'armée de Charles le
Téméraire, et le tuèrent lui-même à Nancy, en 1477.

Daten stehen gewöhnlich nach Ortsbestimmungen: Jean Rotrou naquit
à Dreux, le 19 août 1609, d'une ancienne et honorable famille. Sobald
aber beide Bestimmungen in einem eingeschobenen Satzteil vereinigt werden,
tritt meist wieder die gewöhnliche Stellung ein: Pierre Corneille, né le 16
juin 1606 à Rouen, était destiné au barreau. — Über die Art zu datieren
vgl. § 380.

Von zwei Zeitbestimmungen steht die genauere nach der unbestimmteren:
Sous l'empereur Justinien, en 555, deux moines apportèrent de l'Inde en

---

Vgl. L'habitude, puissance tyrannique, qui souvent parle plus haut que
l'intérêt (Aug. Thierry). Hierin stimmt es mit dem englischen Gebrauch überein; auch die Unterscheidung unbestimmter und bestimmter Zeitadverbien, wo
es sich um die Stellung handelt, findet sich im Englischen wieder.

Grèce les premiers vers à soie qu'on ait vus en Europe. Les Français
exaspérèrent les Siciliens par leur orgueil et leur licence, et furent tous
massacrés, dans un soulèvement général, le lundi de Pâques, à l'heure de
vêpres (1282).

II. Die Fragestellung des Subjekts
(l'inversion[1] proprement dite).

§ 226. Der Fragesatz.

1) *Votre frère va donc partir?*
2) *Quand partira votre frère?*
3) *Quand votre frère partira-t-il?*

Der Fragesatz weist im Französischen eine dreifache Stellung
der Satzglieder auf:

1) Die Frage wird nur durch den Ton ausgedrückt, während
die Stellung dieselbe ist wie im Aussagesatz (gerade Wort=
folge).

2) Die Frage wird ausgedrückt, indem das Subjekt dem Verb
nachgestellt wird (einfache Inversion).

3) Oder das Subjekt behält seine Stelle vor dem Verb, wird
aber nach demselben durch ein entsprechendes Personalpronomen
wieder aufgenommen (Inversion mit doppeltem Subjekt, kürzer:
pronominale Inversion).

Anm. Außer dem angegebenen Falle findet die gerade Wortfolge im
Fragesatz noch statt:

a) Wenn est-ce que[2] zur Fragebildung verwandt wird: Est-ce que vous
partirez? Est-ce que votre frère partira? Quand est-ce que votre
frère partira?

---

[1] Unter Inversion *(inversion)* versteht man im Französischen wie im
Deutschen jede von der geraden oder regelmäßigen Wortfolge *(langage
direct)* abweichende Stellung der Satzglieder. Im engeren Sinne bedeutet das
Wort die Umstellung des Subjekts im Fragesatz und ähnlichen Bildungen.
Die einfache Inversion kann *inversion simple*, die pronominale Inversion
dagegen *inversion complexe* genannt werden.

[2] Est-ce que ist eine Frageformel, welche bereits die volle Frage ent=
hält und an welche jeder Zusatz in gerader Wortfolge angeknüpft werden kann.
Formeln wie est-ce que, qu'est-ce qui und sogar où est-ce que (gesprochen
ous-que) oder où que (z. B. où que tu vas?) sind daher beim Volk sehr be=
liebt, müssen aber in guter Sprache, auch soweit sie nicht geradezu falsch sind,

b) Im indirekten Fragesatz, welcher der Wortfolge des Relativsatzes folgt und die Inversion nur in denselben Fällen wie dieser annimmt. Vgl. § 229.

c) Wenn ein Interrogativpronomen (außer que, vgl. § 350, Anm. 1) Subjekt ist: Qui désunisit Numance? So auch bei dem prädikativen Nominativ quel: Quelles sont les règles pour la formation du féminin dans les adjectifs?

§ 227. Die einfache und die pronominale Inversion im direkten Fragesatz.

I. Frage ohne interrogatives Pronomen oder Adverb.

1) *Savons-nous la distance qu'il y a de la terre au soleil?*

2) *L'époque d'Auguste a-t-elle produit des poètes tragiques?*

1) Die einfache Inversion findet statt, wenn das Subjekt ein persönliches Pronomen (oder das neutrale ce oder das unbestimmte on) ist.

2) Die pronominale Inversion findet statt, wenn das Subjekt ein Substantiv ist. Dem Substantiv gleich zu achten sind die Fürwörter (außer den unter 1 genannten und den Interrogativen).

II. Die Frage wird durch ein interrogatives Adverb (où, d'où, quand, comment) eingeleitet.

1) *Où devons-nous étudier le secret de l'arrangement des mots?*

Comment appelle-t-on les mots qui servent à exprimer des idées abstraites?

2) *Où les Espagnols maintinrent-ils leur indépendance après l'invasion des Maures?*

Quand le pronom le est-il invariable?

1) Dieselbe Regel wie unter I, 1 muß angewandt werden.

2) Dieselbe Regel wie unter I, 2 kann angewandt werden.

möglichst gemieden werden. — Unvermeidlich ist est-ce que, wenn in der Fragestellung eine Härte entstände: Est-ce que je ne le vaux pas? (für ne le vaux-je pas?). Es kann auch benützt werden, um Formen wie donné-je auszuweichen, die nicht sehr beliebt sind. Vgl. über diese Formen das Ergänzungsheft.

Anm. Gewöhnlich ist auch im zweiten Fall (das Subjekt ist ein Sub=
stantiv) die einfache Inversion zulässig: Où se réfugièrent les Bretons lorsque
les Saxons s'emparèrent de l'Angleterre? Comment et quand périt
Charles XII, roi de Suède? Combien de temps durera cet état: (J.) Comment s'y prend l'etrucchio? (J.) Si le général Graham les poursuit, où
s'arrêtera cette poursuite? (J). Das Verb ist in diesem Falle gewöhnlich
intransitiv oder reflexiv. Unerlaubt ist die einfache Inversion:

a) Wenn das Verb ein Objekt (außer dem reflexiven Pronomen) oder eine
präpositionale Ergänzung bei sich hat: Comment Richelieu commença-
t-il sa fortune? Quand les Arabes s'établirent-ils en Espagne? Ebenso
Comment Philippe V devint-il roi d'Espagne? Aber: Où se maintinrent
les Espagnols . . . ? Bei einem partitiven, von combien abhängigen
Objekt ist die Inversion noch zulässig: Combien brûle de charbon une
locomotive? (H. de Parville).

b) Gewöhnlich auch, wenn pourquoi das Frageadverb ist: Pourquoi les
croisades ne réussirent-elles pas? Doch: Pourquoi était heureux le
royaume de Juda? (Mougenot). Pourquoi ne se perfectionnerait pas
la société générale? (Volney).

c) Man pflegt die einfache Inversion zu vermeiden, wenn das Verb in
einer umschreibenden Zeit steht, daher: Quand Charles Ier fut-il déca-
pité? Doch ist sie keineswegs unüblich: Comment est mort Annibal?
(P. Albert). Comment s'est opérée cette réduction de quatre langues
à une seule? (Brachet). De quoi est donc faite l'absinthe pour être
si meurtrière? (J.). Sogar in indirekter Frage: Savez-vous où en terre
fut mis Lamennais? (J.).

Verwendbar wird die einfache Inversion, wenn das Subjekt attributiv
bestimmt ist, besonders durch einen Genitiv: D'où sont tirés les noms
des départements?

Über d'où vient? vgl. § 104 Anm. 5a.

III. Die Frage wird durch ein interrogatives Pro=
nomen (Objektsform) eingeleitet.

1) *Qui appelons-nous usurpateur?*

*Quelle règle suivrez-vous pour former le pluriel des
noms composés?*

2) *Qui les Romains chargèrent-ils d'expulser les Carthaginois de l'Espagne?*

*Quels revers les Romains éprouvèrent-ils dans la
deuxième guerre punique?*

1) Dieselbe Regel wie unter I, 1 muß angewandt werden.

2) Dieselbe Regel wie unter I, 2 kann angewandt werden.

Anm. Auch im zweiten Fall ist die einfache Inversion zulässig, wenn das Interrogativ mit einer Präposition verbunden ist: Contre qui fut dirigée la ligue du bien public? Par qui est exercé ce droit? (E. Rendu). Jedoch darf (wie bei II, 2, Anm. a) das Verb nicht von einem Objekt begleitet sein: A qui Charles-Quint fit-il la guerre pendant la plus grande partie de son règne?

Wenn das Interrogativ im Accusativ steht, ist die einfache Inversion nur zulässig, wo keine Zweideutigkeit entstehen kann: Quelles conquêtes firent les enfants de Clovis? (Lamotte).

Nach dem Accusativ que darf nur einfache Inversion stehen: Qu'entend-on par le mot sujet? Que fit l'armée de la quatrième croisade au lieu d'aller dans la Terre sainte? Que fournit à l'homme l'ordre des ruminants? Que t'a dit cet animal qui t'a parlé si longtemps à l'oreille? Qu'eût pensé Bossuet de tout cela? (E. Despois). Que pouvait avoir de si grave à lui dire Philippe Thénard? (C. Bias). Que signifie tout cela? (Sarrazin). In Fällen, wo man Bedenken hat, greift man zu qu'est-ce que, aber nicht zu der von Deutschen oft mißbräuchlich angewandten pronominalen Inversion. Unrichtig ist folgender Satz eines elsässischen Schriftstellers: Que cela peut-il signifier? (Wirth, La langue française, 48).

§ 228. Inversion eines beliebigen Subjekts ausser der Frage.

Die Inversion des Subjekts, mag dasselbe aus einem Sub-stantiv oder einem Personalpronomen bestehen, findet in der Regel statt: a) Mit einfacher Inversion bei jedem Subjekt:

1) Im Wunschsatze: Vive le roi! Puissiez-vous réussir!

2) In kleinen Sätzen, welche ein Verb der Aussage[1] enthalten und einer direkt angeführten Rede ein- oder angefügt sind: Faites comme vous voudrez, repartit-il, je m'en lave les mains. Si vous m'en croyez, répondit mon inter-locuteur, vous renoncerez à votre projet.[2]

---

[1] Solche Verben sind répondre, repartir, dire, demander, s'écrier, s'ex-clamer, continuer, interroger, commencer, terminer, conclure, approuver, soupirer, gémir, grogner, affirmer, interrompre u. a. Doch wollen manche nur wirkliche Verben des Sagens in dieser Verwendung zulassen.

[2] Wie im Lateinischen kann dabei ein Verb des Sagens in die Rede eingeschoben werden, während es im Deutschen zu dem vorangehenden Satz gezogen wird: Dans ses moments d'ennui, Louis XIII choisissait celui pour lequel il avait le plus de sympathie, et, le prenant par le bras: Mettons-nous à cette fenêtre, monsieur, disait-il, et ennuyons-nous (A. Dumas). Manchmal fehlt das Verb des Sagens ganz.

3) Nach ainsi ſteht pronominales Subjekt ſtets, ſubſtanti=
viſches Subjekt häufig invertiert: Ainsi devriez-vous en agir
avec un ami (Demandre). Ainsi ne serait-il plus parlé
de rien (J.). Ainsi va le monde (P.-L. Courier). Ainsi
disparurent les derniers stigmates de la domination
insulaire; ainsi fut consommée l'œuvre de Jeanne Darc
(H. Martin).

Anm. 1) Häufig ſteht die Inverſion auch im Ausruſeſatze: Avons-nous
crié: Vive Decamps (J. Janin). Est-elle drôle! prend-elle des airs dégagés
à présent! (G. Sand).

2) Bei Verben des Denkens iſt der Gebrauch verſchieden. Unmöglich
iſt die Inverſion, wenn le hinzutritt (vgl. § 231 A. 4). Ebenſo fehlt die In=
verſion in je crois, je pense; neben il semble, il parait ſteht semble-t-il,
parait-il, aber ce semble duldet keine Inverſion. Auch savoir hat beiderlei
Gebrauch: Tu es assommant; tu sais, avec tes interruptions continuelles
(G. Courteline). Vous m'ennuyez, savez-vous, ne pourrions-nous parler
d'autre chose? (J.).

3) So ſteht beſonders ainsi als Erſatz für deutſches Demonſtrativ:
Ainsi en fut-il (das geſchah auch. H. Gréville). Ainsi ferai-je (das werde ich
auch thun. Gyp). Ainsi firent-ils (J. Janin). — Subſtantiviſches Subjekt
ſteht beſonders beim paſſiven Verb gern in der Inverſion: Ainsi furent
brisés, après plus de cinq siècles, les liens politiques qui unissaient la Gaule
à Rome (H. Martin). Sehr ſelten iſt die pronominale ſtatt der einfachen
Inverſion: Ainsi l'ingénieur procéda t-il (J.).

Nach ainsi im folgernden Sinne (deutſch: demnach) wird auch prono=
minales Subjekt nicht invertiert: Ainsi nous ne pouvons douter que ces
oiseaux ne soient répandus dans presque toutes les contrées tempérées (Buffon).

b) Mit einfacher oder pronominaler Inverſion wie beim
Frageſatz:

1) In Konditional= und Konzeſſivſätzen, wenn si und quand
(même) fehlen: Plusieurs tyrans aspiraient-ils à l'empire, les prétoriens vendaient leurs secours au plus
offrant. Dussé-je y périr. L'eût-il voulu, il en eût
été incapable.

2) Nach den Adverbien

à peine . . . que kaum . . . als	au moins mindeſtens
aussi daher auch[1]	du moins wenigſtens
aussi bien ohnehin	peut-être vielleicht

---

[1] D. h. aussi kann nur mit der Inverſion gebraucht werden, wenn es
die aus dem Vorhergehenden logiſch ſich ergebende Folgerung einleitet. Sehr

encore außerdem, trotzdem	tout au plus höchstens
toujours immerhin (nie ohne	rarement selten
Inversion)	probablement wahrscheinlich
à plus forte raison ⎱ uun so mehr	surtout besonders
d'autant plus ⎰	difficilement schwerlich, kaum
toutefois gleichwohl, dennoch	sans doute ohne Zweifel
en vain	de même ebenso
vainement ⎱ vergebens	volontiers gern u. a.
inutilement ⎰	

Alexandre ne cédait jamais à la force; aussi son père employait-il à son égard la persuasion plutôt que la contrainte.

Anm. 1) Manchmal steht die Inversion, auch wenn der Nachsatz mit que eingeleitet ist: Quoi! vous n'allez pas entendre cette admirable plaidoirie? mais le tribunal est à votre porte. — Serait-il chez moi que je n'y assisterais pas davantage (L. Gozlan: meist il serait chez moi que . . .).

Einfache Inversion steht in dem mit n'était, n'eût été u. ähnl. eingeleiteten Konzessiv- oder Konditionalsatz: Le sultan inclinerait à reconnaître le fait accompli. n'était l'attitude de la Russie (J.). J'en connais, ne fussent que Desbeaux et Marck de l'Odéon (J.).

2) **A peine, peut-être** und **encore** erlauben die Inversion auch in Nebensätzen: Bientôt l'obscurité devint telle qu'à peine pouvait-on se voir. Ce goût exquis et ce jugement si solide que vous faites paraître dans toutes choses au de là d'un âge où à peine les autres princes sont-ils touchés de ce qui les environne avec le plus d'éclat (La Fontaine). On prétend que le mot *rivalité* est de la création de Molière, et qu'encore n'osa-t-il le risquer que dans la bouche d'un valet (Littré). — Selten steht die Inversion, wenn obige Adverbien (z. B. à peine, encore) nachgestellt sind. Vgl. hierüber das Ergänzungsheft, ebenso über die Vermeidung der Inversion bei der I. Sing. Präs. der I. Konjugation (Formen auf -é-je).

§ 229. Inversion des substantivischen Subjekts ausser der Frage.

Erlaubt ist die Inversion des Subjekts, jedoch nur, wenn dasselbe ein Subitantiv ist, in folgenden Fällen:

1) Im Relativsatz und im indirekten Fragesatz, weil hier das Maßverhältnis scharf hervortritt. Besonders, wenn das Verb an das Ende des

selten steht die Inversion in anderen Fällen: Si nous disions que M. de Chateaubriand c'est réduit dans la traduction à l'office de manœuvre . . . ., personne ne voudrait nous croire; et aussi n'aurions-nous point dit vrai (A. Vinet).

Satzes zu stehen käme: Il est peu de difficultés que n'éclaircisse la connaissance de l'histoire particulière du sujet. Savez-vous ce qu'a fait votre ami?

Nötig ist die Inversion hauptsächlich,

a. wenn être an das Satzende zu stehen käme: Il serait difficile de savoir de quel côté était le bon droit;

b. wenn das Subjekt des Relativsatzes das Beziehungswort eines zweiten Relativsatzes ist: Il a fait tout ce que peut faire en pareil cas un homme qui se respecte. Vgl. § 224, 1.

2) Nach der Umschreibung mit c'est . . . que: C'est aux cœurs hardis que sourit la fortune.

Ebenso steht die Inversion nach einer Objekts-, Zeit- oder Orts-bestimmung, die ohne Zuhülfenahme der Umschreibungsformel nachdrucks-voll vorangestellt ist: Sur lui retombe toute la responsabilité. A cette époque fut créée la célèbre école de Salerne. A la tête de l'escadre marchait le vaisseau amiral (Topin).

3) Nach den Konjunktionen quand und lorsque: Quand viendra le prin-temps, les arbres se couvriront de fleurs. Lorsque parle une telle bouche, nous n'avons qu'à nous taire (Th. Gautier).

4) Nach den Adverbien ici, là, de là, là-dessus, déjà, aussitôt, bientôt u. a. De là découlent tous nos désastres. Bientôt se présenta un nouveau compétiteur.

5) Im zweiten Glied des Vergleichungssatzes: Pour juger l'œuvre, il faut plus de goût que n'en a cet homme (É. Souvestre). Mme de Sévigné écrit comme parle une personne du grand monde et de beaucoup d'esprit. Sa sœur lui venait en aide autant que lui permettait l'exi-guité de ses ressources. Über plus . . . plus vgl. § 384 Anm. 3.

In den Fällen 2 bis 5 wird die Inversion unmöglich, wenn das Verb von irgend welchem Objekt (außer etwa verbundenem Personal-pronomen) begleitet ist; daher: C'est aux cœurs hardis que la fortune donne ses faveurs. Ce sont les cœurs hardis que la fortune gratifie de ses faveurs.

6) In Bühnenanweisungen: Entre la Tisbe. Entre Angelo. Entrent les deux guetteurs de nuit. Rentre Thurloë. Seltner bei sortir: Sort le page noir. Anafesto sort. La Tisbe sort. (Alle Beispiele aus V. Hugo).

Anm. Meist sind bei der fakultativen Inversion stilistische Erwägungen ausschlaggebend. Besonders häufig ist der Chiasmus (Kreuzstellung, Ver-schränkung) bemerkbar: Ce fut un sujet tout trouvé de conversation et de commentaires pour les commères qui bavardent tant que le jour dure et tant que dure la lampe du soir (A. Vitu).

Emphatisch wird sehr oft ein Verb der Bewegung (venir, arriver, passer u. a.) dem Subjekt vorangestellt, ebenso n'importe: Venaient ensuite les différents corps de l'armée (Michaud). Auch in gesetzlichen Bestimmungen ist die Inversion sehr beliebt (Rest alten Sprachgebrauchs): Sont abrogées toutes les dispositions contraires à la présente loi.

§ 230. Obligatorischer Gebrauch derselben.

Notwendig ist die Inversion des substantivischen Subjekts:

1) Bei der Voranstellung eines prädikativen Adjektivs: Telle fut la fin de tant d'espérances. Immense fut sa joie. Daher auch in den Konzessivsätzen mit quelque . . . que (vgl. § 371).

2) Bei der Voranstellung des Verbs (besonders üblich bei beschreibenden Aufzählungen und gesetzlichen Definitionen): Viennent ensuite les tableaux dramatiques tirés des quatre grands poètes. Sont écoles publiques celles qui relèvent exclusivement des communes, du département ou de l'État. Vgl. auch § 250 A. 2, b, c.

3) Bei der Voranstellung des Part. Präs. passiver Form. Vgl. § 227, A. 1 Zus.

4) Unter gewissen Bedingungen im Relativsatz. Vgl. § 220, 1.

III. Das Verb.

Transitive und intransitive Verben.

§ 231. Transitive.

Transitive Verben sind solche, welche einen Objektsaccusativ regieren können und welche daher die Umwandelung in die passive Konstruktion zulassen: Les assiégeants ont pris la ville. (La ville a été prise par les assiégeants.)

Anm. 1) Avoir ist das einzige transitive Verb, welches kein Passiv bildet. Auch die mit faire aus Intransitiven gebildeten Transitive haben kein Passiv: On l'a fait mourir (nicht il a été fait mourir, was nur mundartlich vorkommt).

2) Expirer darf nicht transitiv gebraucht werden.[1] Sein Leben aushauchen expirer (aber exhaler son âme, wofür besser rendre l'âme. rendre le dernier soupir). Parler kann nur langue, langage und ähnliche Wörter (§ 162) als Objekt haben: Parler le langage de la vérité. Doch parler affaires, parler musique u. s. w. (von Geschäftsangelegenheiten, von Musik

---

[1] Auch das englische to expire ist streng intransitiv (aber lat. expirare animam).

sprechen) und so causer littérature u. s. w. Zur Vermeidung eines Doppel=
sinns, den die deutsche Sprache nicht fürchtet, darf tout vielfach nur im
partitiven Sinne nach Verben gebraucht werden: Il y a peu d'animaux qui
mangent de tout (keinerlei Nahrung verschmähen). Dans ce magasin on
trouve de tout (in diesem Laden ist alles zu haben). Ce peintre fait de tout
(d. h. er hat nicht ein bestimmtes Feld).

3) Öfter darf das deutsche es nicht übersetzt werden: Comment faire?
Comment faites-vous? Faites comme moi. Il n'est pas difficile de faire
mieux que lui.[1] Je ne sais pas. Si j'avais su! Oh! je ne dis pas. Je
devine. Évoquant, comme je viens de faire, cette conversation dans cet
endroit, je demeure étonné que . . . (P. Bourget). Je n'aurais pas dû vous
dire peut-être (J.) Je ne saurais préciser (O. Feuillet). Je ne conteste pas
(Fr. Sarcey). C'était avoir bien mal rencontré (A. Carrel). Besonders bei
Imperativen: Voyons! Dites! Lisez! Racontez! Achevez! Continuez!
Donnez! Prenez! Tenez! Gardez! Refusez! Enlevez![2] Emportez! u. a.
Ebenso natürlich beim Singular dieser Imperative. Sehr oft fehlt auch ein
anderes pronominales Objekt bei interrompre: C'est ce que je ne serai
jamais, interrompit-il (unterbrach er mich).

Das Fehlen des le beruht auf verschiedenen Gründen: Das beziehungs=
lose le ist im Französischen selten, jedenfalls weit seltner als das beziehungs=
lose en. Außerdem ist le zweideutig, da es männlich und sächlich aufgefaßt
werden könnte. Die Lebhaftigkeit der Sprache begünstigt die Auslassung dieses
ziemlich bedeutungslosen Wörtchens, welches erst bei größerem Nachdruck ein=
tritt: Dites, dites-le, ma pauvre Flora, afin que cela ne m'arrive plus
(G. Sand).

Besonders häufig fehlt le, wenn das Verb ein pronominales Dativ=
objekt bei sich hat: so kann man nur sagen je vous crois (nicht je vous le
crois, da croire eigentlichen Dativ nicht zuläßt), und man sagt oft je me
rappelle (für je me le rappelle, familiär je m'en rappelle), je ne vous promets pas (für je ne vous le promets pas) u. dgl. Ältere Grammatiker (und
einzelne neuere nach ihnen) haben daraus den zu weitgehenden Schluß gezogen,
daß im Französischen das Zusammentreffen pronominaler Objekte (le lui, les
leur u. dgl.) gemieden würde. Vgl. § 178 A. 2.

4) Während das Französische nicht durch le auf Nachfolgendes hinweist
(§ 228), deutet es gern mit diesem Pronomen auf Vorausgehendes zurück,
beides im Unterschiede zum deutschen Brauch. So tritt le im zweiten Glied
des Komparativsatzes ein: Ces phénomènes sont plus compliqués qu'on ne
le pensait. Ferner in eingeschobenen Sätzen mit comme, ainsi que z. B.

---

[1] Auch Faites! im Sinne unseres Bitte!, wenn man eine verlangte
Erlaubnis giebt.
[2] Scherzhaft: Enlevez, c'est pesé (fort mit Schaden). Auch zum
Kutscher kann man sagen enlevez (fahren Sie zu).

comme on le voit, comme on pourrait le croire, ainsi qu'on peut le constater, doch auch comme on voit u. s. f. w.[1]

In dem letzteren Falle wird le unentbehrlich, wenn comme, ainsi que fehlen: Le succès, on le voit. n'était rien moins qu'assuré. Es darf dagegen nicht eintreten bei der Inversion: L'affaire, pourrait-on croire, était en bon chemin. Es fällt ferner weg, wenn ein Dativobjekt steht: il faut le dire, aber il faut vous dire. Über die Einschiebungsformeln s. das Ergänzungsheft.

§ 232. Intransitive.

Intransitiv sind Verben, von welchen ein Objekt überhaupt nicht oder nicht im Accusativ abhängig gemacht werden kann: Qui dort dîne. Les grands événements procèdent souvent de petites causes.

Anm. 1) Intransitive erhalten manchmal eine transitive Nebenbedeutung. Neben monter (hinaufsteigen), descendre (herabsteigen), rentrer (wieder eintreten), sortir (ausgehen), retourner (zurückkehren) stehen monter (hinauftragen, errichten), descendre (herunterbringen), rentrer (einbringen, z. B. rentrer du foin, du blé), sortir (herausziehen), retourner (zurückschicken). So auch réussir qe (etwas erfolgreich behandeln), welches aber (wie früher auch andere dieser Verben) auf Widerspruch stößt. — Habiter ist Intransitiv (wohnen) und Transitiv (bewohnen).

2) Andere Intransitive können im Passiv gebraucht werden[2]: être obéi (Gehorsam finden), être désobéi, être pardonné (Verzeihung finden, vgl. je serais impardonnable), des lettres répondues (beantwortete Briefe), des stipulations consenties (getroffene Abmachungen), un langage convenu (eine konventionelle Ausdrucksweise), c'est convenu (das ist abgemacht), être bien venu de qn (bei jem. freundliche Aufnahme finden). Être moqué kommt von einem alten Transitiv moquer, wofür jetzt nur se moquer. Manche dieser Verben finden sich im Aktiv als Transitive gebraucht, was (außer bei consentir) nicht nachzuahmen ist. Hierher gehören auch die Ausdrücke bien appris (gesellschaftlich gebildet) und mal appris (plump, tölpelhaft, grob), ebenso das Sprichwort il faut être pris pour être appris (durch Schaden wird man klug).

3) In einzelnen Verbindungen eines Intransitivs mit einem Accusativ ist kein transitiver Gebrauch zu erkennen, weil die Umwandelung in das Passiv unmöglich oder doch unüblich ist:

---

[1] Immer comme on sait und comme on dit (wie man zu sagen pflegt), dagegen comme on le dit, ainsi qu'on le dit (wie man behauptet).

[2] Im wissenschaftlichen Gebrauch auch la condition est satisfaite (der Bedingung ist genügt), obwohl nur satisfaire à une condition.

a) Intransitive nehmen einen Accusativ gleichen Stammes zu sich: jouer le jeu de qn (jem. wider Willen in die Hände arbeiten), combattre le bon combat. Doch nicht etwa combattre un combat.

b) Oder sie nehmen einen Accusativ von anderem Stamm: aller son chemin, crier vengeance. Besonders einen adverbialen Accusativ: courir deux heures, marcher dix lieues, vivre cent ans, peser quinze grammes, un vaisseau jaugeant 500 tonneaux [1] (ein Schiff von 500 Tonnen).

In monter un cheval (ein Pferd reiten), monter un navire (auf einem Schiffe fahren), monter un escalier, descendre un fleuve (einen Fluß herunter fahren), sauter une barrière (überspringen), courir le monde (in aller Herren Ländern herumkommen), courir un pays (ein Land durchstreifen, um zu plündern) u. a. kann man wirkliche Transitive mit Objektsaccusativ erkennen; aber ein Passiv ist nicht gebräuchlich, außer bei monter, wo es „besteigen" heißen kann.

Paraître mit einem Accusativ ist sehr üblich, aber nicht allgemein[2] anerkannt: Il a soixante ans, mais il ne les paraît pas (man sieht sie ihm nicht an).

c) Der Grund einer Handlung wird manchmal gewissermaßen zum Objekt derselben: sentir le muse, hurler la faim, grelotter la fièvre u. a. Für unser Gefühl fehlt eine Präposition. Ebenso in répondre une lettre assez sèche[3] (mit einem ziemlich trocknen Briefe antworten).

4) Wie das neutrale le bei Transitiven, so tritt en bei Verben ein, welche nur ein Sachobjekt mit de bei sich haben können: Je réussirai, je m'en flatte, à vous faire obtenir satisfaction entière. Edmond prit le chemin de l'avenue, ainsi que son oncle l'en avait prié (É. Souvestre). Bei dem Komparativ vertritt en unser darum, deshalb: Quand même on vous donnerait gain de cause, vous n'en seriez pas plus avancé. Dafür auch vous ne seriez pas plus avancé pour cela. Jedoch darf nicht, wie die Volkssprache es thut, en mit pour cela in pleonastischer Weise verbunden werden.

Zusatz. Deutsche Intransitive oder absolut gebrauchte Transitive sind öfter nicht unmittelbar in das Französische zu übersetzen, auch wenn ein entsprechendes Verb existiert: betteln demander l'aumône, mendier son pain, dichten faire des vers, fechten faire des armes, kochen faire la cuisine, waschen faire la lessive, wachen faire le guet. Der deutsche Verbalbegriff wird französisch zum Substantiv und nimmt ein Verb (meist faire) zu sich. Vgl. auch S. 258 N. 4.

---

[1] In dieser Verwendung ist jauger (eichen) intransitiv. Tonneau ist das richtige Wort, nicht tonne (alter Sprachgebrauch), welches noch oft dafür gesetzt wird. Un tonneau = 10 quintaux métriques, un quintal métrique = 100 kilogrammes.

[2] Littré billigt es.

[3] Nicht zu verwechseln mit dem vorkommenden, aber unrichtigen répondre une lettre (einen Brief beantworten) für répondre à une lettre.

Rektion[1] der Verben.

§ 233. Verben mit dem Accusativ.

Den Accusativ regieren abweichend vom Deutschen

1) Folgende Verben der Bewegung, des Hinzielens:

aborder qn ⎰ an jem. heran-
accoster qn ⎱ treten (jem. anreden)
approcher qn bei jem. Zu- tritt haben
avoisiner qe anstoßen an etw.
balancer qe das Gleichgewicht halten
dépasser qn ⎰ jem. vorauseilen
devancer qn ⎱ (jem. über-
distancer qn ⎰ holen)
déserter qe entweichen, deser- tieren von
égaler qn jem. gleichkommen

envahir un pays in ein Land ein- fallen
fuir qn fliehen vor jem.
guetter qn auf jem. lauern
imiter qn jem. nachahmen
joindre qn ⎰ zu jem. stoßen
rejoindre qn ⎱ (jem. einholen)
précéder qn jem. vorausgehen
prévenir qn jem. zuvorkommen (benachrichtigen)
rencontrer qn jem. begegnen
résigner qe auf etw. verzichten
subir qe sich unterziehen
suivre qn jem. folgen

viser qn auf jem. zielen, viser qe auf etw. hinzielen.

Ferner esquiver un coup, une question (ausweichen), cela me passe (das ist mir unverständlich).

2) Folgende Verben des Denkens und Sagens:

applaudir qn jem. Beifall zollen
bonder qn jem. schmollen (auch contre qn)
comploter qe ⎰ sich verschwören
conspirer qe ⎱ zu etwas, sinnen auf etw.
contredire[2] qn jem. widersprechen
craindre qn sich vor jem. fürchten
encenser qn jem. Weihrauch
espérer qe hoffen auf [streuen

entretenir qn sprechen mit jem.
féliciter qn jem. gratulieren
flatter qn jem. schmeicheln
jalouser qn eifersüchtig sein auf jem.
maudire qn jem. fluchen
méditer qe sinnen auf
menacer qn jem. drohen
prier qn[4] beten zu jem.
se rappeler qe sich erinnern an
remercier qn jem. danken

---

[1] Bei Verben mit mehrfacher Rektion ist der Unterschied oft schwer festzustellen. In der Lektüre werden sich immer Beispiele finden, welche sich der Regel nicht fügen. In den folgenden Angaben ist dieselbe immer so gefaßt, daß bei dem Übersetzen in das Französische unrichtige Anwendung möglichst ausgeschlossen ist.

[2] Contredire war früher intransitiv. Man sagt noch je n'y contredis pas (besser je ne dis pas le contraire).

[3] Nicht mehr das veraltete congratuler.

[4] Prier beten wird konstruiert wie in der Bedeutung bitten: prier un saint. Unser absolut gebrauchtes beten ist durch prier Dieu oder dire ses prières zu übersetzen, nur ausnahmsweise steht prier allein.

Ferner prêcher qn (jem. predigen), sermonner qn (jem. eine Straf=
predigt halten), plaisanter qn (über jem. spotten), chansonner qn (auf
jem. Spottlieder machen), sonner qn (nach jem. klingeln), sonner la
messe, le dîner (läuten zu etwas), siffler un chien (einem Hunde pfeifen),
souffler qn (jem. vorsprechen, soufflieren).

3) Folgende Verben des Nutzens und Schadens:

affronter qn		dégoûter qn jem. Ekel machen
braver qn	jem. trotzen	désobliger qn ⎱ jem. einen üblen Dienst
défier qn		desservir qn ⎰ leisten, schaden
aider qn	jem. helfen	éclairer qn jem. leuchten
assister qn		obliger qn jem. einen Dienst leisten
arranger qn (cela m'arrange ist		seconder qn ⎱ jem. helfen
nur gelegen)		secourir qn ⎰
contrarier qn	jem. entgegen=	servir qn jem. dienen
contrecarrer qn	handeln	soulager qn jem. Linderung schaffen
		veiller qn bei jem. wachen.

Anm. Vom deutschen Gebrauch abweichend tritt der Accusativ nicht
ein hauptsächlich nach

s'acquitter de qe etw. erfüllen	justifier de qe etw. nachweisen
ajouter à qe etw. vergrößern	mentir à qn jem. belügen
apprendre ⎱ qe à qn jem. etw.	—— parler à qn3 jem. sprechen
enseigner ⎰ lehren	se passer de qe etw. entbehren
couper court à qe etw. abschneiden	profiter de qe etw. benützen
demander qe à qn¹ jem. um etw.	remédier à qe etw. abstellen
bitten, jem. nach etw. fragen	renchérir sur qn jem. überbieten
disconvenir de qe etw. leugnen	se repentir de qe etw. bereuen
se douter de qe etw. ahnen	revenir sur qe etw. umstoßen
faire la guerre à qn² jem. bekriegen	se sentir de qe ⎱ etw. spüren
fournir à qe ⎱ die Kosten für etw.	se ressentir de qe ⎰
subvenir à qe ⎰ bestreiten	surseoir à qe etw. aufschieben
jouir de qe etw. genießen	survivre à qn jem. überleben
	vaquer à qe etw. besorgen.

§ 234. Verben, welche mit der Rektion die Bedeutung wechseln:

atteindre qn (qe) ⎱ erreichen	atteindre à qn (à qe)	nicht völlig (oder
toucher qe ⎰	toucher à qe	mit Anstreng=
		ung) erreichen

---

¹ Demander qn nach jem. fragen.
² Faire la guerre contre qn am Krieg gegen jem. teilnehmen.
³ Das sehr seltne parler avec qn heißt: mit jem. im Gespräch sein.

17*

conconrir à qe beitragen zu
connaître qe kennen

convenir à qn (à qc) passen für

croire qn (qe) jem. glauben, etw. glauben[1]
décider qn (qe) bestimmen, entscheiden
discourir sur qe sprechen über

essayer qe ⎫ versuchen
tenter qe ⎭
goûter qe Geschmack finden an; probieren
s'intéresser à qn (à qe) Anteil nehmen an

jouer qe spielen um (jouer qn betrügen[3])

juger qn (qe) zu Gerichte sitzen, aburteilen über
manquer qn (qc) verfehlen

s'occuper de qe sich angelegen sein lassen
parer qe abwenden
participer à qe teilnehmen an

prendre qn packen

conconrir pour qe sich bewerben um
connaître de qe die zuständige Behörde sein für

convenir de qe übereinkommen, eingestehen

croire à qn (à qe) zu jem. Vertrauen haben, an etw. glauben[2]
décider de qe entscheiden über, den Ausschlag geben
discourir de qe in gelehrter Weise sprechen über

essayer de qe ⎫ es versuchen mit
tenter de qe ⎭
goûter à qe (verkosten von, nippen an
goûter de qe kennen lernen
s'intéresser dans qe (être intéressé dans qc) sich mit Geldeinlage beteiligen an

jouer aux échecs u. s. w. Schach spielen (d. h. à bei Gesellschafts- und Hasardspiel)
jouer du piano u. s. w. Klavier spielen (d. h. de bei Musikinstrumenten)

juger de qn (de qe) sich eine Meinung bilden über
manquer de qe Mangel haben an
manquer à qn (à qe) sich verfehlen gegen

s'occuper à qe beschäftigt sein mit

parer à qe vorbeugen
participer de qe ähnlich, verwandt sein

prendre à qn befallen[4]

---

[1] Nicht Personen- und Sachobjekt zu vereinigen; vgl. § 236 A.

[2] Für à tritt wie oft en ein, wenn nicht ein bestimmter Artikel folgt, daher je crois en lui, ebenso croire en Dieu, en Jésus-Christ, en une vie future u. s. w., aber croire aux dieux, au Dieu de clémence. au Christ.

[3] Jouer un auteur das Stück eines Dichters zur Aufführung bringen, vgl. lire qn einen Brief von jem. lesen.

[4] La toux, la fièvre, la peur, l'idée, la fantaisie lui a pris; aber la toux l'a encore pris vers midi.

présider qe den Vorsitz führen bei	présider à qe bestimmenden Einfluß haben bei
prétendre qe als Recht beanspruchen[1]	prétendre à qe streben nach, Anspruch machen auf
répondre qe etw. antworten	répondre à qn (à qe) jem. antworten; entsprechen
	répondre de qn (de qe) einstehen für
	répondre pour qn bürgen für
ressortir sur qe sich abheben von	ressortir[2] à qe unter einer Gerichts-
ressortir de qe sich ergeben aus	barkeit stehen, zu einem Amts-
	sprengel gehören
satisfaire qn (qe) befriedigen	satisfaire à qe (selten à qn) Genüge leisten
servir qn (qe) dienen, einen Dienst leisten	servir de qe dienen als, die Stelle vertreten
(se servir de qe sich einer Sache bedienen)	servir à qe brauchbar sein zu[3]
signer qe unterzeichnen	signer à qe (als Zeuge) mitunterzeichnen
souscrire qe unterschreiben[4]	souscrire à qe sich gefallen lassen, eingehen auf
	souscrire pour qe (selten à qe) subscribieren auf
succomber à qe sich (widerstandslos) überwältigen lassen von	succomber sous qe (auch à qe) erliegen, unterliegen
témoigner qe (auch de qe) bezeigen, an den Tag legen	témoigner de qe bezeugen
tenir pour qn auf jemandes Seite stehen	tenir à qe anhaften, festhalten an, herrühren von; Wert legen auf; ne pas (plus) tenir etw. nicht aushalten
	tenir de qe = participer de qe
user qe abnützen	user de qe gebrauchen
viser qn (qe)	viser à qe abzielen auf, streben nach
viser à qn (à qe) } zielen auf	

---

[1] Selten und nur in den Formeln que prétendez-vous? ne rien prétendre anzuraten; als Substantivobjekt nur le droit.

[2] Von dem gegenüberstehenden **ressortir** etymologisch verschieden.

[3] Doch kann auch in diesem Sinne de stehen vor quoi, rien, beaucoup u. a. Daher cela ne sert à rien (de rien), à quoi (de quoi und bloß que) sert-il? durchaus gleichbedeutend.

[4] Nur bei Aktenstücken oder Wechseln üblich.

§ 235. Unterschied des persönlichen und des sächlichen Objekts.

Verschiedene Rektion, je nachdem die Thätigkeit sich auf eine Person[1] oder auf eine Sache bezieht, haben die Verben:

Person:	Sache:
abuser qn täuschen	abuser de qc mißbrauchen
aider qn (selten à qn) helfen	aider à qc (selten aider qe) unter=
aider qn de qe jem. helfen mit etw.	stützen, helfen, beitragen zu
approcher qn bei jem. Zutritt	approcher de qe fast erreichen
haben[2]	
arracher qn (qe) à qn entreißen	arracher qn (qe) de qe wegreißen
assister qn helfen, beistehen	assister à qe beiwohnen
attenter sur qn einen Angriff auf	attenter à qe (selten sur qe) sich
jem. unternehmen	einen Angriff auf etw. gestatten
changer3 qn wechseln	changer de qe wechseln, § 321, 3
échapper à qn[4] entgehen	échapper de qe entgehen, ent=
	fliehen
emprunter qc à qn entleihen	emprunter qe de qe (seltner à qe)
	entlehnen
insulter qn (selten à qn) beleidigen	insulter à qe Hohn sprechen
se jouer à qn unüberlegt angreifen	se jouer de qe spielend bewältigen,
(selten se jouer de qn mißachten)	gering achten
suppléer qn vertreten	suppléer à qe (auch qe) ersetzen, er=
	gänzen
veiller sur qn wachen über	veiller à qe sorgen für, achthaben auf
veiller qn wachen bei	

---

[1] Oft auch personifizierte Sache, so besonders la mort bei arracher, échapper.

[2] S'approcher de qn (de qe) sich nähern, approcher de qn (de qe) näher kommen, vgl. § 81, 5.

[3] Changer vertauschen hat nur den Accusativ: changer qe pour (contre) qc; on m'a changé mon gendre mein Schwiegersohn ist mir vertauscht worden, d. h. ist nicht wiederzuerkennen. In der Bed. wechseln steht per= sönl. Objekt im Accusativ (je ne suis pas content de mon cordonnier, je le change, ich nehme einen andern, Th. Barrière), sächliches dagegen im Genitiv: Henri VIII changea de religion. In Henri VIII changea la religion de son pays heißt das Verb „ändern, vertauschen", daher auch das Sachobjekt im Accusativ.

[4] Oft auch échapper à qe; die Sache wird dann persönlich gedacht als der drohende Gegner; échapper au danger (selten le danger) der Gefahr aus= weichen, échapper du danger sich aus der Gefahr retten.

§ 236. Zusammentreffen des persönlichen und sächlichen Objekts.

Kein französisches Verb kann zwei gleichartige Objektskasus[1] regieren. Verben mit gleicher Rektion für persönliches und sächliches Objekt müssen daher beim Zusammentreffen beider Objekte die Rektion ändern:

applaudir qn jem. Beifall zollen applaudir[2] qe einer Sache Beifall geben	applaudir qn de qe jem. zu etw. Glück wünschen
— — —	apprendre qe à qn jem. etw. lehren,
apprendre qe etw. lernen, erfahren	mitteilen
enseigner qn jem. unterrichten enseigner qe etw. unterrichten	enseigner qe à qn jem. in etw. unterrichten
— — —	assurer qe à qn oder assurer qn de
assurer qe etw. versichern	qe jem. einer Sache versichern[3]
conseiller qn jem. beraten conseiller qe etw. raten	conseiller qe à qn jem. etw. raten
envier qn jem. beneiden envier qe auf etw. neidisch sein	envier qe à qn jem. um etw. beneiden
hériter de qn jem. beerben hériter de qe etw. erben	hériter qe de qn etw. von jem. erben[4]
imiter qn jem. nachahmen imiter qe etw. nachahmen	imité de qn (nur pass.) jem. nachgeahmt
persuader qn jem. überzeugen, — — — — überreden,	persuader qn de qe oder persuader qe à qn jem. von etw. überzeugen, jem. etw. einreden
dissuader qn jem. abraten — — — —	dissuader qn de qe jem. von etw. abraten
prêcher qn jem. predigen prêcher qe etw. predigen	prêcher qe à qn jem. etw. predigen
refuser qn jem. abweisen refuser qe etw. verweigern	refuser qe à qn jem. etw. abschlagen
se venger de qn sich an jem. rächen se venger de qe sich für etw. rächen	se venger sur qn de qe sich an jem. für etw. rächen.

---

[1] Ausnahmen von dieser Regel giebt es nicht. Die Konstruktion des doppelten Accusativs ist jedenfalls keine Ausnahme, da nur der eine Kasus Objekt, der andere dagegen Prädikat ist. Als einzige Ausnahme ließe sich der ethische Dativ (§ 311, 2) anführen, der mit einem Objektsdativ zusammentreffen kann.

[2] Applaudir auch mit à sowohl bei persönlichem, wie bei sächlichem Objekt.

[3] Man soll nur sagen je vous l'assure (nicht je vous assure). Assurer à qn que ... (der Objektsatz vertritt den Objektsaccusativ), doch auch assurer qn que ..

[4] Natürlich kann man sagen Louis XVI a hérité des fautes comme du trône de ses devanciers (possess. Genitiv).

Anm. Croire läßt nicht Accusativ der Person und Sache zugleich zu. Aber auch die Verwandlung des näheren persönlichen Objekts in ein entfernteres ist nur zulässig, wenn der Dativ einem persönlichen Fürwort angehört und die Person angiebt, bei welcher die in Rede stehende Eigenschaft vermutet wird: On lui croyait une grande fortune. Quel âge me croyez-vous? Dagegen ist die Verwandlung des sächlichen Objekts (in einen Genitiv) zulässig: Je vous en crois. Si vous m'en croyez. Da aber en croire meist die Beb. „folgen, sich belehren lassen" hat, so ist folgendes Beispiel wertvoll: Quoi! vous n'avez pas entendu le prêtre vous demander: »Sœur Sainte-Susanne Simonin, promettez-vous à Dieu obéissance, chasteté et pauvreté?« — Je n'en ai pas mémoire. — Vous n'avez pas répondu qu'oui? — Je n'en ai pas mémoire. — Et vous imaginez que les hommes *vous en croiront?* — Ils *m'en croiront* ou non, mais le fait n'en sera pas moins vrai (Diderot).

Über alle Einzelheiten des transitiven und intransitiven Gebrauchs sowie der Rektion vgl. die alphabetische Liste des Ergänzungshefts.

Die Übereinstimmung von Subjekt und Prädikat

(l'accord du verbe avec son sujet).

§ 237. Ein einzelnes Subjekt.

1) *Tous les hommes aspirent au bonheur.*
2) *Tout le monde aspire au bonheur.*

1) Das Subjekt im Plural hat das Verb in gleicher Zahl im Gefolge.

2) Das Subjekt im Singular, auch wenn es ein Kollektiv ist, hat das Verb im Singular nach sich.

Anm. 1) Das singularische c'est steht vor pluralischem (logischem) Subjekt der 1. und 2. Person: c'est nous, c'est vous. Dagegen ce sont eux, ce sont nos semblables.

Jedoch findet sich c'est auch häufig vor einem Plural der 3. Person, besonders in der Volkssprache: C'est des bêtises. Regelmäßig steht der Singular

a) Zur Vermeidung von übelklingenden Formen (seront-ce, furent-ce, fussent-ce u. a.): Ne me faites pas trop attendre une lettre, ne fût-ce que quelques lignes. Il était fort dédaigneux de tout ce qui ressemblait à des affaires, fût-ce celles du pays (G. Ohnet).

b) In si ce n'est (ausgenommen etwa): Aucun peuple de l'antiquité, si ce n'est les Phéniciens, ne connaissait la côte occidentale de l'Afrique.

Zusatz. 1) In der Formel étant donné (wenn man bedenkt, in An=
schlag bringt) muß das Part. mit dem folgenden Subjekt übereinstimmen[1]:
Étant données les mauvaises conditions de l'année, les récoltes sont bonnes.
2) Im Wunschsatze steht vive vor singularischem, vivent vor pluralischem
Subjekt: Vive la joie! Vivent les gueux! Doch findet sich nicht selten vive
(unpersönlich gefaßt) auch vor Pluralen: Vive les barons pour avoir de
l'esprit (Brueys). Vive les gens qui dissertent seulement de l'art où ils
excellent (Pons[2]). Vive les gens d'esprit! (Littré[3]).
3) Eigentliche unpersönliche Verben können nur im Singular stehen:
Il y a trois lieues d'ici à la ville. Pour faire la guerre il faut des soldats.
Il est six heures. Verben, die auch persönlich sind, lassen beiderlei Gebrauch
zu: Que m'importe Les haillons qu'en entrant j'ai laissés à la porte! (V. Hugo).
Mais que lui importe mes actions? que n'importait les siennes? (Maurice).
Et que m'importent, monsieur, vos scrupules? (Derf.). Exagérations pour
exagérations, mieux vaut celles qui tournent au profit de la vérité que celles
qui favorisent le faux (J.).

§ 238. Kollektiv als Subjekt.

Kollektive, auf welche ein partitiver Plural folgt, haben
das Verb im Singular nach sich, wenn der Kollektivbegriff betont
wird; das Verb steht dagegen im Plural, wenn man in dem
partitiven Genitiv das eigentliche Subjekt erblickt: Une partie
des bourgeois courut aux armes; le reste se tenait à l'écart.
Lorsque la flotte française fut attaquée à Aboukir, une
partie des équipages (Mannschaft) étaient à terre.

Anm. Solche Kollektive sind: la foule, la multitude, la majorité,
l'élite, la troupe, la nuée, la partie, la plus grande partie, un grand
nombre, le plus grand nombre, un certain nombre, un (le) petit
nombre, Zahlsubstantive wie une vingtaine, une centaine, la moitié, le
quart, ferner (tout) ce qu'il y a de, le peu de u. ähnl.[4]

Stehen diese Wörter ohne partitiven Genitiv, so haben sie das
Verb im Singular[1]: A ce discours, le plus grand nombre pleurait. Dabei
ist zu bemerken:

a) Ohne Artikel gebraucht haben Kollektive stets den partitiven Genitiv und
stets das Verb im Plural nach sich: Nombre (bon nombre) de personnes sont d'un avis contraire. So auch quantité de (über force vgl.

---

[1] Eine allerdings oft vernachlässigte Regel.
[2] In einem Artikel der Zeitschr. f. nfrz. Sprache u. Litt. III, 341.
[3] Unter dem Wort esprit. 15.
[4] Über die Kollektive auf -ée (poignée, panerée, voiturée u. s. w.), vgl.
Études, etc. I, 3e livr.

§ 299 Anm. 1) und die Quantitätsadverbien beaucoup de, peu de, plus de u. s. w.

b) **La plupart** hat mit oder ohne partitiven Plural[1] das Verb im Plural nach sich: La plupart (la plupart des sénateurs) votèrent contre cette proposition. Une partie hat meist den Plural des Verbs; stets, wenn es ohne partitiven Genitiv steht: Une partie firent leur soumission (H. Martin). Auch beaucoup, peu, combien absolut gebraucht (vgl. § 299) haben den Plural.

c) **Plus d'un** hat das Verb im Singular (außer wenn es wiederholt oder mit l'un l'autre verbunden ist): Plus d'un Crésus a terminé sa vie sur un grabat. Doch kann auch nach wiederholtem plus d'un der Singular des Verbs stehen. Vgl. das Ergänzungsheft.

Nach un de findet sich neben dem Plural auch der Singular des Verbs: Il n'en fut pas moins un des hommes du XVIIe siècle qui connurent le mieux l'antiquité (Villemain). Cette puissance morale a fait de lui un des hommes les plus extraordinaires qui ait existé (A. Dumas).

§ 239. Subjekt und Prädikat verschiedener Zahl.

Das Verb folgt dem Numerus seines Subjekts, auch wenn das Prädikat in anderer Zahl steht: La suite a été des désastres qu'on n'a pu arrêter (Villemain). Bei mehrfachem Subjekt steht es daher im Plural (§ 240), auch wenn das Prädikat den Singular hat: Vous pensez donc que le désir et la poursuite des biens de ce monde sont une chose blâmable (Rosier).

Anm. Dabei kann der Fall eintreten, daß das Prädikat sein Verb in anderem Numerus hat als seine attributive Bestimmung: La rêverie poétique *est* le lot et le privilège *absolus* des classes supérieures (E. de Goncourt). — Über weitere Einzelheiten vgl. das Ergänzungsheft.

§ 240. Mehrere verbundene Subjekte.

1) *La sagesse et la fermeté du jeune roi promettaient un règne heureux.*

2) *Le plus bel air de musique ou le plus joli morceau d'éloquence manquent leur effet quand l'esprit est préoccupé.*

---

[1] La plupart mit partitivem Singular (la plupart du peuple) hat das Verb im Singular, wird aber besser durch andere Ausdrücke ersetzt.

Ni l'expérience du général ni la discipline des soldats n'étaient assez solides pour répondre du succès d'une bataille.

3) *Henri III, comme ses frères François II et Charles IX, mourut sans laisser de postérité.*

1) Wenn mehrere Subjekte durch et verbunden (oder asyndetisch aneinander gereiht) sind, steht das Verb im Plural.

2) Auch nach Subjekten, welche durch ou, ni . . . ni verbunden sind, steht das Verb in der Regel im Plural.

3) Dagegen bestimmt nur das erste Subjekt die Zahl, wenn die folgenden durch avec oder comme, ainsi que, de même que, aussi bien que, autant que angereiht sind.

Anm. 1) Auch bei der Verbindung der Subjekte durch et (oder asyndetischer Anreihung) muß das Verb im Singular stehen.

a) Wenn beide Subjekte die gleiche Person oder Sache bezeichnen: La mère du roi de France et la tante du roi d'Espagne, Anne d'Autriche, mourut en 1666.

b) Wenn das zweite Subjekt erst nachträglich beigefügt wird: Le printemps est revenu et le soleil.

c) Wenn eine Zusammenfassung durch tout, chacun, personne, aucun, nul, rien stattfindet: Menaces, promesses, flatteries, tout fut mis en usage.

Das Verb kann im Singular stehen, wenn die Subjekte begriffsverwandt sind oder (was meist gleichzeitig der Fall ist) eine auf- oder absteigende Klimax bilden: L'accusé se défendit courageusement; la lucidité, la netteté, la précision de ses réponses lui gagna (gagnèrent) tous les cœurs. Am besten reiht man bei der Wahl des Singulars die Subjekte asyndetisch an.

2) Nach ou, ni . . . ni findet sich auch der Singular, ohne daß eine bestimmte Regel sich aufstellen ließe.

Auch in ni l'un ni l'autre (wie in l'un et l'autre) ist der Gebrauch schwankend; am besten läßt man das Verb im Plural folgen, nach l'un ou l'autre dagegen im Singular.

3) Die oben angeführten Konjunktionen bewirken eine gleichstellende Vergleichung. Eine solche Gleichstellung findet nicht statt bei moins que, plus que, plutôt que, non plus que, ne . . . pas plus que; über die Zahl des Verbs entscheidet hier dasjenige Subjekt, welches nachdrücklich betont ist: Sa mauvaise santé, pas plus que les nombreuses difficultés, ne l'empêcha de poursuivre son but.

Dasselbe ist nach et non, et surtout u. a. der Fall: L'âge et surtout l'influence de sa seconde femme, Mathilde, paraît avoir changé beaucoup les dispositions de Henri 1er l'Oiseleur.

§ 241. Subjekte verschiedener grammatischer Person.

1) *Toi ou ton frère, vous devez vous rappeler cette circonstance.*

2) *Ce n'est pas mon frère. c'est moi qui ai été témoin de l'affaire.*

1) Wenn die Subjekte nicht derselben grammatischen Person angehören, steht das Verb im Plural der 1. Person oder, wenn diese unter den Subjekten nicht vertreten ist, der 2. Person. Über die Zusammenfassung vgl. § 316.

2) In dem Relativsatz entscheidet nicht das (für den Deutschen stets der 3. Person angehörige) Relativ, sondern das Beziehungswort desselben über die grammatische Person des Verbs.

Anm. 1) Die Volkssprache mißachtet diese Regel: Moi, toi et le roi Font trois (Kinderreim).

2) Auch wenn das Beziehungswort ein persönliches Fürwort ist, läßt die Volkssprache die 3. Person des Verbs eintreten, was nicht nachzuahmen ist, außer in Fällen, wo sonst eine Art Widersinn einträte: Je me levai; il n'y avait que moi qui pût se lever (Villemain).

Nach der Anrede steht das Verb des Relativsatzes in der 2. Person: Notre Père qui êtes dans les cieux (qui es aux cieux).

Wenn das Beziehungswort des Relativs ein prädikatives Substantiv oder Adjektiv (le premier, le seul u. a.) ist, so kann das Verb des Relativsatzes entweder in der 3. Person oder in der des vorausgehenden Subjekts stehen: Je suis un étranger qui vient (viens) vous demander l'hospitalité. Nach celui steht die 3. Person: Nous sommes ceux qui font le mal même en voulant le bien.

Der Gebrauch der Zeiten.

§ 242. Französische und deutsche Zeiten.

Die meisten Zeiten des Französischen stimmen, von nicht sehr wesentlichen Verschiedenheiten abgesehen, ihrer Bezeichnung wie ihrer Verwendung nach mit den entsprechenden Zeitformen des Deutschen überein.

Die Zeitform dagegen, welche man im Deutschen (und im Englischen) Imperfekt nennt und welche entsprechender Präteritum genannt würde, kann ihrer Verwendung nach ebensowenig mit dem Imperfekt des Französischen wie mit dem des Lateinischen und Griechischen durchaus übereinstimmen. Die Zeitverhältnisse, welche wir unterschiedslos mit dem Imperfekt bezeichnen, werden

in den drei letztgenannten Sprachen je nach ihrer verschiedenen Natur durch zwei Zeitformen ausgedrückt; es steht also deutsches (und englisches) Imperfekt
1) für lateinisches, griechisches und französisches Imperfekt,
2) für lateinisches historisches Perfekt, griechischen Aorist und französisches *parfait défini.*

Ein ähnlicher Unterschied ergiebt sich für unser Plusquamperfett, welches gleichzeitig für das *plus-que-parfait* und für das *parfait antérieur* eintritt.

Im Folgenden ist nur von den im Paradigma dargestellten Zeiten die Rede. Außerdem giebt es mehrfach umschriebene Zeiten *(temps surcomposés);* über diese vgl. das Ergänzungsheft.

§ 243. Zeiten mit im ganzen gleicher Verwendung.

Mit der Verwendung der entsprechenden Zeiten im Deutschen stimmen im ganzen folgende französische Zeiten überein:

1. das Präsens *(le présent)*
2. das Perfekt *(le parfait indéfini)*
3. das Futur *(le futur simple)*
4. das Perfekt des Futurs *(le futur antérieur)*
5. das Imperfekt des Futurs[1] *(le conditionnel simple)*
6. das Plusquamperfekt des Futurs *(le conditionnel antérieur).*

Anm. Dazu ist im einzelnen zu bemerken:
1) Das Präsens steht öfter wie im Deutschen
   a) Statt des Futurs: Je pars dans trois jours. In gleicher Weise steht das Imperfekt, wenn der Sprechende sich (statt auf den gegenwärtigen) auf einen vergangenen Zeitpunkt stellt: Il allait quitter sa famille, et partait dans une heure par la diligence de Paris (sollte abreisen).
   b) Statt des historischen Perfekts (als historisches Präsens): Averti à temps par le pontife, Charles passe les Alpes, met en fuite les Lombards, les bloque dans Vérone et dans Pavie, va confirmer au pape la donation faite par Pepin et obtenir de lui la dignité de patrice, puis il revient attaquer Pavie, où le roi Didier s'était enfermé. Dabei muß man sich jedoch vor Mischung der Zeiten hüten; mit dem hist. Präsens dürfen Imperfekt, Plusquamperfekt und Perfekt (nicht aber hist. Perfekt) wechseln.
   Oft steht j'oublie statt des Perfekts[2]: Voyons si je n'oublie rien. Auch: Un village dont le nom m'échappe (mir entfallen ist). Ebenso

---

[1] Auch im Verbot dieser Zeitform nach der Konjunktion wenn stimmt das Deutsche mit dem Französischen (und Englischen) überein.
[2] Wie im Englischen I forget.

Imperfekt für Plusquamperfekt und Plusquamperfekt des Futurs: Ah! j'oubliais (das hatte ich vergessen; beinahe hätte ich das vergessen).

2) Das Perfekt *(parfait indéfini)*[1] bezeichnet eine abgeschlossene Handlung, welche (hierdurch scheidet es sich vom hist. Perfekt) mit der Gegenwart in Zusammenhang steht: Mon frère est parti (abgereist und daher gegenwärtig nicht hier). Le train s'ébranle, il part, il est parti (J. Verne). Aus diesem Grunde steht das Perfekt (nie das hist. Perf.), wenn eine abgeschlossene Handlung in einen Zeitpunkt verlegt wird, in dessen Grenzen auch noch der gegenwärtige Augenblick fällt, z. B. aujourd'hui, cette semaine, cette année u. a.

Außerdem steht wie im Deutschen, aber noch häufiger als im Deutschen das Perfekt

a) Bei lebhafter Erzählung: Je suis venu, j'ai vu, j'ai vaincu.

b) Bei historischen Angaben, wenn dieselben nicht einer fortlaufenden Erzählung angehören: Les Huns ont produit en Europe, par leur laideur et leur férocité, une impression d'horreur qui s'est longtemps conservée dans le souvenir des peuples.

Bemerke: Corneille wurde geboren . . . Corneille est né (oder naquit) à Rouen en 1606. Ohne Zeitangabe auch était né, niemals fut né. Vgl. das Ergänzungsheft.

3) Das Futur steht wie im Deutschen oft für die Wahrscheinlichkeit: La nef (f laut; Schiff) de l'église appartient au XIIIᵉ siècle, mais le chœur (ch = k) sera du XVᵉ (wird wohl aus dem 15. stammen). Ebenso das Perfekt des Futurs: Si la phrase n'offre aucun sens, c'est que vous aurez mal traduit.

Abweichend vom Deutschen wird das Futur gebraucht

a) Statt einer befehlenden Form: Tu ne tueras point (du sollst nicht töten). Vous direz à votre maître que je reviendrai demain (sagen Sie . . .). So sehr oft vous saurez que[2] (Sie müssen wissen, d. h. ich teile Ihnen mit). Fragend auch in der 1. Person: Quel nom annoncerai-je? (soll ich anmelden). Vous offrirai-je une tasse de thé? (darf ich, kann ich anbieten).

b) Genauer als das deutsche Präsens ist das französische Futur bei **vouloir, pouvoir** u. a. in Sätzen wie Vous ferez comme vous voudrez (comme vous l'entendrez, ce qu'il vous plaira). Une comédie de Shakespeare a pour titre: Comme vous voudrez *(As you like it,* Wie es euch gefällt). Il croira que c'est une vengeance. Il aura raison (É. Augier; dann hat er recht).

---

[1] Früher bedeutete passé indéfini die Zeit, welche jetzt passé défini genannt wird. Der Ausdruck passé ist üblicher als parfait, doch wurde letztere gewählt, um eine einförmige Bezeichnung herbeizuführen.

[2] Wofür früher meist sachez que . . .

Nach espérer, compter, promettre steht im Nebensatz das Futur (selten das deutsche und englische Präsens): J'espère qu'à mon retour je vous trouverai en meilleure santé.

c) In der historischen Erzählung steht öfter (statt des deutschen Imperf. und des im Franz. möglichen hist. Perfekts) das Futur, wenn im voraus auf Ereignisse hingewiesen wird: A la mort de Théodose le Grand, l'empire romain formait les deux empires d'Orient et d'Occident, qui ne seront plus réunis.

Neben dem eigentlichen Futurum steht das umschreibende Futur *(futur prochain)*: je vais partir, je dois partir; dazu das Imperfekt dieses Futurs *(futur prochain antérieur)*: j'allais partir, je devais partir.

4) Das Imperfekt (oder Plusquamperfekt) des Futurs *(conditionnel)* steht seiner eigentlichen Rolle gemäß für beabsichtigte (also zukünftige) Handlungen, welche in die Vergangenheit fallen: Nous devions passer la journée ensemble, et le soir il m'accompagnerait jusqu'à la porte du couvent (H. Le Roux). Il ferait ce que son père déciderait (Barracand). Außerdem steht diese Zeit in eigentümlicher Weise

a) Als Ausdruck der unsicheren oder bescheidenen Behauptung: La conversion de Clovis porta d'abord quelque atteinte à sa popularité, et il paraîtrait que beaucoup de ces compagnons le quittèrent. On assure que les règles n'entravent que la médiocrité : je penserais plutôt le contraire. Daher steht das Konditional auch bei bescheidener Bitte: Oserais-je vous demander de revenir vers le soir?

b) Für einen angenommenen Fall (deutsch: etwa): On fermera tout établissement qui aurait été ouvert en contravention à la loi. Daher ist der Zusatz von peut-être meist unrichtig, weil überflüssig.

In dem Relativsatz, welcher die geforderte Eigenschaft[1] ausdrückt, damit eine Annahme, ein Vergleich u. dgl. zutrifft, steht das Konditional: L'Anglais Harte comparait ses ordres de bataille à une fortification dont toutes les parties se défendraient réciproquement (Parieu).

c) Bei Angaben, für welche man keine Verantwortlichkeit übernehmen will: D'après la légende. une druidesse aurait prédit sa fortune à Dioclétien.

Bemerke: Je ne saurais (ich kann nicht), on dirait (man meint, man sollte glauben; on eût dit man hätte glauben können), je voudrais (ich wünschte).

Wie im Deutschen gebraucht man im Französischen das zweite Konditional (Plusquamperf. des Futurums) mit nachfolgendem Infinitiv des

---

[1] Wenn dagegen die geforderte Eigenschaft bezeichnet wird, damit eine Wirkung erzielt, ein Zweck erreicht wird, so steht der Konjunktiv. Vgl. § 262 A. 1.

Präsens: er hätte es thun sollen il aurait dû le faire (nicht il devrait l'avoir fait wie im Englischen und in deutschen Mundarten). In älterer Sprache fand sich auch eine dem englischen Gebrauch entsprechende Konstruktion, vgl. das Ergänzungsheft.

Die hervortretendsten Unterschiede vom deutschen Gebrauch ergeben sich bei dem Imperfekt (und Plusquamperfekt) einerseits und bei dem hist. Perfekt (und hist. Plusquamperfekt) andererseits, da die historischen Zeiten dem Deutschen fehlen. Dazu kommt noch, daß auch das Imperfekt (und Plusquamperfekt) auf einem großen Teil seines Verwendungsgebietes in beiden Sprachen nicht zusammenstimmt, da in der indirekten (abhängigen) Rede der Deutsche diese Zeit im Konjunktiv, der Franzose dagegen im Indikativ verwendet. Vgl. § 249.

§ 244. Das französische Imperfekt.

Das Imperfekt ist im Französischen die Zeitform der Beschreibung und der Schilderung; für die Erzählung ist es nur verwendbar, wenn dieselbe weniger Thatsachen berichtet als Zustände anschaulich macht.

Das Imperfekt ist daher die Zeit der Vergangenheit

1) Für bleibende Zustände: Les Phéniciens étaient le peuple le plus commerçant de l'antiquité. Das historische Perfekt würde eintreten können, wenn dieser Satz eine feststehende historische Thatsache berichten sollte.

Der Bedeutung nach kann nur das Imperfekt zulässig sein in Le dernier roi des Athéniens s'appelait (se nommait, avait nom) Codrus.

2) Für häufig oder regelmäßig wiederholte Handlungen, welche fast zu einer bleibenden Gewohnheit werden: Une chronique raconte que Charlemagne avait fait suspendre une cloche à la porte de son palais; que tous ceux qui voulaient former appel à sa justice sonnaient cette cloche, et que l'empereur, suffisamment averti, les recevait et leur donnait audience.

Daher (wie im Lateinischen) il disait er pflegte zu sagen u. a.

3) Für eine Handlung von unbestimmter Dauer. Diese Handlung wird

a. Entweder von einer anderen (im hist. Perf.) unterbrochen: Alaric projetait la conquête de la Sicile et de l'Afrique, lorsqu'il mourut à Cosenza.

Das Imperfekt ist die Zeit der relativen Vergangenheit und steht daher in der Einleitung einer Erzählung, während mit den berichteten Ereignissen auch das historische Perfekt beginnt. Es tritt aber, weil es mehr schildert und daher die Ereignisse plastischer hervortreten läßt, oft an Stelle des historischen Perfekts ein, besonders in Fällen, wo eine Zeitangabe helfend hinzutritt: La guérison fut prompte, et vers le milieu de novembre il partait avec sa mère pour aller passer l'hiver à Pise (J. Sandeau). Il n'avait pas fait dix pas, qu'il s'arrêtait, battait l'air de ses deux bras et tombait d'un seul coup par terre (L. Halévy). Un mois après, la prophétie était vérifiée et le théâtre brûlait (L. Figuier). Deux mois après, l'abbé Constantin ramenait à Longueval le cercueil de son ami (L. Halévy). — So steht auch (wie das Konditional) das Imperfekt für eine in die Vergangenheit fallende beabsichtigte Handlung. Vgl. das Ergänzungsheft.

b. **Oder sie giebt die Veranlassung, den Grund der (im hist. Perf. stehenden) Haupthandlung an, auch Nebenumstände, welche diese letztere begleiten:** Philippe le Bel résolut d'abolir l'ordre des Templiers; on accusait ses membres d'être hérétiques, on prétendait même qu'ils adoraient des idoles.

Daher stehen die Verben des Denkens (croire, penser, espérer, savoir u. a.) sowie die des Affekts (craindre, redouter, s'étonner u. a.) häufiger im Imperfekt als im historischen Perfekt.

Anm. Mit dem letzteren Punkt steht in Zusammenhang, daß Verben wie dire, raconter, répondre, écrire (brieflich melden), stipuler (festsetzen), porter (besagen d. h. des Inhalts sein) und ähnliche gewöhnlich im Imperfekt stehen: Un article de la Grande Charte portait que les juges feraient des tournées régulières et annuelles; un autre article stipulait que les poids et mesures seraient les mêmes par tout le royaume.

Zusatz. 1) Das Französische besitzt wie das Lateinische ein *imperfectum conatus* oder Imperfekt der nur begonnenen Handlung, welche nicht zur Vollendung kam: J'allais chez vous (ich war auf dem Wege zu Ihnen). Un homme qui se noyait (dem Ertrinken nahe). Massillon mourait de rire à cette lecture (J.). Que votre voix l'ordonne, . . . La foudre qui tombait remonte au firmament (C. Delavigne). Sur ces entrefaites, les Français étaient repoussés de Naples, chassés de Gênes; la victoire revenait (begann zurückzukehren) à Charles-Quint (H. Martin).

2) Wie im Lateinischen kann im Französischen bei falloir, devoir, pouvoir das Imperfekt statt des im Deutschen üblichen Plusquamperfekt Konj. eintreten: Il fallait le dire (das hätten Sie sagen sollen). Vous ne deviez

pas vous en tenir là (damit hätten Sie sich nicht begnügen dürfen). Je pouvais le sauver (ich hätte ihn retten können).

Bei jedem Verb ist dieser Gebrauch möglich in Verbindung mit einem Bedingungssatze oder sans: S'il eût échoué dans son entreprise, il était perdu. Fairfax se signala à la bataille de Naseby, mais sans Cromwell la victoire était à Charles. Ebenso nach einem Gérondif: En abolissant la peine de mort, vous faisiez plus qu'une œuvre politique, vous faisiez une œuvre sociale (V. Hugo). Sowie nach den Adverbien, welche „beinahe" bedeuten: Quand il nomma Tartarin, d'un peu plus je me coupais avec son rasoir (A. Daudet).

§ 245. Das historische Perfekt *(parfait défini).*

Dasselbe bezeichnet eine einmalige vergangene Handlung, eine Thatsache. Es tritt in der Erzählung ein, sobald die eigentliche Handlung beginnt oder einen Schritt vorwärts macht.

Dagegen steht das Imperfekt in der Einleitung, bei der Angabe von Nebenumständen oder bei einer Pause in der Erzählung, das Plusquamperfekt bei der Angabe von Handlungen, welche nachträglich berichtet werden, welche aber naturgemäß einer bereits erwähnten Handlung vorausgegangen sein müssen: Depuis longtemps les Siciliens frémissaient de désespoir sous le joug de fer que l'Angevin faisait peser sur eux; tout prêts à se jeter entre les bras du premier étranger qui viendrait à leur aide ils tournaient leurs regards vers le roi d'Aragon Pierre III, qui avait épousé la fille de Mainfroi, et dont la cour était le refuge de tous les proscrits siciliens. Parmi ces réfugiés se trouvait un médecin calabrais, Giovanni de Procida, qui avait été l'ami de Frédéric II. Doué d'une persévérance et d'une adresse égales à son audace, Procida parcourut sous un déguisement l'Italie, l'Espagne et la Grèce, afin de former une coalition de tous les ennemis de Charles d'Anjou. Il réussit: il obtint de l'argent de l'empereur grec et détermina le roi d'Aragon à se mettre à la tête d'une flotte sous le prétexte d'une croisade contre l'Afrique. Tout était ainsi préparé lorsque tout à coup, le 30 mars 1282, Palerme retentit du terrible tocsin des Vêpres siciliennes. Une insulte commise par un soldat français envers une femme en avait donné le signal, et aussitôt aux cris de: Mort aux Français! tous les étrangers furent massacrés à Palerme, puis à Messine, puis dans toutes les villes de la Sicile.

Das historische Perfekt stellt dar

1) Im Unterschiede vom Imperfekt: eine erst eintretende Handlung, welche rasch verläuft oder eine bekannte Dauer hat: Pendant près de trois siècles, le christianisme lutta avec le paganisme expirant.

2) Im Unterschiede vom Perfekt *(parfait indéfini)*: eine in der Vergangenheit liegende Handlung, welche nicht in Beziehung zu dem gegenwärtigen Augenblick gesetzt wird: L'isthme de Suez, qui rattachait l'Afrique à l'ancien continent, fut percé en 1869. (Dagegen: L'isthme de Suez a été percé pour faciliter nos communications avec l'extrême Orient).

Anm. Bei einzelnen Verben bietet im Franz. das doppelte Präteritum die Möglichkeit, Begriffsunterschiede zu machen, die wir nur vermittelst anderer Ausdrücke wiedergeben können:

je m'appelais ich hieß	je m'appelai ich nahm den Namen an
j'avais ich hatte	j'eus ich erhielt
j'étais ich war	je fus ich wurde; ich ging
je savais ich wußte	je sus ich erfuhr
je connaissais ich kannte	je connus ich lernte kennen
je pouvais ich konnte	je pus ich sah mich imstande
je devais ich sollte, mußte	je dus ich sah mich gezwungen
j'occupais ich hielt besetzt	j'occupai ich besetzte
je vivais ich lebte	je vécus ich blieb am Leben

Zu bemerken: Il montait un cheval assez vif er saß (ritt) auf einem etwas feurigen Pferd. Le navire s'engloutit avec tous ceux qui le montaient mit allen, die auf ihm fuhren (sich befanden). Il montait la garde er stand auf Wache, il monta la garde er zog auf Wache.

§ 246. Das historische Plusquamperfekt *(parfait antérieur)*.

Diese Zeitform steht hauptsächlich nach den Konjunktionen:

lorsque	} als	après que nachdem		
quand		à peine . . . que		
dès que¹		ne . . . pas sitôt . . . que	} kaum . . . als	
sitôt que	} sobald als	ne . . . pas aussitôt . . . que		
aussitôt que		ne . . . pas plus tôt . . . que		

Anm. 1) Jedoch stehen nach den Konjunktionen der ersten Spalte auch Imperfekt, Plusquamperfekt und historisches Perfekt. Nach à peine . . . que ist das Plusquamperfekt häufig.

Wo Plusquamperfekt und wo histor. Plusquamperfekt am Platze ist, entscheidet sich nach den für Imperfekt und histor. Perfekt geltenden Gesichtspunkten. Man vergleiche: A peine Louis le Débonnaire avait-il régné trois

¹ Nicht aber nach depuis que seitdem.

18*

ans qu'il se hâta de faire entre ses fils un partage solennel de la plus grande partie de ses États (Barrau) und: A peine Louis le Débonnaire eut-il rendu le dernier soupir que ses trois fils et son petit-fils coururent aux armes (Derſ.). Da durch paſſives Verb mehr Zuſtändliches als That-ſächliches berichtet wird, iſt das Plusquamperfekt im Paſſiv ziemlich häufig: Mais à peine les prières avaient été prononcées que le colonel Sydersham prit la parole (Guizot). Aktiviſch ausgedrückt, würde der Satz lauten: Mais à peine eut-on dit les prières que . . .

2) Sehr ſelten iſt lorsque (ſtatt que) nach à peine. Oft tritt auch ſonſt que (ſtatt lorsque, quand) ein,

   a) Wenn einer der beiden Satzteile die Negation erhält: Nous n'étions pas arrivés qu'on nous accabla de questions. Ses parents sont morts qu'il n'avait pas trois ans.

   b) Wenn einer der Satzteile encore oder déjà enthält: La guerre était encore dans toute sa ferveur, que déjà le cri »la paix! la paix!« retentissait aux portes du Parlement. Arrivé tout à fait inattendu, Bonaparte était dans sa maison, qu'on ignorait encore son arrivée dans la capitale.

§ 247. Zeitformen des Bedingungssatzes.

In dem durch si eingeleiteten Bedingungsſatze darf weder Futur noch Imperfekt des Futurs *(conditionnel)* ſtehen. Gewöhn-lich ſteht im Bedingungsſatze das Imperfekt oder Plusquamperfekt, im Hauptſatze ſteht eine Vergangenheitsform des Futurs *(con-ditionnel)*: Si le ciel tombait, il y aurait bien des alouettes prises (Prov.). Si les croisades n'avaient pas forcé l'isla-misme à se mettre sur la défensive, les Turcs auraient pris Constantinople déjà au commencement du XIIe siècle.

Anm. 1) Das Futur iſt nach dem konditionalen quand (wenn) wie nach dem temporalen (wann) üblich. Nach si kann nur in zwei Fällen eine Futurform ſtehen:

   a) Wenn es die indirekte Frage einleitet (ob): Je ne sais si cette nouvelle lui fera grand plaisir.

   b) Wenn es konzeſſiv ſteht (= während): Le fils est encore bien plus avare que son père; car si ce dernier rendrait des points[1] à Harpagon, l'autre ne rendrait rien du tout (J.).

2) Im Bedingungsſatze wie in dem zugehörigen Hauptſatz oder auch in beiden zugleich kann der Konjunktiv des Plusquamperfekts ſtatt des Plus-

---

[1] Rendre des points einem ſchlechteren Spieler (z. B. bei Billardſpiel) vorgeben, daher „überlegen ſein". Wortſpiel mit rendre wieder herausgeben.

quamperfekts bezw. des Imperfekts des Futurs eintreten: En 407, une horde
de barbares dévasta la Gaule; la ruine du pays eût été (aurait été) moins
complète, si l'océan tout entier eût débordé (avait débordé) sur les champs
gaulois (Chevalier).

3) Das Präſens kann natürlich im Bedingungsſaße ſtehen, ſelten aber
das hift. Perfekt außer in der Redensart s'il en fut (wenn es je einen gab):
Jean sans Terre, mauvais frère s'il en fut, voulut profiter de l'absence de
son frère pour s'emparer du pouvoir.

§ 248. Zeitformen des Konzessivsatzes.

Im Konzeſſivſaße ſteht quand, quand même (ſelbſt
wenn) mit einer Vergangenheit des Futurs *(conditionnel)*:
Quand (même) Annibal aurait vaincu à Zama, il n'aurait
pas sauvé Carthage.

Anm. 1) Dagegen ſteht même quand, même si wenn kein konzeſſiver
Sinn vorhanden iſt: Ces remarques critiques n'impliquent, même si elles
sont fondées, aucune contradiction avec les éloges donnés à l'ouvrage. —
Si même kann zur Fortſeßung eines mit si begonnenen Bedingungsſaßes
dienen: S'il avait pris ma défense, si même il s'était contenté d'une marque
de désapprobation, je ne lui en voudrais pas.

2) Auch im Konzeſſivſaße kann wie im Bedingungsſaße der Konjunktiv
des Plusquamperfekts ſtatt des Plusquamperfekts Ind. eintreten: Il ne resta
de ressource au parti de Jacques II que dans quelques conspirations contre
la vie de Guillaume d'Orange; mais il est à croire que, quand même elles
eussent réussi, le roi détrôné n'eût jamais recouvré son royaume.

Der Konjunktiv *(le subjonctif)*.

§ 249. Indikativ, Konjunktiv und Imperativ.

Die Verwendung des Indikativs im Franzöſiſchen erfordert
keine beſonderen Regeln. Zu beachten iſt, daß in der indirekten
Frage und in der indirekten Rede überhaupt ſtets der Indikativ
ſteht: On lui demanda qui il était (wer er wäre). On croyait
que c'était un malfaiteur (daß es ein Übelthäter wäre).

Da auch der Imperativ zu beſonderen Bemerkungen keinen
Anlaß giebt, beſchränkt ſich die Moduslehre im Franzöſiſchen auf
die Regeln über die Verwendung des Konjunktivs.

278 Syntaz.

Der Konjunktiv steht im Französischen
1) als Ausdruck des Gewollten im weitesten Sinne (Kon=
junktiv des Begehrens),
2) als Ausdruck des der Wirklichkeit nicht Entsprechenden, des
lediglich Vorgestellten (Konjunktiv der Irrealität oder
Unwirklichkeit).

Anm. Die Bezeichnungen Konjunktiv (Modus des verbundenen Satzes)
oder *subjonctif* (Modus des untergeordneten Satzes) besagen im Grunde nichts
und sind besonders für die französische Grammatik durchaus unbrauchbar.
Sie werden beibehalten, weil es kaum einen Ausdruck giebt, der weit und vag
genug wäre, um so Verschiedenartiges unter sich zu begreifen, wie die fran=
zösische Moduslehre es bietet. Wir hätten zu unterscheiden 1) den Kon=
junktiv (Gegensatz: Indikativ) nach gewissen Konjunktionen, 2) den Optativ
(Gegensatz Positiv) für den Wunschsatz, 3) den Subjektiv (Gegensatz: Objektiv)
nach Ausdrücken des Affekts und des Denkens, 4) einen Irrealis (Gegen=
satz: Realis) nach Ausdrücken des Denkens und Sagens u. s. w. Alle diese
Verhältnisse lassen sich aber unter die beiden Gesichtspunkte des Begehrens
und der Unwirklichkeit bringen. Ein einheitlicher Gesichtspunkt ist besonders
deshalb nicht möglich, weil vielfach der lateinische Konjunktiv im Französischen
eine ungerechtfertigte Nachahmung gefunden hat.
Aus welchem Grunde der Konjunktiv eintritt, ist gewöhnlich leicht zu
unterscheiden, wenn auch Begehren und Unwirklichkeit manche Übergänge zeigen.
Der Konjunktiv des Begehrens steht hauptsächlich im finalen und kon=
zessiven Sinn (Absicht, Zugeständnis), nach Affektsäußerungen und daher auch
nach Verben des Denkens und Sagens, wenn bei denselben ein Affekt sich
einmischt. Er tritt nach dem Imperativ (Form des Begehrens) mancher
Verben ein, die sonst nur mit dem Indikativ stehen.
Der Konjunktiv der Irrealität steht vorzugsweise nach Verben des
Denkens und Sagens, wenn dieselben negativen Sinn haben. Ohne begleitende
Negation steht er abhängig von Ausdrücken, welche an sich eine Ungewißheit
oder eine bloße Voraussetzung darstellen.

Der Konjunktiv im Hauptsatze.

§ 250. Verwendung desselben.

Der Konjunktiv des Begehrens steht in Wunschsätzen.
Ohne **que**: Dieu soit loué! Plût à Dieu! A Dieu ne
plaise! Dieu vous entende! (möge Ihr Wunsch in Erfüllung
gehen). Vive le roi! Mit **que**: Que votre volonté soit
faite! Qu'à cela ne tienne!

Anm. 1) Wunschsätze sind immer formelartig und haben meist nicht que, welches fehlen muß, wenn das Subjekt (neutrales il) mangelt oder wenn das Verb dem Subjekt vorangeht: Soit! (es sei; meinetwegen). Soit dit entre nous; soit dit en passant. Soit dit sans vous offenser. Ne vous en déplaise! (mit Verlaub). Grand bien vous fasse! (wohl bekomm's). Dieu vous bénisse! (Gott helf'). Dieu vous assiste! (geht mit Gott).

Mit vorangestelltem **pouvoir**: Puissé-je vous être utile! Puissiez-vous confondre vos ennemis!

Daher fehlt que auch vor beziehungslosem Relativ: Comprenne qui pourra. Le croie qui voudra.

Vive ist Verbalform, daher im Plural Vivent les braves! Öfter bleibt es trotzdem wie eine Interjektion oder unpersönliches Verb unverändert: Vive les gens d'esprit! (Vgl. § 237 Z. 2).

2) Der Konjunktiv steht auch bei einer Forderung (Imperativ besonders der 3. Person): Sauve qui peut! Qui m'aime me suive! Qu'il s'en aille! Drohend: Que je vous entende! Que pareille chose arrive encore!

Bei einer Voraussetzung, besonders in wissenschaftlicher Ausdrucksweise: Soient v la vitesse, t le temps, et e l'espace parcouru.

Sehr häufig konzessiv: Que ces faits soient vrais ou qu'ils ne le soient pas, c'est tout un. Il se dit votre ami, mais vienne le jour où il pourra se passer de vous, ce sera un indifférent, sinon un ennemi. Vous passez l'hiver dans la capitale; vienne le printemps, vous avez une terre en Bretagne.

3) Der Konjunktiv der Irrealität findet sich im Hauptsatze nur in der Formel je ne sache pas (nous ne sachions pas) für eine gemilderte Behauptung oder Ironie[1]: Je ne sache pas que je sois jamais descendu jusqu'à lui faire cette proposition.

4) Fakultativ steht der Konjunktiv des Plusquamperfekts für das Plusquamperfekt des Futurs: Les médecins n'eussent (n'auraient) jamais imaginé ce remède-là. On eût dit que . . . (selten on aurait dit, man hätte meinen können).

Der Konjunktiv im Nebensatze.

§ 251. Verwendung desselben.

In Nebensätzen steht der Konjunktiv nach der Konjunktion que und einer Reihe von Konjunktionen, welche mit que zusammengesetzt sind. Außerdem findet er sich im Relativsatze. Nach dem konditionalen si und dem konzessiven quand (même) findet sich nur fakultativ der Konjunktiv des Plusquamperfekts (§ 247 Anm. 2, § 248 Anm. 2).

---

[1] Vgl. Études, etc. II., 80.

Der Konjunktiv nach anderen Konjunktionen als (einfaches) que.

§ 252. Temporale Konjunktionen.

Die temporalen Konjunktionen stehen mit dem Konjunktiv, wenn die Handlung nur in die Zukunft[1] fallen kann, also nach avant que, en attendant que, jusqu'à ce que: La bataille de Lutzen fut perdue avant que Pappenheim eût le temps d'accourir. — Le cheval qui portait le roi fut tué; en attendant qu'on lui en amenât un autre, il combattit à pied. — Il se défendit vaillamment jusqu'à ce qu'il fût dégagé par ses compagnons.

Anm. 1) Temporale Konjunktionen, bei welchen die Handlung in die Vergangenheit wie in die Zukunft fallen kann (z. B. aussitôt que, dès que) stehen mit dem Indikativ.

2) Jusqu'à ce que wird von vielen stets mit dem Konjunktiv verbunden; unbedingt nötig ist dieser Modus nur bei finalem Sinn. — Attendre ist warten und erwarten, letzteres stets vor einem Objekt oder Objektssatz, daher en attendant que (in Erwartung, daß = bis) und ebenso bloßes que (statt jusqu'à ce que): On attendra que vous soyez de retour. (Vgl. attendre au lendemain, § 202, 2).

Ebenso ist que (nicht jusqu'à ce que) zu setzen nach il n'eut pas de cesse, il ne me donna pas de cesse.

§ 253. Konditionale Konjunktionen.

Unter denselben stehen mit dem Konjunktiv: en cas que (au cas que), à moins que . . . ne, pourvu que, supposé que, en supposant que: En cas que ma lettre vienne trop tard, tâchez autant que possible de sauvegarder mes intérêts. Il restait à peine 7 à 8000 hommes pour manœuvrer en rase campagne, en supposant qu'on réunît tout ce qui était disponible.

Anm. 1) Über à condition que vgl. § 259, 1 Anm. b. Si steht fakultativ mit dem Konjunktiv des Plusquamperfekts (§ 247, Anm. 2). Ebenso dans le cas où, au cas où: Dans le cas où le roi n'eût point consenti,

---

[1] Die Zukunft natürlich im Verhältnis zu der Zeit, in welche die Handlung des Hauptsatzes fällt.

les légats étaient chargés de mettre l'Angleterre en interdit. — Si tant est
que hat meist den Konjunktiv.

2) Man setzt den Konjunktiv auch in der Regel nach à supposer que,
en supposant que, dans la supposition que sowie nach dem Imperativ
von supposer: Supposons que votre opinion soit fondée[1]. Supposé que hat
ausschließlich den Konjunktiv im Gefolge.

In gleicher Weise kann der Konjunktiv eintreten nach dem Imperativ
von mettre, prendre (annehmen, den Fall setzen), admettre (zugeben),
imaginer (sich vorstellen): Admettons qu'il l'ait dit. Imaginez que chacun
de ces grains de sable soit une année. Aber auch Prenons (mettons) que
je n'ai rien dit (sehen Sie das als nicht gesagt an). Der Modus ist in
solchen Fällen geradezu beliebig.

§ 254. Konsekutive Konjunktionen.

Im konsekutiven Sinn steht nur der Indikativ. Sobald
aber die Konjunktionen de sorte que (en sorte que, de telle
sorte que), de façon que, de manière que[2] in finalem
Sinne gebraucht sind, tritt der Konjunktiv ein: Il a rempli sa
tâche de manière que tout le monde doit être content.
Aber: Remplissez votre tâche de manière qu'on puisse
être content de vous.

Bemerke: Ainsi que (koordinierende und subordinierende
Konjunktion) heißt ebenso wie und hat weder konsekutiven noch
finalen Sinn, bedeutet weder so daß noch derart daß.

Anm. Auch nach tel . . . que, tellement . . . que im finalen Sinn
steht der Konjunktiv. Un dictionnaire doit disposer les significations diverses
d'un même mot en une telle série que l'on comprenne comment l'esprit a
passé de l'une à l'autre. Il disposa tellement les choses que la cavalerie
légère prît les ennemis en flanc. Sonst haben tellement . . . que, si . . .
que nur, wenn sie verneint sind, den Konjunktiv: Il n'a pas été si leste qu'il
ne soit tombé.

§ 255. Konzessive Konjunktionen.

Nach quoique, bien que, encore que, nonobstant que,
soit que . . . soit que (. . . ou que), pour peu que steht

---

[1] Außer in diesen Fällen steht nach supposer in der Regel der Indikativ, meist sogar, wenn es negiert ist. Der öfter gemachte Unterschied von
supposer (annehmen, den Fall setzen) und supposer (vermuten) ist nicht
vorhanden. Vgl. hierüber das Ergänzungsheft.

[2] Stets final sind de manière à ce que, de façon à ce que.

nur der Konjunktiv: Quoique, sous Louis XVI, la torture eût été abolie, on continua à l'appliquer aux condamnés pour leur arracher les noms de leurs complices.

Anm. 1) Über quel que, quelque ... que vgl. § 370 f. Über den fakultativen Konjunktiv des Plusquamperfekts nach quand (même) vgl. § 248 Anm. 2.

2) Es ist wenig üblich, auf eine konzessive Konjunktion im Nachsatze pourtant, cependant u. a. folgen zu lassen; das deutsche doch bleibt also unübersetzt außer nach Konzessivsätzen, welche nicht die Form des Konzessivsatzes haben: Charles Ier avait deux conseillers qui, dévoués à son pouvoir (für quoiqu'ils fussent dévoués . . .), voulaient cependant le servir autrement qu'il ne convenait aux prétentions des courtisans.

3) Malgré que dulde kein anderes Verb als avoir nach sich; malgré qu'il en ait (eût) = quelque mauvais[1] gré qu'il en ait (so wenig angenehm es ihm auch sein mag; wolle er oder nicht). Dafür manchmal en dépit qu'il en ait, quoi qu'il en ait, ersteres zu meiden.

§ 256.   Finale Konjunktionen.

Dieselben haben stets den Konjunktiv nach sich, daher ist nach afin que, pour que (dazu: de crainte que, de peur que damit nicht) nur dieser Modus möglich: Dieu accorde quelquefois le sommeil aux méchants, afin que les bons soient tranquilles.

Anm. 1) Finalen Sinn hat pour que auch nach trop, obschon derselbe im Deutschen (zu sehr . . . als daß) nicht hervortritt: Le danger est trop grand, pour qu'on puisse le méconnaître (eigentlich: dafür, daß man sie übersehen kann). Ebenso nach assez.

2) Bloßes que steht im finalen Sinn hauptsächlich nach dem Imperativ[2] der Verben, welche eine Bewegung ausdrücken: Venez, que je vous dise une nouvelle. Approchez, qu'on vous entende mieux. In familiärer Sprache besonders üblich. Dieses que (für pour que) erinnert an das nach Verben der Bewegung vor dem Infinitiv fehlende pour, vgl. § 267, 2.

§ 257.   Konjunktionen in Verbindung mit der Negation.

Wegen der in ihnen enthaltenen Negation haben den Konjunktiv: non que, loin que, sans que: Le sage vit tranquille dans son obscurité; non qu'il se soit retiré dans l'égoïsme comme la tortue dans sa cuirasse. Loin que

---

[1] Mal war Adjektiv. Vgl. § 142, 3.
[2] Nicht aber nach Imperativen überhaupt.

Charles le Téméraire songeât à se borner, il nourrissait
des projets toujours plus vastes. Un ennemi imprudent
et fougueux se perdra, sans qu'on ait besoin de l'aider.

Anm. 1) Über den Wegfall des Negations-Füllworts bei non que
vgl. § 390, 4. Neben non que auch ce n'est pas que: S'il a cédé, ce
n'est pas qu'il soit incapable d'énergie et de vigueur.

2) Der Konjunktiv mit ne steht in Sätzen mit konsekutivem Sinn nach
negativem Hauptsatz. An Stelle dieser Sätze könnten immer Sätze mit avant
que, sans que (ohne ne) treten: Il m'a prié de ne plus revenir que l'affaire
ne soit terminée. Il n'aura pas de cesse qu'il n'ait réussi. Vgl. § 390,
Anm. 4.

§ 258. Wiederholung der Konjunktionen.

Sollte eine mit **que** zusammengesetzte Konjunktion in einem
Satzganzen mehrmals vorkommen, so wird sie nur in nachdrücklicher Rede wiederholt; gewöhnlich wird sie nur einmal gesetzt
und durch bloßes **que** fortgeführt. Dieses **que** wird mit demselben Modus verbunden, wie die Konjunktion, welche es vertritt:
Lorsque l'homme en vient à se rendre compte de lois de
la nature (lors)qu'il s'explique les phénomènes principaux,
(lors)que chaque difficulté lui donne l'espoir d'un nouveau
triomphe, le sentiment de la poésie s'affaiblit.

Anm. Auch die Konjunktionen comme, quand, si[1], comme si obwohl
nicht mit que zusammengesetzt, können durch dieses weitergeführt werden.

Que, welches statt eines si oder comme si eintritt, hat konzessiven
Sinn und daher den Konjunktiv: Si la vérité ne peut être qu'une, et que
les opinions soient opposées, il est bien évident que quelqu'un se trouve
en erreur. Jedoch muß si wiederholt werden, wenn die Anknüpfung durch
et (ou) fehlt, oder wenn der Sinn das konzessive que nicht zuläßt: Si, vers
le soir, les nuages deviennent plus nombreux, et surtout s'ils sont sur-
montés de petits amas de vapeurs, on doit s'attendre à de la pluie ou à
des orages.

Der Konjunktiv nach que.

§ 259. Der Konjunktiv des Begehrens nach que.

Der Konjunktiv des Begehrens steht unabhängig von Negation,
Frage oder Bedingung

[1] Namlich das konditionale, nicht aber si = ob.

1) nach Ausdrücken der Willensäußerung,
2) nach Ausdrücken der Affekte.

1) *Les coalisés voulurent que Louis XIV chassât lui-même d'Espagne son petit-fils.*
Le roi poussé à bout défendit qu'on lui reparlât de négociations.
S'il faut que nous combattions, dit-il, combattons plutôt nos ennemis que nos enfants.

Die Ausdrücke der Willensäußerung bezeichnen:

a) Wollen, Lusthaben, Vorziehen, Vermeiden, Verdienen:

vouloir wollen	être pressé es eilig haben
souhaiter ⎱ wünschen	éviter vermeiden
désirer ⎰	prendre garde sich hüten
aimer gern haben	mériter verdienen
aimer mieux lieber haben	valoir ⎱ wert sein
préférer vorziehen	être digne ⎰
avoir envie Lust haben	être indigne unwert sein
il me tarde ich sehne mich	obtenir erlangen
avoir hâte kaum erwarten können	

b) Bitten, Befehlen, Veranlassen, Zulassen, Verbieten, Übereinkommen:

prier bitten	prescrire vorschreiben
supplier inständig bitten	agréer billigen
conjurer beschwören	permettre erlauben
demander bitten, verlangen	souffrir dulden
exiger fordern	laisser zulassen
commander ⎱ befehlen	consentir (à ce) que einwilligen
ordonner ⎰	défendre verbieten
tâcher sich bemühen	empêcher verhindern
avoir soin que ⎱ dafür sorgen, daß	s'opposer à ce que sich widersetzen
veiller à ce que ⎰	convenir übereinkommen

c) Urteil, ob etwas begehrenswert sein kann oder nicht:

approuver billigen	désapprouver mißbilligen
louer loben	blâmer tadeln
être d'avis der Meinung sein	avoir intérêt à ce que ein Interesse
tenir à ce que darauf halten	daran haben, daß

Daher gehören hierher:

trouver bon, trouver mauvais, trouver juste, trouver injuste, juger à propos (für passend halten) u. a.

Ferner eine große Zahl unpersönlicher Ausdrücke:

il est bon es ist gut	il vaut mieux es ist besser
il est juste es ist gerecht	il me plaît es gefällt mir
il est convenable es ist passend	il suffit }
il est indispensable es ist unver=	c'est assez } es genügt
meidlich	il est de règle es ist die Regel
il est nécessaire es ist nötig	c'est l'habitude, la coutume es ist die
il est naturel } es ist	Gewohnheit
il est (tout) simple } natürlich [1]	il est essentiel es ist wesentlich,
il est facile es ist leicht	l'essentiel est das Wesentliche ist
il est temps es ist Zeit	c'est bien le moins man muß wohl
il faut man muß	erwarten
il est fatal es ist ein Verhängnis	c'est beaucoup es will viel heißen
il convient es schickt sich	c'est peu es reicht nicht hin u. a. sowie
il importe es ist wichtig	das Gegenteil dieser Ausdrücke.

Anm. a) Nach éviter, empêcher und prendre garde steht im ab= hängigen Satze ne vgl. § 390, 2 u. 392, I, 1.

Auch in der Redensart je veux bien (ich gebe zu) und in der Bedeu= tung behaupten kann vouloir nur mit dem Konjunktiv konstruiert werden: Une tradition assez douteuse veut que Pepin le Bref ait abattu d'un seul coup la tête d'un lion ou, selon d'autres, d'un taureau.

b) Statt des Konjunktivs steht in einzelnen Fällen der Indikativ (doch nur Futur oder Impf. Fut. nach den Gesetzen der Zeitenfolge).

Der Indikativ tritt öfter ein nach commander, ordonner, convenir, obtenir: Pittacus ordonna qu'un homme qui commettrait une faute étant ivre, serait puni doublement.

Der Indikativ tritt meist ein nach à (la) condition que: Restez, mais à condition que vous me permettrez (permettiez) de travailler pendant que vous serez là. Das gleichbedeutende moyennant que steht häufiger mit dem Konjunktiv.

Der Indikativ tritt immer ein nach Verben des Beschließens und Bestimmens (résoudre, décider, arrêter, décréter, régler, stipuler u. a.): La Convention décida que Louis XVI serait jugé par elle contrairement à la constitution, qui stipulait que le roi serait inviolable.

2) *Pyrrhus s'étonnait que, malgré une tactique supérieure, il ne pût écraser les Romains.*

---

[1] Simple wird gebraucht, wo unser natürlich = selbstverständlich ist.

Il enrageait qu'un ennemi presque barbare lui opposât une résistance invincible.

A la fin, il fut très content que des troubles survenus en Grèce lui fournissent le prétexte de quitter l'Italie.

Die Ausdrücke der Affekte bezeichnen:

a) Freude:

se réjouir	sich freuen	être charmé	
être content		être ravi	entzückt sein
être bien aise		être enchanté	
être heureux	froh sein	il est heureux	
être joyeux		c'est un bonheur	es ist ein Glück
féliciter	beglückwünschen	s'estimer heureux	sich glücklich schätzen
se vanter	sich rühmen	c'est un mal, un malheur	es ist ein
avoir la chance	das Glück haben		Unglück

b) Schmerz, Scham u. dgl.:

se fâcher	ärgerlich sein	être fâché ärgerlich
s'affliger	sich betrüben	être affligé betrübt
s'indigner	sich entrüsten	être indigné entrüstet
irriter	reizen	être mécontent mißvergnügt
gémir	seufzen	être mortifié niedergeschlagen
soupirer		être triste traurig
enrager	wütend sein	être désolé trostlos
se plaindre	sich beklagen	être furieux wütend
avoir honte	sich schämen	il est (c'est) honteux
s'inquiéter	besorgt sein	c'est une honte
il est fâcheux	es ist ärgerlich	

(être ... sein)

(il est / c'est ... es ist eine Schande)

c) Erstaunen:

s'étonner	erstaunen	être surpris überrascht sein
admirer	sich wundern	être stupéfait starr vor Staunen sein
trouver étrange	auffallend	il est curieux
trouver bizarre	seltsam	il est singulier (es ist seltsam)
être étonné	erstaunt sein	il est étonnant es ist erstaunlich

(trouver étrange / trouver bizarre / être étonné ... finden)

d) Bedauern:

regretter	bedauern	il est déplorable
avoir regret		il est regrettable (es ist zu bedauern)
déplorer	beklagen	c'est dommage
		c'est pitié (es ist schade)

e) Furcht:

craindre ⎫
appréhender ⎬ fürchten
redouter ⎭
trembler zittern
prendre garde sich hüten

s'inquiéter in Unruhe schweben
avoir peur Furcht haben
(de) crainte que ⎱ aus Furcht, daß¹;
de peur que ⎰ damit nicht

Anm. 1) Wenn auf die Ausdrücke der Furcht im Deutschen ein negativer Nebensatz folgt, so steht französisch in diesem Nebensatze ne ... pas (point u. s. w.). Folgt dagegen im Deutschen ein affirmativer Nebensatz, so tritt französisch ein expletives ne ein, vorausgesetzt, daß der Ausdruck der Furcht weder verneint noch fragend noch bedingt gebraucht ist. Für das Nähere vgl. § 392, II.

2) Nach den Ausdrücken der Affekte (die der Furcht ausgenommen) kann statt que auch de ce que eintreten und dann muß der Indikativ stehen. De ce que darf aber nur bei Verben gebraucht werden, welche die Präposition de nach sich haben können; ausgeschlossen sind demnach

a) sämtliche unpersönlichen Ausdrücke,
b) alle transitiven Verben: regretter, déplorer, trouver étrange, admirer.

C'est donc vous qui vous étonnez de ce que je suis encore en vie?

3) Wenn ein Ausdruck des Affekts mit ce qui u. a. vorangestellt ist, muß (wie gewöhnlich, vgl. § 332) c'est que folgen, meist mit dem Konjunktiv: Ce qui m'a étonné, c'est que vous ayez (oder avez) répondu.

4) Das deutsche wenn nach den obigen Ausdrücken (hauptsächlich nach denjenigen des Erstaunens) wird in der Regel nicht durch si oder quand mit dem Indikativ, sondern durch que mit dem Konjunktiv wiedergegeben: Il serait pourtant curieux qu'il eût raison.

Damit ist nicht zu verwechseln si (ob) nach Verben des Denkens: Vous savez si cette imprudence m'a coûté cher.

§ 260. Der Konjunktiv der Irrealität nach que.

Der Konjunktiv der Irrealität steht

1) nach den Ausdrücken des Denkens und Sagens, wenn dieselben verneint², fragend oder bedingt³ gebraucht sind;

---

¹ Wegen der Regel über das expletive ne ist diese Bedeutung der folgenden vorzuziehen.

² Einer Verneinung gleich zu achten sind Zusätze wie peu, à peine, à tort, il est difficile de u. a.

3 Bei der Frage oder Bedingung ist indes zu beachten, ob negativer Sinn eintritt. Bei si ist dies nicht der Fall besonders,

a) Wenn es kausal steht (= puisque): Si vous saviez d'avance que le succès était impossible, pourquoi vous êtes-vous engagé dans cette affaire?

2) ohne diese Bedingung bei einzelnen Ausdrücken derselben Art, welche schon ihrem Begriffe nach verneint sind.

1) *Socrate prétendait que, dans les circonstances délicates, un génie l'avertissait de ce qu'il devait faire ou éviter; mais il n'a jamais prétendu que ce génie fût autre chose que l'inspiration de sa conscience ou de sa raison.*

Die Ausdrücke des Denkens und Sagens bezeichnen:

a) **Sinnliche und geistige Wahrnehmung, Wissen, Denken, Schließen:**

voir	sehen	se rappeler	} sich erinnern
sentir	fühlen, merken	se souvenir	
connaître	erkennen	croire	glauben
remarquer	bemerken	penser	denken
deviner	erraten	juger	urteilen, dafür halten
prévoir	vorhersehen	espérer	} hoffen
s'attendre[1]	gefaßt sein	se flatter	
apprendre	} hören,	s'imaginer	sich einbilden
entendre dire	erfahren	imaginer	} sich vorstellen, sich denken
pressentir	} ahnen	se figurer	
se douter		conclure	schließen
présumer	voraussetzen	il s'ensuit	} es folgt
supposer	vermuten, voraussetzen	il résulte	
soupçonner	argwöhnen	il est sûr	
trouver	finden	il est certain	} es ist sicher
savoir	wissen	il est constant	
être sûr	} sicher sein	il est évident	es ist augenscheinlich
s'assurer		il est vraisemblable	} es ist wahrscheinlich
être persuadé, convaincu	} überzeugt sein	il est probable	
avoir la persuasion, la conviction			

Es scheint: il paraît, il semble, letzteres immer mit dem Konjunktiv, vgl. unten 2, Anm. a.

---

b) Wenn es konzessiv steht (= tandis que): S'il savait que l'affaire tournait mal, il était loin de se douter qu'elle eût complètement échoué.

[1] S'attendre à ce que (gleiche Bed.) steht immer mit dem Konjunktiv.

b) Mitteilung, Behauptung, Eingeständnis:

dire sagen	prétendre ⎫
répéter wiederholen	soutenir ⎭ behaupten
répondre antworten	assurer versichern
écrire schreiben	affirmer ⎫
apprendre mitteilen	certifier ⎭ bestätigen
avertir ⎫	jurer schwören
prévenir ⎭ benachrichtigen	avouer eingestehen
déclarer erklären	reconnaître anerkennen
promettre versprechen	garantir verbürgen
persuader überzeugen	gager wetten
porter besagen	

Anm. 1) Einzelne dieser Verben zeigen Berührungspunkte mit den Verben des Begehrens oder des Affekts und können daher auch ohne Negation den Konjunktiv (des Begehrens) nach sich haben:

a) **dire, écrire, répondre, avertir** u. a., wenn sie eine Aufforderung enthalten: Vous direz à la princesse Marguerite qu'elle ait à quitter Madrid dès demain.

b) **entendre** und **prétendre**, wenn sie **wollen** bedeuten: J'entends que les choses se fassent comme je vous le dis.

c) **comprendre** und **concevoir**, wenn sie bedeuten **leicht begreiflich finden** (wie § 259, 1 c): On comprend qu'une aussi triste nouvelle ait jeté l'émoi dans notre ville.

d) Über supposer vgl. S. 281, N. 1.

e) Die Ausdrücke il est remarquable, il est à remarquer können eine bloße Urteilsäußerung oder einen Affekt in sich schließen und daher beiderlei Modus haben.

2) Wenn Ausdrücke des Denkens oder Sagens mit einem Ausdruck des Affekts verbunden sind, kann Indikativ oder Konjunktiv folgen, je nachdem man auf den einen oder den anderen dieser Ausdrücke den Nachdruck legt: Rien n'irrite plus les vainqueurs que de voir qu'un ennemi mort soit encore un danger (Guizot). Chaque jour on craignait d'apprendre que le roi marchait sur Londres (Dersf.). In den meisten Fällen ist natürlich der Affekt betont. Ein als Modalverb hinzutretendes Verb des Begehrens hat gleichfalls meist den Konjunktiv im Gefolge: Je voudrais voir que monsieur te défendît (J.).

3) Verneinung und Frage (Verneinung und Bedingung) heben sich auf [1]

---

[1] Für die französische Grammatik, besonders aber für die Moduslehre ist wohl zu beachten, daß Verneinung, Frage und Bedingung gleichwertige Faktoren sind. Einerseits heben sich dieselben daher gegenseitig auf (vgl. § 392, II, III A. 2, § 361 A. b, § 299 Zus. 3, sowie weiter unten in diesem Paragraph 2 A. a und S. 181 Note 2). Anderseits können sie sich vertreten, wie z. B. in der Volkssprache die Frageform den ersten Teil der Negation überflüssig macht (vgl. § 386 A. 4).

und der Indikativ tritt ein: Ne voyez-vous pas que l'égalité des fortunes est aussi impossible que celle des intelligences ou des forces physiques? Ebenso bei doppelter Negation: Il est impossible de ne pas être convaincu que cette égalité n'est qu'un rêve irréalisable.

Nach den fragend gebrauchten Verben des Denkens steht häufig der Indikativ, wenn eine Ungewißheit des Sprechenden über den Inhalt seiner Frage nicht vorhanden ist: Tu le dis mon ami. Est-ce que tu crois qu'il est mon ami? Sais-tu que j'ai à me plaindre de toi?

Zusatz. Wenn der abhängige Satz vorausgeht, steht in demselben stets der Konjunktiv: Que les désastres de la campagne aient redoublé l'animosité des partis, nous l'avons dit assez. Es soll für den Leser oder Hörer vorläufig unbestimmt bleiben, wie das Urteil über die gegebene Aussage lauten wird. Auch bei Einschiebung des Nebensatzes nach Wörtern wie la pensée, l'idée u. ähnl. tritt der Konjunktiv ein: L'idée qu'il puisse songer à la réouverture de la question romaine est considérée comme en contradiction avec son passé (J.). — Selbstverständlich behält ein indirekter Fragesatz auch in diesem Falle den Indikativ: De quelle nature est cette lutte, je l'ignore (H. Rabusson).

2) *Les anciens ignoraient qu'au delà des Colonnes d'Hercule il y eût un continent; il semble pourtant que par leur Atlantide fabuleuse ils aient désigné l'Amérique.*

On a nié que, dans les dernières années de sa vie, Corneille fût tombé dans une misère profonde; il est douteux cependant que ces dénégations soient bien fondées.

Ihrem Begriffe nach verneint sind die Ausdrücke des Leugnens und Zweifelns; diese haben demnach auch ohne Verneinung, Frage oder Bedingung den Konjunktiv:

a) **Ignorer**, il est faux (es ist unrichtig), il est rare (es ist selten), il semble (es scheint).

b) **Douter** (zweifeln), il est douteux, **nier** (leugnen), **disconvenir** (in Abrede stellen), **contester** (bestreiten), **démentir** (in Abrede stellen), **réfuter** (als unrichtig nachweisen), **dissimuler** (verheimlichen), **se dissimuler** (sich verheimlichen), **désespérer** (verzweifeln) und il s'en faut (es fehlt daran), welche meist im abhängigen Satze expletives ne verlangen, wenn sie selbst verneint (fragend, bedingt) sind.

Anm. a) Verneintes ignorer hat die Bedeutung sehr wohl wissen und steht daher mit dem Indikativ.

Il semble drückt eine sehr geringe (gemilderte) Wahrscheinlichkeit aus und hat daher (im Gegensatze zu il paraît es liegt zu Tage) auch ohne Verneinung meist den Konjunktiv. Il me semble d. h. sembler mit Dativobjekt (mir scheint, mich will bedünken) drückt dagegen persönliche Gewißheit aus und steht oft ironisch bei voller Sicherheit; es hat daher den Indikativ im Gefolge. Verneint (il ne me semble pas) hat auch es den Konjunktiv, doppelt verneint (d. h. fragend verneint: ne vous semble-t-il pas) dagegen wieder den Indikativ nach der allgemeinen Regel.[1]

Gerade das Gegenteil ist bei oublier (= ne pas se rappeler) der Fall; es steht in der Regel mit dem Indikativ: Condé oublia qu'il était prince du sang et il ne rougit pas de s'unir aux ennemis du royaume (Magin). Oubliez, quand vous agissez, qu'il y ait d'autres êtres sur la terre que vous et celui à qui vous avez affaire (A. de Musset). Verneint hat es stets den Indikativ im Gefolge: Madame, vous n'oublierez pas que vous avez à remercier le duc d'Albuquerque pour vous et pour moi (O. Feuillet).

b) Nur bei il s'en faut wird die Regel streng eingehalten. Nach den übrigen unter b) aufgezählten Verben fehlt öfter ne, wobei gewöhnlich (nach Analogie von ne pas ignorer) auch der Indikativ eintritt. Für das Nähere vgl. § 392, III.

§ 261. Einzelnes.

Unter allen Umständen steht der Konjunktiv nach il est possible, il est impossible, il se peut, il ne se peut pas: Il se peut qu'il ait dit vrai.

Er steht dagegen nicht nach peut-être que (und ebenso wenig nach sans doute que): Peut-être que ce souvenir vous est pénible.

Anm. 1) Nach de (à) quoi sert-il? und il ne sert de (à) rien steht der Konjunktiv, nach d'où vient dagegen meist der Indikativ: D'où vient que nous avons alternativement le jour et la nuit? (De là vient hat Ind. und Konj.)

2) Nach il arrive ist beiderlei Modus zulässig: Il arrive que ce qui échappe à l'un soit (est) aperçu de l'autre. Bei verneintem il arrive muß der Konjunktiv nach der allgemeinen Regel eintreten.

---

[1] Obiges bildet die Regel, der man am besten folgt, weil sie logisch ist und durch den Gebrauch bestätigt wird. Doch findet sich il semble sehr häufig mit dem Indikativ, und zwar bei Schriftstellern älterer und neuerer Zeit. Ebenso gehört der Konjunktiv nach il me semble keineswegs zu den seltenen Erscheinungen. Vgl. das Ergänzungsheft.

19*

3) **Faire** (bewirken) steht mit dem Konjunktiv meist nur, wenn es verneint ist: Il y a un sentiment inné au cœur de l'homme, qui fait que nous souhaitons ce que nous n'avons pas. Nach dem Imperativ dagegen muß der Konjunktiv stehen: Faites que ce bruit finisse enfin.

Comment se fait-il (wie kommt es) mit Konjunktiv: Comment se fait-il que vous arriviez si tard?

4) Nur nach negativem **il importe** kann der Konjunktiv im indirekten Fragesatze stehen: Pourvu que Ronsard pût opposer l'épaisseur du vocabulaire français à tous les autres vocabulaires, peu lui importait d'où vînt cette richesse.

Der Konjunktiv im Relativsatze.

§ 262. Verwendung desselben.

1) *Les châteaux du moyen âge possédaient, pour la plupart, une grosse tour, qui pût servir de dernière retraite aux assiégés.*

2) *Il n'y a pas un d'entre nous qui soit sans défaut.*

3) *Les hommes sont le premier livre que l'écrivain doive étudier.*

Der Konjunktiv steht im Relativsatze:

1) Wenn derselbe eine Absicht ausdrückt.

2) Wenn durch eine vorausgehende Negation erklärt wird, daß der durch den Relativsatz näher bestimmte Gegenstand nicht existiert.

3) Wenn der Relativsatz einen Superlativ näher bestimmt. Wie Superlative werden **le seul, l'unique, le premier, le dernier** behandelt.

Anm. 1) Ebenso wenn der Relativsatz die Eigenschaft ausdrückt, welche dem Beziehungswort beigelegt werden muß, damit das von ihm Ausgesagte Gültigkeit hat: Demandez quelle heure il est à un homme, qui vous réponde: Il est onze heures-z-et demie, vous en concluez à l'instant que vous avez affaire à un sot (Fr. Wey). Vgl. § 243 A. 4 b.

2) Auch hier stehen si, Frage u. dgl. der Negation gleich: S'il est un genre d'écrire où le travail et l'art puissent gâter la nature, c'est le genre épistolaire. Où trouve-t-on l'homme qui soit toujours tel qu'il doit être?

3) In dem 1. Falle ist der Konjunktiv der des Begehrens, im 2. Falle derjenige der Irrealität. Im 3. Falle (Konjunktiv nach einem Superlativ) sind beide Arten möglich. In dem angeführten Beispiel steht der Konjunktiv des Begehrens. Derselbe liegt auch vor, wenn ein Affekt sich einmischt:

C'est l'homme le plus détestable que j'aie jamais vu. Dagegen liegt ein Konjunktiv der Irrealität vor, sobald eine unsichere oder bescheidene Behauptung ausgesprochen wird; der Superlativ ist dann meist von einer Einschränkung wie presque, peut-être, probablement u. a. begleitet: Clément Marot est probablement le premier qui ait fait des sonnets en langue française. Daraus folgt, daß der Indikativ am Platze ist, wenn die Aussage als Thatsache hingestellt wird. So besonders bei premier, dernier und seul: Arles fut la première ville de France qui reçut la foi chrétienne. Da man meist eine Thatsache annehmen kann, ist der 3. Fall der unsicherste.

Manchmal steht hingegen der Konjunktiv, wo der Indikativ zu erwarten wäre: L'amphithéâtre d'Arles est le plus grand de ceux que l'on connaisse en France (Mérimée).

Wenn der Superlativ partitiv steht (mit oder ohne on), tritt meist der Konjunktiv ein: La partie de la Vendée qu'on appelle le Bocage, a été le théâtre d'une des plus terribles guerres qui aient désolé la France (Barrau). Le paysage est des plus délicieux qui se puissent voir (G. Geffroy).

Zusatz. 1) Vereinzelt findet sich im Relativsatz der Konjunktiv, weil ihm ein anderer Konjunktiv vorausgeht (Attraktion). Je n'avais nulle idée que ce fût lui qui m'eût joué ce vilain tour.

2) Das eingeschobene que je sache (que nous sachions) hat gleichfalls einen durch vorausgehende Negation bedingten Konjunktiv: Je n'ai jamais émis cette opinion, que je sache.

Die Zeitenfolge *(la correspondance des temps)*.

§ 263. Zeitenfolge für Indikativ und Konjunktiv.

Die Zeitenfolge ist im Französischen höchst einfach:

1) Auf Präsens (einschließlich des Imperativs) und Futur folgt
   a) für die dauernde Handlung: das Präsens,
   b) für die abgeschlossene Handlung: das Perfekt *(parf. indéfini)*,
   c) für die zukünftige Handlung: das Futur.

2) Auf irgend welche Zeit der Vergangenheit (einschließlich der Vergangenheit des Futurs) folgt
   a) für die dauernde Handlung: das Imperfekt,
   b) für die abgeschlossene Handlung: das Plusquamperfekt,

c) für die zukünftige Handlung: das Imperfekt des Futurs (conditionnel).

Dasselbe gilt, wenn im Nebensatz statt des Indikativs der Konjunktiv steht; da aber ein Konjunktiv des Futurs nicht existiert, tritt für c) dieselbe Form wie für a) ein:

1a) Präsens Konj.   2a) Imperfekt Konj.
 b) Perfekt Konj. (parfait   b) Plusquamperfekt Konj.
    du subj.)
 c) Präsens Konj.   c) Imperfekt Konj.

Beispiele:

1) On affirme (affirmera)	que la route est libre que la route a été libre que la route sera libre
On n'affirme pas (on n'affirmera pas)	que la route soit libre que la route ait été libre que la route soit libre
2) On affirmait (affirma, a affirmé, avait affirmé, eut affirmé, affirmerait, aurait affirmé)	que la route était libre que la route avait été libre que la route serait libre
On n'affirmait pas (on n'affirma pas u. s. w.)	que la route fût libre que la route eût été libre que la route fût libre

Anm. 1) Wenn eine Verwechselung möglich ist, tritt nicht der Konjunktiv des Präsens für das Futur ein; man umschreibt dann das letztere durch **devoir** oder **aller**: Il ne semble pas que telle doive être l'attitude de notre plénipotentiaire (que telle soit l'attitude könnte heißen: daß dies die Haltung ist, neben: daß dies die Haltung sein wird).

2) Nebensätze, welche eine allgemein und dauernd gültige Wahrheit enthalten, stehen im Präsens (statt Imperfekt): Il a conduit cette affaire comme s'il ne savait pas que deux et deux *font* quatre. Doch auch: Zadig était fermement persuadé que l'année *était* de 365 jours et un quart (Voltaire).

3) In familiärer Sprache steht sehr häufig das Präsens Konj. statt des Impf. Konj.: Souvent leur repas se passait sans qu'ils se disent un mot (Bernardin de Saint-Pierre). Man meidet das Impf. Konj., besonders das der I. Konj., welches schleppende Formen aufweist. Aber auch sonst gilt der Gebrauch des Impf. Konj. vielfach als Gelehrtthuerei. Besonders häufig findet man das Präs. Konj. statt des Impf. Konj. nach avant que: Vous étiez de mon avis, monsieur le maire, avant que je parle (H. Le Roux). Il s'écoula bien deux heures avant que la sonnette retentisse (Ch. Legrand).

4) Nach Verben des Denkens und Sagens kann Imperfekt Konj. statt Perfekt Konj. stehen: Ce n'est pas à dire que cette transformation fût complète (für ait été c.).

5) Nach dem Imperfekt des Futurs, wenn es eine gemilderte Behauptung enthält, steht in der Regel das Präsens (zugleich manchmal Indikativ für Konjunktiv): Une nature perverse ne saurait imaginer qu'on puisse faire le bien pour l'amour du bien. Comment, monsieur Poirier, trouveriez-vous mauvais qu'on protége les arts? (É. Augier). Il semblerait qu'une divinité sournoise et railleuse se plaise à traverser les projets de l'homme (J. Fréval). On dirait que dans cette église l'architecte a voulu épuiser toutes les formes possibles.[1]

6) Der Relativsatz ist den Gesetzen über die Zeitenfolge nicht streng unterworfen. Vielfach tritt mit dem Imperfekt oder hist. Perfekt verschiedener Sinn ein: François Ier fit venir d'Italie d'habiles artistes, qui excitèrent l'émulation des Français (nämlich in der Folgezeit; excitaient gäbe den Sinn: er ließ sie kommen, weil sie den Nacheiferungstrieb der F. erregten).

7) Die periphrastische Formel c'est . . . qui (que, où) behält entweder immer das Präsens oder stimmt in der Zeit genau zu der Zeit des Relativsatzes: C'était là que notre escadre avait mouillé en 1798; ce fut là qu'elle fut trouvée et détruite par Nelson; c'est là que l'escadre turque avait déposé les braves janissaires, jetés à la mer par le général Bonaparte, dans la glorieuse journée d'Aboukir. Imperfekt und Plusquamperfekt gelten hierbei als gleichartig.

In anderen formelartigen Sätzen dagegen (z. B. soit que, ce n'est pas que = non que) hat être seine verbale Kraft eingebüßt und übt auf die im abhängigen Satze folgende Zeit keinen Einfluß aus.

Formelartige Sätze lassen sich meist ebensowenig von der Zeit des Hauptsatzes beeinflussen: Je ne fis rien qui vaille (J.-J. Rousseau). Ils ne trouvèrent rien qui vaille (A. Dumas). Aber doch: J'avais apporté tout ce qu'il fallait pour écrire (J.).

8) Ist ein abhängiger Satz zugleich mit einem Bedingungssatze verbunden, so ist letzterer für die Zeit entscheidend (und nicht das regierende Verb):

Je crois { qu'il le fera si on ne le lui défend. / qu'il le ferait si on ne le lui défendait. / qu'il l'aurait fait si on ne le lui avait défendu.

Je ne crois pas { qu'il le fasse si on le lui défend. / qu'il le fît si on le lui défendait. / qu'il l'eût fait si on le lui avait défendu.

[1] Nach on dirait, on eût dit steht nur selten der Konjunktiv. Die Einschiebung von de nach den gleichen Ausdrücken (on dirait d'un fou) ist nahezu veraltet.

Der Infinitiv *(l'infinitif).*[1]

Der reine Infinitiv.

§ 264. Der Infinitiv als Subjekt.

Der reine Infinitiv (d. h. der Infinitiv ohne Präposition) steht als Subjekt: Prédire est impossible, car la prévision n'est qu'à Dieu; mais prévoir est possible, car la prévoyance est à l'homme.

Anm. Dagegen tritt de vor den Infinitiv, wenn derselbe durch Inversion zum logischen Subjekt wird: C'est donner que de faire un pareil marché (für Faire un pareil marché c'est donner). Vgl. § 332 Zus. und § 342 Zus.

Oft steht auch de vor dem Infinitiv-Subjekt, wenn eine Konjunktion vorangeht, also z. B. wenn derselbe als Subjekt eines Nebensatzes auftritt; vgl. hierüber das Ergänzungsheft.

§ 265. Der Infinitiv als logisches Subjekt.

Logisches Subjekt ist der reine Infinitiv nach folgenden unpersönlichen Ausdrücken:

il faut es ist nötig	il vaut mieux es ist besser
il me (te u. s. w.) semble es scheint mir	il vaut autant es ist ebenso gut (mieux vaut, autant vaut)

z. B. Il faut avoir patience. Il vaut mieux (mieux vaut) se taire.

Anm. Ebenso nach il fait bon[2] (es ist angenehm, behaglich), il fait beau (es ist etwas Schönes), il fait cher (es ist teuer): Qu'il fait bon avoir vingt ans! Il fait cher vivre à Nice. — Früher auch nach il plaît, was in der juristischen Sprache noch üblich ist; in der kaufmännischen Sprache früher: Au 15 novembre prochain, il vous plaira payer (jetzt besser veuillez payer) contre ce présent mandat à mon ordre la somme de 260 fr.

§ 266. Der Infinitiv als Prädikat.

Als Prädikat steht der reine Infinitiv nach

appeler nennen	c'est das ist, das heißt
sembler paraître } scheinen	se trouver sich finden, sich erweisen

---

[1] Die Lehre vom Infinitiv bietet zahlreiche Einzelheiten und Schwierigkeiten, die aber hauptsächlich lexikalischer Art sind und daher dem Ergänzungsheft vorbehalten bleiben müssen.

[2] Nach diesem öfter unrichtiges de bei dem Infinitiv.

z. B. Vivre c'est souffrir est espérer. Peut-on appeler cela vivre? Moi, je l'appelle s'ennuyer (Tournier).

Anm. Bemerke c'est-à-dire (das heißt); ce n'est pas à dire, est-ce à dire, die beiden letzten mit dem Konjunktiv.

Der Infinitiv nach c'est vertritt oft unser Particip: C'était bien parler (das war gut gesprochen), c'est tout dire (damit ist alles gesagt) u. a.

§ 267. Der Infinitiv als Objekt.

Der reine Infinitiv steht im Französischen als Objekt

1) Nach den modalen Hülfsverben:[1]

pouvoir savoir } können	Dagegen steht de nach
devoir sollen	devoir schuldig sein, verdanken
oser wagen[2]	
sowie nach	
faire veranlassen laisser zulassen } lassen	

2) Nach den Verben der Bewegung (der Inf. bezeichnet das Objekt, auf welches die Bewegung sich richtet):

aller gehen (être vgl. § 86 A.)
venir kommen
courir laufen,
voler fliegen, } eilen
rentrer (nach Hause) zurückkehren
retourner zurückkehren
monter hinaufsteigen
descendre herabsteigen
mener führen
envoyer schicken
mettre setzen, stellen, bringen
und deren Zusammensetzungen.

Dagegen kann nach einzelnen dieser Verben pour eintreten, wenn die Absicht stärker bezeichnet werden soll, oder eine längere Einschiebung das Verb der Bewegung von dem Infinitiv trennt.

Pour steht nach aller und venir, wenn die beabsichtigte Handlung nicht zur Ausführung kommt: Il va pour sortir, mais on lui barre le passage. Pendant mon absence il est venu pour me voir.

---

[1] So steht der reine Infinitiv auch nach faillir und penser, wenn sie als modale Hülfsverben („beinahe") auftreten: Midas faillit mourir de faim.

[2] Manchmal dürfen: si j'ose ainsi parler, si j'ose le dire wenn ich so sagen darf.

3) Nach den Verben des Wünschens und Vorziehens:

daigner geruhen, wollen, die Güte haben
vouloir ⎫
désirer[1] ⎬ wollen, wünschen
entendre ⎭
préférer vorziehen
aimer mieux lieber wollen
aimer autant ebenso gern wollen
(ironisch oft = aimer mieux)

Dagegen steht de nach
dédaigner verschmähen
souhaiter[1] wünschen

4) Nach den Verben der Sinnesempfindung und des Denkens

voir[2] ⎫ sehen
regarder ⎭
entendre ⎫ hören
écouter ⎭
sentir fühlen
savoir wissen
croire glauben
juger urteilen, meinen
espérer hoffen[3]
compter darauf zählen
s'imaginer sich einbilden
se figurer sich vorstellen
supposer vermuten, voraussehen
être censé gelten
penser meinen[4]

Dagegen steht de nach
se souvenir sich erinnern (während se
rappeler meist reinen Inf. hat)

désespérer verzweifeln (natürlich auch
de nach espoir, espérance)
— imaginer sich vorstellen

Aber penser à faire qe daran denken
etwas zu thun

5) Nach den Verben des Sagens, insbesondere nach

dire sagen, ⎫ daß etwas ist
jurer schwören, ⎭
avouer eingestehen
reconnaître anerkennen
affirmer ⎫ versichern
assurer ⎭
prétendre ⎫ behaupten
soutenir ⎭

Dagegen Dites-lui de se hâter (er
solle sich beeilen), weil Aufforderung;
il a juré de respecter nos droits
(daß er achten wird), weil Versprechen.

Aber prétendre à faire qe Anspruch
darauf erheben, etwas zu thun.

---

[1] Selten steht der Inf. mit de nach désirer; der reine Inf. nach souhaiter ist in der neueren Sprache häufig.

[2] So steht der reine Infinitiv auch nach voici, voilà. Vgl. das Ergänzungsheft.

[3] Selten mit de, welches von manchen verlangt wird, wenn espérer
selbst im Inf. steht. Der Gebrauch erkennt diesen Zusatz nicht an.

[4] Dient (in dieser Bedeutung) auch zur Umschreibung für beinahe,
vgl. § 93 A.

rapporter berichten
témoigner bezeugen
déposer vor Gericht aussagen
nier leugnen   Selten nier mit de¹
justifier nachweisen

und so nach allen Verben des Sagens, mit Ausnahme der Verben des Benachrichtigens, Versprechens, Überzeugens, welche de ver= langen, und derjenigen des Antwortens, welche keinen Infinitiv nach sich haben.²

Anm. 1) Zu wiederholen das § 142 f. über die verbale Umschreibung modaler und temporaler Adverbien Gesagte.

2) Über die engen Verbindungen von aller und envoyer mit gewissen Infinitiven vgl. § 86 und 88. — Scheinbar überflüssig steht im Französischen ein Verb der Bewegung: Il alla s'asseoir sur un banc près du feu. Charles-Quint vint mettre le siège devant Metz. Die Konjunktion und nach einem Verb der Bewegung darf nicht übersetzt werden, wenn das folgende Verb die Handlung bezeichnet, welche die Bewegung veranlaßt: Gehe und sieh, wo er nur bleibt va voir ce qu'il devient. — Ähnlich: Haben Sie die Güte und benachrichtigen Sie mich veuillez me prévenir.

3) Nach den Verben des Vorziehens (einschließlich il vaut mieux wird ein nach que folgender zweiter Infinitiv gewöhnlich mit de verbunden: J'aime mieux vous attendre que de revenir ici. Doch auch reiner Infinitiv, be= sonders in sehr kurzen Sätzen: Mieux vaut savoir qu'avoir.

Nach plutôt erhält der zweite Infinitiv de: Plutôt mourir que de se couvrir de honte. Ohne Zusatz von plutôt ist que mit zweitem Infinitiv nach préférer unmöglich: Les vaincus préféraient mourir plutôt que de se laisser emmener en captivité.

Zusatz. 1) Der reine Infinitiv wird oft gebraucht
a) Statt einer Verbalform im direkten und indirekten Fragesatz: Où me cacher? Il ne savait à quel saint se vouer.
b) Ebenso im Ausrufesatz: Qui lui? faire la charité! (wie? er sollte Al= mosen geben!) — Zu bemerken dire que (penser que) wenn man bedenkt, daß . . . Dire qu'il aurait en tout cela s'il avait voulu!
c) Statt eines Imperativs: Ne pas confondre amener avec emmener. Voir (oder voyez) page 82. S'adresser au bureau de ce journal.

So auch zur Angabe eines Problems: Donner l'explication de ce phénomène (man gebe . . .).

---

¹ Nach Littré nur de, was dem Gebrauch widerspricht und eine unnötige Ausnahme verursacht.
² Außer bei der Aufforderung: On lui répondit d'avoir patience (er möge sich gedulden).

2) Der substantivierte Infinitiv kann mit und ohne Präposition gebraucht werden: Le souvenir, le lever, le coucher, le boire et le manger, le rire, le mauvais vouloir; au sortir de la ville, au revoir. Ami au prêter, ennemi au rendre.

Der Infinitiv mit à.

§ 268. Nach Substantiven.

Nach Substantiven steht der Infinitiv mit à als Angabe der Bestimmung oder Brauchbarkeit: Une salle à manger, une chambre à coucher, de l'huile à brûler. Dabei liegt konsekutiver Sinn nahe: Des contes à dormir debout. Noch mehr finaler Sinn: C'est un conseil à suivre. Des vers à mettre en musique. Une occasion à ne pas perdre.

§ 269. Adverbial.

Im adverbialen Gebrauch kann der Infinitiv mit à statt eines Konsekutivsatzes stehen: Je sais, à n'en pouvoir douter, qu'il craint votre retour. Meist jedoch statt eines Konditionalsatzes: A vouloir trop prouver, on ne prouve rien. So à vrai dire, à parler sérieusement, à proprement parler, à en juger par . . . u. a.

§ 270. Nach Verben.

Nach Verben steht die Präposition à vor dem Infinitiv

1) zur Bezeichnung des Objekts, an welchem die Thätigkeit vor sich geht (entsprechend der Präposition à vor Substantiven bei der Frage wo?);

2) zur Angabe des Zieles, auf welches die Thätigkeit sich richtet (entsprechend der Präposition à vor Substantiven bei der Frage wohin?).

1) Der Infinitiv mit à zur Bezeichnung des Objekts steht nach Verben

des Seins: *être* deux heures à faire qe (2 Stunden brauchen; auch *mettre* deux heures à faire qe); il *est* encore à revenir (er hat noch wiederzukommen, eigentlich: er ist noch bei dem Wiederkommen), consister (bestehen in),

des Verharrens: persister, s'obstiner, s'opiniâtrer u. a.

des Stehenbleibens: s'arrêter, se borner u. a.

des Zauderns: balancer, hésiter u. a.

des Gelingens: réussir, exceller u. a.

des Gefallens: aimer, se plaire, se complaire, s'amuser, tenir (Gewicht legen auf) u. a.

des Übereinstimmens: consentir, s'accorder, être d'accord (die beiden letzten auch *pour*) u. a.

2) Der Infinitiv mit à zur Angabe des Zieles steht nach Verben

des Strebens und Bemühens

aspirer streben		
tendre hinneigen		
chercher suchen	Dagegen ist de zu setzen nach	
s'appliquer ⎫	s'efforcer ⎫	
s'attacher ⎬ sich bemühen	tâcher ⎬ sich bemühen	
s'étudier ⎪	essayer suchen, versuchen	
travailler ⎭		
s'évertuer [1] ⎫ sich abmühen		
se fatiguer ⎭		

des Dienens und Helfens

servir dienen
aider helfen
concourir ⎫
contribuer ⎬ beitragen

des Bestimmens und Gewöhnens

destiner bestimmen
dévouer widmen
avoir haben (= müssen)
exposer der Gefahr aussetzen
condamner verurteilen
habituer ⎫
accoutumer ⎬ gewöhnen

des Beschließens und Veranlassens

se décider ⎫ beschließen, sich ent-	Dagegen décider, résoudre (beschlie-	
se résoudre ⎭ schließen	ßen) mit de; être décidé, être ré-	
décider ⎫ bestimmen	solu (entschlossen sein) vorwiegend	
déterminer ⎭	mit à, doch auch mit de	
exciter ⎫ anreizen		
exhorter ⎭		

---

[1] Auch mit pour, wenn nicht die Thätigkeit als solche, sondern das Ziel der Thätigkeit ins Auge gefaßt wird.

provoquer aufreizen
disposer geneigt machen
encourager ⎫
enhardir   ⎬ ermutigen
inviter ⎫
engager ⎬ auffordern
s'engager sich verpflichten
amener ⎫
conduire ⎪
entrainer ⎬ dahin bringen
pousser ⎭
autoriser ermächtigen
réduire zwingen

presser drängen ⎫
sommer auffordern ⎬ haben nur de

Die Verben des Zwingens (außer réduire), contraindre, forcer, obliger, haben à und de, doch steht nach dem Part. Prät. meist de (nur de bei être tenu de faire qe gehalten sein etwas zu thun).

des Verstehens, Lernens, Lehrens und Übens

s'entendre sich verstehen
apprendre lernen, lehren
enseigner lehren
montrer zeigen, lehren
désapprendre verlernen
s'exercer sich üben
se préparer sich vorbereiten.

§ 271. Nach Adjektiven.

Der Infinitiv mit à steht nach den Adjektiven le premier, le dernier, seul (le seul) gewöhnlich nur vor partitivem Genitiv): être le premier à faire qe (zuerst etwas thun, eigentlich: der erste sein bei dem Thun). Les anciens n'ont pas été seuls à produire de belles choses.

Außerdem steht der Infinitiv mit à hauptsächlich nach den Adjektiven

bon gut
mauvais schlecht
aisé ⎫
facile ⎬ leicht
difficile schwer
adroit ⎫
habile ⎬ geschickt
assidu emsig, eifrig
prompt rasch
lent ⎫
long ⎬ langsam

disposé ⎫
enclin ⎬ geneigt
sujet unterworfen, ausgesetzt
attentif aufmerksam
ardent eifrigst bedacht
exact pünktlich
curieux interessant
dangereux gefährlich
ingénieux erfinderisch u. a.
prêt bereit (aber près de nahe bei)

Z. B. Un homme facile à tromper, un livre curieux à consulter. Être prêt à mourir (zum Tode bereit), aber être près de mourir (dem Tode nahe).

Ferner bei Substantiven in adjektivischer Geltung z. B. être homme (femme) à faire qe (§ 291, 4) être d'étoffe u. a. Ils subissent les tourmentes politiques sans les provoquer jamais et sans se croire d'étoffe non plus à les conjurer.

Anm. Einzelne dieser Adjektive können auch in unpersönlicher Konstruktion gebraucht werden und haben dann den Infinitiv mit de nach sich: Il éprouva une émotion difficile à exprimer (schwierig beim Ausdrücken), aber une émotion qu'il serait difficile d'exprimer (deren Ausdruck schwierig ist, d. h. der Infinitiv wird logisches Subjekt).

Dasselbe findet nach einzelnen Verben statt:

Cela vous plaît à dire (das sagen Sie im Scherz); il me plaît de le dire (es beliebt mir, das zu sagen).

Cela importe à savoir; il importe de le savoir.

Cela me répugne à croire; il me répugne de le croire.

Cela me coûte à écrire; il m'en[1] coûte de l'écrire.

Mit geänderter Bedeutung: Il ne tardera guère à rentrer (er wird bald zurückkommen); il me tarde de vous revoir (ich sehne mich, Sie wiederzusehen).

Der Infinitiv mit anderen Präpositionen.

§ 272. Der Infinitiv mit de.

Derselbe steht hauptsächlich

1) Nach Substantiven als eine nähere Bestimmung im Genitiv: L'intention de partir; l'espoir de vaincre; la crainte d'arriver trop tard.

2) Als nachgestelltes Subjekt, vgl. § 342 Zus.

3) Nach den Verben der Affekte, des Bittens, Befehlens, Erlaubens, Billigens und Mißbilligens u. a. Je crains de vous déranger; je vous prie de m'avertir; je vous félicite d'avoir si bien réussi.

4) Als historischer Infinitiv[2]: Aussitôt mille voix de répéter: Chez le commissaire! chez le commissaire! Et de rire! Wurde da gelacht!

Über den Infinitiv mit de nach vorausgehendem reinen Infinitiv bei aimer mieux, valoir mieux u. a. s. § 267 A. 3.

Der Regel nach soll jeder Infinitiv nach autre, autrement, autre chose de erhalten. Eine frühere Präposition soll bei diesem Infinitiv nicht wiederholt, ebenso wenig soll der reine Infinitiv gesetzt werden: La plus grande partie de l'année 1492 s'écoula sans que Maximilien eût pu faire autre chose que de protester par de vaines paroles (H. Martin). Doch wird diese Regel nicht streng eingehalten. Vgl. das Ergänzungsheft.

---

[1] Über die Notwendigkeit dieses en vgl. S. 174 N. 3.
[2] Derselbe wird gewöhnlich durch eine Ellipse von commencer de. se hâter de erklärt.

§ 273. Der Infinitiv mit de und à.

1) Ohne Bedeutungsunterschied steht sowohl der Infinitiv mit
de wie der mit à nach

  commencer anfangen (dagegen se mettre, se prendre à
  faire qe)
  continuer fortfahren
  avoir honte sich schämen
  c'est à qn à (de) faire qe es ist jemandes Sache etwas
  zu thun, es ist an jemand die Reihe etwas zu thun.

Anm. Über die Verben des Beschließens und Zwingens vgl. § 270, 2.
Nach manchen hat c'est à qn à faire qe die ausschließliche Bedeutung: es ist
an jemand die Reihe etwas zu thun. — Prendre garde (achthaben, daß etwas
nicht geschieht; sich hüten) hat negativen Infinitiv mit à oder de, affirmativen
nur mit de: Prenez garde de (à) ne pas vous tromper, prenez garde de vous
tromper (alse = geben Sie acht, daß Sie sich nicht täuschen).

2) Ein Bedeutungsunterschied wird durch die verschiedene Prä=
position bedingt in

  ne pas laisser de faire qe etwas doch thun (nicht unter=
  lassen etwas zu thun); laisser (à qn) à faire qe jemanden
  etwas zu thun überlassen, anheimstellen;
  se lasser à faire qe etwas bis zur Ermüdung thun; se
  lasser de faire qe müde, überdrüssig werden, etwas zu thun;
  manquer de faire qe beinahe etwas thun; manquer à
  faire qe versäumen, etwas zu thun (aber ne pas manquer de faire qe nicht versäumen, d. h. jedenfalls etwas
  thun).

Anm. S'occuper de faire qe darauf bedacht sein etwas zu thun,
s'occuper à faire qe damit beschäftigt sein etwas zu thun (gleicher Unter=
schied wie s'occuper de oder à qe, § 236). Prier qn de faire qe jemand
bitten etwas zu thun, aber prier mit à vor substantivierten Infinitiven,
welche eine Mahlzeit bedeuten[1]: prier qn à diner, à souper (zum Mittag-,
Abendessen einladen). Demander à qn de faire qe jemanden bitten, daß
er etwas thue demander (à qn) à faire qe jemanden bitten, daß er erlaube
etwas zu thun: Demandez-lui de parler en votre faveur. Ces messieurs
demandent à vous parler[2].

---

[1] Wobei der Artikel ausfällt wie auch im Englischen vor den Bezeichnungen von Mahlzeiten.

[2] Dieser Unterschied, obwohl nicht begründet, wird in der Mehrzahl der
Fälle eingehalten.

§ 274. Andere eigentliche Präpositionen vor dem Infinitiv.

Außer nach à und de steht der Infinitiv nach den Präpositionen entre, sans, après, pour und par (commencer, finir par faire qe vgl. § 163): Il y a bien de la différence entre repousser une attaque derrière les murailles d'une ville et braver le feu en rase campagne. Der Infinitiv steht nicht nach jusque, aber nach jusqu'à. Les enfants de Louis le Débonnaire allèrent jusqu'à infliger à leur père la honte d'une dégradation solennelle.

Für die Wiederholung der Präposition gilt die gewöhnliche Regel (§ 303), d. h. à und de sind vor jedem Infinitiv zu wiederholen.

Jedoch unterbleibt auch in diesem Falle die Wiederholung bei einer Zusammenfassung: Le patron ne cesse d'aller et venir, en proie à la plus poignante indécision (A. Prost). Les citoyens de Montauban avaient juré de vivre et mourir en l'union des églises (H. Martin). Ces États, incapables de se constituer et défendre[1] eux-mêmes. (Th. Lavallée).

Der Infinitiv statt eines Nebensatzes.

§ 275. Anwendung der Infinitivkonstruktion.

1) Wenn ein durch que eingeleiteter Nebensatz ein Subjekt enthielte, welches in dem Hauptsatze schon als Nominativ, Dativ oder Accusativ vorkam, so tritt in der Regel der Infinitiv statt dieses Nebensatzes ein.

Ob reiner Infinitiv oder Infinitiv mit de steht, hängt von dem regierenden Verb ab: Il prétend vous avoir vu (für qu'il vous a vu). Il m'a promis de venir me voir (für qu'il viendrait me voir). Permettez-moi de vous faire une observation (für permettez[2] que je vous fasse une observation). Über das Verfahren bei il faut vgl. § 100, 2.

2) Ein Nebensatz, welcher mit einer anderen Konjunktion als einfachem que eingeleitet ist, kann nur dann durch die Infinitivkonstruktion ersetzt werden, wenn das Subjekt des Haupt- und Nebensatzes das gleiche ist. Statt sans que,

---

[1] Die Auslassung des Reflexivpronomens bei dem zweiten Verb zeigt, daß hier eine Zusammenfassung vorliegt.

[2] Vgl. § 310 Anm.

après que, pour que tritt der Infinitiv mit sans, après,
pour ein: Il est parti sans avoir rien conclu (für sans
qu'il eût rien conclu).

Statt avant que, afin que, à moins que, loin que,
à condition que u. f. w. stehen vor dem Infinitiv avant
(que) de, afin de, à moins de, loin de, à condition de
u. f. w.; aus de manière (à ce) que, de façon (à ce)
que wird de manière à, de façon à: Le Rhône se
partage en deux branches avant de se jeter dans le
golfe du Lion. Ce fleuve descend vers la Méditerranée avec une grande impétuosité de manière à devenir très dangereux à l'époque de la fonte des neiges.

Anm. Wie pour que mit dem Konjunktiv § 256, Anm. 1, steht auch
pour mit dem Infinitiv nach assez, trop: La nouvelle était trop bonne pour
être vraie. Pour steht auch konzessiv (Sinn von quoique): Pour être téméraire, ce projet n'en était pas moins coupable; ebenso kausal (Sinn von parce
que[1] und wie par vor Substantiven), jedoch nur in Verbindung mit dem
Infinitiv des Perfekts: Je le sais pour l'avoir éprouvé (= je le sais par
expérience).

Auch bei ungleichem Subjekte tritt öfter der Infinitiv ein, wenn keine
Unklarheit zu befürchten ist: On poursuivit les ennemis; mais la nuit se passa
sans pouvoir les atteindre. Ces dispositions sont trop favorables pour nous
plaindre.

Das Particip *(le participe)*.

Das Particip des Präsens.

§ 276. Einteilung.

Das Particip des Präsens kann sein

1) Verbaladjektiv *(l'adjectif verbal)*
2) Particip des Präsens im eigentlichen Sinne *(le participe présent)*
3) Gerundium *(le gérondif)*.

Das Verbaladjektiv ist veränderlich und stimmt wie das Adjektiv mit
seinem Substantiv in Geschlecht und Zahl überein. Das Particip des Präsens,
welches in Verbindung mit der Präposition en Gerundium[2] genannt wird,
ist in jedem Falle unveränderlich. Ayant und étant können nicht Verbal-

---

[1] Alt pour ce que.
[2] Nur die Form mit en wird von den Franzosen als Gerundium bezeichnet. Es ist das substantivierte Adjektiv des Verbs und vertritt das
Verbalsubstantiv (Infinitiv), vgl. § 278, A. 2.

adjektive sein und sind daher unveränderlich, sie mögen selbständig oder zur
Bildung der umschreibenden Participien gebraucht sein.

Zu einzelnen Verbaladjektiven existiert kein Verb, z. B. ardent, sanglant,
la Bretagne bretonnante, la Flandre flamingante, un Parisien parisiennant,
les retraitants[1] u. a. Vgl. das Ergänzungsheft.

§ 277. Verbaladjektiv und Particip des Präsens.

Les officiers turcs, avec leurs vêtements de couleurs
tranchantes, leurs armes étincelantes, formaient pour nous
une scène brillante et nouvelle.

Au fond, se détachant à l'horizon, on voyait les
remparts de Candie, et de loin quelques dômes étincelant
au soleil.

Wo es sich um einen Zustand handelt, ist das Verbaladjektiv
am Platze; wo dagegen eine Thätigkeit bezeichnet werden soll, ist
das Particip des Präsens anzuwenden.

Anm. 1) Man erkennt, daß kein Verbaladjektiv vorliegt:

a) An der Funktion. Das Adjektiv dient nicht zur Angabe des Grundes,
daher: La maladie empirant, on fit venir le médecin. Es regiert keinen
Objektsaccusativ, daher: Les troupes, redoublant le pas, arrivèrent bientôt à portée de fusil. Das Particip der Reflexive ist aus diesem
Grunde unveränderlich: Les ennemis s'approchant menaçaient de tourner
notre position.

Auch bei präpositionalem Objekt, bei Bestimmungen des Ortes, der
Zeit, der Art und Weise ist in der Regel kein Verbaladjektiv vorhanden:
Des gens mourant de faim; les généraux commandant en chef; des
bannières flottant au vent (aber des bannières flottantes); les vagues
mugissant autour des écueils; la guerre renaissant à l'improviste.
Über die Ausnahmefälle vgl. das Ergänzungsheft.

b) An der Begleitung. Das Adjektiv verträgt keine Negation (außer
non), daher: Cette maladie terrible, ne pardonnant jamais. Ebensowenig nachgestelltes Adverb: Les gens pensant bien (aber[2] les gens
bien pensants).

In Verbindung mit dem Hülfsverb steht nur das Verbaladjektiv:
Nous étions errants dans les couloirs, en attendant que la scène s'ouvrit.

---

[1] In den letzten Tagen vor der ersten Kommunion findet für die
Kinder eine retraite (geistliche Exercitien) statt und die Teilnehmer erhalten
obige Bezeichnung.
[2] Und nur diese Form ist wirklich üblich: Le feuilles bien pensantes
die Zeitungen mit guter Tendenz.

20*

2) In der Unterscheidung von Particip und Verbaladjektiv finden sich Un=
gleichheiten. Während man poste restante (neben bureau restant), à beaux
deniers comptants sagt, obwohl der attributive Charakter des Particips
mindestens fraglich ist, sagt man öfter tambours battant, trompettes sonnant,
obwohl der attributive Charakter unbestreitbar ist und zugleich absolute
Participialkonstruktion vorliegt. Sonnant wird in Ausdrücken wie à dix heures
sonnant von den meisten unverändert gelassen, andere sagen à dix heures
sonnantes.

3) Neben einzelnen Participien des Präsens findet sich eine (dem
Lateinischen entlehnte) Form auf -ent für das Verbaladjektiv:

Verbaladjektiv	Particip
adhérent anhangend	adhérant
affluent zufließend	affluant
coïncident zusammentreffend	coïncidant
différent verschieden	différant sich unterscheidend, verschie=
équivalent gleichwertig	équivalant [bend
excédent[1] m. Überschuß, Übergewicht	excédant überschreitend
excellent vorzüglich	excellant sich auszeichnend
influent einflußreich	influant einwirkend
précédent vorhergehend	précédant
président m. Präsident	présidant vorsitzend
résident m. Ministerresident.	résidant wohnend.

Das Adjektiv violent hat natürlich mit dem Particip violant nichts gemein.

Neben Participien, welche den orthographischen Vorschriften für das
Verb folgen, stehen Verbaladjektive[2] auf -ant mit anderer Orthographie
(teilweise aus dem Lateinischen entlehnt):

convaincant überzeugend	convainquant
extravagant toll, ungereimt	extravaguant im Fieber redend
fabricant fabrizierend	fabriquant
fatigant ermüdend	fatiguant
intrigant ränkesüchtig	intriguant Ränke schmiedend
négligent nachlässig	négligeant vernachlässigend
provocant verletzend	provoquant
suffocant erstickend	suffoquant
vacant freistehend, erledigt.	vaquant besorgend.

Bei diesen Verben ist die Participialform immer unveränderlich; das
Verbaladjektiv kann selbstverständlich einen Objektsaccusativ nicht regieren,
findet sich aber mit präpositionalem Objekt: Des objections équivalentes à
un refus.

_____

[1] So schreibt die Akademie jetzt; eine Zeitlang hatte sie auch für dieses
Wort die Form auf -ant gewählt.
[2] Auch arrogant (anmaßend) von der früheren Nebenform s'arroguer,
jetzt nur s'arroger (sich anmaßen).

4) Als von der Schreibung unsrer entsprechenden Fremdwörter ver=
schieden merke: le commettant (Kommittent), consistant (konsistent), le consommateur (Konsument), le contrevenant (Kontravenient), le correspondant
(Korrespondent), le délinquant (Delinquent), le dénonciateur (Denunziant),
le déposant (Deponent), un exposant (Exponent), les Indépendants (Indepen=
denten), le Levant (Levante), un opposant (Opponent), le prétendant (Präten=
dent), le producteur (Produzent), le spéculateur (Spekulant), un évêque
suffragant (Suffraganbischof). Nur in der Form des Part. Prät. sind zu
gebrauchen: les émigrés (Emigranten), les insurgés (Insurgenten), les inté-
ressés (Interessenten).

§ 278. Particip des Präsens und Gerundium.

Beide Formen werden gebraucht, um die Gleichzeitigkeit, die
Art und Weise, den Grund, eine Bedingung oder Einräumung aus=
zudrücken.

Nur das Particip ist verwendbar, wenn der Beweg=
grund (Motiv) der Handlung des Hauptsatzes angegeben werden
soll: Voyant qu'aucun de mes conseils n'était suivi, je me
retirai.

Nur das Gerundium steht bei der Angabe des Mittels:
Plusieurs empereurs romains essayèrent de sauver Rome
en abandonnant toutes les conquêtes lointaines.

Da das Gerundium in der Regel auf das Subjekt bezogen
wird, kann nach transitiven Verben ein Unterschied der Bedeutung
eintreten, je nachdem das Gerundium (auf das Subjekt bezogen),
oder das Particip (auf das Objekt bezogen) eintritt.

Je l'ai rencontré en descendant l'escalier (als ich herabkam).
Je l'ai rencontré descendant l'escalier (während er herabkam).

Anm. 1) Wenn das Subjekt eines Participialsatzes ein Substantiv ist,
so geht es demselben meist voraus, so daß der Participialsatz in den Hauptsatz
eingeschoben steht: Boniface, ayant adressé à Grégoire plusieurs questions sur
les règles de conduite qu'il devait observer à l'égard des Anglo-Saxons,
reçut de lui des réponses remplies d'une sagesse bienveillante et ingénieuse.
Früher trat in solchen Fällen oft vor das Hauptverb noch ein Personal=
pronomen (hier il reçut . . .), was jetzt nur äußerst selten vorkommt.

2) Nicht auf das Subjekt bezogen, steht das Gerundium als adverbiale
Bestimmung statt des mit der Präposition en nicht üblichen substantivierten

Infinitivs[1]: L'appétit vient en mangeant (während des Essens). La fortune lui est venue en dormant (beim Schlafen). On paie en servant (beim Servieren d. h. gleich nach Empfang). Si son astre, en naissant, ne l'a formé poète (Boileau).

Ganz beziehungslos steht das Gerundium in volkstümlichen (elliptischen) Redewendungen z. B. en vous remerciant (ich danke Ihnen).

3) Es ist nicht nötig, das Zusammentreffen des Pronominaladverbs en mit dem Gerundium zu meiden: Les barbares aspiraient à la civilisation, tout en en étant incapables (Guizot).

Ebensowenig das Zusammentreffen dieses en mit dem Particip: Saint Louis passa quatre années dans la Terre sainte, réparant les anciennes fortifications, en construisant de nouvelles, et rachetant des mains des infidèles plus de 10 000 chrétiens captifs.

4) Wenn mehrere Gerundien angereiht sind, kann en bei jedem wiederholt werden oder auch nur bei dem ersten stehen; die Auslassung von en findet gewöhnlich nur statt, wenn die Gerundien durch et verbunden sind: Par cette invention merveilleuse de l'imprimerie, le XVᵉ siècle changea les destinées du monde, en ouvrant tout un nouveau domaine à l'esprit humain et en multipliant les livres à l'infini (Magin). Les Rhinderwas de l'Inde croient remplir un devoir en tuant et mangeant leurs parents infirmes (C. Flammarion).

5) **Tout** kann als Verstärkung vor das Gerundium treten: Partagez-vous le travail, et la besogne sera mieux faite, tout en l'étant plus vite. Am häufigsten ist dies bei konzessivem Sinne, d. h. tout drückt aus, daß zwei Thätigkeiten, die sich auszuschließen scheinen, trotzdem gleichzeitig vor sich gehen: Les yeux des girafes sont placés latéralement de telle manière que, tout en broutant les feuilles des arbres élevés, l'animal peut découvrir au loin ses ennemis naturels, le lion et la panthère (Privat-Deschanel).

6) Die Bezeichnung Gerundium ist im Französischen zu eng gefaßt, da sie jedem eigentlichen Particip Präs. (im Unterschiede vom Verbaladjektiv) zukäme. Die franz. Grammatik legt aber nur dem von en begleiteten Particip den Namen *gérondif* bei; es ist daher praktisch, auch die franz. Bezeichnung beizubehalten.

In stehenden Redensarten findet sich das Gerundium ohne en: Donnant, donnant (*do ut des*, eine Hand wäscht die andere), selten en donnant, donnant. So immer littérairement parlant, moralement parlant u. s. w. (im litterarischen, moralischen Sinne). Mit oder ohne en steht das Gerundium nach aller (und den dafür eintretenden Formen von être, § 86, 2I.) für eine stetig fortschreitende Handlung: A partir de Louis le Débonnaire, le domaine royal alla (en) s'amoindrissant; à partir de l'an 1200, au contraire, il a toujours été (en) s'agrandissant.

---

[1] Manche sehen diesen Gebrauch als unkorrekt an; andere wieder erlauben jede Beziehungsweise des Gerundiums, sobald der Sinn klar hervortritt.

Das Particip des Präteritums.

§ 279. Das Particip ohne Hülfsverb.

L'amitié rompue ne se renoue point sans que le nœud paraisse.

Das ohne Hülfsverb gebrauchte Particip des Präteritums hat die Geltung eines Adjektivs und stimmt wie dieses in Geschlecht und Zahl mit dem zugehörigen Substantiv überein.[1]

Anm. 1) Ebenso das Particip, welches mit avoir prädikativ einem Substantiv beigefügt ist: Il nous parut avoir l'épaule démise. Dès que le roi eut les yeux fermés. Il eut la main forcée par les circonstances. Aussitôt que j'eus le dos tourné. (Vgl. il a les cheveux blonds, § 289, 1.) Man kann jedoch auch das Substantiv zum Objekt des mit avoir verbundenen Particips machen: Aussitôt que j'eus tourné le dos.

2) In der absoluten Participialkonstruktion ist das Part. Prät. immer veränderlich: La conquête de Chypre achevée, Richard Cœur-de-Lion rejoignit les Français sous les murs de Saint-Jean-d'Acre. Sehr übliche Formeln sind: Cela dit. Cela fait, Cela posé (nach dieser Annahme). Tout compté oder tout compte fait (alles in allem). Abstraction faite de. Toute réflexion faite. (Toute) proportion gardée (wenn der Vergleich statthaft ist). Pieds et poings liés. Tête baissée. Enseignes déployées.

Das Part. Präf. ist in ähnlicher Konstruktion in der Regel Verbaladjektiv, d. h. veränderlich, doch muß (nach den im § 277 gegebenen Regeln) auch manchmal das unveränderliche eigentliche Part. Präf. eintreten: Dieu aidant (mit Gottes Hülfe). Nous vivants (so lange[2] wir am Leben sind). Toute affaire cessante (mit Vernachläſſigung alles anderen). Le cas échéant (vorkommenden Falles). Séance tenante (sofort). Aber selbstverständlich: L'occasion s'offrant (bei sich bietender Gelegenheit). Für soi-disant vgl. § 314, A. 2.

3) Einige Participien Prät. (excepté, y compris, non compris, passé im temporalen Sinne u. a.) können ihrem Substantiv nachstehen und bilden mit demselben eine absolute Participialkonstruktion: Onze heures du soir passées, personne ne doit plus veiller dans cette maison. Oder sie stehen dem Substantiv voran und bleiben dann (wie Präpositionen) unverändert: Personne ne doit veiller passé onze heures. — Andere (attendu, vu, passé in lokaler Bedeutung) stehen nur voran und sind immer unveränderlich: Passé

---

[1] Nur das Part. passiver oder schon im Aktiv mit être konjugierter Verben ist so zu gebrauchen. Scheinbare Ausnahme ist paraître (un livre paru en 1850), weil in heutiger Sprache paraître nur noch mit avoir verbunden wird.

[2] De son vivant (zu seinen Lebzeiten), ebenso du vivant de . . .

Valence le peuple du Midi ne connaît guère que ce français-là (A. Daudet).
Compris kann (ohne y, non) nur nachstehen.

4) Wie im Lateinischen findet sich ein Part. Prät. in prädikativer Weise
dem Substantiv beigefügt, während deutsch ein entsprechendes Substantiv steht:
Arras sauvé, les lignes forcées, l'ennemi vaincu, comblèrent Turenne de
gloire (die Rettung von Atras u. s. w.). Sehr häufig tritt eine Präposition
(von temporaler Bedeutung) vor derartige Ausdrücke: Après la guerre de
Provence terminée. Après l'arrêt prononcé. Avant le jour failli. A la
nuit close. Ähnlich bei dem Part. Präs.: Au soleil levant. Deutsch: Nach
Beendigung des Krieges in der Provence (eigentlich: nach dem Kriege, diesen
Krieg als vollendet betrachtet).

§ 280. Das Particip mit Hülfsverb.

1) *Jeanne Darc fut condamnée à périr sur le bûcher.*
2) *Jeanne Darc périt sur le bûcher, un jugement inique
l'ayant condamnée.*

On brûla Jeanne Darc que ses ennemis avaient jugée et condamnée.
Combien d'innocents a-t-on condamnés à une mort injuste!
(Combien a-t-on condamné d'innocents!)
*On prétendit que Jeanne Darc s'était condamnée elle-même, en re-
mettant des vêtements d'homme.*

1) Das mit dem Hülfsverb être verbundene Particip des
Präteritums stimmt mit dem Subjekt überein. Ausgenommen
sind die Reflexive.

2) Das mit dem Hülfsverb avoir verbundene Particip des
Präteritums stimmt mit dem vorausgehenden Accusativobjekt
überein. Derselben Regel folgen die Reflexive.

Der Objektsaccusativ kann vorausgehen

a) als verbundenes Personalpronomen,

b) als Relativ,

c) als Interrogativ (lequel, quel, que de, combien de).

Anm. 1) Das mit être verbundene Particip der Reflexive wird behandelt wie das mit avoir verbundene Particip der Transitive, weil beide
Hülfsverben gleiche Funktion versehen (Ausdruck einer Thätigkeit). Dativobjekt ist das Reflexivpronomen z. B. in s'arroger, se plaire, se rire, se
succéder, se parler; immer, wenn ein Accusativobjekt schon vorhanden ist,
z. B. se donner la peine de faire qe. Also: Ces gens-là se sont arrogé
bien des droits (aber: Les droits que ces gens-là se sont arrogés).

Reflexive, zu denen ein Transitiv mit doppelter Rektion existiert, können
verschieden behandelt werden. Man sagt persuader qe à qn und persuader

qn de qe daher auch Nos adversaires se sont persuadé (oder persuadés) que
c'est nous qui avons tort.

2) Die einzige Ausnahme zu obigen beiden Regeln bildet die Redensart
il l'a échappé (manqué) belle (er kam von Glück sagen).

Zusatz. Um die richtige Anwendung der vorstehenden Regeln zu
erleichtern, ist zuzufügen:

1) Ein Objektsaccusativ ist nicht vorhanden und das mit avoir verbundene
Particip ist daher unveränderlich

a) Nach dem partitiven en: Les Romains furent effrayés par les élé-
phants de Pyrrhus, parce qu'ils n'en avaient jamais vu auparavant.
Auch wenn en ein Quantitätsadverb bei sich hat, läßt man am
besten das Particip unverändert.[1]

b) Die Participien der Verben marcher, courir, régner, vivre, dormir, valoir, estimer, coûter, acheter, peser und ähnlicher bleiben
unverändert, weil ihnen ein adverbialer Accusativ (der Entfernung,
der Zeit, des Wertes u. a.), aber nicht ein Objektsaccusativ vorausgeht kann: Les dix lieues que nous avons marché. Cette maison
a coûté 50 000 francs, mais elle ne les a jamais valu.
Sobald diese Verben mit veränderter Bedeutung wirklich transitiv
werden, verändert man ihr Particip: Quels dangers n'a-t-il pas courus
(bestanden). Les peines que ce travail lui a coûtées (verursacht).
Les désagréments que cette imprudence vous a valus (eingetragen).
Les alcools qu'on a pesés (gewogen, auf die Stärke geprüft). Les
événements qu'on a vécus[2] (durchlebt).

c) Bei unpersönlichen Verben ist vorausgehendes que Nominativ oder
wird doch (bei avoir und faire) als solcher betrachtet: Les soins
qu'il a fallu pour réussir. Les grands froids qu'il y a eu. La
chaleur excessive qu'il a fait.

2) In dem auf un de folgenden Relativsatz läßt das Particip zwei Be-
ziehungsweisen zu, nämlich auf den partitiven Genitiv oder (seltner)
auf das demselben vorausgehende un: Cet homme est un de ceux
que j'ai le plus aimés oder aimé (Demandre). Maxime éprouvait un
des plaisirs les plus vifs qu'il eût goûté de sa vie (Barracand).
In dem auf le peu de folgenden Relativsatz soll das Particip mit
dem partitiven Genitiv übereinstimmen, wenn positiver Sinn vorliegt
d. h. wenn durch le peu gesagt werden soll, daß der bezeichnete Gegenstand nur in geringer Quantität vorhanden ist: Athènes fut détruite

---

[1] Viele wollen hier eine Veränderung eintreten lassen, aber die Angaben
sind widersprechend und im Gebrauch nicht bestätigt. Mit Bestimmtheit läßt
sich nur sagen, daß Dichter der Reinheit des Reimes wegen hier verändern:
Combien en a-t-on vus Qui, du soir au matin, sont pauvres devenus!
[2] Dieser sehr übliche Gebrauch von vivre wird manchmal grundlos
verworfen. — Erleben: vivre pour voir qe.

par les Perses, et le peu d'habitants que les oracles avaient retenus dans la citadelle, périrent par le fer (Poisson). Wenn dagegen le peu de negativ iſt, d. h. wenn es das Vorhandenſein des bezeichneten Gegenſtandes nahezu ausſchließt[1] ſoll das Particip unveränderlich ſein, d. h. auf le peu bezogen werden. Aber auch hier iſt es üblicher, die Übereinſtimmung mit dem Genitiv eintreten zu laſſen: Le peu de progrès que cette science (la métaphysique) a faits depuis longtemps, montre combien il est rare d'appliquer heureusement ces principes (d'Alembert).

3) Wenn auf ein Particip ein (reiner oder präpoſitionaler) Inſinitiv folgt, ſo iſt zu beachten, ob das vorausgehende Accuſativobjekt von dem Inſinitiv oder von dem Particip abhängig iſt; nur im letzteren Fall kann das Particip verändert werden:

a) Entendu, vu, laissé gefolgt von einem Inſinitiv werden verändert, wenn der Inſinitiv aktiven Sinn hat, ſie bleiben unverändert, wenn er paſſiven Sinn hat.[2] La cantatrice que j'ai entendue chanter. Aber: Les airs que j'ai entendu chanter. Es iſt zu bemerken, daß naître aktiven Sinn hat, daher: Les hommes célèbres que notre pays a vus naître.

b) Fait bildet mit nachſolgenden Inſinitiven *) einen einzigen Verbal‑ begriff; der Accuſativ iſt von dieſem Begriff, nicht von fait abhängig, daher keine Veränderung: Les abus qu'on a fait cesser. Les projets que le père avait conçus, le fils les a fait exécuter.

c) Das Particip der Verben des Denkens und Sagens iſt unveränderlich vor einem Inſinitiv, von welchem das Objekt abhängt: Les précautions qu'il a oublié de prendre. Les fortes couleurs qu'il a cru devoir employer. Les crimes qu'il a nié avoir commis. La voie qu'il s'est proposé de suivre.

d) Ebenſo das Particip der modalen Hülfsverben (devoir, pouvoir, vouloir, ſowie oser), mag ein Inſinitiv folgen oder zu ergänzen ſein: On lui pardonne toutes les folies qu'il a pu se permettre. On vous a arraché tous les engagements qu'on a voulu.

e) Wie bei avoir à faire doppelte Stellung des Objeksaccuſativs möglich iſt (vgl. § 223 Anm.), kann auch das Particip verſchieden behandelt werden: Les guerres que ce roi a eu (oder ſeltener eues) à soutenir.[3]

*) Für faire in Verbindung mit einem Inſinitiv iſt zu merken:
1) Das Particip fait iſt ſtets unverändert.

---

[1] In dieſem Falle iſt le peu der Hauptbegriff, während im vorangehen‑ den Falle der Nachdruck auf den partitiven Genitiv fällt. Vgl. auch die Konkordanz des Verbs.

[2] D. h. der Accuſativ hängt (vermittelſt einer dem Deutſchen gekünſtelt erſcheinenden Analyſis) von dem Inſinitiv ab.

[3] Die Regeln über die Veränderlichkeit des Particips haben ſich nur allmählich ausgebildet. Im Altfranz. machte es keinen Unterſchied, ob das

2) Der reflexive Infinitiv verliert sein Pronomen (vgl. § 77).

3) Das von dem Infinitiv abhängige pronominale Objekt tritt vor faire (vgl. § 179, 2); der substantivische Subjektsaccusativ tritt hinter den Infinitiv (vgl. § 302, 1).

Zwischen faire und den Infinitiv können nur treten

1) Adverbien (mit Einschluß des Negationsfüllworts): Jean sans Peur fit traîtreusement assassiner le duc d'Orléans. Vgl. § 225, I.

2) Pronominales Subjekt in der Inversion: Pourquoi ne le faites-vous venir?

3) Pronominales Objekt bei affirmativem Imperativ: Faites-le venir.

IV. Der Artikel und das Substantiv.

§ 281. Verwendung der Artikel.

Der bestimmte Artikel ist aus dem Demonstrativ, der unbestimmte Artikel aus dem Zahlwort entstanden.

Beide begleiten das Substantiv oder andere Redeteile, wenn dieselben wie Substantive gebraucht werden.

Während das Substantiv den Artbegriff im allgemeinen darstellt, sondert das von dem Artikel begleitete Substantiv ein oder mehrere Einzelwesen oder Einzeldinge aus diesem Begriffe aus.

In ihrem Gebrauche fallen der bestimmte und mehr noch der unbestimmte Artikel mit der im Deutschen üblichen Verwendung dieses Redeteils zusammen. Die Ausnahmefälle werden im folgenden angegeben.

§ 282. Der Artikel bei Personennamen.

César vainquit les fils de Pompée (des Pompejus) *dans les plaines de Munda.*

Wie im Deutschen stehen Personennamen ohne Artikel. Die Kasuspräpositionen und die Regeln der Wortstellung erlauben im Französischen die Weglassung des Artikels auch da, wo die mangelnde Flexionsform uns zwingt, denselben zu gebrauchen.

Objekt vorausging oder folgte, das Particip war in beiden Fällen veränderlich. Noch zu Ende des vorigen Jahrhunderts wollten viele das Particip nicht mit dem vorausgehenden Objekt übereinstimmen lassen, wenn das Subjekt invertiert war, also dem Particip nachfolgte. So wie die Regeln oben gegeben sind, kann man sie als logisch richtig anerkennen, und der Gebrauch befolgt sie streng. Im einzelnen läßt sich manches bemängeln, und man findet es begreiflich, daß ein französischer Schüler ärgerlich ausruft: Ces participes! tantôt ils s'accordent, tantôt ils ne s'accordent pas. Quel sale caractère!

Anm. 1) Viele französische Familiennamen sind mit dem Artikel zusammengesetzt: Lesage, Lesueur, Lemaire (männlicher Artikel jetzt mit dem Substantiv vereinigt), la Fontaine, la Rochefoucauld, la Bruyère (weiblicher Artikel vom Substantiv getrennt). Tiernamen, die zu Familiennamen werden, erhalten im Franz. den Artikel: Lebœuf, Lecoq, Lelièvre, Loiseau u. s. w. Ebenso die Adjektive: Legrand, Lejeune, Lefort, Lebel, Leblanc, Lebrun u. s. w. Jedenfalls darf der männliche Artikel nicht mit der Kasuspräposition verschmelzen: Les romans de Lesage (de Le Sage nach alter Orthographie).

Zahlreiche Namen haben den Artikel im Genitiv: Dumont, Dupré, Dupuis, Dutertre, Delavigne, Delagrange, Delahaye u. s. w. Meist sind dies Namen, die ursprünglich Findlingen beigelegt wurden.

2) Eine Anzahl (besonders italienischer) Dichter- und Künstlernamen erhalten (nach italienischem Muster) den bestimmten Artikel[1]: l'Albane, l'Arioste, le Camoëns, le Corrège, le Tasse u. a. Dieselben finden sich jedoch auch ohne diesen Artikel und Formen wie Ariosto, Torquato Tasso dürfen denselben nicht annehmen. Nur mißbräuchlich werden oft auch noch Dante, Guide (Guido Reni), Giotto, Titien mit Artikel gebraucht.[2] Auch bei dem Namen eines französischen Malers steht öfter der Artikel: le Poussin (neben Poussin oder Nicolas Poussin). Hier findet Verschmelzung statt: La Jérusalem délivrée du Tasse.

3) Durchaus veraltet ist es, vor die Namen von Künstlerinnen la zu setzen: la Champmeslé (s stumm), la Malibran, la Grisi.

4) Jésus-Christ, dagegen le Christ (auch ohne Artikel).[3] Man sagt nur la Madeleine (biblische Magdalena) und la Pythie (Appellativ, vgl. le Pharaon). — Dieu erhält keinen Artikel[4]; derselbe fehlt auch, vom deutschen Gebrauch abweichend, bei Satan. Ähnlich Scylla, Charybde.

5) Personennamen mit unterscheidendem Zusatz erhalten den Artikel: le Jupiter des anciens, le Satan de Milton, la Béatrix (spr. *-iss'*) de Dante, le Napoléon de 1804. Nachgestelltes Adjektiv bedingt nicht den Artikel: Dieu tout-puissant[5], Jupiter Olympien, Frédéric le Grand. Turenne osa résister à Louvois tout-puissant. Dagegen verlangt denselben ein voranstehendes Adjektiv: le grand Frédéric, le pieux Fénelon: Der Artikel steht indessen nicht vor saint (saint[6] Louis, aber la Saint-Louis Ludwigstag) und feu; er fehlt auch vor Adjektiven, welche nur schmückende Beiwörter sind:

---

[1] Vgl. Études etc. II, 267.
[2] Es sind Vornamen und der Artikel vor ihnen ist so wenig gerechtfertigt, wie er es in le Raphaël (le Sanzio dagegen ist richtig) sein müßte.
[3] Vgl. Études etc. II, livr. 6.
[4] In der Verbindung mit Dieu fällt der Artikel auch bei diable weg: devoir à Dieu et à diable (überall Schulden haben).
[5] Aber par le Dieu tout-puissant.
[6] Über die Orthographie vgl. § 44, 8.

Nous accourûmes tous; petit Paul[1] était mort, une balle lui avait troué la poitrine.

6) Perſonennamen ſtehen mit dem Artikel, wenn ſie auf Berge oder Flüſſe übertragen werden: le Saint-Gothard, le Saint-Laurent. Bildwerke, welche nach dem Dargeſtellten genannt ſind, haben gleichfalls Artikel: le Saint-Pierre, le groupe du Laocoon, la Vénus de Médicis (beide Schluß:s laut). Nie ſteht der Artikel bei der Übertragung von Perſonennamen auf Städte oder Geſtirne: Saint-Denis. Mercure, Vénus, la Terre, Mars, sont les planètes les plus rapprochées du soleil.

Einem Schriftwerk beigelegte Perſonennamen haben den Artikel meiſt nur bei unterſcheidendem Zuſatz: Phèdre, aber la Phèdre de Racine. Stets: le Télémaque.

Als Schiffsnamen gebraucht erhalten Perſonennamen den Artikel: le Nelson, la Jeannette, le La Galissonnière; bei vorantretendem Appellativ kann derſelbe fehlen: le cuirassé (le) Nelson.[2]

Andere Fälle vgl. bei § 116. Der Artikel kann auch im partitiven Sinne ſtehen: C'est du Thiers, avec ses qualités et ses défauts (der Stil von Thiers, in der Art von Thiers).

§ 283. Der Artikel bei Städtenamen.[3]

La Mecque est la ville sainte du mahométisme.

Eine Anzahl von Städtenamen haben den Artikel, meiſt weil ſie urſprünglich Appellative[4] ſind: le Caire (Kairo), la Chaux-de-Fonds, la Corogne (Coruña), le Creusot (oder -zot), le Ferrol, la Ferté, la Havane, le Havre, la Haye (der Haag), le Locle, le Mans, la Mecque, le Puy, la Rochelle, la Spezzia (italieniſcher Kriegshafen). Vera-Cruz ſteht jetzt meiſt ohne den Artikel (la).

Anm. 1) In Lille (aus l'île) und Lorient (aus l'Orient) iſt der Artikel mit dem Worte verſchmolzen.[5] — Unrichtig ſagt man öfter les bouches

---

[1] Ebenſo engliſch Blind Harry u. a.

[2] In dieſem Falle können auch Ländernamen ohne Artikel ſtehen: le paquebot (la) Bretagne.

[3] Vgl. Études etc. I, livr. 4, II, 321, 323.

[4] So heißen viele Orte la Ferté, mit einem unterſcheidenden Zuſatz (d. h. die Feſtung) und la Haye (der Hag, der Buſch); le Puy (der Berg) iſt ein Name, den noch mehrere hohe Berggipfel führen, la Rochelle heißt der Fels (Diminutiv). Le Havre bedeutet einen natürlichen Hafen.

[5] Ebenſo in einzelnen Appellativen: le lierre (aus l'ierre Epheu, lat. hedera), le lendemain (l'en-demain) u. a. So unſer Lafette (aus l'affût). In la Pouille (Apulien) hat umgekehrt der Artikel den Vokal des folgenden Wortes an ſich gezogen.

du Cattaro ſtatt de Cattaro, weil man irrtümlich Cattaro als Flußnamen auffaßt.

2) Ein unterſcheidender Zuſatz bedingt den Artikel: la Nouvelle-Orléans; la Tyr d'aujourd'hui; la Rome de l'Orient.

Nachgeſtelltes Adjektiv kann auch ohne Artikel ſtehen (la Rome moderne oder Rome moderne), voranſtehendes iſt dagegen ſtets vom Artikel begleitet, auch als ſchmückendes Beiwort: l'ancienne Rome, la fière Venise.

3) Vor Städtenamen, mögen ſie den Artikel haben oder nicht, ſteht auf die Frage wo? oder wohin? die Präpoſition à oder dans, niemals en. Letzteres war früher üblich und hat ſich vor vokaliſch anlautenden Namen im Süden erhalten, ſo daß man hin und wieder finden kann en Avignon, en Arles, en Alger, en Aps u. a. Vgl. das Ergänzungsheft und Études etc. II, 278.

§ 284. Der Artikel bei Ländernamen.[1]

L'Allemagne est une vaste contrée qui s'étend dans le milieu de l'Europe.

Vom deutſchen Gebrauche abweichend haben die Namen von Erdteilen, Ländern, Provinzen und großen Inſeln den beſtimmten Artikel.

Anm. 1) Keinen Artikel dulden Galles (Wales, daher faſt ſtets le pays de Galles), Terre-Neuve (Neufundland) und die poetiſchen Namen Érin, Albion (doch la verte Érin, la perfide Albion). — Ebenſo die nach einer gleichnamigen Stadt benannten Länder: Bade, ehemals Naples, Parme, Modène; daher meiſt le grand-duché de Bade[2] u. ſ. w. Mit Artikel ſtehen trotzdem: le Brandebourg, le Brunswick, le Hanovre, le Lauenbourg, le Luxembourg, le Maroc, le Mexique (die Stadt heißt Mexico), l'Oldenbourg[3]. Beifügung der Hauptſtadt als unterſcheidender Zuſatz (§ 283 A. 2) kann den Artikel nicht hindern: la Hesse-Darmstadt, le Mecklembourg-Schwérin; man ſetzt denſelben indeſſen nicht bei Saxe-Weimar-Eisenach und ähnlichen.

2) Die größeren Inſeln haben den Artikel (werden wie Länder behandelt): la Sicile, la Corse, l'Irlande, la Crète (oder Candie); die kleineren ſtehen ohne denſelben (werden wie Städte behandelt); Malte, Corfou, Chypre; meiſt wird l'île de vorangeſetzt: l'île d'Elbe, l'île de Candie, les îles Lofoden, les îles Lipari ou d'Éole.

---

[1] Vgl Études etc. II, 271 u. Fortſ. in der Beilage zum Jahresbericht der IV. Realſch. Berlin, 1897.
[2] Ebenſo aber auch bei kleinen Staaten, die nicht eine gleichnamige Stadt enthalten: le duché d'Anhalt, la principauté de Waldeck u. a.
[3] Bemerke Alger, Tunis, Tripoli, Venise als Städte, l'Algèrie, la Tunisie, la Tripolitaine, la Vénétie als Länder.

§ 285. Ländernamen ohne Artikel.

1) *Le roi de Prusse; l'ambassadeur de Russie; la couronne d'Espagne.*
2) *Résider en France; aller en Angleterre* (à Londres), aber partir pour l'Angleterre (pour Londres).
3) *Revenir d'Italie; être banni de France.*
4) *Les laines d'Espagne.*
5) *Les ports d'Allemagne* ober *de l'Allemagne.*

In einzelnen Fällen steht der Ländername ohne Artikel. Dazu ist aber Bedingung, daß er nicht im Plural steht, keine attributive Bestimmung bei sich hat, meist auch daß er nicht die männliche Bezeichnung eines entlegenen Landes ist.[1] Der Artikel fehlt unter diesen Bedingungen:

1) Nach allen Bezeichnungen eines Landes als eines politischen Staatsganzen, seiner Beherrscher, Vertreter oder Vertretungen, z. B. empire, royaume, duché, principauté, empereur, roi, vice-roi, régent[2], duc, prince, ambassadeur, ministre, consul, ambassade, légation, sowie trône, cour, couronne u. a.[3]

Dagegen le roi des Pays-Bas, l'impératice des Indes. Männliche Wörter sind nur ausgenommen, wenn es Namen entlegener Länder sind: le consul du Pérou, la légation du Chili, l'empereur du Brésil (du Japon), Maximilien du Mexique, le sultan du (ober de) Maroc, le roi du (ober de) Pont (Pontus). Titel früherer Zeit ist le duc du Maine. Manchmal noch l'empereur, l'ambassadeur de la Chine.[4] — Le Royaume-Uni de Grande-Bretagne et d'Irlande trotz attributiver Bestimmung; aber le roi, la reine de la Grande-Bretagne.

---

[1] Weil in diesem Falle der Ländername weniger ein politisches Staatsganze als einen ziemlich unbestimmten geographischen Begriff bezeichnet. Solche Namen nähern sich dem substantivischen Adjektiv, z. B. le Milanais und ähnlich deutsch: das Mailändische, im Preußischen, aus dem Österreichischen.

[2] Vornundschaftlicher Reichsverweser, nicht Regent (dieses ist le souverain).

[3] Auch Robert de Normandie. In allen diesen Fällen ist der Ländername appositiver oder unterscheidender Zusatz statt des nicht oder weniger üblichen Adjektivs (§ 373 A. 1 b). Während man aber la couronne de France sagt, kann man nur le drapeau de la France sagen (possess. Gen.). Vgl. auch bei 5.

[4] Nicht le roi de la Grèce. Man sagt ausschließlich le roi de Grèce, le roi des Hellènes.

2) Auf die Frage wo? steht bei Ländernamen en ohne Artikel, ebenso auf die Frage wohin? Doch tritt in dem letzteren Falle pour mit dem Artikel ein nach partir, s'embarquer, faire voile (absegeln), faire route (fahren), se mettre en route (en chemin).

Dagegen steht à statt en bei pluralischen Namen: aux États-Unis, aux Indes. Maskuline sind auch hier nur ausgenommen, wenn sie entlegene Länder bezeichnen: au Canada, au Bengale, au Japon. Aus= nahmsweise auch au Maine, au Perche. Früher auch à la Chine. Wenn der Ländername ein Adjektiv oder einen Genitiv bei sich hat, steht dans mit dem Artikel: dans la France méridionale, dans l'Amé- rique centrale und oft dans les Pays-Bas; doch kann auch in diesem Fall bei singularischen Namen der Artikel fehlen, wenn das Adjektiv mit dem Namen verschmolzen ist: en Asie Mineure, en Franche-Comté, en Nouvelle-Calédonie, en basse Bretagne und so auch en Terre sainte.

Bei Inseln: à Ceylon, à (oder en) Chypre, à l'Ile de France (aber dans l'Ile de France, wenn die Provinz bezeichnet werden soll).

Ohne ersichtlichen Grund steht öfter dans mit dem Artikel (statt en ohne denselben) bei Ländernamen, gerade wie vor Städtenamen dans neben à vorkommt.

3) Auf die Frage woher? steht de gewöhnlich ohne Artikel. So nach partir, venir, revenir, bannir, meist auch nach chasser, expulser, être originaire. Ähnlich hors de France.

Dagegen: venir des Indes (oder de l'Inde[1]), de l'Amérique du Nord, de oder du Portugal, du Brésil.

4) Um den Ursprung eines Gegenstandes anzuzeigen, wird statt eines Adjektivs der Name des Landes mit bloßem de bei= gefügt.

Dagegen: un cachemire des Indes und de la mousseline de l'Inde, des fourrures de l'Amérique septentrionale, la topaze du Brésil, la porcelaine du Japon, aber les vins de Portugal (kein entlegenes Land).

5) Ähnlich tritt in vielen Fällen der Name des Landes mit bloßem de ein, wo nur eine geographische Bestimmung ge= geben werden soll, während de mit dem Artikel einen possessiven Genitiv darstellt: les frontières de la France sont ou maritimes ou continentales die Landesgrenzen Frankreichs

---

[1] L'Inde nur äußerst selten ohne Artikel.

stoßen teils an die See, teils an Nachbarländer; aber la révolution de 1789 ne s'arrêta pas à la frontière de France oder l'armée de Mac-Mahon se trouva acculée à la frontière de Belgique et enfermée dans Sedan.

Der Unterschied ist nicht immer scharf. Man sagt la guerre de Crimée, d'Italie, l'expédition d'Égypte, aber la guerre du Mexique, de la Vendée. L'histoire de France, de Prusse, aber l'histoire du Languedoc, du Brandebourg, auch l'histoire de l'Allemagne, de l'Angleterre; la géographie de (la) France. La question d'Orient (oriental. Frage), la question de Grèce; aber la question du Maroc, de l'Afghanistan (männl. Name meist mit Artikel).

Beliebig la noblesse d'Allemagne und de l'Allemagne, les villes d'Amérique und de l'Amérique, les peuples d'Europe und de l'Europe¹, les côtes de Provence und de la Provence; ebenso nach dem Superlativ: la plus belle ville (une des plus belles villes) d'Italie und de l'Italie. Das Schwanken entspricht in diesen Fällen unsrer Freiheit zu sagen: die deutschen Küsten oder die Küsten Deutschlands.²

Zusatz. Wie Appellative können auch die Ländernamen ohne Artikel stehen als Prädikat: La Gaule est devenue France. Bei Aufzählungen: Espagne, Italie, Pologne, Belgique, tout eût pris feu. Als Titel oder Überschrift: Espagne. Description physique de la péninsule Hispanique. In Parenthese: Les défilés les plus célèbres sont les Thermopyles (Grèce) et les Fourches Caudines (États romains).

§ 286. Der Artikel bei Flussnamen.³

Coblentz est une ville très forte, au confluent de la Moselle et du Rhin.

Die Flußnamen können in der Regel nicht ohne den bestimmten Artikel gebraucht werden.

Anm. 1) Ohne Artikel stehen Flußnamen, wenn sie mit sur als stehender Zusatz zu einem Städtenamen treten: Châlons-sur-Marne und ebenso Boulogne-sur-Mer. Dagegen bleibt der Artikel in Francfort-sur-le-Main (c in Francfort laut), Francfort-sur-l'Oder. Auch in französischen Namen bleibt vielfach der Artikel.

2) Auf die Frage wo? steht oft en ohne Artikel: Un abordage (Zusammenstoß) a eu lieu en Seine. Ebenso en Manche (im Kanal), en mer.

---

¹ Dagegen soll nur les nations de l'Europe gesagt werden.
² Über den Gebrauch des Adjektivs in solchen Fällen vgl. Études etc. II, 325.
³ Vgl. Études etc. II 279 ff. u. II, livr. 6.

Plattner, Grammatik. I. r. 21

3) Man sagt le vin du Rhin, de la Moselle, les crus de la Gironde, ebenso du vin de la Moselle (auch de Moselle). Soll die bloße Herkunft bezeichnet werden, so kann bei weiblichen Namen der Artifel fehlen: l'eau de Seine, l'eau de Marne, des galets (Kiesel) de Durance.

§ 287. Gattungs- und Artbegriff in attributivem Verhältnis.

1) Nach Titeln stehen Personennamen ohne Artikel, dagegen steht vom deutschen Gebrauch abweichend der Artikel vor dem Titel: l'empereur Frédéric II, le roi Henri IV, le pape Léon X, le baron Haussmann u. s. w. Ländernamen stehen ohne, seltener mit Artikel: le roi de Danemark, l'empereur du Brésil, vgl. § 285, 1.

Die Höflichkeitstitel monsieur, madame, mademoiselle, monseigneur haben dagegen keinen Artikel vor sich: Monsieur Durand (doch le sieur Durand), ebenso messieurs de l'Académie. Folgt auf diese Wörter eine weitere Standesangabe, so tritt Artikel oder Possessiv in die Mitte: madame la comtesse de Vernon, monsieur le président Hénault, mademoiselle votre cousine. Aber madame veuve Durand. Vgl. § 182 A.

Nur mit dem Artifel stehen le docteur, le père (abgekürzt P. = Pater): le docteur Livingstone, le P. Lecointe. Nur ohne Artifel maître (abgek. Me, Titel für Abvofaten und Notare), don, lord, lady[1]: maître Clément, lord Wellington, lady Evendale. Bald mit bald ohne Artifel frère und sœur (Klosterbruder, Ordensschwester).

2) Bezeichnungen politischer Art haben einen Ländernamen ohne, seltener mit Artikel nach sich: le royaume de Danemark, l'empire du Brésil, vgl. § 285, 1.

Man sagt la province de Normandie, de Touraine, aber la province du Perche, du Languedoc; le canton de Neuchâtel, de Soleure (Solothurn), aber le canton du Vallais (ältere Form Valais).

Le département de la Manche, du Nord, de l'Yonne, du Lot, aber le département d'Eure-et-Loir, de Tarn-et-Garonne, de Seine-et-Oise,

---

[1] Die beiden letzteren manchmal noch mit Artifel: l'escadre du lord Saint-Vincent.

d. h. der Artikel fehlt bei der Verbindung zweier Flußnamen.[1] Daher dans le Nord, aber en (dans) Seine-et-Oise.

3) Bezeichnungen geographischer Art haben Ländernamen ohne Artikel nach sich: le pays de France.[2] Ebenso Städte= namen: la ville de Paris, de Saint-Denis, aber le port du Havre, la ville du Caire.

In gleicher Weise l'ile d'Elbe, de Malte, aber l'ile Sainte-Marguerite, l'ile Melville (§ 288, 1). Einzelne Inselnamen behalten (wie einzelne Städtenamen) immer den Artikel: la Martinique, la Désirade, la Bar- bade, la Trinité, la Jamaïque u. a. Die Bezeichnung l'ile wird vor diesen selten gebraucht (l'ile de la Martinique), der Artikel kann aber in diesem Falle so wenig wegfallen wie in la ville de la Rochelle.

Nach le mont stehen Bergnamen ohne Artikel: le Vésuve, aber le mont Vésuve, le mont Saint-Jean (Waterloo), le monastère du Mont- Cassin. Nach la montagne schwankt der Gebrauch, doch wird der Name nie unmittelbar angefügt: la montagne d'Athos, la montagne du Chimboraço, la montagne le Chimboraço. Nach fleuve und rivière sollen männliche Flußnamen mit, weibliche ohne Artikel stehen: le beau fleuve du Danube, la rivière de Marne. Doch sind Abweichungen nicht selten[3] und am besten sagt man le Danube, la Marne. Antike und fremde Flußnamen haben nach fleuve weder de noch Artikel: le fleuve Indus, Hudson, Zambèze.

Zusatz. Wie Namen werden auch gewöhnliche Wörter und Ausdrücke behandelt nach le mot, le cri, le nombre u. a. Le mot hat nie den Artikel und selten de nach sich[4]: le mot (de) civilisation. — Le cri hat immer le, nombre nie de nach sich: le cri de Vive le roi! le nombre sept.

Bezeichnungen einer Litteraturgattung haben de nach sich, mit oder ohne Artikel, je nach der Art des folgenden Wortes: la pièce de Roméo et Juliette, le roman du Chevalier au lion, le poème du Purgatoire; selten werden zwei durch et verknüpfte Substantive beide mit de verbunden: la fable du Vieillard et de ses enfants. Auch la fable le Torrent et la rivière.

Nach le journal immer Artikel, nie de: le journal le Soleil, la France, le Voltaire.

---

[1] Gegen diese Regel wird auch von Franzosen vielfach verstoßen. Ebenso l'armée du Rhin, de la Loire, aber l'armée de Sambre-et-Meuse; le canal du Loing, de la Somme, aber le canal d'Ille-et-Rance.

[2] Und so le pays d'Empire das Reichsland.

[3] Vgl. Études etc. II, 284.

[4] Dieses de steht meist doch nicht ausschließlich vor Substantiven. Wie ist das Beispiel in § 246, A. 2 b aufzufassen?

21*

§ 288.   Namen in determinativer Weise dem Substantiv
beigefügt.

1) Wenn einem Gattungsnamen ein Personenname zur näheren
Bestimmung beigegeben wird, so werden beide Wörter un=
mittelbar verbunden.[1]   Die zu bestimmenden Gattungsnamen
sind:

a) Örtliche oder geographische: la place Saint-Marc (c laut),
la rue Mirabeau, l'église Saint-Pierre, le collège
Charlemagne, l'hôpital Lariboisière, la caserne Sévigné, la salle Sainte-Cécile, la villa Amélie, la
terre François-Joseph, le cap Charles, le canal Saint-
George.[2]

b) Bezeichnungen militärischer Verbände, welche in Frank=
reich nach dem Kommandierenden benannt werden: la
division Desaix, la brigade Margueritte.

c) Erzeugnisse der Kunst und der Gewerbe, welchen der
Name des Künstlers, Erfinders oder Herstellers beigegeben
wird[3]; gleiche Gegenstände, denen ein Personenname zur
Bezeichnung des Stils oder der Form beigelegt wird;
endlich Gesetze, Aktenstücke u. dgl., welche nach ihrem
Urheber benannt werden: la carabine Minié, l'extrait
de viande Liebig, des meubles Louis XV, un fau-
teuil Voltaire, le code Napoléon, la note Gortscha-
koff, la proposition Albert Grévy u. a.

Auch in l'église Notre-Dame, le château Saint-
Ange (Engelsburg) wird selten de eingefügt, weil der
Zusatz fast Eigenname geworden ist.   Doch rue de Buffon
u. a. (de hier die zum Namen gehörige Adelspartikel).

2) Besteht der Zusatz aus einem Ländernamen, so wird de
ohne Artikel eingeschoben, wenn er weiblich, de mit Artikel,

---

[1] Der Name steht für die heutige Sprache im Nominativ, ursprünglich
aber ist er unbezeichneter Genitiv wie Dieu in hôtel-Dieu, fête-Dieu.

[2] Hier selten Georges, weil die englische Form des Namens beibehalten
wird (§ 43).

[3] Auch degré gehört hierher; daher 8 degrès Réaumur, l'échelle
Réaumur (Skala). Grad Celsius heißt degré centigrade. 1 degré Fahrenheit
vaut 5/9 de degré centigrade. Früher degré de Réaumur.

wenn er männlich ist: rue d'Allemagne, rue de Lorraine, aber rue du Poitou. Flußnamen stehen mit dem Artikel: rue de la Loire, rue du Rhône, außer rue de Seine.

3) Städtenamen werden mit bloßem de angefügt: rue de Francfort. Doch rue du Caire u. a.

4) Gewöhnliche Appellative haben de mit Artikel: rue de la Paix, place de la Concorde. Doch le cap de Bonne-Espérance.

Anm. Während bei den im § 287 aufgezählten Verbindungen das nach de stehende Substantiv den Gattungs- oder Hauptbegriff enthielt, zu dem das vorhergehende Substantiv den Artbegriff gab, liegt in den oben aufgezählten Verbindungen der Hauptbegriff in dem ersten Substantiv, welches durch das folgende näher bestimmt wird.

Dasselbe ist der Fall in le titre de roi, le surnom d'Africain, l'épithète de Désiré, la réputation d'homme supérieur, l'uniforme de colonel, le costume de capitaine des gardes, le rang d'amiral, la qualité de député, les fonctions de président, Ausdrücke, welche eine unechte Zusammensetzung (Juxtaposition) bilden. Deutsch: der Königstitel, der Titel eines Königs, der Beiname des Afrikaners. Im Französischen darf der unbestimmte Artikel nie eingeschoben werden; der bestimmte Artikel findet sich nur nach nom: Louis de Bourbon, connu depuis sous le nom du grand Condé (Voltaire). Un traité célèbre sous le nom de la Sainte-Alliance (E. de Bonnechose).

§ 289. Bestimmter Artikel abweichend vom Deutschen.

Der bestimmte Artikel steht in folgenden Fällen, in welchen deutsch der unbestimmte oder kein Artikel üblich ist:

1) Bei Stoffnamen: Le platine, l'or, le plomb et l'argent sont les métaux les plus pesants.

2) Bei Abstrakten und in Sätzen allgemeinen Inhalts: L'envie et l'avarice ne meurent jamais. In sprichwörtlichen Redensarten fehlt jedoch vielfach der Artikel: Expérience passe science. A quelque chose malheur est bon. Comparaison n'est pas raison.

3) Wenn körperliche oder geistige Eigenschaften mit avoir angegeben werden (doch kann auch unbestimmter Artikel stehen): Il a les cheveux blonds. Calvin avait le front haut, l'œil étincelant, l'âme forte, l'esprit vif, peu inventif, mais très vigoureux, une mémoire prodigieuse.

Ähnlich avoir la tête dure (schwer von Begriff), avoir le cœur oppressé, avoir la main heureuse, avoir le plaisir triste (beim Vergnügen schwer= müthig sein) u. a.

Und so bei der Angabe eines körperlichen Leidens vermittelst avoir: avoir mal à la tête, mal à la gorge u. s. w.

Dagegen le mal (des maux) de tête, des rages de dents (schreckliches Zahnweh) u. a.

4) Die Namen der Himmelsgegenden haben den Artikel: le nord, le sud, l'est, l'ouest, ebenso le midi (Süden[1]). Die Winde werden bezeichnet: le vent du nord, du sud, le vent du nord-ouest, du sud-est.[2] Ausgenommen le vent d'est, le vent d'ouest, d. h. Artikel fehlt vor Vokal.

5) Die Feste stehen mit dem Artikel (außer Pâques, Noël): la Pentecôte, l'Ascension, l'Assomption (p laut), la Saint-Jean u. a.

La Noël wird von der Grammatik als fehlerhaft bezeichnet, ist aber ungemein häufig.

6) Elliptisch: être habillé à la turque (türkisch gekleidet), s'en aller à l'anglaise (ohne Abschied weggehen). — Distri= butiv: une étoffe qui coûte 3 francs le mètre; les deux kilog. de pain sont vendus à raison de 90 centimes. — Über les deux tiers vgl. § 170. — Le ministre de la justice, de la guerre, des finances u. s. w.

§ 290. Bestimmter Artikel in, Redensarten.

Aimer le vin gerne Wein trinken.

Avoir le temps Zeit haben. Il n'a pas le sou (pas un sou vaillant keinen roten Heller).

Bâtir sur le sable auf Sand bauen.

Se casser le bras einen Arm brechen. Se démettre l'épaule sich eine Schulter ausrenken.

Commander le respect Achtung gebieten.

Comprendre (entendre, savoir) le français Französisch verstehen. Ap= prendre l'anglais Englisch lernen. Aber parler français, parler argot (Gaunersprache).

---

[1] Midi (der Mittag) ohne Artikel.

[2] Erlaubt aber kaum gebräuchlich ist le vent de nord-ouest u. s. w. Dagegen un vent de nord-ouest vgl. § 287. Vielfach le nord-ouest u. s. w. Über die Bindung s. § 34. — Selbstverständlich darf diese Angabe nicht auf die ähnlich lautenden Bezeichnungen für Eisenbahnen übertragen werden. Man sagt le chemin de fer du Nord, le ch. de f. de l'Est, le ch. de f. de l'Ouest.

Cracher le sang Blut speien.

Le feu s'est déclaré Feuer ist ausgebrochen.

Donner le change betrügen, prendre le change sich betrügen lassen; donner l'alarme warnen, prendre l'alarme besorgt werden, donner la chasse à qn nachsetzen, verfolgen.

Être le bienvenu willkommen sein.

Faire la guerre à qn bekriegen, faire la paix Frieden schließen, demander la paix um Frieden bitten, faire l'aumône ein Almosen geben, demander l'aumône um ein Almosen bitten; faire le commerce Handel treiben, faire la grimace das Gesicht verzerren, ein langes Gesicht machen; faire la haie Spalier bilden.

Fermer l'œil sur qe ein Auge zudrücken.

Jeter la pierre à qn über jem. aburteilen; jeter l'ancre Anker werfen, lever l'ancre Anker lichten.

Garder le silence Schweigen beobachten (faire silence schweigen, faire le silence Ruhe herstellen, imposer silence Ruhe gebieten, passer sous silence mit Stillschweigen übergehen).

Mettre le feu à qe in Brand stecken; mettre le siège devant une ville belagern.

Prendre l'air (le frais) frische Luft schöpfen, prendre les eaux Brunnenkur gebrauchen, prendre le deuil Trauer anlegen.

Pousser les hauts cris jämmerlich schreien.

Sentir le roussi, le cuir de Russie brandig riechen, nach Juchtenleder riechen u. a.

Souhaiter le bonjour, le bonsoir, la bonne année, aber souhaiter une bonne nuit (selten la), un bon voyage.

Tirer au jugé nach Abschätzung (ohne das Ziel zu sehen) schießen.

Tomber dans l'oubli in Vergessenheit geraten.

Tranchons (disons) le mot frei herausgesagt.

Sur les neuf heures gegen 9 Uhr; dagegen vers (les) neuf heures. Dans les 24 heures, dans les six mois binnen 24 Stunden, vor Ablauf eines halben Jahres.

Dans l'occasion bei Gelegenheit, à l'occasion de gelegentlich von, à la première occasion bei erster Gelegenheit.

Au revoir auf Wiedersehen (sehr oft unrichtig à revoir), aber à vous revoir.

L'année dernière voriges Jahr, la semaine passée, vergangene Woche, l'année prochaine nächstes Jahr.[1]

Les mots suivants folgende Worte; le présent ouvrage vorliegendes Werk.

Il est plus grand que vous de la tête um einen Kopf größer; dépasser qn de la tête.

---

[1] Immer vom gegenwärtigen Zeitpunkt aus gerechnet. Das folgende Jahr l'année suivante: das vorhergehende Jahr l'année précédente; ein Jahr später une année après, l'année d'après.

La belle question! was für eine Frage! le beau mérite! dabei ist kein Verdienst! la belle avance! nun sind wir so weit wie zuvor! le grand mal! das Unglück ist nicht so groß! Seltener fehlt der Artikel. — Le moyen de wie ist es möglich . . .

Un poète du premier rang, un écrivain du premier ordre, un peintre du second plan, ersten, zweiten Ranges. Der Artikel fehlt auch öfter.

Numéro ist voranstehend nicht wie deutsch Nummer ohne Artikel zu brauchen: demeurer avenue des Gobelins, 37 (oder numéro 37); dagegen un restaurant situé au n⁰ 258 du boulevard Voltaire.

§ 291. Der Artikel fehlt abweichend vom deutschen Gebrauch.

1) Bei den Monatsnamen[1]: Avril a été très froid cette année. En janvier suivant. Meist le mois de février u. s. w. Doch steht der Artikel a) bei der Angabe des Datums: le 1er mars, le 20 mai, le dernier juillet; b) hin und wieder mit attributivem Adjektiv: le triste décembre; c) in Verbindung mit mi: la mi-juin.

2) Bei den Wochentagen: Je reviendrai dimanche. Il partira mercredi. Ebenso lundi dernier, jeudi prochain. La journée de vendredi.

Dagegen steht der Artikel in le vendredi-saint (Karfreitag) u. a. On était au samedi (es war Sonnabend). Wenn das Datum folgt: le mardi, 16 août. Bei regelmäßiger Wiederholung: Quand elle allait le dimanche (Sonntags) à l'église. Ce cours aura lieu le lundi et le jeudi de chaque semaine (auch les lundi et jeudi, aber nicht les lundis et jeudis).

3) Bei den Jahreszeiten steht statt dans mit dem Artikel, en ohne denselben: en été, en automne, en hiver, ausgenommen au printemps[2]. Aber dans l'été de 1860. Vgl. § 207, 2.

Dasselbe findet bei den Namen der Wissenschaften und Künste statt: Être fort en histoire. En architecture. En art tout le monde a raison. Ferner bei den Wörtern mer, riviére, gare, rade (Reede): en mer (auf der See), en rivière (auf dem Fluß); le train entrait en gare de Lyon; en rade de Brest.

4) Einzeln: Le comité de salut public, le comité de sûreté générale. L'unité d'intérêt, de temps, de lieu. Le vœu de pauvreté. Le professeur d'histoire, de langue et de littérature grecques, de droit romain u. s. w. Il est question de (die Rede von); c'est une question de

---

[1] Vgl. Études etc. II, 324.

[2] Weil mit Adjektiv *(primum tempus)* zusammengesetzt. Übrigens findet sich à häufiger auch vor automne. — Bei été und hiver (aber nur bei diesen) auch Accusativ der Zeitangabe: l'été, l'hiver (im Sommer, im Winter). Stets: Hiver comme été.

temps (Frage der Zeit); être d'avis (der Meinung sein); être homme (femme) à faire qe (der Mann, die Frau danach); il n'y a pas moyen de faire qe (das Mittel fehlt, d. h. es ist nicht möglich).

5) Der unbestimmte Artifel fehlt meist nach jamais: Jamais homme ne reçut plus d'hommages et n'en fut moins troublé que Fontenelle. Selten ist die Ausslassung des Artifels bei einem Accusativ oder bei nachstehendem jamais: On n'avait jamais vu tatillon pareil (Fr. Sarcey). Jamais vous n'avez connu plus détestable écolier (E. Legouvé). Je n'ai jamais vu coquin à l'air plus terrible (Conan-Doyle). Im Plural fann auch der Teilungsartifel oder das partitive de wegfallen, obwohl einzelne Grammatifer es verbieten: Jamais plus belles scènes de la création ne furent peuplées et animées de plus pures et plus belles impressions (Lamartine). Oft fehlt der unbestimmte Artifel auch nach il y a (il est): Il y a temps pour tout.

§ 292. Präpositionale Ausdrücke ohne Artikel.

Der Artifel fehlt in zahlreichen Verbindungen von Präpo= sitionen mit Substantiven, jedoch dürfen letztere nicht attributiv bestimmt sein.[1]

A dîner bei Tische, à table d'hôte, à genoux, à bord de (an Bord von). Après déjeuner, après dîner, après souper, d'après nature.

Avec soin, avec prudence.

Descendre (tomber, être renversé) de cheval, descendre de chameau (de voiture, de wagon). Une caverne creusée de main d'homme (par la main des hommes). Sortir de table (von Tische aufstehen).

Devant témoins.

Monter en voiture[2], aller (être, envoyer) en prison, être en fuite (auf der Flucht), monter en chaire (den Lehrstuhl, die Kanzel besteigen), aller (mourir, envoyer) en exil.

Assiéger une ville par terre et par mer. Savoir par expérience. Par sauts et par bonds (sprungweise).

Sans raison. Öfter auch vor attributivem Adjektiv: non sans justes motifs. Doch: La guerre continua pendant quatre ans, sans de grands événements. Vgl. den Teilungsartifel.

---

[1] Ausnahmen hiervon sind gestattet, sobald das Substantiv mit seiner attributiven Bestimmung zu einem Gesamtbegriff verschmilzt, daher sur papier timbré u. a. Ebendeshalb prêter serment de fidélité u. a.

[2] Um zu fahren. Dagegen monter dans la voiture, etwa um etwas zu suchen (Littré). Dergleichen Unterschiede finden sich auch bei anderen dieser Ausdrücke, welche mit den englischen to go to school, to church, to sit at table, to lie in bed u. f. w. große Ähnlichkeit haben.

Sous escorte, sous bonne escorte; sous condition. Sous presse (unter
der Preſſe), sous main (heimlich). Sous prétexte oder sous le prétexte ſtehen
beide vor Infinitiv oder Subſtantiv mit de, ſowie vor que. Ein Zuſaß macht
den Artikel unentbehrlich: Il ne pratiqua plus ses devoirs religieux, sous le
prétexte, sincère d'ailleurs, de doutes philosophiques (P. Bourget).

Sur papier, sur papier timbré (auf Stempelbogen, Gegenſaß sur papier
libre); sur terre; tomber sur place; un cheval haut sur jambes; bâtir sur
pilotis (auf einem Pfahlroſt).

A travers champs (querfeldein) u. ſ. w.

Nach Verben: accuser qn de faiblesse, taxer qn de mensonge, imputer
qe à crime (als Verbrechen anrechnen), condamner qn à mort, prendre qe à
tâche (ſich etwas zur Aufgabe machen), mettre qe en œuvre (ins Werk ſetzen),
mettre qe à exécution (in Vollzug ſetzen), perdre qn de vue, tenir qe à
honneur, tomber à genoux, vivre de chasse u. a.

Die Verbindung zweier Subſtantive durch à ohne Artikel ſoll nach der
gewöhnlichen Regel die bloße Beſtimmung ausdrücken. So ſagt man le fer
à cheval, la terre à porcelaine, la lampe à pétrole, le grenier à foin u. ſ. w.
Mit dem Artikel ſoll die gleichartige Verbindung beſagen, daß das zweite
Subſtantiv zugleich den Inhalt des erſten bildet; demnach hieße un pot à eau
eine Waſſerkanne, un pot à l'eau eine Kanne mit Waſſer, une boite à lait
ein Milchkanne, une boite au lait eine Kanne mit Milch. Thatſächlich aber
ſagt man für beides nur un pot à l'eau, un pot au lait, une boite au lait
(ſelten une boite à lait). Näheres im Ergänzungsheft.

293.   Der Artikel fehlend in verbalen Ausdrücken.[1]

Der Artikel fehlt in einer großen Zahl von Ausdrücken, die
aus einem Verb und einem Subſtantiv als Objekt beſtehen. Auch
hier darf das Subſtantiv nicht attributiv beſtimmt ſein.

Avoir besoin de qe, avoir chaud, avoir conscience de qe (ſich bewußt
ſein), avoir dessein, avoir droit à qe, avoir envie, avoir faim, avoir froid,
avoir honte (ſich ſchämen), avoir intérêt à qe, avoir lieu, avoir bonne mine,
mauvaise mine (gut, übel ausſehen), avoir nom (heißen), avoir occasion
(Gelegenheit, Veranlaſſung haben), avoir part, avoir patience, avoir (de la)
peine à faire qe, avoir peur, avoir pitié, avoir raison, avoir recours à qe
(ſeine Zuflucht nehmen), avoir soif, avoir soin, avoir sommeil, avoir tort,
avoir vent de qe (Wind bekommen von), avoir vue sur (Ausſicht bieten auf).

Chercher querelle (noise) à qn (Zank ſuchen), chercher fortune.

Demander compte, demander conseil, demander grâce, demander
justice, demander pardon.

---

[1] Vgl. Études etc. II, 288.

Donner avis (Nachricht geben), donner carrière (freien Lauf laffen), donner cours (hervorrufen), donner envie (Luft machen), donner lieu, matière (Anlaß geben), donner naissance (hervorrufen), donner occasion (Gelegenheit geben), donner ordre, donner prise (fich bloßftellen), donner quittance, donner tort, donner signe de vie.

Entendre raillerie (Scherz verftehen[1]), entendre raison (Vernunft annehmen), ne pas entendre malice à qe (es nicht übel meinen).

Faire bon accueil (gut aufnehmen), faire angle, angle droit avec qe (einen Winkel, rechten Winkel bilden mit), faire attention, faire brèche, faire cadeau, faire cas de qe (Gewicht legen auf), faire bonne chère, faire choix, faire crédit, faire don, faire droit à (willfahren), faire eau (leck fein; aber faire de l'eau das Trinkwaffer an Bord erneuern), faire effort, faire envie, faire face (feltner front à qn Front machen gegen), faire faillite, ne pas se faire faute de qe (fich nicht entgehen laffen), se faire fête de qe (fich freuen auf), faire feu (Feuer geben), faire fonctions de qn (die Stelle jemandes vertreten), se faire gloire de qe (fich rühmen), faire grâce (begnadigen), faire halte, faire honneur, faire loi (gelten), faire mention, faire métier de qe (gewerbmäßig betreiben), faire métier et marchandise de qe (feil bieten), faire naufrage, faire obstacle, faire pièce à qn (einen Streich fpielen), faire place, faire plaisir, faire présent, faire preuve de qe (beweifen, an den Tag legen), faire profession (beteuern), faire provision (Vorrat fammeln), faire fausse route (irre gehen), se faire scrupule de qe (fich ein Gewiffen machen aus), faire semblant (fich ftellen als ob), faire signe (ein Zeichen geben), faire usage.

Porter conseil (la nuit porte conseil), porter plainte (Klage einreichen), porter perruque, porter secours.

Prendre congé, prendre exemple sur qn, prendre fait et cause pour qn (jemandes Partei ergreifen), prendre feu, prendre fin, prendre garde, prendre goût, prendre jour (Termin beftimmen), prendre médecine (Arzenei einnehmen), prendre parti (Partei ergreifen), prendre patience (fich gedulden), prendre peur, prendre pied, prendre possession, prendre racine, prendre (du) service (Dienfte nehmen).

Rendre compte, rendre grâce (danken), rendre justice à qn (Gerechtigfeit widerfahren laffen, rendre la justice die Rechtspflege üben), rendre raison (Genugthuung geben), rendre service, rendre visite (faire une visite).

Einzelne: ajouter foi (Glauben beimeffen), battre monnaie (frapper de la monnaie), courir risque, sans mot dire, lâcher prise (loslaffen), lier conversation (ein Gefpräch anfnüpfen), livrer bataille, mettre fin à qe, passer condamnation (fein Unrecht eingeftehen), perdre connaissance (das Bewußtfein verlieren), perdre contenance (aus der Faffung geraten), perdre courage, perdre patience, plier bagage (fein Bündel fchnüren), prêter serment (einen Eid leiften), tenir parole (auch sa parole, fein Wort halten), tenir tête à qn

---

[1] Früher gab man daneben entendre la raillerie (zu fpotten verftehen).

(die Spitze bieten), trouver moyen (sehr oft auch le moyen) de faire qe (ein Mittel finden).

§ 294. Wie im Deutschen fehlt der Artikel:

1) Bei Titeln und Überschriften: Histoire universelle. Portrait de Charlemagne. Causes de la perte de Rome, doch: Des Causes intimes de la décadence des États. La gloire et la réputation (Abstrafte).

2) Bei Aufzählungen: François Ier appela d'Italie des artistes: architectes, peintres, sculpteurs, ciseleurs répondirent à son appel.

3) In Verbindung mit ni — ni, soit — soit, tant — que (sowohl — als auch): Un homme qui n'a ni foi ni loi. Soit peur, soit prudence, il évita le combat.

4) Sehr häufig nach entre: Les pays compris entre Rhin et Meuse.

§ 295. Der Artikel bei der Apposition.

1) *Les Romains, nation belliqueuse, firent la conquête du monde.*

2) a) *Le Volga, le plus long fleuve de l'Europe, a 3500 kilomètres de cours.*
   Le cap des Aiguilles, (la) pointe la plus méridionale de l'Afrique, est entouré de récifs.

   b) *Jacques II, détrôné par son gendre, se refugia auprès de son allié, le roi Louis XIV.*

   c) *Racine le fils serait oublié sans Racine le pere.*

1) Die Apposition steht in der Regel ohne Artikel.

2) Derselbe tritt jedoch ein:

   a) Immer, wenn ein Superlativ in der Apposition seinem Substantiv voransteht; oft, wenn er demselben folgt.

   b) Immer, wenn ein Titel in der Apposition vor einem Eigennamen steht.

   c) Meist, wenn die Apposition einen unterscheidenden Zusatz enthält.

Anm. 1) Die Apposition steht naturgemäß meist nach dem Worte, auf welches sie sich bezieht. Sie kann demselben aber auch vorangehen: Hommes, nous aimons à immortaliser les délégués les plus éclatants de l'humanité.

2) Wie bei dem Superlativ kann auch bei premier, second, dernier, seul, unique der Artikel eintreten, kann aber ebenso gut fehlen. Er muß fehlen in stehenden Verbindungen: Wolsey, premier ministre de Henri VIII. Ebenso nach Regentennamen: Frédéric Ier.

3) Im gewöhnlichen Leben werden unterscheidende Zusätze nie mit Artikel verbunden: M. Durand père (fils). Ebenso nur Alexandre Dumas père (fils).

Der Artikel muß stehen, wenn der Zusatz einen stehenden Beinamen enthält: Boniface, l'apôtre de l'Allemagne. Louis XII, le père du peuple, Daher auch Pierre le Grand, Charles le Téméraire u. a. (Doch Paul Diacre, Philippe-Auguste u. a.)

Die artikellose Apposition giebt einen das Verständnis erleichternden Zusatz. Die Auslassung des Artikels in Appositionen, welche allgemein Bekanntes enthalten, würde daher geradezu lächerlich wirken: Homère, le chantre de la guerre de Troie, a été aveugle. James Cook, le célèbre navigateur anglais. Bei weniger als bekannt vorauszusetzenden Zusätzen hat man daher vielfach die Wahl, ob man den Artikel gebrauchen will oder nicht: Le cap de Saïde, l'antique Sidon (doch auch le cap San Angelo, ancien cap Malia).

Zusatz. 1) Hin und wieder findet sich der unbestimmte Artikel in der Apposition: Le système astronomique d'Eudoxe, un contemporain d'Aristote et de Platon.

2) Die Präposition, mit welcher das Beziehungswort verbunden ist, darf in der Apposition nicht wiederholt werden. Nicht selten geschieht dies aber in emphatischer Weise oder der Deutlichkeit halber,

a) wenn eine Einschiebung vorausgeht: Richelieu légua la continuation de son œuvre à son successeur, qu'il avait désigné lui-même, au cardinal Mazarin;

b) wenn die Apposition ein Demonstrativ enthält: Les monuments tristes et sévères des Égyptiens, de ce peuple chez lequel les statues ressemblent plus aux momies qu'aux hommes;

c) wenn die Apposition lediglich einen Eigennamen enthält: Prenez les comédies, les tragédies du représentant le plus éclatant de ce siècle, de Voltaire, il est aujourd'hui difficile de les lire et impossible de les jouer (J. Levallois). Louis XIV avait donné une preuve incontestable de ses vues pacifiques en renonçant à la portion de l'héritage la plus précieuse pour la France, à la Belgique (H. Martin);

d) wenn die Apposition sich nicht auf das zunächstvorhergehende Wort bezieht: C'est le génie d'un homme du tiers état, du fils d'un commerçant, de Jean-Baptiste Colbert, qui donna l'inspiration créatrice au gouvernement de Louis XIV (Aug. Thierry). Ebenso wenn der

Schein vermieden werden muß, als sei die zweite Apposition der ersten koordiniert: Un jeune prince grec, Alexis, fils d'Isaac l'Ange, d'un de ces empereurs dépossédés à qui leurs parents et frères usurpateurs faisaient crever les yeux, sollicite l'appui de l'armée (Sainte-Beuve).

§ 296. Wiederholung des Artikels.

1) Bei mehreren durch et verbundenen Substantiven muß der Artikel wiederholt werden, selbst in stehenden Verbindungen: Le flux et le reflux (Ebbe und Flut. — Der Artikel kann nicht wiederholt werden, wenn ein voranstehendes Adjektiv zu den sämtlichen Substantiven gehört: Les principaux seigneurs et évêques de France (dagegen les seigneurs et les évêques français).

Die Wiederholung findet statt, auch wenn beide Substantive denselben Gegenstand oder dieselbe Person bezeichnen: La mère du roi de France et la tante du roi d'Espagne, Anne d'Autriche, mourut en 1666.

In zusammenfassenden Verbindungen fehlt jedoch der Artikel vor dem zweiten Substantiv: les père et mère (Eltern), les frère(s) et sœur(s) (Geschwister), les poids et mesures, les arts et métiers, les ponts et chaussées, les allées et venues (vgl. § 300 A.). Über les lundi et jeudi vgl. § 291, 2.

2) Wenn mehrere Adjektive vor einem Substantiv durch et ver-bunden sind, so wird der Artikel nur wiederholt, wenn die Adjektive nicht demselben Gegenstande gleichzeitig zukommen: Nous avons examiné le bon et le mauvais côté de l'affaire. Aber Tout le monde admire les belles et vastes forêts de notre pays.

Entweder le rusé et cauteleux Mazarin oder le rusé, le cauteleux Mazarin. Daher fällt der Artikel öfter vor dem dritten (mit et an-geknüpften) Adjektiv weg: C'était la vie! l'étroite, l'inepte et inexorable vie (P. Margueritte). Gleichwohl findet die Regel sich mißachtet und zwar

a) indem ein Artikel steht, wo er fehlen sollte: Il n'est pas jusqu'à saint Anselme, le grave et le profond saint Anselme, qui n'ait payé son tribut à l'inspiration satirique (Ampère);

b) indem ein nötiger Artikel ausgelassen wird: Dans les nouvelles et pleines lunes (Buffon). On outra les maximes de Malherbe en appauvrissant le vocabulaire par la séparation des mots nobles et vulgaires poussée jusqu'à l'excès (H. Martin).

Leicht fehlt der Artikel, wenn ou statt et eintritt: Personnel ... se dit des bonnes ou mauvaises qualités des personnes dont on parle (Dictionn.

de l'Acad. s. v. personnel). — Gerne wiederholt wird das partitive
de: Ils furent longtemps d'intrépides et de redoutabies pirates (Mignet).
Statt le 3 et le 4 avril zusammenfassend auch les 3 et 4 avril.
Über andere Fälle vgl. § 379.

3) Bei dem eigentlich disjunktiven ou kann der Artikel nicht
wegfallen. Wenn aber das nach ou folgende Substantiv
nur das erstere erklärt oder einen anderen Namen für die=
selbe Sache giebt, so fehlt der Artikel: le Delta ou basse
Égypte; la Bavière rhénane ou Palatinat.

§ 297. Korresponsion der Artikel.[1]

1) Wenn zwei Substantive, die beide Abstrafte sind, durch de verbunden
werden, so fehlt bei dem zweiten der bestimmte Artikel nur, wenn er auch bei
dem ersten fehlt:
Tromper sous (une) apparence d'amitié.
Tout offrait une image de deuil. Dagegen:
Tromper sous l'apparence de l'amitié.
Tout offrait l'image du deuil.
Umgekehrt darf bei dem ersten Substantiv der bestimmte Artikel nicht fehlen,
wenn das zweite ein Possessiv (dem bestimmten Artikel gleichwertig) hat:
Être à bout de forces, de ressources, aber
Être au bout de ses forces, de ses ressources.
Überhaupt fällt bei der Verbindung zweier Substantive im Französischen der
Artikel vor dem zweiten Substantiv weg, sobald das erste statt des bestimmten
Artikels entweder keinen Artikel oder den unbestimmten oder den Teilungs=
artikel erhält: le curé du village, un curé de village, Monsieur X., curé de
village; faire le signe de la croix, faire un signe de croix, faire des signes
de croix. Über die ähnliche Erscheinung bei den Bruchzahlen vgl. § 170 A. 1.
2) Wenn beide Substantive Konkrete sind, so kann bestimmter Artikel auch
nach unbestimmten eintreten: un palais du roi.
Die Artikel müssen auch korrespondieren, wenn der erste bei der Appo=
sition ausgefallen ist, daher
Londres, [la] capitale de l'Angleterre (nicht d'A.).
Douvres, [un] port important d'Angleterre (selten de l'A.).
3) Zwei durch de verbundene Substantive haben nicht beide den un=
bestimmten Artikel.[2] Daher nicht un crime d'un fou, sondern le crime d'un
fou oder un crime de fou.
Anm. Der vorstehenden Regel entziehen sich alle stehenden Verbindungen
(unechte Zusammensetzungen), z. B. le traité de paix, l'ordre (l'état) de

---

[1] Vgl. Études etc. II, 300.
[2] Außer etwa beim Qualitätsgenitiv: un homme d'un grand sens.

choses u. a. über le titre de roi u. a. § 288 Anm. Oft ist beiderlei Gebrauch zulässig: les préliminaires de la paix oder de paix, la liberté de paix,
la liberté de l'enseignement oder d'enseignement. Manchmal ist der Artikel
nur in bestimmten Fällen am Platze, so sagt man le clair de lune, un clair
de lune, aber au clair de la lune.

Der Artikel im partitiven Sinn.

§ 298. In Verbindung mit einem Adjektiv.

De grands arbres \
Des arbres touffus } *ombrageaient la maison.*

Wenn das im partitiven Sinne genommene Substantiv ein
Adjektiv vor sich hat, so gibt ihm de ohne Artikel voraus; dagegen behält das Substantiv de mit dem Artikel vor sich, wenn
das Adjektiv nachsteht.

Anm. 1) Ebenso tritt im partitiven Sinn bloßes de vor ein Adjektiv,
nach welchem ein Substantiv zu ergänzen ist: Il ne faut pas mépriser les
petites choses, si l'on veut arriver à de grandes. Daher auch nach en: Il
a beaucoup d'amis et il en a de (nicht des) puissants.

2) Für Substantive, welche mit dem voranstehenden Adjektiv ein zusammengesetztes Substantiv bilden, gilt die obige Regel nicht; daher des
grands-pères, des grand'mères, des petits-fils, du petit-lait (Molken), des
grands-ducs u. s. w. Auch wo die Zusammensetzung nicht durch den Bindestrich kenntlich gemacht ist: de la bonne foi (Redlichkeit), de la mauvaise foi,
du bon sens, de la bonne volonté, de la mauvaise volonté, des fausses clefs
(Nachschlüssel), des fausses manches (Tintenärmel), des grands hommes, des
grands maîtres (Großmeister), des grands prêtres, des grands seigneurs, du
gros canon. (grobes Geschütz), des gros mots (Schimpfworte), des jeunes filles
oder des jeunes personnes, des jeunes gens[1], des mauvais traitements (Mißhandlung), des petites gens (Leute geringen Standes), des petits pois (grüne
Erbsen), des petits rôles (Nebenrollen) u. a. Manchmal kann man beliebig
solche Zusammenstellungen als Zusammensetzungen auffassen oder nicht, z. B.
d'honnêtes gens und seltner des h. g., de (und des) grandes routes, de
(und des) bonnes gens oder braves gens (gute Leutchen) u. s. w.[2]

***

[1] Aber de tout jeunes gens: sobald das Adjektiv ein Adverb vor sich
hat, kann von einer Zusammensetzung nicht die Rede sein.

[2] Früher des bons mots (Witze), wofür jetzt meist des mots; des
petites-maisons (Irrenhäuser), wofür maison de fous oder besser maison de
santé, asile; des petits-maîtres (Stutzer), wofür fortwährend wechselnde Bezeichnungen üblich sind.

Besonders die Volkssprache dehnt den Gebrauch des Artikels hier weiter aus. Auch in der Litteratur findet sich du bon vin, du vrai bonheur u. a.: A la Saint-Martin on boit du bon vin (Prov.).

In der neueren Litteratur steht der Artikel vor gewissen Abjektiven sehr oft, weil damit eine nachdrucksvollere Ausdrucksweise erzielt wird. Bei petit z. B. ist der Artikel so häufig, daß man fast die Verbindung von petit und einem Substantiv für ein Diminutiv ansehen könnte: De loin en loin, sur cette plaine, poussaient des petits arbres rabougris (P. Loti). Vgl. hierüber das Ergänzungsheft.

3) Während ein attributloses Substantiv nach sans nie den Teilungs= artikel zuläßt, steht recht wohl das partitive de zwischen sans und dem Sub= stantiv, welches ein Abjektiv vor sich hat: La ville se rendit au vainqueur presque sans résistance. Aber: Tous ces changements ne se firent pas sans de vives résistances (Th. Lavallée). Weiteres s. im Ergänzungsheft.

§ 299. Nach Quantitätsbestimmungen oder Negation.

1) *Il n'y a point de génie sans un grain de folie.*

2) *Il faut se dire beaucoup d'amis et s'en croire peu.*
   Il arrive bien des choses entre la bouche et le verre.

3) *Il n'y a pas de fumée sans feu. A chemin battu il ne croît point d'herbe.*

Statt des Artikels steht im partitiven Sinn bloßes de nach allen Quantitätsbezeichnungen. Dieselben können sein:

1) Substantive: une foule de gens, une livre de sucre, un mètre de drap, une bouteille de vin, un verre d'eau, une poignée de sel, une cuillerée de café, une dou-zaine d'œufs, un grain de vérité (Körnchen Wahrheit) u. a.

2) Abverbien: beaucoup, plus, moins, le plus, le moins, assez, tant, autant, trop, peu, pas mal (ziemlich viel), combien, das interrogative que (wieviel, § 353), sowie die Zusammensetzungen trop peu, peu ou point, plus ou moins, combien peu, tant et plus, tant et tant, par trop, trop rien, tout juste, tout ce qu'il y a.

Das Abverb bien bezeichnet nicht eine Quantität, sondern einen Grad und hat (außer in bien d'autres) de mit dem Artikel nach sich.

3) Negationsfüllwörter (Adverbien!): pas, point, rien, personne, jamais, guère u. a., mögen dieselben mit oder ohne ne stehen.

Anm. 1) Hierher gehören auch quatre jours de vivres (Lebensmittel für 4 Tage), trois mois de campagne u. a. (vgl. § 174). Ebenso un peu de, le peu de. Ferner nombre, quantité (eine Menge), vor welchen der unbestimmte Artikel fehlen muß, nebst (un) bon nombre. Der unbestimmte Artikel fehlt auch vor force (eine Menge), nach welchem weder de mit noch ohne Artikel steht: Il est auteur de force chansons.

La plupart kann, seiner Entstehung nach (la plus-part die größere Zahl, die Mehrzahl), nur de mit dem Artikel nach sich haben: La plupart des hommes.

2) Die Quantitätsadverbien sind nicht anwendbar in Verbindungen eines artikellosen Substantivs mit einem Verb, daher avoir bien faim (soif, froid, sommeil u. s. w.), auch avoir grand'faim. Oder sie treten dann als Gradadverbien auf: Il ne tient pas assez compte des difficultés.

Da bien ohne Einfluß auf das folgende Substantiv ist, so müßte auch das Substantiv, dem ein Adjektiv vorangeht, bloßes de haben, also bien de grandes villes, bien de fertiles contrées. Jedoch geschieht dies in der Regel nur bei d'autres (bien d'autres choses), wogegen bien des grandes villes. Man muß sagen bien des jeunes gens u. s. w. (vgl. § 298, Anm. 2).

Beaucoup, peu, combien u. a. können auch in substantivischer[1] Weise gebraucht werden (viele, wenige, wie viele): Beaucoup pensent que le soleil se refroidit et qu'il finira par s'éteindre.

Die Adverbien infiniment, prodigieusement, énormément, terriblement, diablement, singulièrement, passablement, honnêtement, médiocrement, bien autrement, tellement finden sich meist nur mit de, während sie als Gradadverbien de mit dem Artikel nach sich haben sollten.[2]

3) Die Nachstellung des Negationsfüllwortes ändert nichts: On voyait de la fumée, mais de flamme point. Außer bei Einschiebung von en: Des visites, je n'en recevais point. — Ein nachgestelltes Quantitätsadverb dagegen wird immer zum Gradadverb und der Artikel tritt ein: Vous avez de l'argent assez.

Über die Trennung der Quantitätsadverbien von dem zugehörigen Substantiv vgl. das Ergänzungsheft.

Zusatz. De allein genügt nicht, und der Artikel tritt ein,

1) Wenn das Substantiv näher bestimmt ist: Si les hommes n'ont pas des idées qui s'étendent au delà de leur propre existence, ils sont impropres à vivre en société. L'ambassadeur n'avait pas des pouvoirs suffisants pour accorder ce qu'on lui demandait. Les Burgundes

---

[1] Da auch Littré diese Wörter substantivisch verwendet, so hat das Verwerfungsurteil mancher Grammatiker kein großes Gewicht.

[2] Vgl. Études II 329.

n'avaient point des mœurs farouches (Duruy). Ober wenn es nur auf die Qualität (nicht auf die Quantität) ankommt: Jamais, disaient-ils, nous n'avons vu des blancs ici (Rolland). Grâce, monsieur, ne faites pas du mal à mon père (E. Zola).

2) Wenn beaucoup, peu, combien, absolut gebraucht sind (vgl. oben Anm. 2): Beaucoup des gens d'armes (Panzerreiter) avaient peur. Ils ne savaient pas combien des leurs avaient péri.

3) In der verneinten rhetorischen Frage (Frage und Negation heben sich auf): N'avez-vous pas des oreilles?

Der Artikel bei dem prädikativen Substantiv.

§ 300. Doppelter Nominativ oder Accusativ.

1) *On naît poète, on ne le devient pas. Au pays des aveugles, les borgnes sont rois. Qui entre pape au conclave, en sort cardinal.*

2) *Qui se fait brebis, le loup le mange. Des relations intimes s'étaient établies entre les papes et Charles Martel, qu'ils avaient déclaré protecteur de Rome; Pépin, qu'ils avaient sacré roi; et Charlemagne, qu'ils avaient couronné empereur* (Mignet).

Der Artikel fehlt bei dem prädikativen Substantiv, mag sich dasselbe auf das Subjekt des Satzes beziehen (doppelter Nominativ) oder auf das Accusativobjekt (doppelter Accusativ). Das deutsche als, zu wird nicht ausgedrückt.

1) Doppelter Nominativ findet sich hauptsächlich bei folgenden Verben:

être sein	arriver anlangen
devenir werden	entrer eintreten
demeurer rester ⎱ bleiben	retourner zurückkehren
	sortir hervorgehen
naître geboren werden	passer (befördert) werden
vivre leben	sembler ⎱ scheinen
mourir finir ⎱ sterben	paraître ⎰
	apparaître erscheinen
périr umkommen	être censé gelten für
marcher gehen	débuter zuerst auftreten
s'en aller weggehen	

sowie bei dem Passiv der Verben, welche im Aktiv doppelten Accusativ haben. Il est Anglais (aber C'est un Anglais,

22*

weil das Subjekt sächlich, nicht persönlich ist). Devenir ministre.
Mourir jeune fille. Marcher l'égal de qn (mit jem. gleich=
stehen, es jem. gleichthun). Entrer sous-lieutenant dans un
régiment. Sortir vainqueur de la lutte. Passer officier.
Être passé maître dans (pour) qe (Meister sein in etwas).
Être censé complice. Être nommé député.[1]

Anm. Passer pour (gelten für): Il passe pour bon médecin.
Selten hat das prädikative Substantiv den Artikel. Selbst ein näher
bestimmender Zusatz bedingt denselben nicht: être bon musicien, habile nageur,
devenir loi de l'État, rester vassal de qn. Doch auch être un écrivain de
génie. Bei Verwandtschaftsbezeichnungen fehlt fast regelmäßig der Artikel:
être fils, petit-fils, neveu, parrain de qn, auch im übertragenen Sinn être
fils de ses œuvres (aus eigener Kraft geworden sein, was man ist, a self-
made man). Être, devenir maître (oder le maître) de qe, aber fast immer
être le maître[2] de faire qe (die Freiheit haben etwas zu thun). Être cause
de qe, victime de qe selten mit, être le témoin de qe selten ohne Artikel.
Être appelé, nommé meist ohne Artikel.

Wie im Lateinischen steht bei manchen Verben im Französischen ein
Adjektiv statt des von uns erwarteten Adverbs, so z. B. vivre caime, vivre
tranquille, vivre paisible, vivre content, dormir tranquille, dormir paisible,
marcher rapide u. a. Vivre vieux ist stehender Ausdruck. Seltner bei dem
doppelten Accusativ: Là nous passons la nuit tranquille (J.).

Avoir l'air (= paraître) kann nur Adjektive nach sich haben: Elle a l'air
contente (heureuse). Dagegen soll man sagen Cette femme a l'air hautain
(ein stolzes Äußere). In zweifelhaften Fällen schiebt man d'être ein: Cette
femme a l'air d'être embarrassée, was bei Sachen am besten immer geschieht:
Cette robe a l'air d'être bien faite.

2) Doppelter Accusativ steht vorzugsweise bei
den Verben:

faire }	machen	baptiser taufen	
rendre }		ordonner }	weihen
couronner }	frönen	consacrer }	
sacrer }		élire wählen	

---

[1] Hierher gehören auch Verben, welche mit einem Adjektiv oder Particip
verbunden werden: tomber malade, tomber amoureux, tomber évanoui, tomber
endormi (einschlafen), tomber assis (auf den Stuhl zurücksinken), périr gelé
(erfrieren), mourir empoisonné (an Gift sterben) u. a. Auch nach allen oben=
genannten Verben können Adjektive das Prädikat bilden.
[2] Vgl. être homme (femme) à faire qe (der Mann, die Frau danach
sein etwas zu thun) selten mit Artikel (§ 29,1 4).

créer		savoir	
déclarer	ernennen	connaître	kennen
nommer		signaler	
promouvoir beförbern		dénoncer	bezeichnen
proclamer ausrufen		deviner erraten	
saluer	begrüßen	soupçonner vermuten	
acclamer		présumer	annehmen
envoyer schicken		supposer	
constituer		estimer	schätzen, rechnen
établir	einsetzen	évaluer	
instituer		appeler	
admettre zulassen		dire	nennen
laisser lassen		nommer	
demander verlangen		affirmer erklären	
vouloir wollen		démontrer beweisen	
voir sehen		certifier bestätigen	
sentir merfen		révéler offenbaren	
concevoir begreifen		intituler	zubenennen
croire		surnommer	
penser	halten	définir erklären (als etwas)	
juger		garantir verbürgen	
réputer			

sowie bei einer Anzahl von Reflexiven: se montrer (sich zeigen), se trouver (sich finden), se faire (werden), s'improviser (z. B. journaliste, ohne Vorbereitung werden), se porter (z. B. héritier, auftreten), s'établir, se mettre (z. B. coiffeur, werden), se placer (z. B. domestique, eine Stelle annehmen), s'annoncer sich ankündigen, s'engager sich anwerben lassen, s'offrir sich anbieten u. a.[1]

So sagt man: On l'a ordonné prêtre, consacré évêque, salué roi; on admet la ville siège du parlement; je le sais, je le connais honnête homme; on le soupçonnait espion; on évaluera une faute chaque infraction à la règle; on l'a envoyé premier secrétaire à Constantinople.

Anm. Die Präposition pour ist zu setzen nach choisir[2] (wählen),

---

[1] Andere rechnen die Reflexive, weil sie ein Passiv vertreten können, zum doppelten Nominativ.

[2] Choisir (wählen), wenn die persönliche Entscheidung den Ausschlag giebt, élire (erwählen), wenn die Stimmenmehrheit entscheidet. Auswählen heißt nur choisir. Chez les Francs la royauté était à la fois élective et héréditaire, c'est-à-dire que le roi était élu, mais toujours choisi dans la famille des Mérovingiens.

désigner (bestimmen), tenir[1] (halten), reconnaître (anerkennen; manchmal ohne pour), prendre (halten, irrtümlich ansehen), passer (s. oben), donner (ausgeben), se faire passer (sich ausgeben), compter (zählen, annehmen), désavouer (verleugnen), poser (sich aufspielen): On prendra pour une déclaration de guerre l'envoi d'une escadre dans la mer Noire. On prend souvent l'irrésolution pour de la prudence.

Comme steht nach regarder und considérer (betrachten). Auch nach anderen Verben sind pour und comme nicht ganz ausgeschlossen.

De folgt auf traiter, qualifier (beide: nennen) und taxer (anklagen): traiter qn de fou, qualifier qe d'imposture. Letzteres im juristischen Gebrauch mit doppeltem Accusativ: C'est une action que la loi qualifie délit.

In älterer Sprache stand vielfach à, wo jetzt keine oder eine andere Präposition üblich ist z. B. tenir qn à homme de bien.

Nur in gewissen Verbindungen sind üblich: armer qn chevalier (zum Ritter schlagen), nationaliser qn Allemand, retenir qn prisonnier (dagegen eher en otage).

Der Artikel ist hier häufiger als bei dem doppelten Nominativ; insbesondere pflegt er nach pour zu stehen: Maintenez envers et contre tous ce que vous aurez reconnu comme vérité (aber eher ce que vous aurez reconnu pour la vérité). Ein näher bestimmender Zusatz kann, aber muß auch hier nicht den Artikel herbeiführen: Le duc craignait de se faire (le) vassal du roi de France.

An Stelle des Objektsaccusativs tritt bei faire häufig de und in diesem Falle kann der Prädikatsaccusativ nie ohne Artikel stehen: La politique fit de Gustave-Adolphe l'allié de la France. Besonders steht in dieser Weise en für das Personalpronomen der 3. Person: Buckingham avait reçu tous les dons de la nature; tout contribua à en faire le héros de la ville et de la cour. — In Beziehung auf Sachen muß de eintreten: Memnon se disposait à faire de la Grèce même le théâtre de la guerre. Rendre dagegen steht auch bei Sachen mit doppeltem Accusativ.

Das Prädikat kann auch hier ein Adjektiv sein. Für faire wird dann auch in Beziehung auf Sachen der doppelte Accusativ richtig: Les Orientaux font Édesse aussi ancienne que Ninive (ausgeben für).

Der Infinitiv als Prädikat.

§ 301. Nominativ (bezw. Accusativ) mit dem Infinitiv.

Viele der oben aufgezählten Verben können statt eines Substantivs oder Adjektivs auch einen Infinitiv zum Prädikate haben.

---

[1] Ohne pour steht tenir nur vor Adjektiven; vor Substantiven ist pour zu setzen (außer in wenigen stehenden Verbindungen z. B. je le tiens honnête homme).

Dann entsteht die Konstruktion des Nominativs (bezw. Accusativs) mit dem Infinitiv. Zu diesem prädikativen Infinitiv kann wieder ein Substantiv oder Adjektiv prädikativ hinzutreten.

Nominativ mit dem Infinitiv: Il semblait rêver. Si vous ne faites pas d'objections, vous êtes censé consentir. Il semble être l'auteur de cette épigramme. Mit pour[1]: La ville de Merv passe pour être la clef de l'Afghanistan. Ces gens ont été reconnus pour être de dangereux malfaiteurs.

Accusativ mit dem Infinitiv: A ce compte-là, vous vous trouveriez redevoir (herauszahlen müssen) à votre adversaire. Voilà qui s'appelle parler. Il se trouva devenir la propriété des créanciers de son père. — Nach laisser und faire[2]: On l'a laissé partir. On l'a fait venir. — Nach Verben der Sinneswahrnehmung, und zwar in größerem Umfang als bei diesen Verben doppelter Accusativ zulässig ist: Je le vis sortir précipitamment. Je les ai entendus chanter. Regardez-moi faire (sehen Sie mir zu). Die Verben des Denkens und Sagens können gewöhnlich nur im Relativsatz in dieser Weise gebraucht werden: Cette inscription qu'on prétend être illisible. Chacun de nous a de nouveau des pensées qu'il sait lui être familières. Dans une goutte d'eau on découvre des êtres qu'on n'aurait pas soupçonné(s) d'y habiter. Le soleil est 1000 fois plus gros que Jupiter, qu'on dit être[3] 1400 fois aussi volumineux que la terre. Doch auch: Je le croyais être mon compatriote. Il ne connaissait pas ces messieurs pour être ses parents. Dans sa quatrième satire Boileau essaie de prouver que tous les hommes étant fous, chacun, néanmoins, s'estime être sage.

§ 302. Der Prädikatsinfinitiv im aktiven und im passiven Sinn; Ersatz desselben durch ein entsprechendes Particip.

1) Der (in der Konstruktion des Accusativs mit dem Infinitiv) auf die Verben faire, laisser, entendre, voir, sentir folgende Infinitiv eines intransitiven Verbs kann nur aktiven Sinn haben: Il faut laisser parler le monde.

---

[1] Dagegen Particip nach comme: Pour ne pas éveiller les soupçons, il me désigna comme étant son frère.

[2] Nicht aber nach rendre, welches weder Infinitiv noch Particip als Prädikat haben kann, vgl. § 98, Anm. 2.

[3] Selten dont on dit qu'il est . . . Am besten vermeidet man beides in folgender Art: qui, dit-on, est . . .

On entendait les cloches sonner à toute volée. On voit reverdir les champs. Il sentit la mort venir.

Der Subjektsaccusativ[1] kann meist beliebig vor oder nach dem In= finitiv stehen: On entend sonner les cloches oder on entend les cloches sonner. Unmittelbar vor dem Infinitiv kann er selbstverständlich nicht stehen, sobald er durch ein Personal= oder Relativpronomen ausgedrückt ist: On les voit venir. Les cloches qu'on entend sonner. Faire ver= schmilzt mit dem folgenden Infinitiv zu einem Begriff, welcher die Ein= schiebung des Subjektsaccusativs nicht gestattet: On fera venir le médecin (jedoch bei dem affirmativen Imperativ: faites-le venir).

Es ist zulässig, aber kaum üblich, nach entendre, voir, sentir das Particip des Attivs statt des Infinitivs zu setzen. Gewöhnlich tritt das Particip nur nach solchen Verben der Sinneswahrnehmung ein, welche den Infinitiv nicht zulassen: Au loin, l'œil découvrait un aigle planant dans les airs (aber: on voyait un aigle planer).

2) Der auf dieselben Verben folgende Infinitiv eines transi= tiven Verbs kann dagegen aktiven wie passiven Sinn haben. Beispiele im § 303.

Für die Stellung des Subjektsaccusativs gilt das oben Bemerkte; sobald aber der Infinitiv passiven Sinn hat, kann der Subjektsaccusativ[2] nur nach demselben stehen. Daher: On entendait chanter les moines oder on entendait les moines chanter, aber nur: On entendait chanter vêpres.

Das Particip des Passivs (Part. Prät.) ist nach faire, laisser, en= tendre unmöglich. Nach voir und sentir ist es aber ebenso häufig als der Infinitiv: Il se sent attiré (oder attirer) vers l'étude. On le voit attaqué (oder attaquer) par ses anciens amis. Il vit toutes ses espérances renversées (oder il vit renverser toutes ses espérances). Durch den Infinitiv wird der Verlauf, die Dauer der Thätigkeit, durch das Particip mehr das Endresultat dieser Thätigkeit hervorgehoben.

---

[1] D. h. der Accusativ, welcher bei der Auflösung in einen Nebensatz zum Subjekt desselben würde, z. B. on voit que les champs reverdissent.

[2] Subjektsaccusativ ist er nur für die Auffassung des Infinitivs als Infinitiv mit passivem Sinn. In Wirklichkeit ist es ein Objektsaccusativ, weil hier die (im Lateinischen und im Englischen verbotene, aber im Fran= zösischen wie im Deutschen erlaubte) Konstruktion des Accusativs mit dem Infinitiv ohne Subjektsaccusativ und mit aktivem Infinitiv vorliegt. Zur Vergleichung:
Der Feldherr ließ die Gefangenen wegführen.
Le général fit emmener les prisonniers.
Dux captivos abduci iussit.
The general ordered the prisoners to be led away.

§ 303. Der Accusativ mit dem Infinitiv bei transitivem Verb.

Aktiver Sinn.   Passiver Sinn.

On fait signer les témoins.   *On fait signer le procès-verbal.*

Laissez lire les enfants.   *Ne laissez pas lire des livres dangereux.*

On voyait des chiens chasser   *On vit chasser ces malheureux seuls.*   *comme des bêtes fauves.*

On entend chanter le ros-   *On entend chanter des airs signol.*   *connus.*

Der Infinitiv eines transitiven Verbs nach faire, laisser, entendre, voir, sentir kann aktiv oder passiv aufzufassen sein.

Anm. Da der Sinn des Infinitivs durch die Form nicht kenntlich gemacht werden kann, so muß er aus dem Zusammenhang erraten werden. Sätze wie Je l'ai fait écrire sind zweideutig: ich habe ihn (den Knaben; den Brief) schreiben lassen.

Inwiefern die Stellung den Charakter des Infinitivs anzeigen kann, vgl. § 302, 2.

§ 304. Der sogen. Dativ mit dem Infinitiv.

La crainte le fit marcher   *La crainte lui fit hâter le pas.*
plus vite.   *Laissez prendre au malade*
Laissez reposer le malade.   *quelques instants de repos.*
Je le vis tomber dans cette   *Voilà la faute que je lui*
faute.   *vis commettre.*
J'aimais à entendre conter   *J'ai souvent entendu raconter*
le vieux soldat.   *ses campagnes au vieux soldat.*

In der Konstruktion des Accusativs mit dem Infinitiv darf nicht gleichzeitig ein Subjektsaccusativ und ein Objektsaccusativ vorkommen.[1]

Sollten beide zusammentreffen, so wird aus dem anfänglichen Subjektsaccusativ ein Dativ.[2]

[1] Wohl aber ein adverbialer Accusativ: Faites-le attendre un instant.

[2] Dieser Dativ bezeichnet das (leidende) Objekt, an welchem die Thätigkeit sich vollzieht, und hat Ähnlichkeit mit dem Dativ in On ne lui connaissait pas un ami, vgl. § 313 Anm. 3. Das Dativobjekt sowohl wie das Accusativobjekt können persönlich oder sächlich sein; vgl. Untersuchungen über Gegenstände der franz. Grammatik, Heft I, S. 15.

Infolge dessen wird der anfängliche Objektsaccusativ zum Sub=
jektsaccusativ und der Infinitiv erhält passiven (statt aktiven) Sinn:
A barque désespérée Dieu fait trouver le port (Prov.).

Anm. 1) Bei faire wird die Umwandelung in den Dativ am strengsten
befolgt. Sie muß auch eintreten, wenn das Objekt durch einen Nebensatz oder
einen Infinitiv ausgedrückt ist: On lui fit craindre qu'il ne fût arrêté (d'être
arrêté). — Unnötiger Weise tritt der Dativ öfter ein in on lui fit changer
d'avis, de résolution u. a.

2) Bei den übrigen Verben ist der Dativ nur unbedingt vorgeschrieben,
wenn Subjekts= und Objektsaccusativ durch persönliche Fürwörter ausgedrückt
sind: Je le lui ai laissé prendre. Je le leur ai vu faire. Je le lui ai
entendu dire. Auch diese Sätze sind der Form nach zweideutig.

Ebenso steht regelmäßig der Dativ, wenn ein Relativ als Sachobjekt
steht: Les pleurs que je viens de lui voir verser, me sont garants de son
repentir (Barracand).

Laisser kann mit dem Dativ stehen, selbst wenn kein Sachobjekt vor=
handen ist: Laissez dire les gens oder aux gens (laßt die Leute reden).
Laissons faire les événements. Laissons faire au temps. — Bei dem reflexiven
se laisser folgt manchmal noch der Dativ statt par, wenn eine Sache die
Wirkung ausübt: Il se laisse facilement emporter à la colère.

3) Wenn der Objektsaccusativ durch das reflexive Fürwort ausgedrückt
ist (d. h. bei dem Infinitiv eines reflexiven Verbs) tritt die Umwandelung in
den Dativ nicht ein: Laissez-le s'emporter tant qu'il voudra. Nach faire
wird ein solcher Infinitiv intransitiv (verliert das reflexive Fürwort), vgl.
§ 77.

Zusatz. Äußerlich hat diese Verwandlung in den Dativ Ähnlichkeit
mit der im Lateinischen im gleichen Falle vorgeschriebenen Wahl der passiven
Konstruktion (statt des zweideutigen nunquam auditum est crocodilum vio-
lasse Aegyptium). Die französische Konstruktion ist aber nicht durch das
Streben nach Klarheit herbeigeführt, denn die Zweideutigkeit besteht oft weiter:
Je le lui ai laissé prendre ich ließ zu, daß er es nahm, oder: daß es ihm
genommen wurde. In dem gegebenen Beispiel ist der Grund für das Ein=
treten von lui, daß nur so die übliche Vereinigung der pronominalen Objekte
möglich war. In Sätzen mit faire (on lui fit donner sa démission) muß der
Dativ eintreten, weil faire mit einem Infinitiv einen untrennbaren Verbal=
begriff bildet und nach französischem Brauch niemals zwei gleichartige Objekts=
casus von einem Verb abhängig sein können.[1]

---

[1] Der doppelte Accusativ (§ 300, 2) widerspricht dieser Regel nicht, da
der eine Objekts=, der andere Prädikatsaccusativ ist. Über die Möglichkeit
eines adverbialen Accusativs S. 345 N. 1.

§ 305. Der Accusativ.

Ein adverbialer Accusativ findet sich im Französischen:

1) Zur Bezeichnung der räumlichen Beziehung:
   a) Auf die Frage wo? Mon ami demeurait alors rue Linnée, au nᵒ 12. Avant-hier, quelqu'un vous vit, marché des Innocents, demander l'aumône aux passants (J.).
   b) Auf die Frage wie weit? Les troupes ont marché dix lieues. On obligeait l'accusé à porter un fer ardent l'espace de neuf pas (Lamotte). Des verdures naines en broussailles encadraient un temps[1] le chemin (M. Prévost).

2) Zur Bezeichnung der zeitlichen Beziehung:
   a) Auf die Frage wann? Le soir il rentra chez lui. Un beau matin il se trouva riche. Hier soir und hier au soir. L'an 31 av. J.-C. Le 18 janvier (über au 18 janvier vgl. § 380 A. 1).
   b) Auf die Frage wie lange? Il a dormi trois heures. Il fut quelque temps sans pouvoir répondre.
   c) Auf die Frage wie oft? Deux fois la semaine.

3) Zur Bezeichnung des Preises oder Wertes: Acheter, vendre, revendre qe 50 francs. Coûter, valoir 3 fr. Parier (seltner gager) 100 fr. Jouer deux louis la fiche (Spielmarke). Louer une maison 1000 piastres. Estimer une propriété 50000 fr. Ebenso acheter, vendre qe un bon prix, une bonne somme, un prix fou, un prix arbitraire (willkürlich festgesetzt); doch acheter qe à bon marché.[2]

4) Zur Bezeichnung des Gewichts: Ce colis (s stumm; Stück, Warenballen) pèse 150 kilogrammes (kilos).

5) Zur Bezeichnung der Eigenschaft oder der Art und Weise:
   a) Bei der Angabe körperlicher oder geistiger Eigenschaften: C'était une belle mule noire mouchetée de rouge, le pied sûr, le poil luisant, la croupe large et pleine (A. Daudet). Volkstümlich auch in lateinischer Weise avoir froid les mains, avoir chaud les pieds.
   b) Als Ausdruck der verschiedensten modalen Beziehungen: C'étaient de jeunes gens qui, la plupart, appartenaient à des familles parfaitement honorables (T. Zaccone). Je refusai d'abord, redoutant les conséquences; mais Martini me fit comprendre qu'en restant seul, je les assumerais la même chose (ebensogut; J.). Aller (marcher) bon train (tüchtig ausschreiten). Nous courons grand train à la ruine du théâtre (Fr. Sarcey).

---

[1] Die Wörter temps und espace werden vielfach auf andere Verhältnisse angewandt; vgl. Et rose elle a vécu ce que vivent les roses, L'espace d'un matin.

[2] In der Umgangssprache fast ausschließlich acheter qe bon marché, was die Grammatiker verwerfen.

6) Dem lateinischen Accusativ des Ausrufs ähnelt ein französischer Gebrauch: Berquin le (c.-à-d. son modéle Gessner) fait sans hésiter (le naïf enthousiaste!), il le fait d'emblée l'égal de Théocrite et de Virgile (H. Babou).

Der Accusativ abhängig von Verben (z. B. sentir le renfermé, venter tempête, parler chasse, grelotter la fièvre u. a.) vgl. § 231 j.

V. Das Pronomen.

Persönliches Pronomen.

§ 306. Vertauschung der Zahl oder der Person.

1) *Nous avons anobli et anoblissons le sieur Joseph Cadoudal.*

2) *Vous êtes le bienvenu.*

1) Die 1. Plur. statt des Singulars wird von Fürsten und Obrigkeiten gebraucht (Autoritätsplural). — Ebenso von Schriftstellern (Plural der bescheidenen Äußerung).

2) In der Anrede kann vous für eine einzelne Person gebraucht werden (Plural der höflichen Anrede).

Das Verb steht in beiden Fällen im Plural; weitere Bestimmungen dagegen (Substantiv, Adjektiv, Particip) behalten die Singularform.

Anm. 1) Außerdem vertritt der Plural den Singular in der abhortativen Form: On dit que j'ai de l'esprit: servons-nous-en. — Schriftsteller gebrauchen auch on von sich und in familiärer Sprache steht öfter on für die 1. Person: On sait vivre, que diable! (unter einer hat Lebensart).

2) Die Anrede mit tu hat in diesem Jahrhundert bedeutend zugenommen. Der im Deutschen fast unbekannte Übergang von tu zu vous oder umgekehrt im Lauf der Rede ist französisch sehr häufig. — Die Anrede an Gott ist vous (von den Protestanten wird tu gebraucht).

Zusatz. Vous (nie te, selten nous) dient auch als Ersatz der Objektsformen von on: On a beau prévoir tous les événements, celui qui vous arrive est toujours le seul auquel on n'ait pas songé.

§ 307. Prädikativer Gebrauch des neutralen *le*
(für *le, la, les*).

1) *Êtes-vous mariée? — Je le suis.*

2) *Êtes-vous la mariée (Neuvermählte)? — Je la suis.*

1) Das neutrale **le** steht prädikativ mit Bezug auf ein Adjektiv oder ein in adjektivischer Weise gebrauchtes Substantiv.

2) Dagegen werden **le, la, les** prädikativ gebraucht mit Bezug auf ein determiniertes Substantiv oder substantivisch gebrauchtes Adjektiv.

Anm. 1) Ein Substantiv ist in adjektivischer Weise gebraucht, wenn es Nationalität, Religion, Stand u. dgl. allgemein angiebt: Ètes-vous Anglais? Il est protestant. Son frère est militaire. Manche schreiben daher auch il est anglais mit kleinem Buchstaben.

2) Determiniert ist ein Substantiv, wenn es den bestimmten Artikel oder dessen Äquivalente (Possessiv, Demonstrativ) vor sich hat.

Zusatz. Von Sachen gilt die gleiche Regel; zu bemerken ist, daß das Subjekt ce lautet, wenn das prädikative le, la, les die Jdentität (nicht die Eigenschaft) bezeichnet: Ces livres sont-ils amusants? — Ils le sont. Dagegen: Sont-ce là vos livres? — Ce les sont.

Obwohl sich Fehler gegen obige Regeln nicht selten finden, sind die Franzosen in der Anwendung von le ziemlich genau. Corneille hatte geschrieben: Je suis Romaine, hélas! puisque mon époux l'est, änderte es aber in . . . puisque Horace est Romain um, da le sich auf das weibliche Romaine bezogen hätte. — Auf ein Verb darf le sich nur beziehen, wenn es in umschreibendem Tempus steht, also ein Part. Passé aufweist: On ne peut douter que les sciences n'aient été . . . perfectionnées peut-être au-delà de ce qu'elles le sont aujourd'hui (Buffon). Unrichtig ist daher: Il corrigerait ces abus, s'ils pouvaient l'être; dafür muß gesagt werden s'ils pouvaient être corrigés (Littré).

Über anderen Gebrauch des neutralen le vgl. § 231 Anm. 4. — Beziehungslos steht es in l'emporter sur qn (den Sieg davon tragen über), le disputer à qn (das Gleichgewicht halten), und dem vorwiegend mit der Negation gebrauchten le céder à qn (jemand nachstehen, wofür jedoch auch céder le pas à qn).

§ 308. Die Pronominaladverbien *en, y*.

1) *Charles-Quint passa ses dernières années parmi les moines, mais sans en embrasser la vie.*

2) *J'aurai moins de complaisance que vous n'en avez eu. Qui supporte une injure, s'en attire une nouvelle. Un homme averti en vaut deux.*

3) *Lorsqu'on lui annonça l'arrivée de son ami, il s'en montra très joyeux.*

1) Das Adverb en vertritt einen possessiven Genitiv.

2) Es vertritt einen partitiven Genitiv bei Quantitätsbestim=
mungen, Adjektiven, substantivischen und adjektivischen In=
definiten (plusieurs, personne, rien, aucun, un autre u. a.),
welche übrigens nicht Subjekt sein dürfen.[1]

3) Es vertritt eine präpositionale Bestimmung (de lui u. f. w.).

Anm. In den beiden ersten Fällen steht en unterschiedslos in Bezug
auf Personen und Sachen. Im dritten Fall aber ist seine Anwendung auf
Personen nicht unbeschränkt; dieselbe ist zulässig z. B. bei

a) parler, répondre (einstehen für), dire du bien, s'occuper de qn
b) s'approcher, s'éloigner, se détacher de qn
c) recevoir, obtenir, espérer qe de qn
d) se défier, se plaindre, raffoler, être fou, avoir horreur de qn
e) être aimé, adoré, connu, protégé, aidé de qn[2]
f) Bei faire, wenn die für Sachen statt des doppelten Accusativs vor=
geschriebene Konstruktion (vgl. § 300, 2 Anm.) auch bei Personen eintritt:
Le roi rendit sa confiance au ministre, et en fit presque son ami.

Weniger häufig ist y in Anwendung auf Personen, findet sich aber nach
songer, penser, se fier[3], croire, s'intéresser à qn: Il est votre cousin,
mais vous ne semblez guère vous y intéresser.

En und y als Ortsadverbien (daher, dahin): Après avoir quitté son lit
pendant deux heures, il s'y fit remporter pour ne plus en sortir.

§ 309.   Ausfall des verbundenen Personalpronomens.

1) *Il est arrivé le matin et reparti le soir même.*

2) *Cette pièce a eu un destin peu commun: le public
l'a sifflée et applaudie à quelques années d'intervalle.*

1) Das Pronomen als Subjekt fällt manchmal beim zweiten
Verb weg.

2) Ebenso kann das Objektspronomen bei dem zweiten Verb
fehlen.

In beiden Fällen ist Bedingung,
a) daß beide Verben in umschreibender Zeit stehen,

---

[1] Wohl aber logisches Subjekt: Les feuilles tombent en automne, mais
au printemps il en reviendra d'autres. Il n'en est rien (das ist nicht der Fall).
[2] Und ebenso beim Passiv aller Verben, welche de neben par zulassen.
[3] Sprichwörtlich: Souvent femme varie, Bien fol est qui s'y fie
(Franz I.). Zu bemerken ist noch, daß y wie en nur auf die 3. (nicht auch
die 1. oder 2.) grammatische Person bezogen werden. Nur bei dem dritten
Fall (en für präpositionale Bestimmungen) finden sich Ausnahmen.

b) daß beide gleichartig sind, d. h. daß beide transitiv oder
intransitiv, affirmativ oder negiert sind und daß sie gleiches
Hülfsverb haben,

c) daß sie durch et oder ou verbunden sind.

Für den zweiten Fall (Auslassung des Objektspronomens)
ist weitere Vorschrift, daß die Verben gleichen Kasus erfordern,
daher Il m'a flatté et (il) *m'a* dit des choses blessantes
tout à la fois.

Anm. Bei einfacher Zeit fällt das Subjektspronomen weg, wenn die
Verben eine stehende Verbindung bilden: il va et vient (er geht auf und ab);
es muß wegfallen nach ni: il ne veut ni ne peut vons rendre ce service. —
In alter Sprache konnte jedes (auch das erste) Subjektspronomen fehlen.
Erhalten ist dies in sprichwörtlichen Redensarten: Fais ce que dois, advienne
que pourra. Roi ne puis, prince ne daigne, Rohan suis (Familiendevise).

§ 310. Unrichtiges *le, en, y.*

Je sais que tu es mon meilleur ami.
Il se repent maintenant d'avoir eu cette faiblesse.
J'ai renoncé à lui faire entendre raison.

Die unserem es, davon, darauf u. s. w. entsprechenden
Wörter le, en, y dürfen nicht bei einem Verb als Hinweis auf
einen folgenden syntaktisch verbundenen Satzteil stehen.

Anm. 1) Dagegen stehen diese Wörter, wenn die syntaktische Verknüpfung (durch Wegfall der Konjunktion) aufhört: Je le sais, tu es mon meilleur
ami. Ebenso, wenn der abhängige Satz vorangeht: Que le libre examen soit
le trait dominant du XVIIIe siècle, ce n'est pas la peine de le dire.

In der neueren Sprache mehren sich die Fälle, daß ein Pronomen auch
als Hinweis auf Nachfolgendes bei syntaktischer Verbindung steht. In der
Volkssprache war dies immer üblich, bringt aber jetzt auch in die Schriftsprache
ein. So besonders je le sais bien: Je le sais bien qu'elle me ressemble
(G. de Maupassant). Si je le croyais, que[1] c'est bien vrai, tout ce que vous
me dites (Gyp). Je le savais bien que tu dinerais à Paris (P. Marguerite).
Je vous le disais bien que je n'arriverais pas au but (E. Daudet).

2) Wie es unüblich ist, durch ein neutrales Personalpronomen auf
etwas Folgendes hinzuweisen, ist es auch unerlaubt, dem Verb ein persönliches

---

[1] Das Komma deutet hier an, daß vor dem Objektsatz eine Pause
eintritt, welche die grammatische Verbindung einigermaßen aufhebt. Auch in
den übrigen Fällen ist vor que eine Pause zu denken; der Sprechende fügt
den Objektsatz erst nachträglich hinzu.

Pronomen als Objekt beizugeben, wenn dieses Pronomen in dem abhängigen Satze wieder als Subjekt erscheint; also: Vous permettrez (oder Permettez) que je vous fasse une observation; dagegen bei folgendem Jnfinitiv: Vous me permettrez (oder Permettez-moi) de vous faire une observation.

§ 311. Einzelne Bemerkungen zum verbundenen Personalpronomen.

1) Obwohl es nicht erlaubt ist, ein Pronomen der 3. Person auf ein vorausgehendes Substantiv ohne Artikel zu beziehen (wenn dasselbe nicht Eigenname ist), finden sich doch Beispiele: Si la loi ne vous fait pas justice, vous ne devez pas vous la faire à vous-même.

2) Wie im Deutschen giebt es im Französischen einen ethischen Dativ, bestehend in dem pleonastischen Zusatz der Dativform des verbundenen Personalpronomens: Goûtez-moi de ce vin-là. La mule vous lui[1] détacha un coup de sabot si terrible, si terrible, que de Pampelune même on en vit la fumée (A. Daudet). Dressez-lui-moi son procès (Molière).

§ 312. Das unverbundene Pronomen ohne Verb.

Das unverbundene Personalpronomen steht überall, wo eine direkte Abhängigkeit von dem Verb nicht vorhanden ist, also

1) Alleinstehend als Antwort: Qui m'a appelé? — Moi.
2) Substantivisch: le moi et le non-moi (Jch und Nicht-Jch).
3) Nach Präpositionen: Venez avec moi. Chez moi. Il est chez lui (zu Hause). Il a une manière à lui (eigen).
4) Prädikativ nach c'est: c'est moi, c'est toi, c'est lui (elle), c'est nous, c'est vous, aber ce sont eux (elles), vgl. § 237 Anm. 1.
    Bemerke: Qui l'a fait? — C'est moi (d. h. Beziehung auf das Subjekt). Dagegen: Êtes-vous médecin? — Je le suis (d. h. Beziehung auf das Prädikat).
5) Bei der Vergleichung: Son frère est plus instruit que lui.
6) Vor dem Relativ: Toi qui lui as rendu tant de services.
7) Jn der Verbindung mit même: Moi-même, vous-mêmes (ihr selbst, aber vous-même Sie selbst).

---

[1] Hier sind andere als die sonst üblichen Kombinationen erlaubt. Auch die Stellung des Dativs und Accusativs unter einander nach dem Jmperativ hat keine feste Regel.

8) Ju Verbindung mit appositiven Zusätzen (Adjektiv, Particip[1] oder Ordinalzahl): Moi seul (je) n'en ai rien su. Toi parti, où trouverai-je un appui? Il s'enfuit du champ de bataille, lui quinzième (selbfünfzehnt).

Anm. Das lateinische me miserum! ist malheureux! oder malheureux que je suis, doch auch oft pauvre moi!

§ 313. Das unverbundene Pronomen beim Verb.

Moi, je ne le crois pas (familiärer *je ne le crois pas, moi*). Zur Verstärkung tritt öfter das unverbundene Fürwort zu dem verbundenen.

Alleinstehend als Subjekt kann das unverbundene Personalpronomen nur in der 3. Person auftreten: Je le lui ai proposé, mais lui ne voulait pas en entendre parler.

Anm. 1) Das emphatisch zugefügte moi wird oft noch verstärkt: moi qui vous parle; ebenso vous qui parlez. Der Relativsatz kann deutsch nicht wiedergegeben werden.

2) Das unverbundene Fürwort steht auch vor den Mittelformen des Verbs: Moi, m'oublier à un tel point! Alors lui de courir. — Je l'ai fait pour des raisons à moi connues.[2]

Einzelne Verben nehmen nur das unverbundene Personalpronomen als Objekt zu sich; hauptsächlich

a) aller, venir[3], courir à qn,

b) recourir, en appeler à qn,

c) penser, songer, rêver à qn (selten parler à qn),

d) accoutumer, habituer, renoncer à qn.

---

[1] Bemerke je soussigné (ich unterzeichneter) als Rest alten Brauchs, doch auch schon moi soussigné. Hier Nominativ, was in toi parti, lui quinzième nicht der Fall ist.

[2] Diese Voranstellung des Pronomens ist nötig und tritt selbst ein, wenn Particip und Pronomen allein stehen: A lui demandé: ... (A. Ranc), aus einem Vernehmungsprotokoll.

Dieselbe Stellung tritt auch bei einzelnen Adjektiven (besonders propre, particulier) ein: dans un langage à lui propre. Il se proposait de transformer cette pièce, à lui inutile, en une sorte de laboratoire (Gramont).

[3] Il vint à nous (er kam auf uns zu), venez à nous (wendet euch an uns), il vint chez nous (er kam zu uns in unsere Wohnung), il nous vint du monde (wir bekamen Besuch), vous nous reviendrez, j'espère (Sie werden doch wieder kommen).

Plattner, Grammatik. I. r. 23

e) avoir affaire, prendre garde, faire attention à qn,
f) être à qn (gehören)[1].

Umgekehrt wählt das Französische bei einer Reihe von Verben das verbundene Fürwort, während wir das unverbundene erwarten, hauptsächlich bei Verben der Wahrnehmung voir, découvrir, sentir, savoir, croire, trouver, soupçonner u. a. On ne lui vit d'abord que la tête (anfangs sah man nur den Kopf von ihm). Je lui connais une foule d'ennemis. On lui découvre tous les jours de nouvelles qualités. Il se sentit une force irrésistible.

§ 314. Der Gebrauch von soi.

1) *Chacun pour soi. Il ne faut pas trop parler de soi. Celui qui ne pense qu'à soi, trouve difficilement un ami. Charité bien ordonnée commence par soi-même.*

2) *Un bienfait porte sa récompense avec soi (lui). La guerre traîne après elle (soi) des maux sans nombre.*

1) **Soi muß von Personen gebraucht werden, wenn dieselben in allgemeiner Weise (meist durch ein indefinites Pronomen) ausgedrückt sind.**

2) **Soi kann von Sachen gebraucht werden, doch seltener für das weibliche Geschlecht.**

Anm. 1) Man gebraucht nicht mehr soi von Personen, wenn dieselben in allgemeiner Weise durch ein Substantiv bezeichnet sind: L'avare ne vit que pour lui-même (nicht pour soi) dans ce monde. — Noch weniger darf soi von bestimmten Personen gesagt werden, um eine Unklarheit zu vermeiden. In solchen Fällen muß die Ausdrucksweise geändert werden; daher nicht L'avare qui a un fils prodigue, n'amasse ni pour soi ni pour lui, sondern . . . n'amasse ni pour ce fils ni pour lui-même. — In der neuesten französischen Litteratur gelangt übrigens soi wieder zu ausgedehnterer Verwendung und findet sich sehr häufig auf bestimmte Personen angewandt. Vgl. das Ergänzungsheft.

2) In Sätzen mit unbestimmtem persönlichem Subjekt bezieht soi sich auf dieses Subjekt; in Beziehung auf Sachen ist es dann nicht verwendbar: Il ne faut attendre son bien que de soi-même. Il faut faire le bien pour lui-même.

---

[1] Cette maison est à lui, aber cette maison lui appartient — Auch s'adresser à qn und viele andere Reflexive gehören hierher; der Accusativ ist bei ihnen immer ein anderer als le, la oder les (§ 178, 3) daher muß der Dativ nach dem Verb stehen.

De soi und mehr noch en soi (beide: an und für ſich) ſind ſtehende
Ausdrücke, die auch bei Femininen bleiben: La chose est innocente en soi. —
In soi-disant iſt soi (für se) ein Accuſativ (ſich nennend; nicht: ſelbſt ſagend),
das Particip iſt daher unveränderlich (§ 277, Anm. 1); auf Sachen darf
soi-disant ſeiner Etymologie nach nicht angewandt werden.[1] — Soi kann nie
mehr, auch nicht bei Sachen, auf einen Plural bezogen werden[2]: Que de
maux les guerres civiles trainent après elles!

Der oben (Anm. 1) erwähnte freiere Gebrauch von soi in der neueren
Sprache findet ſich ſelbſt bei Pluralen: Les trois tirailleurs allaient droit
devant soi par les champs d'alfa (J. Reibrach).

3) Als Nominativ iſt jetzt nur soi-même üblich. Früher auch einfaches
soi: On a souvent besoin d'un plus petit que soi. Il faut être soi (ſeinen
Charakter nicht verläugnen; dagegen mit beſtimmtem Subjett: il a été lui).

Dabei iſt zu bemerken, daß in einzelnen Fällen der Nominativ der
Reflexive überhaupt (alſo auch moi-même, lui-même u. a.) wenig üblich iſt,
beſonders

a) Nach Verben, welche bereits ein verbundenes Reflexiv vor ſich haben:
Il ne faut jamais se faire justice à soi-même (ſelten se faire justice
soi-même). — Daß das verbundene Reflexiv nicht fehlen darf, iſt § 64
erwähnt.

b) Nach den Verben penser, réfléchir, voir, examiner, juger, savoir,
observer, connaître, régner u. a. pflegt das Reflexiv mit par zu
ſtehen: Je veux en juger par moi-même. Die Präpoſition dient hier
zur Bezeichnung der bewirkenden Perſon, daher der Gegenſatz faire qe
par soi-même (ſelbſtändig): faire qe par un autre (thun laſſen).

§ 315. Das unverbundene Personalpronomen von Sachen.

Das Pronomen der 3. Perſon (lui, elle, nicht aber auch das unerſetz=
bare soi) wird bei Sachen möglichſt vermieden und durch Adverbien (en, y,
dedans, dehors, dessus, dessous, devant, derrière u. a.) erſetzt: Cette
affaire n'est pas sûre, vous auriez tort d'y (für sur elle) compter. Voyez
sur la table, cherchez dessus et dessous (für sur elle, sous elle).

§ 316. Mehrere unverbundene persönliche Fürwörter (oder ein solches mit einem Substantiv).

1) Lui et toi(,)
   Ton frère et toi(,) } (vous) partirez ensemble.

---

[1] Hierin liegt der Unterſchied zwiſchen soi-disant und prétendu. Beide
ſind = angeblich, vorgeblich; nur das letztere aber iſt = ſogenannt.
[2] Daher kann soi nie nach entre ſtehen.

23*

2) *Je vous laisserai partir, toi et lui.*
Je (te, vous) laisserai partir(,) toi et ton frère.

1) Zwei unverbundene Fürwörter (oder eines mit einem Sub=
stantiv) als Subjekte können vor dem Verb durch ein
verbundenes Fürwort im Plural zusammengefaßt werden.[1]

2) Zwei unverbundene Fürwörter als Objekte[2] werden in der
Regel in derselben Weise zusammengefaßt. Ist eines der
Objekte ein Substantiv, so kann die Zusammenfassung ein=
treten und unterbleiben; es kann außerdem lediglich das un=
verbundene Fürwort vor dem Verb nochmals in verbundener
Form auftreten.

Das Komma tritt nur ein, wenn eine Zusammenfassung
stattfindet.

Dabei wird der Vorzug der Personen beobachtet, d. h. in
der Zusammenfassung verschiedener grammatischer Personen
hat die 1. vor der 2. und beide haben vor der 3. den
Vorzug.

Anm. Nach französischem Brauch muß die 1. (redende) Person bei
dem Zusammentreffen mit anderen Personen an letzter Stelle genannt werden.
Sogar (unlogisch) je vous dis cela de vous à moi (das bleibt unter uns).

Possessivpronomen.

§ 317. Vertauschung der Zahl oder der Person.

Die bei dem Personalpronomen § 306 erwähnten Ver=
tauschungen finden in gleicher Weise bei dem Possessiv statt, so
daß notre, votre für mon, ton, und ebenso le nôtre, le vôtre
für le mien, le tien eintreten.

Anm. Als Possessiv für das unbestimmte on wird meist son gebraucht:
On ne doit pas médire de son prochain. Englisch genauer one's.

§ 318. *En* statt des Possessivs.

*Le soin qu'on apporte au travail empêche d'en sentir
la fatigue. Il faut casser le noyau pour en avoir l'amande.*

---

[1] Die zusammengefaßten Subjekte können auch nur ein modales Hülfs=
verb gemeinsam haben: Je ne vois pas ce que nous pourrions, vous me
demander, moi vous refuser.

[2] Oder mit einer Präposition verbunden.

Son wird gebraucht, wenn einer Perſon ein Beſitz zu=
geſprochen wird. Dagegen tritt meiſt en ein, wenn einer Sache
ein Beſitz zugeſprochen wird. (Vgl. auch § 308, 1.)

Anm. Doch kann auch vielfach in Bezug auf Sachen (beſonders Städte,
Länder) son gebraucht werden. Dieſes Poſſeſſivpronomen muß (ſtatt en)
eintreten,

1) Wenn der Gegenſtand des Beſitzes mit einer Präpoſition verbunden iſt:
Les montagnards préfèrent leur pays à tout autre malgré la rigueur de
son climat. Unrichtig iſt daher folgender Satz: Les jeunes femmes
semblent avoir une foi particulière dans ces gris-gris, si l'on en juge
par la quantité dont elles s'en affublent (Rolland); das zu quantité
gehörige en hat zudem eine ganz unpaſſende Stellung gefunden.

Ein hier eintretendes en berührt oft fremdartig und der Schriftſteller
ſelbſt weiß öfter nicht die richtige Stelle für dieſes Adverb zu finden:
Entrons dans le détail du Cid. Toutes les parties en tirent leur
beauté de cette ressemblance avec la vie (Nisard). Le roi ne recevait
à son lever que des gentilshommes. Mais le nombre ne laissait pas
d'en être considérable (A. France).

2) Wenn entweder der beſitzende Gegenſtand oder der Gegenſtand des Be=
ſitzes[1] das Subjekt des Satzes iſt:
Cette maison a ses beautés et ses défauts.
Vous rappelez-vous cette ville? Ses promenades sont admirables.

§ 319. Verſtärkung des Possessivs.

*Voilà mon avis à moi, maintenant faites comme vous
l'entendrez.*

Je l'ai vu de mes propres yeux.

Das adjektiviſche Poſſeſſiv kann verſtärkt werden durch den
Zuſatz von propre oder Beifügung des zugehörigen Perſonal=
pronomens im poſſeſſiven Dativ.

§ 320. Wiederholung des Possessivs.

1) *Cet enfant est orphelin, il a perdu son père et sa mère.*
2) *Son patron le choisit pour son gendre et son successeur.*

1) Wie der Artikel ſo muß das Poſſeſſivpronomen vor jedem
einzelnen von mehreren koordinierten Subſtantiven wiederholt
werden.

---

[1] In der neueren Sprache iſt dies Regel.

2) Dies geschieht in der Regel sogar, wenn diese Substantive eine und dieselbe Person bezeichnen.

Anm. 1) Oft aber tritt eine Zusammenfassung solcher Substantive zu einem Gesamtbegriff ein, und die Wiederholung unterbleibt: ses père et mère (Eltern), ses frère(s) et sœur(s) (Geschwister), ses biens et revenus (sein ganzes Vermögen), on lui demanda ses nom, prénoms et qualités (wie er hieße und was er wäre). Immer à ses risques et périls (binde *riske*).

2) Grammatisch betrachtet, ist nur diese Wiederholung richtig. Das Possessiv kann nur fehlen, wenn auch der Artikel fehlen könnte. Man sagt nun wohl les père et mère de qn, aber nicht le gendre et successeur de qn.

Zusatz. Falls vor einem Substantiv mehrere Adjektive stehen, so wird das Possessiv wiederholt, wenn die Adjektive nicht demselben Gegenstand gleichzeitig zukommen: Chacun a ses bons et ses mauvais jours; es wird nicht wiederholt, wenn die Adjektive verschiedene Eigenschaften eines und desselben Gegenstandes bezeichnen: Tout le monde admire nos belles et vastes forêts.

§ 321. Dem deutschen Gebrauch zuwider darf das Possessiv nicht stehen:

1) Vor dem Substantiv, welches einen Relativsatz im Gefolge hat, wenn durch letzteren der Besitz hinlänglich klar bezeichnet wird: Avez-vous gardé la (nicht ma) lettre que je vous ai écrite la semaine dernière?

Jedoch steht das Possessiv, wenn der Relativsatz nur eine erklärende oder nebensächliche Bemerkung enthält: J'espère que vous possédez encore mon adresse, que j'avais ajoutée à ma dernière lettre. La digne mère est à son bas, qu'elle tricote, le respectable père à sa bière, qu'il sirote, et l'ange du foyer à son piano, qu'il tapote (E. About).

2) Bei der Angabe von Körperteilen[1]: Dans sa chute il se démit l'épaule; peu s'en fallut qu'il ne se cassât le cou.

Ähnlich trouver la mort, perdre la vie (selten sa vie). Zu bemerken: Dire qe entre ses dents. — Il donna hardiment son bras au chirurgien, weil donner le bras à qn eine andere Bedeutung haben kann. — Se couper[2] le doigt (sich den Finger abhauen), se couper au doigt (sich in den Finger schneiden).

3) Nach dem intransitiven **changer** und **redoubler**: Il y a des gens qui changent d'opinion comme on change

---

[1] Einen festen Gebrauch, wie ihn das Englische bietet (*he broke his arm*) kennt weder das Deutsche noch das Französische.

[2] Englisch *to cut off one's finger; to cut one's finger.*

de linge. Le renard change de poil, mais non de naturel. Je redoublai d'attention.

Ebenso steht französisch bloßes de (deutsch kein Possessiv) bei allen Verben, die eine Zu= oder Abnahme ausdrücken, besonders augmenter und diminuer; selten (veraltet) ist hier das Possessiv: Un accablement qui augmentait son poids de jour en jour (Saint-Simon).

Zusatz. 1) Das deutsche Possessiv wird im Französischen durch einen Relativsatz ersetzt

a) Bei Substantiven, von welchen ein anderes Substantiv mittelst einer Präposition abhängig gemacht werden müßte: Le séjour que nous faisons à l'étranger, sert plutôt à irriter notre patriotisme qu'à l'affaiblir (unser Aufenthalt im Auslande).

b) Öfter bei Substantiven, die eine Zeitangabe enthalten: Le siècle où nous vivons. Le temps où nous sommes. Par le temps qui court.

2) Seiner Zeit heißt dans son temps oder dans le temps. — Je tenais à faire votre connaissance, aber à faire plus ample connaissance avec vous. — Dieu m'est témoin, aber vous êtes témoin qu'il a été l'agresseur (mein Zeuge). — Plier bagage (sein Bündel schnüren).

3) Mit Bedeutungsunterschied:

Faire (refaire, chercher) fortune (wieder) reich werden, zu Reichtum zu ge= langen suchen; faire sa fortune zu Macht und Ansehen gelangen.[1]

Prendre parti Partei ergreifen; prendre son (auch un) parti einen Entschluß fassen.[2]

Reprendre haleine ausschnauben, sich erholen; reprendre son haleine wieder Luft haben.

Donner la main à qn die Hand geben; donner sa main à qn die Hand reichen, zur Ehe nehmen.

Se dire la vérité aufrichtig gegen einander sein; ils se disent leurs vérités sie sagen einander unangenehme Wahrheiten.

Ne pas perdre de temps ungesäumt an die Arbeit gehen; ne pas perdre son temps sich mit Erfolg bemühen.

Faire le tour du monde die Welt umsegeln; faire son tour de France seine Wanderzeit (z. B. als Handwerksbursche) abmachen.

Faire la paix avec qn Frieden schließen; faire sa paix avec qn sich aus= söhnen.

Être à son aise wohlhabend sein; être à l'aise (auch à son aise) sich be= haglich fühlen.

---

[1] Sein Glück machen ist also bald faire fortune, bald faire sa fortune
[2] Prendre le parti de qn sich zu jemand schlagen. Prendre son parti sur qc (il a pris son parti là-dessus, il en a pris son parti) etwas verschmerzen, sich in Geduld fassen.

§ 322. Das Possessiv steht dem deutschen Gebrauche zuwider:

1) Wo wir das Besitzverhältnis durch ein Personalpronomen mit der Präposition von ausdrücken: ein Freund von mir un de mes amis.

So auch: ein Gedicht von ihm des vers de sa composition, ein Streich von ihm un tour de sa façon u. a. — Der possessive Genitiv des Personalpronomens ist nicht üblich, wohl aber der possessive Dativ desselben: un ami à moi[1].

2) Bei Verwandtschaftsbezeichnungen in der Anrede: Mon père, madame de Vaubert était hier un peu souffrante.

Ebenso lauter in der militärischen Sprache die Anrede des Untergebenen an den Vorgesetzten mon lieutenant, mon colonel, mon général (nicht monsieur le colonel u. s. w.).

Auch außer der Anrede ist es nicht üblich, bei nicht attributiv bestimmten Verwandtschaftsbezeichnungen den Artikel zu setzen; daher: Vous n'avez pas encore vu mon (notre) cousin? Ebenso wenig sollen derartige Bezeichnungen ohne Possessiv stehen, erlaubt ist das nur bei papa, maman und den Zusammensetzungen mit grand, greift aber weiter um sich.

3) Mit dem Possessiv werden verbunden aîné, cadet, pareil, semblable: Mon frère est mon aîné de deux ans. Nos semblables. Nos anciens, nos aînés (unsere Vorfahren). Dasselbe geschieht bei supérieur, inférieur: Nos supérieurs.[2]

Zusatz. Das Possessiv steht außerdem vom. deutschen Gebrauche abweichend in einer Reihe von Redensarten

1) Für deutsches Personalpronomen:

il se jeta à mon cou er fiel mir um den Hals

ils tombèrent à ses pieds, à ses genoux sie fielen ihm zu Füßen

on vint à son secours man kam ihm zu Hülfe

c'est votre tour; à votre tour maintenant Sie sind an der Reihe

une lettre à mon adresse ein an mich gerichteter Brief

avez-vous de ses nouvelles? haben Sie von ihm gehört?

c'est à votre disposition, à vos ordres, à votre service es steht Ihnen zu Diensten; à ma charge mir zur Last.

---

[1] Der possessive Dativ des Substantivs dagegen steht nur in vulgärer Sprache; er ist jedoch erhalten in la barque à Caron, se battre de la chape à (selten de) l'évêque (um des Kaisers Bart streiten) u. a.

[2] Englisch our elders, our betters u. a.

on le fit en son honneur[1] man that es ihm zu Ehren
je suis votre obligé (je vous suis obligé) ich bin Ihnen verbunden

2) Besonders häufig in Verbindung mit tout:
aimer Dieu de toute son âme aus ganzer Seele
remercier qn de tout son cœur (de tout cœur) aus ganzem Herzen
courir de toutes ses forces (aber à toutes jambes) aus Leibeskräften
s'employer à qe de tout son pouvoir sich nach Kräften bemühen
faire tous ses efforts pour obtenir qe sich alle Mühe geben
trembler de tous ses membres am ganzen Leibe zittern
il porte toute sa barbe er trägt einen Vollbart u. a.

3) In präpositionalen Ausdrücken:
on alla à sa rencontre ihm entgegen
on le fit à votre intention für Sie
on le fit à votre considération, à votre égard aus Rücksicht auf Sie
de ma part von meiner Seite, von mir
sur son compte in Bezug auf ihn
par son moyen, par son intermédiaire (par son entremise) durch seine
Vermittelung
à sa suite nach ihm, mit ihm
en sa faveur ihm zu gunsten
à mon usage für mich bestimmt
à son défaut wenn er nicht will oder kann
il s'assit à côté de moi oder à mes côtés[2], selbmer à mon côté
neben mich

Dagegen faites-le pour l'amour de lui (ihm zuliebe), au milieu d'eux
(in ihrer Mitte; dans leur milieu in ihrer Umgebung, ihrem Umgangskreise).

§ 323. Ethisches Possessiv.

Wie der Dativ des persönlichen Fürworts so wird vielfach das Possessiv
pleonastisch gesetzt, mit dem Unterschiede jedoch, daß, obwohl der Charakter
der beiden Ausdrucksweisen derselbe ist, dieses Possessiv nur in stehenden
Redensarten vorkommt.[3]

1) So steht mon, notre vor dem Hauptgegenstand der Erzählung: Maitre
René Genouillac, — c'était le nom de notre apothicaire, — avait
une fille.

2) Son und leur stehen häufig nach sentir und trahir (schmecken nach,
verraten): Voilà un latin qui sent son collège.

-----

[1] Nicht mehr in diesem Sinne à son honneur. Dagegen je le dis à
son honneur (ihm zum Lobe), il s'en est tiré à son honneur (mit Ehren).

[2] Obwohl der Plural ebenso unlogisch ist wie in se promener sur les
bords d'une rivière.

[3] Pleonastisch bedeutet also, daß das Possessiv die Rolle eines Füllwortes hat, nicht etwa, daß man es nach Belieben setzen oder auslassen kann.

3) Das Possessiv tritt vor Substantive, die eine Maßangabe enthalten: tomber tout de son long oder tomber de son haut (der Länge nach hinfallen[1]), manger son content (nicht comptant! sich satt essen), dormir son soûl[2] (sich ausschlafen).

4) Einzelne Ausdrücke: se mettre sur ses grands chevaux (sich auf das hohe Roß setzen), jurer ses grands dieux (hoch und teuer schwören), faire ses preuves (sich die Sporen verdienen), donner sa mesure (zeigen, was man leisten kann), faire ses classes, ses humanités (das Gymnasium absolvieren), faire sa rhétorique, sa philosophie (in Unter-, Oberprima sitzen), faire son droit (Jura studieren), aller son petit bonhomme de chemin (gemütlich dahinschlendern), fermez votre porte (machen Sie doch die Thüre hinter sich zu), cuver son vin (den Rausch ausschlafen), savoir son monde (Lebensart haben), se mettre sur son séant (sitzende Stellung einnehmen), payer de sa personne (sich persönlich der Gefahr aussetzen), il est bien fait de sa personne (schön gewachsen), un animal timide de sa nature (von Natur furchtsam), cela a fait son temps (ist veraltet, außer Mode), il a son dû (was ihm gebührt), trouver son fait (finden, was man braucht), j'ai votre affaire (da kann ich Ihnen dienen), il est dans son droit, dans son tort (im Recht, im Unrecht), faire qe à ses heures (nach Bequemlichkeit), il a fait comme à son ordinaire (wie er zu thun pflegt), il n'est pas dans son bon sens (er ist toll), il a repris ses sens, sa connaissance (wieder zu sich gekommen) u. s. w.

§ 324.   Die Stellung des Possessivs bei Zusammensetzungen.

Il partit pour ne plus revoir le lieu de sa naissance.
Sur (à) son lit de mort il se repentit de sa cruauté.

Bei zwei durch de verbundenen Substantiven tritt das Possessiv vor das erste Substantiv, wenn die Verbindung der Substantive zu einem Gesamtbegriff eine innige ist, sonst vor das zweite.

Anm. Man wird sagen: l'état de sa santé (sein Gesundheitszustand), aber un animal à son état de liberté (im Freiheitszustand); au péril de sa vie (mit Lebensgefahr), aber son genre de vie (Lebensweise); le lieu (l'année) de sa naissance, aber son acte de naissance (Geburtsschein). Man sagt sowohl les amis de son enfance, les compagnons de son exil[3] wie ses amis d'enfance, ses compagnons d'exil. Die Entscheidung ist oft schwierig; in mechanischer Weise trifft man meist das Richtige, wenn man untersucht, ob

---

[1] Letzteres auch: wie vom Himmel gefallen sein.
[2] Nur in solchen Ausdrücken darf soûl noch gebraucht werden.
[3] Mehr dem höheren Stil angehörig.

auch das erste Substantiv (Gegenstand des Besitzes sein kann; in diesem Falle hat es auch das Possessiv vor sich: son nom de famille, sa finesse d'esprit, sa cité d'adoption.

§ 325. Das substantivische Possessivpronomen.

1) *Vos intérêts sont les nôtres. On n'est jamais trahi que par les siens.*

2) *Il parlait en mon nom et au sien (propre).*

3) *Il a fort à faire pour gagner son pain et celui de sa famille (le pain de sa famille et le sien).*

1) Ohne Verbindung mit einem Substantiv darf nur das substantivische Possessiv stehen.

2) Vor ein und dasselbe Substantiv können nicht zwei adjektivische Possessiva treten.

3) Wenn zu einem Substantiv ein Possessiv und ein possessiver Genitiv gehören, so wird der letztere vermittelst des substantivischen Determinativs angeknüpft. Seltner tritt das Possessiv in die substantivische Form.

Anm. 1) Im prädikativen Gebrauch findet sich nach être, devenir, rester, faire, dire, regarder (mit comme) u. a. Verben das substantivische Possessiv ohne Artikel: Pourquoi ce bonheur n'était-il pas sien? Son ami lui dit de regarder la maison comme sienne. Cette idée me parait tellement juste que je la fais mienne (mir aneigne). Jedoch darf leur nie so gebraucht werden und während bei den meisten Verben der Artikel auch stehen kann, darf nach faire das prädikative Possessiv nie den Artikel haben[1].

2) Wie das adjektivische Possessiv wird auch das substantivische durch propre verstärkt. Außer propre, seul, même kann kein Adjektiv zu dem substantivischen Possessiv treten.

Zusatz. 1) Manchmal finden sich die substantivischen Possessive in familiärer Sprache adjektivisch gebraucht: un mien cousin (ein Vetter von mir). Dieser Freund von mir: mon ami que voici.

2) Das Mein und Dein: le tien et le mien. Diese Stellung muß gewählt werden, vgl. § 316 Anm.

3) Ellipse des Substantivs findet statt in il a encore fait des siennes (das sieht ihm wieder recht ähnlich). — Nicht nachzuahmen ist la vôtre (für votre lettre) u. a.

---

[1] Faire qe sien ist zugleich die geläufigste von allen diesen Ausdrucksweisen. Für cet objet est mien sagt man nur est à moi. Mit Unrecht werden obige Beispiele der familiären Redeweise zugewiesen. Meist gehören sie in ihrem jetzigen Gebrauch dem edleren Stile an. Vgl. mit § 300.

Demonstrativpronomen.

a) Eigentliches Demonstrativ.

§ 326. Das adjektivische Demonstrativ.

Ce jardin est bien entretenu (dieser Garten).
Ce jardin-ci est bien entretenu, mais ce parc-là ne l'est guère (dieser Garten . . . jener Park).

Das adjektivische Demonstrativ ce (cet), cette kann, wenn eine Gegenüberstellung eintritt, durch den Zusatz von ci und là verstärkt werden. Diese Adverbien treten vermittelst Bindestrich hinter das Substantiv.

Anm. 1) Gewöhnlich bezeichnet das mit ci verbundene Substantiv den dem Sprecher näher liegenden Gegenstand. Ohne daß eine Gegenüberstellung vorhanden ist, tritt là zu Substantiven, welche einen entfernten Gegenstand bezeichnen: ce château-là (jenes Schloß dort), wofür familiär ce château là-bas.

2) Bei Substantiven, welche einen Tagesabschnitt bedeuten, vertritt ce unser heute: ce matin, ce soir, cette nuit.

3) Das Demonstrativ steht öfter für unseren Artikel:

a) Bei der Beziehung auf eine vorher genannte Person oder Sache: Molière fut souvent en butte aux contrariétés de son emploi; une santé faible et languissante contribuait encore à rendre plus triste l'existence de ce grand comique (des großen Komikers). Insbesondere heißt der letztere ce dernier.

b) **Ces messieurs** steht für unser die Herren d. h. die, welche zugegen sind und zuhören: Ces messieurs et ces dames sont servis. Dagegen darf der Singular nie so gebraucht werden (ce monsieur ist geringschätzend), man sagt dann nur monsieur, oder etwa monsieur que voilà.

c) Bei der Angabe einer unmittelbar hinter dem gegenwärtigen Augenblick zurückliegenden Zeit: ces jours,[1] ces jours-ci (in den letzten Tagen), ces temps-ci,[2] en oder dans ces derniers temps (in letzter Zeit).

Zusatz. 1) Das Demonstrativ fehlt oder ist durch den Artikel ersetzt: de sorte que, de façon que, de manière que; ebenso de la sorte:[3] Quel droit avez-vous pour parler de la sorte? Ferner: à l'instant (in diesem Augenblick), laisser les choses dans l'état (im augenblicklichen Zustand, intakt), dans l'espèce (im vorliegenden Fall), wo eher même zu ergänzen ist. Cela

---

[1] Dagegen un de ces jours in den nächsten Tagen.
[2] Dagegen ce temps-ci unsere Zeit, die Gegenwart.
[3] Nur bei dem Verb, also nicht des aventuriers de la sorte.

fehlt in: si j'avais su! (hätte id) das gewußt), es ist durch das persönliche Fürwort ersetzt in: A qui le dites-vous? (als ob ich das nicht wüßte).

2) Zu warnen ist vor dem Demonstrativ bei dem Superlativ: Kaiser Heinrich IV., dieser unglücklichste aller Fürsten l'empereur Henri IV, ce prince malheureux entre tous (nicht etwa ce prince le plus malheureux).

In der älteren Sprache war das Demonstrativ vor dem Superlativ nicht unmöglich; daher finden sich noch vereinzelte Beispiele: L'humanité, ce plus bel ouvrage de Dieu (Lamartine). Ce plus beau de tous les rêves (Bouchardy). Cette arme la plus sûre du pouvoir arbitraire (Vermorel). Cette création la plus fine du génie de Rabelais (Sainte-Beuve). Unbedenklich ist ce vor dem Superlativ in der Apposition: Vous savez l'histoire de ce roi, le plus grand des rois d'Angleterre (Guizot). Ebenso ist es weniger bedenklich vor einem Superlativ, welcher als Komparativ aufgefaßt werden kann: Le Cherwell, ce plus petit des deux bras du fleuve (P. Bourget).

§ 327. Das substantivische Demonstrativ.

1) *Poursuivi par ses concitoyens, Thémistocle se réfugia auprès d'Artaxercès. Celui-ci s'estima heureux de posséder le plus grand général de la Grèce.*

2) *Turenne et Condé commandèrent des armées l'un contre l'autre; celui-ci était plus impétueux, celui-là plus réfléchi.*

1) Das deutsche substantivische dieser ist durch celui-ci (nicht etwa celui allein) zu übersetzen.

2) Bei einer Gegenüberstellung bezieht sich celui-ci (dieser, der letztere) auf das zunächst stehende, celui-là (jener, der erstere), auf das entferntere Substantiv.

Anm. Wird nur emphatisch eines der beiden Demonstrative gesetzt, so ist es celui-là: Cette gare n'est que provisoire, car une autre définitive celle-là, sera construite l'année prochaine.

Zusatz. Der einzige Rest des alten demonstrativen Gebrauchs des jetzigen Determinativs celui ist erhalten in à celle fin de, welches jetzt mißverständlich à seule fin geschrieben wird und mit afin de gleichbedeutend ist.

§ 328. Das neutrale *ce*.

C'est la vérité. Ce doit être joli. Ce ne peut être que lui.

Das neutrale Demonstrativ ce findet sich nur in Verbindung mit être, welches die modalen Hülfsverben devoir und pouvoir vor sich haben kann.[1]

Anm. C'est que leitet die Angabe eines Grundes ein (deutsch: nämlich): Il n'a pu venir, c'est que son frère est tombé malade. Oft pleonastisch: Allez-y. — C'est que je n'ai pas le temps.

Zusatz. Außerdem ist ce noch erhalten in sur ce (darauf hin, damit), à ce destiné (dazu bestimmt), de ce non content (damit nicht genug), et ce (und das, und zwar, für et cela). Alle können nur in scherzhafter Rede gebraucht werden.

§ 329. *C'est* und *il est* vor prädikativen Bestimmungen.

1) *C'est un fait.*
2) *Il est clair que vous avez été trompé,* aber
    On vous a trompé, c'est clair.
3) *C'est peu de connaître les règles, il faut les observer.*

1) Vor Subitantiven steht c'est. Doch müssen dieselben den Artikel oder eine gleichwertige attributive Bestimmung (Possessiv, Demonstrativ) vor sich haben; daher c'est un fait.[2] c'est l'usage, c'est la règle, aber il est de fait, il est d'usage, il est de règle u. a.

2) Vor Adjektiven steht c'est; ausgenommen ist das Adjektiv, auf welches ein Satz mit que oder ein Infinitiv folgt.

3) Vor Adverbien (der Quantität) steht c'est.

Anm. 1) Vor einzelnen Subitantiven ohne Artikel tritt il est ein: il est midi, il est temps. Trotz fehlenden Artikels aber sagt man c'est dommage, c'est pitié, c'est plaisir, c'est raison, c'est justice vor Infinitiv (mit de) oder Nebensatz (que . . .).

Stets steht il est vor dem mit de verbundenen Subitantiv, welches nur den Ersatz für ein Adjektiv bildet: Je ne crois pas qu'il soit d'usage de fumer dans une voiture publique (F. Soulié). So z. B. il est de coutume, il est d'habitude, il est de fait, il est de règle, il est de (toute) nécessité, il est de

---

[1] Vor devenir auch ohne Verbindung mit être: ce devint un usage. Nur in veralteter Sprache steht ce vor venir (in der Volkssprache erhalten). Ce (il) semble es scheint, ce (il) me semble mir scheint (§ 329 A. 2).

[2] In c'est un fait ist das Subitantiv Prädikat; in il est un fait wäre es logisches Subjekt (il est = il y a).

doctrine, il est de bon augure u. f. w. Daher auch il est besoin¹ (früher il est de besoin).

2) Die Vor- oder Nachstellung thut dabei nichts zur Sache, es kommt lediglich darauf an, ob eine syntaktische Verbindung vorhanden ist oder nicht, daher auch c'est clair, vous avez été trompé (die syntaktische Verbindung ist aufgehoben). In der Antwort steht aus demselben Grunde immer c'est: On vous a trompé. C'est possible. Für die Unterscheidung von il (me) semble und ce (me) semble gilt die gleiche Regel.

Il est wird dabei öfter ausgelassen: Inutile d'ajouter que ce beau projet est tombé à l'eau (vgl. § 104 A. 5a).

Nur il est vrai (allerdings, vor folgendem mais: zwar) und il est possible stehen auch außerhalb der syntaktischen Verbindung: On m'a trompé, il est vrai, mais qui pouvait le prévoir? Das daneben vorkommende c'est vrai, c'est possible hat den Charakter des Ausrufs.²

Die Volkssprache setzt unterschiedslos c'est vor Adjektiven, mag syntaktische Verbindung vorhanden sein oder nicht. In der Schriftsprache ist c'est trotz solcher Verbindung nur erlaubt vor Adjektiven, die einen Affekt bezeichnen: heureux, malheureux, beau, triste, surprenant, effrayant, étonnant u. a. C'est vraiment bien triste de ne voir pendant quinze jours que le ciel et l'eau (Zurcher).

Alles, was für das Adjektiv gilt, findet auch auf Infinitive (wie il est à présumer, à craindre, à regretter u: a.) Anwendung; daher ist wegen des Affekts auch hier erlaubt: C'était à craindre que la Californie ne devint pays chinois (A. Jacobs). C'est à croire que l'herbe a poussé dans les rues de la capitale (J.).

3) Vor einem Adverb, welches adjektivische Verwendung hat, ist il est am Platze (doch findet sich auch familiär c'est): Il était bien de sa part de ne pas vous quitter.

---

¹ Doch point n'est besoin, si besoin est. In force lui fut de s'en aller (wohl oder übel mußte er sich zum Weggehen bequemen) wird il nie mehr gesetzt. Diese Ausdrücke zeigen, daß auch in den obigen il das grammatische unpersönliche Subjekt ist neben dem logischen Subjekt midi, temps, besoin. Aus demselben Grunde il est cinq heures (auf die Frage quelle heure est-il?), aber c'est cinq heures (auf die Frage quelle heure vient de sonner?).

² C'est vrai ist unser Sehr wahr als Zwischenruf. — Die Ausnahmefälle, in welchen ce für il eintreten muß (c'est vrai, c'est dommage, pitié, justice u. a.) oder eintreten kann (c'est heureux, c'est à craindre) werden nur verständlich, wenn man im Auge behält, daß ce mehr als il der von einem Affekt begleiteten Äußerung entspricht.

³ Nicht hierher gehörig sind Fälle, in welchen § 342 Zusatz Platz greift: Il ajoute encore que c'est incorrect que de laisser les armes passer la nuit chez l'adversaire (J.).

§ 330. *Ceci, cela* ohne Prädikat.

Gardez ceci, donnez-moi plutôt cela.

Ceci hat Bezug auf den näheren, cela auf den entfernteren Gegenstand.

Außerdem kann ceci sich auf das Folgende beziehen, während cela auf das Vorausgehende Bezug nimmt: Tâchez de bien retenir ceci (näml. was ich sagen werde). Je n'ajouterai rien de plus, cela peut vous suffire (näml. was ich früher gesagt habe).

Anm. 1) Idiomatisch steht cela in pourquoi cela, comment cela, où cela, qui cela in der Frage. Ebenso zur Vervollständigung eines Vergleichungssatzes: Il n'est pas si fou que cela. Est-ce que je m'intéresse tant que cela à la régénération de la famille? (Fr. Sarcey).

2) In familiärer Sprache steht cela (ça) öfter von Personen, manchmal in geringschätzigem Sinn: C'est[1] vicomte, on ne sait comment ni pourquoi, et ça veut être plus légitimiste que nous (É. Augier).

3) Statt des Demonstrativs cela kann das Ortsadverb là eintreten nach de und par: De là vient qu'il n'a pas réussi. De là son inquiétude. Il faut commencer par là.

Zusatz. Voici und voilà werden wie ceci und cela unterschieden, d. h. voici bezieht sich auf das Folgende, voilà auf das Vorausgehende: Vous me demandez des preuves? Les voici. Aber: Voilà tout ce que j'ai à vous dire. — Familiär bildet man auch zu voilà eine Frageform: Ne voilà-t-il pas que vous vous fâchez?

§ 331. *Ceci* und *cela* mit Prädikat.

1) *Ceci (cela) est probable.*

2) *Ceci est un secret, aber*
   C'est là un secret oder cela, c'est un secret (c'est un secret, cela).

1) Zu ceci wie zu cela kann ein Adjektiv als Prädikat treten.

2) Ein Substantiv kann wohl als Prädikat zu ceci stehen, nicht aber zu cela. Entweder muß cela durch ce vor être wieder aufgenommen oder es muß in seine Bestandteile (ce-là) zerlegt werden.

---

[1] Auch ce ist hier dem ça gleichgestellt, daher fehlt der Artikel vor vicomte.

Anm. In der Frageform: Est-ce donc là un secret? Die Trennung ist aber außerhalb der Frage ebenso nötig, denn cela est un secret ist nicht französisch. Dasselbe muß vor tout, rien und quelque chose geschehen: C'est là tout. Selten wird ceci in ce und ici zerlegt: C'est ici le plus grand événement de notre globe.

Unterbleiben muß die Zerlegung von cela vor même und seul: Cela même est une des conditions de la vie humaine. Cela seul est la vérité. Vgl. § 337.

Unterbleiben kann sie in Verbindung mit der Negation: Cela n'est rien. Cela n'est pas un défaut (oder ce n'est pas là un défaut).

Umgangen werden kann sie durch tel: Car tel est notre (bon) plaisir (denn das ist Unser Wille).

Aus dem Vorstehenden ergiebt sich, daß hier lautliche Gründe bestimmend sind oder doch mitsprechen. Ceci est ist unbedenklich, weil die Lautfolge sé sehr üblich ist; cela est wird genieden, weil die Lautfolge aé kaum vorkommt. Das Nähere s. im Ergänzungsheft.

§ 332. *Ce* vor dem logischen Subjekt.

1) *Celui qui, pour l'égoïste, est le plus digne de tous le soins, c'est lui-même.*

2) *Ce dont nous nous méfions le moins, ce sont nos propres folies.*[1]

Hauptsächlich in Verbindung mit celui qui, ce qui tritt eine Inversion ein, durch welche das eigentliche Prädikat zum (grammatischen) Subjekt wird; das im zweiten Satzglied folgende eigentliche (jetzt logische) Subjekt nimmt ce vor sich,

1) wenn es ein Pronomen ist,

2) wenn es im Plural steht.

Anm. Niemals darf ce eintreten vor einem Adjektiv oder Particip[2]: Ce que vous me demandez là, est illicite (défendu par les lois).

Zusatz. 1) Für den Infinitiv gilt der Zusatz von ce als Regel, besonders wenn er selbst logisches Subjekt ist oder wenn mehrere Infinitive das grammatische Subjekt bilden: La chose à laquelle un homme ambitieux pense le moins, c'est de[3] mériter sa fortune. Boire, manger, dormir, c'est le partage de la brute comme de l'être pensant.

---

[1] Nicht etwa c'est de nos propres folies. Unerlaubte Attraktion.

[2] Denn diese sind immer Prädikat, nie logisches Subjekt. — Doch: Vivre loin de ses amis, c'est triste (etwas Trauriges), wenn das grammatische Subjekt aus einem Infinitiv besteht.

[3] Nicht etwa à, wenn schon Vaugenargues es in diesem Satze statt de gebraucht. Unerlaubte Attraktion.

Plattner, Grammatik. I. r. 24

Wenn das grammatische und das logische Subjekt ein Infinitiv ist, sollte ce vor dem letzteren nur fehlen, wenn er verneint ist: Penser c'est vivre.[1] Dagegen Végéter (ce) n'est pas vivre. Ce kann nicht fehlen, wenn der Satz in der Frageform steht: Vivre, n'est-ce pas oublier?

2) Immer muß ce stehen, wenn das logische Subjekt durch einen Satz dargestellt ist: Ce qui donne surtout du prix aux lettres de Mme de Sévigné, c'est qu'elle parle une langue qui ne vieillit pas.

b) Determinativpronomen.

§ 333. Adjektivisches Determinativ.

Das adjektivische Determinativ ce (cet), cette ist von beschränktem Gebrauch: Le nouveau monde est cette partie du monde, qui a été découverte à la fin du XVe siècle, et à laquelle on a donné le nom d'Amérique. Es findet sich hauptsächlich nach de im partitiven Sinne: Mon ami est de ces gens qui ne font pas les choses à moitié. Il y a de ces (gewisse) rencontres qui ne s'oublient pas.

Außerdem statt des Artikels vor der Konjunktion (eigentlich Relativ-adverb) que: Il faut lui rendre cette justice qu'il a pris sa tâche au sérieux.

§ 334. Das substantivische Determinativ *celui, celle*.

On ne respecte que ceux qui se respectent eux-mêmes.

Les plaisirs les plus impérissables sont ceux de l'esprit.

La religion nous impose deux devoirs: celui d'aimer Dieu, et celui d'aimer notre prochain.

Das substantivische Determinativ celui kann nur nach sich haben das Relativpronomen oder die Präposition de mit einem Nomen oder Infinitiv.

Anm. Als Verkürzung eines Relativsatzes wird häufig ein Particip mit celui[2] verbunden: La lumière a une vitesse, par seconde, de 77 000 lieues de 4000 mètres. Cette vitesse est celle trouvée (für qui a été trouvée) par l'aberration des étoiles fixes. Mit Unrecht wird diese, besonders in der wissenschaftlichen Sprache unentbehrliche Ausdrucksweise verworfen. Die Verbindung des Determinativs mit einem Adjektiv ist nicht anzuraten; auch sie

---

[1] Ausnahmen sind häufig, besonders wenn der Infinitiv beidemale derselbe ist, oder ce aus Wohllautsrücksichten vor serait, manchmal auch vor aurait été, eût été ausgelassen wird: Les théories littéraires de Boileau sont fort générales, mais elles sont éternellement vraies. Les nier serait nier l'art lui-même (A. Vinet).

[2] Vgl. Untersuchungen über Gegenstände der franz. Gramm. I, 1.

ift erlaubt, wenn ein Relativ folgt, zu welchem das Determinativ als Beziehungswort steht: Cette orthographe diffère de celle plus régulière que nous
avons suivie.

Zuſatz. Das Determinativ kann fehlen: Heureux qui laboure les
champs qu'ont labourés ses pères! (Saint-Marc Girardin). L'armée ennemie
se retira sans autre succès que d'avoir désolé le plat pays (H. Martin). Zu
Sa vie et sa mort furent d'un heureux et d'un sage (Sandeau) läßt ſich auch
(dem Lateiniſchen gemäß) ein Genitiv der Eigenſchaft annehmen. Vgl. § 346.

§ 335. *Celui-là* als Determinativ.

*Que ceux-là sont haïssables qui parlent toujours
d'eux-mêmes* (Mme de Sévigné).

Zur Verſtärkung wird là (nicht etwa auch ci) dem Determinativ beigefügt, wenn es durch das Prädikat von dem Relativ
getrennt iſt.

Anm. 1) Auch bei anderen Einſchiebungen kann celui-là ſtehen. So
findet es ſich ſehr häufig (nicht immer) vor même: Ceux-là même(s) qui
comptaient nous surprendre, furent surpris.

2) Damit iſt nicht zu verwechſeln das Demonſtrativ celui-ci, celui-là,
welches ausnahmsweiſe (§ 187) vor dem Relativ ſtehen kann
a) Bei der Gegenüberſtellung: De ces deux maisons contiguës, celle-ci, qui
n'a que vingt ans d'existence, menace déjà ruine, tandis que celle-là,
qui date de deux siècles, se trouve en parfait état de conservation.[1]
b) Nach c'est: C'est celui-ci qui doit être responsable.

§ 336. Das neutrale *ce* als Determinativ.

Ce qui est utile, n'est pas toujours agréable.

*Quand on n'a pas ce que l'on aime, il faut aimer
ce que l'on a.*

C'est lui qui est venu. C'est lui que j'ai vu.

Das Determinative ce ſteht unmittelbar vor dem Relativ.
Nur bei der Umſchreibung kann es von demſelben getrennt werden.

Anm. Vor dem Relativadverb (Konjunktion) que kann ce nur in zwei
Fällen ſtehen:
1) Wenn in der Umſchreibung ein mit Präpoſition verbundenes Subſtantiv
oder Pronomen ſteht: c'est de lui qu'on parle; c'est à votre domestique
que je l'ai remis; c'est dans votre chambre que vous deviez chercher.

---

[1] Der Relativſatz iſt hier nur beiläufiger Zuſatz, daher iſt das Komma
vor qui zu ſetzen.

24*

2) In konjunktiven Verbindungen[1]: en ce que, sur ce que, à ce que, de ce que, jusqu'à ce que, parce que (dagegen ist que Relativ in par ce que).

§ 337. *Cela* ist ausnahmsweise Determinativpronomen.

Cela muß statt ce eintreten:

1) Vor même und seul: Que cela seul soit reconnu vrai qui l'est pour le genre humain.

2) Vor de (welches nach ce nicht eintreten kann): Il a cela de commun avec son frère. Le comte d'Erfeuil avait cela de particulier, que l'on ne pouvait pas légitimement se fâcher de ce qu'il disait (Mme de Staël).

Anm. 1) Im ganzen wird demnach cela nur in den Fällen als Determinativ gebraucht, in welchen es auch ein substantivisches Prädikat duldet (§ 331 Anm.).

2) In der Verbindung mit tout ist nur ce als Determinativ üblich, aber es muß auch immer[2] stehen. Alles, was heißt also nur tout ce qui (und ebenso alle, welche nur tous ceux qui, toutes celles qui).

Cela in Verbindung mit tout kann nur Demonstrativ sein und der folgende Relativsatz enthält nur eine beiläufige Bemerkung: Tout cela, qui est si propre à exciter la pitié, peut s'alléguer en faveur de l'accusé. — Bei einem derartigen Relativsatz wird natürlich das Determinativ nach tout auch sonst überflüssig: Comme Victor Hugo acceptait la souffrance, et comme il la faisait accepter à tous, qui, en le voyant invincible, invulnérable presque à la douleur, ne songeaient plus à se plaindre!

Relativpronomen.

§ 338. Das Relativ *qui.*

Das gewöhnliche Relativpronomen ist qui mit dem Accusativ que. Die Form qui als Accusativ wird nach Präpositionen gebraucht, daher lautet der Genitiv de qui, der Dativ à qui. Der Genitiv de qui wird jedoch meist durch dont ersetzt.

Anm. Da qui nicht nach dem Geschlecht unterschieden werden kann, muß es möglichst direkt seinem Beziehungsworte folgen, damit die Klarheit nicht leidet. Wenn die Trennung unvermeidlich ist, schafft man Abhülfe

---

[1] In einzelnen ist ce verloren gegangen: depuis que für depuis ce que, après que für après ce que.

[2] Auszunehmen die stehende Redensart Tout est bien qui finit bien.

1) Durch lequel welches nach dem Geschlecht unterschiedene Formen hat, zu welchem aber nur gegriffen wird, wenn nicht durch eine Umstellung das Beziehungswort vor das Relativ gerückt werden kann. (§ 339 Anm.)

2) Durch Wiederholung des Beziehungswortes oder durch Einschiebung eines an seine Stelle tretenden Personalpronomens: Il n'est pas besoin d'insister beaucoup sur les caractères qui distinguent les œuvres des deux grands tragiques, œuvres qui sont dans toutes les mémoires. — Si l'on regarde la variété des genres, Boileau en a-t-il borné le nombre, lui qui admet quelques genres morts avec le vieil esprit gaulois?

3) Durch et qui (ou qui, mais qui, puis qui, enfin qui), welches überhaupt dazu dient, den Relativsatz an ein Beziehungswort anzuschließen, welches anderweite attributive Bestimmungen[1] hat: Le duc de Châtillon, gouverneur du dauphin, et qui avait conseillé à ce prince d'aller à Metz, malgré la défense formelle du roi, fut ensuite disgracié. Ces peuples pauvres, peu nombreux, bien moins aguerris que les moindres milices espagnoles, et qui n'étaient comptés encore pour rien dans l'Europe, résistèrent à toutes les forces de leur maître et de leur tyran Philippe II (Voltaire).

§ 339. Der Gebrauch von *lequel.*

1) *Il m'a tenu un discours auquel je n'ai rien compris.*

2) *C'est un homme au sort duquel je m'intéresse.*

3) *On subit toujours l'influence des gens parmi lesquels on vit.*

Das Relativpronomen lequel muß eintreten:

1) Wenn das mit einer Präposition verbundene Relativ einen Sachnamen zum Beziehungswort (Antecedens) hat.

2) Statt des Genitivs dont muß duquel (de laquelle u. s. w.) eintreten, wenn das Relativ von einem mit Präposition verbundenen Substantiv abhängig ist. Der Genitiv des Relativpronomens muß hinter dieses Substantiv treten.[2]

---

[1] Diese attributiven Bestimmungen stehen nach dem Beziehungswort, selten vor demselben, daher ist in folgendem Satze dernier nachgestellt: Enfin, recommandation dernière et qui n'est pas la moins importante, se méfier de la quinine et des médecins anglais (L. Jacolliot). Beispiel für voranstehendes Adjektiv: Je ne pense pas qu'il y ait, dans toute la langue française de pires expressions (l'auteur parle de *quelque* . . . *que*, etc.), et qui attestent mieux la barbarie latente sous les apparences du progrès (Génin).

[2] Dieselbe Regel gilt für das Englische, jedoch nur, wenn das Beziehungswort ein Sachname ist.

3) Nach den Präpositionen entre und parmi.[1]

Anm. 1) Lequel[2] kann stehen:

a) Wenn das Relativ sich nicht auf das unmittelbar vorhergehende Sub-
stantiv bezieht. Besonders ist dies der Fall, wenn lequel das richtige
Beziehungswort deutlich erkennbar macht, weil es zweigeschlechtig ist:
Il y a une édition de ce livre, laquelle se vend fort bon marché.
Doch besser mit Umstellung: Il y a de ce livre une édition qui . . .

b) Wenn ein Relativsatz einem anderen untergeordnet ist, erhält der eine
qui, der andere lequel, gleichfalls aus Rücksicht auf die Klarheit: Le
monde allégorique des Précieuses descendait en droite ligne de Christine
de Pisan, qui le tenait de Jean de Meung, lequel s'était borné à
copier Guillaume de Lorris.

2) Lequel darf nicht stehen:

a) Nach c'est in der Umschreibung: C'est la mère de votre ami qui
(nicht laquelle) me l'a dit.

b) Nach der Präposition en[3]: Une homme en qui l'on peut se fier.

c) Als neutrales Pronomen, daher rien dont (nicht duquel).

Zusatz. Hauptsächlich werden die beiden Relative dadurch unterschieden,
daß qui in Relativsätzen steht, welche für das Verständnis wesentlich sind,
lequel mehr in solchen, welche nur beiläufige oder erklärende Bemerkungen
enthalten. Daher steht das Komma viel häufiger vor lequel als vor qui.
Lequel tritt aus demselben Grunde ein, wenn ein Nachdruck auf das Relativ
fällt oder der nur accessorische Charakter des Relativsatzes bezeichnet werden
muß: On voit deux fenêtres dans le haut du fronton (Giebel), lequel dépasse
un peu les tours latérales.[4]

§ 340. Einschiebung eines Beziehungswortes.

Wie das Personalpronomen (vgl. § 311, 1), so darf sich auch das
Relativpronomen nicht auf ein Substantiv ohne Artikel (es sei denn ein Personenname) beziehen. Daher: On alla acheter du blé en Égypte, pays qui
de tout temps était renommé pour ses céréales (in Ägypten, welches . . .).
Ebenso wird Ile nach Inselnamen, ville nach Städtenamen dem Relativsatz
vorangestellt. Auch nach Jahrzahlen und sonstigen Zahlenangaben: en 1820,
époque à laquelle (im Jahr 1820, wo . . .).

---

[1] Da de qui auch in der Beziehung auf Personen seltner wird, tritt
lequel meist auch nach den mit de gebildeten Präpositionen ein, also nach
autour de, auprès de, en face de u. a.

[2] Lequel ist aus ille qualis entstanden, und die Grundbedeutung (eben
welcher) ist vielfach noch sehr fühlbar.

[3] Genauer: Nach der Präposition en in Beziehung auf Personen.

[4] Es ist nur ein Giebel da; qui würde zur Annahme führen, daß
deren mehrere vorhanden sind, daß aber nur derjenige Fenster hat, welcher
höher als die Türme ist.

Man darf nicht (nach lateinischer Weise) lequel[1] adjektivisch einem solchen Beziehungsworte voranstellen, außer in **auquel cas** (ein Fall, in welchem; in welchem Falle) mit Beziehung auf einen Satz. Ziemlich oft aber steht lequel adjektivisch vor einem im Relativsatz nur wiederholten (also vorher schon genannten) Beziehungswort: C'est une de ces imaginations paresseuses qui ne se mettent en frais d'esprit et d'invention que dans des circonstances extraordinaires, lesquelles circonstances il faut saisir en toute hâte si l'on veut en profiter.

§ 341. Das neutrale *qui.*

Ne répétez pas ce qu'on vous a confié en secret.
Il ne m'a pas gardé le secret, ce qui m'a fort déplu.

Das neutrale qui verlangt das Determinativ ce vor sich, mag dieses Determinativ von einem vorausgehenden Verb abhängen, oder das Relativ sich nur auf den Inhalt des vorausgehenden Satzes beziehen.

Anm. 1) Das determinative ce muß dagegen fehlen:

a) Nach neutralen Indefiniten, daher: rien qui, quelque chose qui, autre chose qui, chose qui.

b) In Beziehung auf das neutrale Interrogativ: Que voulez-vous que j'y fasse? Que pensez-vous qui soit arrivé?

c) In **que je sache, que nous sachions**[2]: Il n'y a personne à la maison, que je sache.

d) Nach Präpositionen mit Bezug auf den Satzinhalt: Il mit de l'ordre à ses affaires, après quoi il partit. Bei einzelnen Präpositionen, besonders à, steht manchmal das Determinativ: Il vint me remercier, ce à quoi je ne m'attendais guère.

2) Das determinative ce kann fehlen:

a) Wenn zwei mit dem neutralen qui beginnende Sätze durch eine Konjunktion verbunden sind, kann vor dem zweiten das Determinativ fehlen: Destouches voulut épurer la comédie de tout ce qui provoquait la grosse gaieté ou qui sentait la mauvaise compagnie.

b) Neben **ce qui est plus** (was noch mehr heißen will), **ce qui est pis**[3] (was noch schlimmer ist), ce qui est mieux (was noch besser ist) findet sich qui plus est, qui pis est, qui mieux est: La convention fut conclue, et, qui mieux est, observée.

---

[1] Noch weniger selbstverständlich quel, welches kein Relativ ist.
[2] Vgl. § 262 Zus. 2. Früher auch que je crois, que je pense, für welche jetzt in der Regel je crois, je pense steht. Das frühere Relativ hat noch zur Folge, daß in diesen Ausdrücken die bei Einschiebungen übliche Inversion unterbleibt.
[3] Dafür nicht pire zu setzen.

c) Nach **voici** und **voilà** steht oft das neutrale qui ohne Determinativ: Voilà qui est trop fort! Voici qui complète notre infortune! Dies ist nur in Sätzen üblich, welche einen Ausruf enthalten.[1] Ebenso steht **quoi** in Verbindung mit Präpositionen: Voilà en quoi vous faites erreur. Niemals darf der Accusativ **que** ohne Determinativ stehen.

d) Bei der Begriffsdefinition eines Adjektivs: Monarchique: qui appartient à la monarchie.

§ 342. *Que* und *ce que* als Nominativ.

1) *De simple moine qu'il était, il devint évêque.*
   On le nomma président, ce que de fait il avait toujours été.

2) *Voilà justement l'acteur qu'il nous faut.*
   On vous trouvera ce qu'il vous faut.

1) **Que** und **ce que** stehen als prädikativer Nominativ bei den Verben, welche doppelten Nominativ zulassen.

2) **Que** und **ce que** stehen als logisches Subjekt bei unpersönlichen Verben.

Anm. 1) Ebenso malheureux que je suis! (me miserum!) vgl. § 312 Anm. On n'a jamais su ce qu'il est devenu, vgl. § 105.

2) A l'heure qu'il est (in gegenwärtiger Zeit); il me demanda l'heure qu'il était (wieviel Uhr es wäre). Prenez ce qu'il vous plait (was Ihnen beliebt); prenez ce qui vous plait le mieux (am besten gefällt).

Zusatz. Eine ähnliche Erscheinung wie die § 332 erwähnte findet sich bei dem Relativ. Unter Vermittlung von c'est (welches beim Ausruf wegfällt) tritt eine Inversion ein, durch welche das eigentliche Prädikat als grammatisches Subjekt vorangestellt wird. Das nachfolgende eigentliche (jetzt logische) Subjekt nimmt gewöhnlich que vor sich; wenn es durch einen Infinitiv ausgedrückt ist, außerdem de[2]: C'est une belle chose que la musique (es ist etwas Schönes um die Musik). Erreur que tout cela! (alles das ist Irrtum). C'est donner que de faire un pareil marché (das ist so gut wie geschenkt). Man erklärt dieses que als prädikatives Neutrum: c'est une belle chose (ce) que (c'est) la musique.

---

[1] Das fehlende Determinativ ist nicht ce, sondern das neutrale quelque chose (oder chose).

[2] Welches in der Poesie oft fehlt.

§ 343. Das Relativadverb *dont.*

La nature, $\left\{\begin{array}{l}\textit{dont les secrets nous échappent,} \\ \textit{dont nous ne connaissons pas le secrets,}\end{array}\right\}$ *suit*
des lois immuables.

Dont, welches außer dem in § 339, 2 bezeichneten Falle gewöhnlich den Genitiv des Relativs bildet, bewirkt keinerlei Änderung in der gewöhnlichen Wortfolge und führt nicht den Wegfall des Artikels herbei.

Anm. Nach dem als partitiver Genitiv gebrauchten dont fehlt öfter das Verb: Il y a quinze blessés, dont trois grièvement.

Dont bildet auch den Genitiv des neutralen qui (ce dont, rien dont): Il n'y a rien dont on ne trouve la fin.

§ 344. Das Relativadverb *où.*

Il ne demeure pas dans la maison d'où je le vis sortir
La maison dont il sort, est une des plus nobles
du pays.

D'où wird gewöhnlich nicht im bildlichen Sinne gebraucht; dafür tritt dont ein, welches seinerseits in räumlicher Beziehung zu vermeiden ist.

Anm. Où hat entweder ein Subjantiv oder das Adverb là (seltner ici) als Antecedens: Là où il n'y a rien le roi perd ses droits. — Où darf nicht in der Umschreibung das Adverb que vertreten: C'est là que je vous attendais (da habe ich Sie erwartet; *hic Rhodus, hic salta*).

§ 345. Das Relativadverb *que.*

1) Manchmal findet sich que noch für das jetzt gebräuchlichere où in au temps que, dans le temps que, au moment que. Es kann nie durch où ersetzt werden nach Zeitadverbien, mit welchen que zu einer Art von Konjunktion verschmilzt: aujourd'hui que, maintenant que, à présent que, autrefois que, alors que u. a. Ebenso du temps que.

2) In der Umschreibung c'est . . . que ist que Relativadverb, wenn ein Nomen mit Präposition in die Mitte tritt, vgl. § 336 Anm. 1.

Nach dem heute vorwiegenden Sprachgebrauch muß das Relativadverb in diesem Falle eintreten: C'est à vous que je parle (nicht c'est vous à qui je parle).[1]

---

[1] Durchaus unerlaubt ist die in früherer Zeit übliche Attraktion c'est à vous à qui je parle (ebenso c'est là où je vous ai rencontré vgl. § 344 Anm.).

3) Über das Relativadverb que in en ce que, sur ce que u. a. vgl. § 336 Anm. 2.

4) In vulgärer Sprache wird mit Vorliebe das Relativadverb que statt des Relativs gebraucht (ähnlich wie deutsch mundartlich „der Mann, wo ...“). Vgl. hierüber das Ergänzungsheft.

§ 346. Beziehungsloses Relativ.

Das Relativ ohne Beziehungswort findet sich als Nominativ, Accusativ und in Verbindung mit Präpositionen: Qui dit averti, dit muni. Il est bien gardé, qui Dieu garde. Rien de ce qui vient des personnes célèbres n'est indifférent à qui les apprécie. Vgl. § 334 Zuf.

Notwendig ist das beziehungslose Relativ, wenn der Prädikatssatz vorausgeht: N'est pas un monstre qui veut (V. Hugo).

Interrogativpronomen.

§ 347. Das adjektivische *quel*.

1) *Quelle raison pouvez-vous alléguer?*
Je ne sais quelle raison vous pourriez alléguer.
2) *Quelles sont vos raisons?*
Je vous ai fait connaître quelles sont mes raisons.

Das adjektivische quel steht in der direkten wie in der indirekten Frage

1) attributiv mit einem Substantiv verbunden,
2) prädikativ auf ein Substantiv hinweisend.

Anm. Quel fragt nach der Qualität, wird aber vielfach auch gebraucht, wo es sich um die Identität handelt: Quel est l'auteur du Patelin? Vgl. § 349 Anm. 1.

Quel tritt für das von uns erwartete de qui (wessen?) ein, wenn das letztere von einem nicht prädikativen Nominativ abhängig gemacht werden mußte: Quelle épée a délivré l'Allemagne du joug des Romains? (Wessen Schwert ...?) Dagegen: De qui Alexandre était-il fils? In edlerer Sprache steht auch sonst quel statt de qui, besonders wenn das regierende Substantiv mit der Präposition de verbunden ist: De quel sang fut-il prodigue?

§ 348. Das substantivische *lequel*.

Lequel de ces deux hommes est le plus coupable?
Il serait difficile de dire lequel est le plus coupable.

Lequel ſtebt in der direkten wie in der indirekten Frage. Wenn auf dasſelbe nicht ein partitives **de** folgt, ſo iſt es doch zu ergänzen.

Anm. 1) Öfter wird in direkter wie in indirekter Frage **quel** auch da gebraucht, wo es ſich um eine Auswahl handelt und dennach **lequel** am Platze iſt: En résumé, toutes les qualités du génie français sont là. Quelles? — l'unité, la mesure, la proportion, la sagesse (Paul Albert). Un abonné m'avait demandé . . . de dire quelle (de ces diverses étymologies) est celle qui est la meilleure (P. M. Quitard). Vgl. § 180) A. 2.

2) Nach **lequel** ſowie nach **quel**, **qui**, **ce qui** findet ſich ein pleo-naſtiſches **de** vor beiden durch **ou** getrennten Wörtern: Lequel préférez-vous, du cheval secouant sa crinière ou du cheval dompté? Quel est le poète, de moi ou de mon frère? Nous verrons dès demain qui gouverne ma cour, d'elle ou de moi. On ne saurait dire ce qui l'emportait dans Lessing, du talent ou de la volonté. Dieſes nicht erforderliche **de** iſt veranlaßt durch eine Attraktion aus dem öfter zugefügten, meiſt aber fehlenden **des deux**. Ebenſo außerhalb der Frage: S'il y a, de vous ou de votre frère, un coupable, ce n'est certainement pas vous (de attrahiert aus dem zu ergänzenden **de vous deux**).

§ 349. Das persönliche *qui.*

Qui vous l'a dit?

Dis-moi qui tu fréquentes, et je te dirai qui tu es.

Das perſönliche Jnterrogativ **qui** ſtebt in der direkten wie in der indirekten Frage.

Anm. 1) Qui hat für beide Geſchlechter und Zahlen, für Nominativ und Accuſativ gleiche Form. Manche erſetzen es im Fem. durch **quelle**, für den Plural tritt meiſt **quels, quelles** ein: Quels (für qui) sont ces gens?

2) A **qui** vertritt unſer **weſſen** bei einem Beſitzverhältnis: Weſſen Buch iſt dies? A qui est ce livre? Über de qui vgl. § 347 A.

3) Qui . . . qui iſt gleich l'un . . . l'autre und iſt beſonders noch üblich in qui çà qui là (der eine hier, der andere dort), qui plus qui moins (der eine mehr, der andere weniger). — Ebenſo que . . . que in que bien que mal (ſo ziemlich, ſchlecht und recht).

4) C'est à qui heißt um die **Wette**[1] (eigentlich: es gilt, es handelt ſich darum, wer etwas thun wird): Le portrait que la Rochefoucauld fait de l'homme, n'est pas beau; c'est à qui ne veut pas s'y reconnaître.

---

[1] Jm gleichen Sinn à l'envi (bald von *invitus*, bald von *invidia* ab-geleitet, nicht envie zu ſchreiben) oder à qui mieux mieux (durch Verbal-ellipſe nach beiden mieux zu erklären).

Ähnlich steht à vor einem durch qui eingeleiteten indirekten Fragesatz nach
Verben des Wettstreites: lutter, rivaliser, se disputer, parier à qui
fera qe.

§ 350. Das neutrale *que*.

Que peut vous faire l'opinion de ces gens-là?
*Dites-moi ce que l'opinion de ces gens-là peut vous
faire.*

Das neutrale Interrogativ que steht nur in der direkten
Frage; in der indirekten Frage tritt das neutrale Relativ mit
seinem Determinativ (ce qui) ein.

Anm. 1) Der Nominativ que kann nur bei intransitiven Verben stehen
und außer dem prädikativen Gebrauch bei être fast regelmäßig nur bei solchen,
die zugleich unpersönlich gebraucht sind: que vous en semble? qu'est-il arrivé?
qu'importe? u. f. w. Bei Transitiven tritt die Umschreibung qu'est-ce qui
ein: Qu'est-ce qui peut vous le faire supposer? Auch statt des Accusativs
que steht oft qu'est-ce que: Qu'est-ce que cela prouve? Doch auch (nachdrücklicher): Que prouve cela? Vgl. § 227, III. A.

2) Als Nominativ bei Transitiven kann auch qui Verwendung finden.
Besonders in stehenden Redensarten: Qui vous amène? (was führt Sie hierher?) Qui me vaut l'honneur de votre visite? (was verschafft mir die Ehre
Ihres Besuches?) Auch indirekt: Je ne sais qui me retient (ich weiß nicht,
was mich zurückhält).

3) Wenn das Verb des indirekten Fragesatzes im Infinitiv steht, so
bleibt das fragende que stehen: Il ne savait que[1] répondre.

4) Que kann für pourquoi eintreten.[2] In negativen Sätzen darf
dann nur ne (ohne Negationsfüllwort) stehen: Que ne m'avez-vous appelé?
= Pourquoi ne m'avez-vous pas appelé?
Oft steht dieses que bei einem unerfüllbaren Wunsche: Que ne lui
plut-il de se reposer plus tôt?

§ 351. Der Gebrauch von *quoi*.

Quoi als Nominativ ist nur üblich alleinstehend: Il y a du
nouveau. — Quoi? Oder mit folgendem de: Quoi de plus
heureux que ce qui vous arrive? Auch als Accusativ ist
(außer nach Präpositionen) quoi nur alleinstehend zu gebrauchen:
J'ai quelque chose à vous dire. — Quoi?

---

[1] Nachdrücklich steht quoi vor dem Infinitiv statt des Accusativs que
in direkter und indirekter Frage: Quoi répondre? Il ne savait quoi répondre.
[2] Gewöhnlich nur in negativen Sätzen. Die Frage erhält durch que
den Charakter des Ausrufes; wo das nicht möglich ist, muß pourquoi stehen.

Anm. 1) Quoi als Accusativ vor einem Infinitiv vgl. S. 380 N. 2.
Statt quoi faisant u. a. sagt man jetzt ce que faisant.

2) **Quoi** darf nicht gebraucht werden, um anzudeuten, daß man nicht
verstanden hat. Die landläufigste Art, dies auszudrücken, ist **Plaît-il?** Auch
Comment, monsieur? Am besten ist **Monsieur?** in fragendem Ton gesprochen. Außerdem **Vous dites?** oder **Vous disiez?** In komischer Weise
als Ausdruck der Überraschung wird hein? gebraucht.

3) **De quoi** vor einem Infinitiv bedeutet, daß das Mittel oder die
Ursache zu einer Thätigkeit gegeben ist: J'ai de quoi vous répondre. Il y
a là de quoi réfléchir. Il n'y a point de quoi fouetter un chat. Mit Auslassung des Infinitivs (vivre): avoir de quoi (zu leben haben); remercier ist
zu ergänzen in der populären Art den Dank abzulehnen: il n'y a pas de
quoi (kein' Ursach'), wofür besser: à votre service.

§ 352. Die Anknüpfung des indirekten Fragesatzes.

Ein indirekter Fragesatz kann unmittelbar nur von Verben
des Sagens, Wissens, Erfahrens und ähnlichen abhängig gemacht
werden. In anderen Fällen muß die Einschiebung von **savoir**
stattfinden: la question est de savoir si vous m'avez compris
(die Frage ist, ob . . .). Il s'agit de savoir qui vous l'a
commandé (es handelt sich darum, wer . . .). Je me soucie
peu de savoir où vous comptez aller (ich kümmere mich
wenig darum, wohin . . .). On a disputé pour savoir quelle
ville a été le berceau de l'imprimerie (man hat darüber
gestritten, welche . . .) u. s. w.

Anm. Ähnlich kann voir eingeschoben werden, sogar nach regarder,
welches zur Anknüpfung eines indirekten Fragesatzes nicht ausreicht: Je veux,
dit-il, me jeter à la nage dans ce plat, pour voir si je pourrai attraper cette
soupe¹ (Génin). J'avais même perdu l'habitude de regarder en mer pour
voir si je ne découvrirais pas quelques voiles (Mme A. Tastu).

Selten ist ein solches Einschiebewort zu vermissen. Hierüber und über
den Gebrauch des Relativsatzes statt eines indirekten Fragesatzes vgl. das
Ergänzungsheft.

§ 353. Das Interrogativ im Ausrufesatz.

Wenn **quel** und andere Interrogative in einem Ausrufesatze stehen,
unterbleibt in der Regel die Inversion; dieselbe ist jedoch nötig, wenn der

---

¹ Brotschnitte.

Satz die Negation enthält: Quels soins tu as pris de moi! Aber: Quels soins n'as-tu pas pris de moi!

Ebenso bei que, welches für combien steht: Que de services il m'a rendus! Bei der Negation ist hier die Inversion durch die Klarheit geboten. Que de services ne m'as-tu pas rendus!

Que tritt auch an Stelle von comme[1]: Que Dieu est puissant! In solchen Sätzen ist Negation und Inversion unmöglich, weil die Unterscheidung von dem in § 350 Anm. 4 erwähnten Gebrauch unmöglich wäre.

Indefinites Pronomen.

a) Nur substantivisch gebrauchte Fürwörter.

§ 354. *On (l'on), personne* und *rien*.

Die nur substantivischen Fürwörter sind Singulare; die beiden ersten sind männlich, rien ist Neutrum.

Anm. 1) Sylleptisch können personne und besonders on in Beziehung auf Feminine weiblich gebraucht werden: Personne n'est si sérieuse que moi pour les choses sérieuses. On n'est pas toujours jeune et belle. On kann auch als Plural verwandt werden: Quand on est si proches voisins, il faut vivre en paix. — Rien (Kleinigkeit) ist wirkliches Substantiv: Un rien suffit pour le mettre en colère. Il vaut mieux ne rien faire que de faire des riens (läppische Dinge). Für nichts achten ist daher sowohl ne compter pour rien als compter pour rien; im letzteren tritt der substantivische Charakter von rien mehr hervor.

2) Rien moins ist zweideutig, weil es unserem nichts weniger als eben sowohl wie unserem nichts Geringeres als entspricht.[2] Zur Vermeidung von Unklarheiten ist zu merken:

a) Wenn der Sinn nur negativ sein kann (vor Adjektiven), setzt man rien moins: Cette affaire n'est rien moins qu'éclaircie (durchaus nicht aufgeklärt).

b) Wenn der Sinn negativ oder positiv sein kann (vor Substantiven und Infinitiven), so steht rien moins im negativen Sinn: Il n'est rien moins qu'un héros. La *Geste des Romains* n'est rien moins que ce que le titre annonce; il ne s'y agit ni de Romains ni d'aventures.

Im positiven Sinn setzt man rien de moins oder ne... pas moins La suppression des lois sur la chasse ne serait rien de moins que la

---

[1] Oder von combien, welches manchmal vor Adjektiven steht.
[2] Im ersten Falle ist moins Adverbium, im zweiten steht es in adjektivischer Verwendung statt moindre.

suppression du gibier (wäre gleichbedeutend mit). Certains écrivains n'ont pas entrepris moins que la réhabilitation complète des Précieuses (haben das ganze Preciösentum wieder zu Ehren bringen wollen). Il n'aspire à rien de moins[1] qu'à vous supplanter oder il n'aspire pas à moins qu'à vous supplanter (er geht auf nichts Geringeres aus, als Sie zu verdrängen).

Rien wird verstärkt durch den Zusatz von du tout und noch mehr durch de rien: Ce n'est rien. Ce n'est rien du tout. Ce n'est rien de rien (A. de Musset)

b) Nur adjektivisch gebrauchte Fürwörter.

§ 355. *Maint, certain, différents, divers.*

Die adjektivischen Indefinite haben beiderlei Geschlecht. Beide Zahlen haben nur maint und certain; als wirkliche Adjektive kommen différents und divers auch im Singular vor in der Bedeutung verschiedenartig, als Indefinite haben sie nur Plural mit der Bedeutung verschiedene (= mehrere).

Anm. Hin und wieder finden sich certain und maint auch substantivisch gebraucht: La crise est beaucoup plus aiguë que certains ne veulent l'avouer. Certains prétendent que . . . Certains de ces messieurs se sont excusés. L'Espagne a traduit mainte de nos œuvres (Littré).

c) Adjektivisch und substantivisch gebrauchte Fürwörter.

§ 356. Adjektivisch *un, une*, substantivisch *l'un, l'une*.

En descendant le fleuve, on voit d'un côté (auf der einen Seite) *des forêts; de l'autre une vaste plaine.*

L'un, l'une ist abweichend von dem deutschen Gebrauch streng substantivisch, es kann also nur durch de mit einem Substantiv verbunden werden.[2]

---

[1] Die Franzosen sind in dieser Unterscheidung wenig sorgfältig. So giebt sogar die Akad. diesen Satz nur mit rien moins und dem Rate, sich anders auszudrücken.

[2] Man sagt wohl l'autre côté die andere Seite; die eine Seite aber heißt l'un des (deux) côtés. Vgl. § 170 A. 1, § 297, 1. In älterer Sprache war l'un costé ganz korrekt. In Verbindung mit l'autre ist auch l'un noch adjektivisch: Il suffira d'une modification de nos pratiques parlementaires pour prévenir toute domination exclusive de l'une ou l'autre chambre (J.). Vgl. § 358.

Anm. 1) Un hat einen Plural: les uns ... les autres (die einen ... die anderen).

2) Statt l'un de steht vielfach un de. Der Artikel gilt hauptsächlich für unentbehrlich vor einem Pronomen oder vor einem Adjektiv, bei welchem ein früheres Substantiv zu ergänzen ist: L'Arabe charge ses chameaux de son butin . . . Monté sur l'un d'entre eux (oder monté sur l'un des plus légers), il fait aisément trois cents lieues en huit jours. Zur Vermeidung des Hiatus tritt l'un meist auch nach si, et, ou u. s. w.[1] ein.

Über den Gebrauch von l'un statt un haben die französischen Grammatiker viel geschrieben, aber regelmäßig die Punkte übersehen, in welchen der Artikel wirklich unentbehrlich ist, nämlich:

a) Wenn das Indefinitum nachgestellt wird: Il devait arriver de deux choses l'une. La troupe jouait de deux jours l'un.

b) Daher stets im distributiven Gebrauch: Combien les vendez-vous? — Deux sous l'une (J. Rameau). Les actions qui étaient à 150,000 fr. sont montées à 500,000 fr. l'une (J.).

c) Bei der prädikativen Verwendung: L'auteur nous parle de la liberté de la pensée sous toutes ses formes, dont la liberté de la presse n'est que l'une d'elles[2] (J).

Weiteres s. im Ergänzungsheft.

3) Un steht öfter im Sinne von un certain. Un monsieur X (ein gewisser Herr N. N.). En un sens, seltner dans en sens (in gewissem Sinne), pour un temps (eine Zeit lang) u. a.

§ 357. *L'autre.*

On ne le reconnait plus, c'est un autre homme.

L'un vaut l'autre (einer ist des anderen wert).

L'autre hat die gleiche Form für die adjektivische wie für die substantivische Verwendung.

Anm. 1) Eine vor autre que stehende Präposition darf nach diesem Ausdruck nicht wiederholt werden: Les formes de poésie que Villon a employées, avaient été trouvées par d'autres que lui (nicht que par lui, was unerlaubte Attraktion wäre). Diese vielfach mißachtete Regel findet auf alle Präpositionen Anwendung, nicht auf à allein, wie Littré (von dem der gegebene Satz herrührt) angiebt.

2) Tout autre, bien autre hat oft den Sinn eines Komparativs: L'affaire est d'une tout autre importance (von viel größerer Wichtigkeit). Ebenso tritt (bien, tout) autrement vor Adjektive und bildet eine Art ver-

---

[1] D. h. nach denselben Wörtern, welche l'on für on nach sich haben.
[2] Der Zusatz von d'elles ist ein fehlerhafter Pleonasmus.

ſtärkten Komparativs: Ceci est tout autrement important (weit wichtiger). Ne ... pas autrement heißt nicht beſonders: Vos menaces ne m'effraient pas autrement.

3) Die ſubſtantiviſche Nebenform autrui findet ſich (da ſie eine Objeîts= form iſt) nur in Verbindung mit Präpoſitionen: Il ne faut pas convoiter le bien d'autrui. Sehr ſelten ſteht autrui als Nominativ oder als Accuſativ. Vgl. das Ergänzungsheft.

Zuſaß. Phraſeologiſches: L'autre jour (dieſer Tage d. h. in den letzten Tagen) und ſo l'autre soir, l'autre nuit; dagegen l'autre semaine, l'autre mois, l'autre hiver, l'autre jeudi u. a. (vorige Woche u. ſ. w.). Am anderen (d. h. folgenden) Tage le lendemain, ſehr ſelten l'autre jour.

Un autre Cicéron (un second Cicéron, un nouveau Cicéron ſind ebenſo üblich) ein zweiter Cicero.[1]

Nous autres (wir). Vous autres (.) peintres (ihr Maler). Dieſer Zuſaß bei nous, vous iſt üblich, aber nicht nötig. Eux autres iſt ſelten und vulgär, vous autres ohne appoſitives Subſtantiv iſt geringſchäßend.

De côté et d'autre, de part et d'autre (beiderſeits). De manière ou d'autre (auf die eine oder andere Art). Parler de choses et d'autres (von dieſem und jenem ſprechen). De temps à autre = de temps en temps. In ſolchen Ausdrücken fehlt bei autre der Artikel.

D'une part ... de l'autre (part), d'un côté ... de l'autre (côté) einerſeits ... anderſeits. Im erſten Gliede ſteht unbeſtimmter, im zweiten beſtimmter Artikel. Bei fehlendem erſten Glied hat das zweite (auf der anderen Seite) den unbeſtimmten oder keinen Artikel: d'une autre part, d'un autre côté, d'autre part (ſeltner d'autre côté). — Bei part (nicht bei côté) findet ſich auch bloßes de in beiden Gliedern: d'une part ... d'autre part. Ausführlicheres hierüber ſ. im Ergänzungsheft.

Ne pas laisser pierre sur pierre (keinen Stein auf dem anderen laſſen). Dieſe im Deutſchen unübliche Wiederholung des Subſtantivs iſt im Fran= zöſiſchen[1] häufig.

Autre dient ſich ſelbſt als Korrelat, wie überhaupt gleichartige Korrelate (autant, autant; plus ... plus; tel ... tel u. ſ. w.) im Franzöſiſchen beliebt ſind: Autre mer, autre spectacle (A. Houssaye). Autre chose est le droit de parler, d'écrire, autre chose est le droit d'enseigner la jeunesse (J.). [Cette morale] qu'on ne trouve point autre à Paris, autre à Philadelphie (P.-L. Courier).

Etwas anderes autre chose. C'est autre chose (auch c'est différent). Nichts anderes rien autre chose (auch rien autre) oder ne ... pas autre chose que.[2] Sonſt jemand quelque autre. Sonſt niemand nul autre, personne autre. Niemand als ich personne, autre que moi.

---

[1] Wie im Engliſchen.

[2] Zu meiden ce n'est rien que und beſonders rien d'autre, personne d'autre (nichts, niemand anders). Vgl. das Ergänzungsheft.

Plattner, Grammatik. I. r.   25

Und andere (substantivisch) et d'autres: Diderot, d'Alembert et d'autres (auch et autres). Im adjektivischen Gebrauch heißt et d'autres und andere (d. h. nicht alle), et autres dagegen und sonstigen (d. h. die übrigen, fast = et les[1] autres): Les fourmis et d'autres insectes. Les nègres et autres gens de couleur.

Bien d'autres, bien d'autres personnes (sehr) viele andere. A d'autres erzählen Sie das Märchen einem anderen. Il n'en fait pas d'autres[2] das ist so seine Art. Entre autres[3] unter anderem.

§ 358. *L'un l'autre* (einander) und ähnliche.

Il faut se pardonner les uns aux autres.
Die Präposition tritt bei l'un l'autre in die Mitte.

Anm. 1) Zusammengesetzte Präpositionen können getrennt werden, je autour les uns des autres, en face les uns des autres, à la suite les uns des autres, au travers les uns des autres u. s. w.

2) In den Verbindungen l'un et l'autre (beide), l'un comme l'autre (der eine wie der andere), l'un ou l'autre, ni l'un ni l'autre wird die Präposition vor beide Bestandteile gesetzt: Nous comptons des amis dans l'un et dans l'autre parti. Wenn eine Zusammenfassung eintritt, kann bei dem adjektivischen l'un et l'autre die Präposition nur einmal gesetzt werden: dans l'un et l'autre cas.[4]

§ 359. *Pas un.*

Il n'a pas un ami dans ce monde.
De ses nombreux amis pas un ne lui est venu en aide.
Pas un hat adjektivischen und substantivischen Gebrauch bei gleicher Form.

Anm. Im Accusativ bevorzugt man pas de (point de): Après le froment, l'ancien monde ne connait pas de céréale plus précieuse que le seigle. — Auch als Nominativ: Mieux vaut, en somme, un ministère mal venu que pas de ministère du tout (J.). — In gleicher Weise finden plus un, plus de Verwendung: Plus un fidèle dans l'église (Caron).

---

[1] Die Erklärung ist, daß bei Anfügung von et autres eine Zusammenfassung zweier Ausdrücke stattgefunden hat wie les père et mère (§ 296, 1).

[2] Autre ist hier weiblich wie in dem gleichfalls elliptischen en voilà bien d'une autre (das ist wieder eine saubere Geschichte).

[3] Manche wollen nur entre autres choses gelten lassen.

[4] Die Präposition entre kann naturgemäß nie wiederholt werden: Quelle différence entre l'un et l'autre!

§ 360. *Nul; aucun.*

Nul n'est prophète dans son pays.

Charlemagne fit ce que nul n'avait fait avant lui,
ce que ne devait tenter aucun de ses successeurs: il gou-
verna ses sujets pour eux-mêmes.

Nul und **aucun** (beide von gleicher Form für adjektivischen
und substantivischen Gebrauch) unterscheiden sich dadurch, daß **nul**
allgemein verneint, **aucun** dagegen einzelnes ausscheidet und da=
her besonders vor partitivem de zu wählen ist.

Anm. 1) Nul ist auch reines Adjektiv in der Bedeutung n i c h t i g:
Le testament a été déclaré nul (= a été annulé). Tout cela est nul et non
avenu (null und nichtig).

2) Veraltet ist aucuns, d'aucuns in dem Sinne von m a n c h e; in
familiärer Rede wird es noch manchmal benutzt: D'aucuns cherchent les en-
seignements dans la fange. — Das negative ne ... aucun wird unbedenklich
im Plural gebraucht: Le capitaine répondit qu'il n'avait vu aucuns feux et
que le phare n'existait plus. — Auch von nul behaupten einzelne Grammatiker
unrichtig, daß es nur als Singular und nur männlich zu gebrauchen sei.
Vgl. das Ergänzungsheft.

§ 361. *Rien, aucun, personne*[1] für *quelque chose,*
quelque, quelqu'un.

Etwas, irgend ein, jemand sind durch die erstgenannten
Wörter zu übersetzen, wenn der Satz auf irgend eine Weise nega=
tiven Sinn erhält. Dies ist der Fall:

1) Bei einer Negation: N'essayez pas de rien changer.
Il n'a rien dit à personne.

Ebenso bei einer Bedingung: Voyez si le vindicatif pré-
lat a rien oublié (P. Saunière). Über die Frage s. 5.

2) Nach Verben der Willensäußerung, des Denkens und
Sagens, wenn dieselben negiert sind: La coutume de

---

[1] Pas un und nul (sowie nulle part) gehören nur in ausnahmsweisen
Fällen hierher. Der Hauptunterschied zwischen nul und aucun liegt gerade
darin, daß ersteres ursprünglich n e g a t i v e n Sinn hat. Nul kann nicht mit
einem anderen Negationsfüllwort zusammentreffen, denn z. B. in Jamais nul
n'en a dit du bien hat jamais affirmativen Sinn (jemals). Nul steht be=
sonders in den Fällen 6 und 8, aucun in den Fällen 4, 5, 6 und 8, pas un
selten anders als im Falle 6. Nulle part tritt für partout ein im Falle 8,
beide Wörter sind zulässig im Falle 6.

25*

France ne veut pas, dit Molière, qu'un gentilhomme
sache rien faire (P.-L. Courier). Il est difficile de se
figurer que ce genre de littérature ait pu avoir pour
personne le moindre attrait. Ebenjo nach **empêcher,
défendre, douter, nier** u. a., wenn dieselben nicht ne=
giert find: Des préjugés nationaux ont longtemps
empêché les Français de rien étudier qu'eux-mêmes.
Le roi défendit à ses généraux de hasarder aucune
bataille.

3) Nach Verben und Ausdrücken des Affefts: Vous craignez
tant de me rien devoir (Mme de Staël). Il craignait
d'aborder aucun sujet (Thema) qui pût nous rappeler
sa faute.

4) Nach Adjektiven, die begrifflich eine Negation enthalten:
Il est impossible de rencontrer aucune faute contre
Molière ni contre son commentateur (Génin). Il serait
injuste d'en rien conclure contre vous. Ebenjo nach
Verben gleicher Art, jogar nach **cesser**: Sous Théodose II
on cessa de rien donner en nature aux gouverneurs
(Guizot).

5) In der affirmativen rhetorischen Frage (negativer Sinn):
Comprend-on rien de pareil? (Bernard.)

6) Im zweiten Glied des Vergleichungsjatzes: La féodalité
s'organisa à Jérusalem dans une forme plus sévère
encore que dans aucun pays de l'Occident.[1]
Daher auch bei trop . . . pour que: La ruse est trop
grossière pour tromper personne (Catat). Ebenjo jtehen
die negativen Indefinite im einfachen Vergleichungsjatze,
jowie nach comme in der Bed. von plus que: Colletet
savait autant que personne de son temps l'italien et
l'espagnol (Ch. Asselineau). Sa maison aussi brillante
qu'aucune autre dans Paris (J.-J. Rousseau). Le
XVIIe siècle qu'il connaît comme personne (J.).

---

[1] Hier darf **pas** un eintreten: On dit que d'Anville connaissait mieux
l'Égypte que pas un Égyptien.

7) Nach dem Superlativ im Relativsatz: Ce paysage est un des plus ravissants que j'aie vus dans aucun de mes voyages.

8) Nach sans, sans que', avant que, avant de, loin que, loin de und ähnlichen: L'armée essuya des revers qui, sans avoir encore rien de décisif, compromettaient le plan général de la campagne. Avant qu'aucune nation gauloise eût remué, César accourut à la rencontre d'Arioviste. Loin d'introduire aucune nouveauté, nous nous sommes bornés à repousser les nouveautés qu'on avait voulu établir.

Anm. Dagegen muß quelque chose, quelque, quelqu'un eintreten:
a) Wenn im Satze ein einfaches ne stehen muß (denn mit diesem zusammen ergäben rien, aucun, personne eine dem Sinn nicht entsprechende volle Negation): La capitale craignait qu'elle ne fût victime de quelques mesures de vengeance. Aus diesem Grunde stets nach à moins que ... ne: Je résolus de me tenir tranquille à moins que quelque chose ne me forçât à sortir de mon inaction (Mme A. Tastu).
b) Wenn irgend welche zwei der oben bezeichneten Bedingungen zusammen treffen (und sich so gegenseitig aufheben): Je partis sans voir aucun de mes amis, aber Je ne partirai pas sans avoir vu quelqu'un de mes amis. Elle n'était pas sans quelque crainte (J. Aicard).

§ 362. *Plusicurs.*

Plusieurs ruisseaux qui s'unissent forment un fleuve.
Plusieurs mains avancent l'ouvrage.
De toutes ces choses, il y en a plusieurs à rejeter.

Plusieurs (mehrere; sehr viele[2]) hat gleiche Form für adjektivischen wie für substantivischen Gebrauch.

Anm. Statt des substantivischen plusieurs (mit d'entre eux, en) tritt öfter das adjektivische prädikativ auf das Subjekt oder Objekt bezogen ein: Lorsqu'on les (c.-à-d. les loups) voit plusieurs ensemble, ce n'est point une société de paix, c'est un attroupement de guerre (Buffon).

---

[1] Nach sans darf auch nul eintreten: Un homme parut dans la salle, sans que nul l'y eût vu entrer. Hauptsächlich nach sans tritt sehr oft aucun hinter sein Substantiv und erhält die Bedeutung jederlei, jedweder, d. h. es ist für tout (statt für quelque) gesetzt: Il l'a fait sans mauvaise intention aucune.

[2] Letztere Bedeutung besonders im substantivischen Gebrauch, weil manche grundlos das absolute beaucoup vermeiden (vgl. § 299 Anm. 2).

§ 363.   *Tel, telle.*

Infatigable, violent, ne doutant de rien[1], *tel il était* (J. Janin).

Il y a tel tableau du Poussin qui vaut mieux seul que tout ce qu'on a fait depuis (P.-L. Courier).

Tel hat die Bedeutung solcher oder mancher. In beiden Fällen hat es für adjektivischen und substantivischen Gebrauch gleiche Form.

Anm. 1) **Tel** steht als Prädikat zur Vertretung eines Nomens bei Verben, die doppelten Accusativ oder Nominativ haben: Ce discours fut véritablement prophétique, quoique mon père ne le crût point tel[2] (Mme A. Tastu). Es steht dann öfter emphatisch für das prädikative le (§ 307): La plupart des grands capitaines sont devenus tels par degrés (Voltaire).

Dasselbe **tel** findet sich statt der Wiederholung eines Adjektivs: L'effacement complet ou à peu près tel des syllabes atones.

2) **Tel** als Determinativ d. h. als Beziehungswort zum Relativ oder vor de: Un homme tel qu'il vous (le) faut. Tel croit prendre, qui est pris. Tel de ces tableaux vaut une galerie entière. — **Tels que** (wie; z. B): Les pierres fines, telles que le diamant, le rubis, la turquoise, etc. — **Il n'y a rien de tel que** (es geht nichts über): Il n'y a rien de tel que de s'entendre.[3]

Mit folgender Konjunktion (Konsekutivsatz): Il est dans un état tel qu'on ne conserve aucun espoir de le sauver. So tritt emphatisch **tel** ein in folgenden konjunktiven Ausdrücken, welche gewöhnlich keinerlei Determinativ haben: de telle façon (manière) que, de (en) telle sorte que.

3) **Tel** determinativ mit dem Korrelat **quel** steht in **tel quel**: La publication telle quelle des manuscrits (in dem vorliegenden Zustande, ohne Änderungen). Oft mit der Nebenbedeutung des Mittelmäßigen: Des gens tels quels.

Mit dem Korrelat **tel**[4]: Tel peuple, telle infanterie (wie das Volk selbst, so seine Infanterie).

4) Distributiv steht **tel . . . tel autre**: On voit appliquer ici tel principe, là tel autre.

5) Monsieur un tel (der Herr Soundso). Tel et tel (der und der), tel ou tel (der oder der), d. h. ersteres steht, wenn man Bestimmtes im Auge

---

[1] Ne douter de rien sich alles zutrauen.

[2] So auch mit pour, comme nach regarder, considérer u. a.

[3] Früher ohne de; noch in Redensarten: Il n'est rien tel que balai neuf.

[4] Früher dem Lateinischen (qualis . . . talis) entsprechend quel. Auch sonst hat das Französische gleichförmige Korrelate: Autant de questions, autant de mystères. Tant vaut le rapporteur, tant vaut le rapport. Vgl. auch autant . . . autant, plus . . . plus, moins . . . moins § 384.

hat, letzteres, wenn man die Wahl läßt: Voyez tel et tel de vos collègues (sprechen Sie mit dem und dem Ihrer Kollegen); hier bestimmte Personen, deren Namen nicht wiedergegeben werden. Chacun est fils de la terre qu'il habite, et c'est dans ce sens qu'on doit dire que tel animal est originaire de tel ou tel climat (dem oder dem, diesem oder jenem Klima angehört); es ist gleichgültig, welches Klima man sich dabei vorstellt.

§ 364. Même.

1) *Tous les deux firent la même réponse.*
2) *Les Romains ne vainquirent les Grecs que par les Grecs mêmes.*
   Les plus sages même sont sujets à se tromper.

1) **Le (la) même** hat die Bedeutung derselbe, der nämliche; es ist substantivisch und adjektivisch.

2) **Même** ohne Artikel heißt selbst und kann nur adjektivisch gebraucht werden. In der Bedeutung sogar ist es Adverb und demnach unveränderlich.

Anm. 1) Wenn derselbe nicht mit der nämliche vertauscht werden kann, sondern für das Personalpronomen eingetreten ist, muß französisch das letztere stehen: Votre sœur vient d'arriver; l'avez-vous déjà vue? (haben Sie dieselbe schon gesehen?).

Im Sinne von gleich, gleichartig kann der Artikel fehlen: Deux plantes de même espèce.[1] — Der Artikel muß fehlen in en même temps; veraltet ist an (oder à) même temps. — Dasselbe ist la même chose: Plus ça change, plus c'est la même chose (Prov.). — Le même ist neutral nur in cela revient au même (das läuft auf dasselbe hinaus). — Über das Demonstrativ und Possessiv vor même vgl. das Ergänzungsheft.

2) Eine bestimmte Regel für die Veränderlichkeit von même giebt es nicht. In Verbindung mit dem Personalpronomen ist es immer veränderlich: nous-mêmes, eux-mêmes.[2]

3) De même (ebenso, dasselbe). Ich that dasselbe: Je fis de même (oder j'en fis autant). — Ein mit de même que (ainsi que) eingeleiteter Satz verlangt im Nachsatze nach manchen de même (ainsi): De même que l'eau ne garde aucune empreinte, de même tout s'efface dans certaines mémoires.

---

[1] Ein und derselbe un seul et même oder un même: Chacune des deux conjugaisons types (Hauptkonjugationen) n'a qu'une seule et même règle. Nous avons un même intérêt.

[2] Ausgenommen sind nous und vous, wenn diese Fürwörter eine Person bezeichnen (§ 306).

4) **A même** ist eine präpositionale Redensart (unmittelbar an, aus; mitten in): Boire à même la cruche (aus dem Kruge, d. h. ohne Glas trinken). Il se lava les mains à même d'un seau d'eau (mitten in einem Eimer Wasser, der für anderen Gebrauch bestimmt war). Être à même de faire qc heißt imstande sein etwas zu thun (eigentlich: unmittelbar dabei, in der Möglichkeit).

5) Nicht einmal heißt ne ... pas même oder ne ... même pas. Ohne Verb pas même, vor dem Infinitiv ne pas même (ungetrennt).

§ 365. *Tout, toute.*

Toute la population se porta ⎫ *à la rencontre du*
Tous allèrent ⎬ *vainqueur.*
Tout ou rien. ⎭

Tout, toute ist im Singular rein adjektivisch, der Plural **tous, toutes** kann auch substantivisch gebraucht werden.[1] Das Neutrum (le) **tout** ist ausschließlich Substantiv.

Anm. 1) Auch wenn tout die Bedeutung ganz, voll hat, fehlt öfter der Artikel. So im Singular bei einzelnen Ausdrücken: cela est de toute justice (nicht mehr als billig; eigentlich: von voller Gerechtigkeit), de toute nécessité (durchaus nötig), de toute impossibilité (durchaus unmöglich), un cheval de toute beauté (von höchster Schönheit), il est à toute extrémité (in der mißlichsten Lage, in äußerster Gefahr), il le veut à toute force (durchaus, mit aller Gewalt), à toute rigueur (streng genommen), en toute humilité (mit größter Bescheidenheit), c'est de toute évidence (es ist höchst augenscheinlich) u. a.

Häufiger fällt der Artikel weg in adverbialen Ausdrücken mit dem pluralischen tous: de tous côtés, de toutes parts, en tous lieux, de tous temps, à tous moments, en tous sens (nach jeder Richtung, Dimension), en tous genres, de tous genres, de toutes sortes, de tous points (durchaus). Bemerke noch: toutes choses (alles), donner à toutes mains (mit vollen Händen), se sauver à toutes jambes, mettre toutes voiles dehors (alle Segel spannen, alle Mittel versuchen), armé de toutes pièces (völlig gerüstet), écrire un mot en toutes lettres (ausschreiben, d. h. nicht abkürzen), sous toutes réserves (unter allem Vorbehalt), pour tous renseignements s'adresser à X. (Inseratenstil: Näheres bei . . .), un lion à tous crins (ausgewachsener Löwe) u. a. In Sprichwörtern: Tous chemins mènent à Rome. In vielen dieser Ausdrücke wird auch manchmal der Singular gebraucht (tout = jeder). — Ebenso

---

[1] Doch nicht gern als attributiver Genitiv. Vgl. § 120, S. 135 N. 1.

öfters tous (toutes) deux, tous trois, tous quatre, tous autres neben dem gewöhnlichen tous les deux[1] u. s. w.

Häufig fehlt der Artikel auch außer stehenden Redensarten; tout wird dann verallgemeinert und bedeutet alle und jede, jederlei: On lui refusa tous secours. Des animaux de tous pays et de toutes races.

2) Le tout das Ganze. Le tout est de savoir s'il réussira (hauptsächlich handelt es sich darum, ob . . .). Bei der Negation kann der Artikel wegfallen: Ce n'est pas (le) tout (que) de se divertir. Ebenso, wenn statt der Negation die Frageform eintritt: Est-ce tout que de donner l'argent? — Il a perdu tout ou partie de sa fortune (ganz oder teilweise verloren).

3) Tout = seul: Je vous dirai pour toute excuse que . . . — Tout prädikativ: Vérité, justesse, beauté, toutes choses (oder autant de choses) qu'on ne peut juger sans les sentir (deutsch: alles Dinge . . . oder: lauter Dinge . . .) — Wenn tout sich auf mehrere koordinierte Substantive bezieht, so soll es vor jedem wiederholt werden: Dans le port on voyait des bâtiments des toutes formes, de toutes grandeurs, de tous les pavillons

4) Wir alle nous tous oder tous tant que nous sommes. Unser aller Glück notre bonheur à tous (vgl. beim Possessiv § 319). Tout le monde jedermann; le monde entier oder l'univers die ganze Welt. Somme toute[2] alles in allem. Une fois pour toutes ein für allemal.

§ 366. *Tout* als Adverb.

1) Das Adjektiv vertritt das Adverb bei tout, wenn dasselbe vor ein konsonantisch anlautendes weibliches Adjektiv tritt. Also Il était tout pâle et tout agité. Ils étaient tout pâles et tout agités. Aber Elle était **toute** pâle et tout agitée. Elles étaient **toutes** pâles et tout agitées[3].

Derselben Regel folgt das zusammengesetzte Adjektiv tout**puissant**.

2) Vor dem Substantiv bleibt tout in der adverbialen Form; einzelne lassen jedoch auch hier die für das Adjektiv geltende Regel eintreten: Ils étaient tout dévouement, tout(e) fidélité, tout abnégation. Nous sommes tout oreilles (ganz Ohr).

---

[1] Manche unterscheiden tous deux (beide zusammen und gleichzeitig), tous les deux (beide, aber nicht zusammen oder nicht zu gleicher Zeit). Von cinq ab ist die Auslassung des Artikels nicht mehr üblich.

[2] Somme toute ist sehr häufig, wird aber von manchen verworfen; andere Ausdrücke sind en somme, à tout prendre, tout compte fait, u. a.

[3] Tout égal ist kaum französisch; man sagt bien égal, wohl aber c'est tout un.

Anm. 1) Während nous sommes tout (ganz) confus und nous sommes tous (alle) confus unterschieden werden können, bedeutet demnach elles sont toutes confuses sowohl: sie sind ganz beschämt, als: sie sind alle beschämt. — Es ist nicht etwa die adjektivische Form vor konsonantisch anlautenden Femininen später (als Forderung des Ohres) eingetreten; sondern tout war früher immer veränderlich, blieb es aber nur in dem genannten Falle, weil sich hier das Ohr gegen die (männlich klingende) Form des Adverbs sträubte.

2) **Tout** vor Städtenamen ist unveränderlich, und zwar nicht nur, wenn die Einwohner gemeint sind: Le mont Palatin fut à lui seul tout Rome pendant quelque temps (Mme de Staël). Mit (vorangestelltem) Artikel bezeichnet es nur die Einwohner: (le) tout Paris. — Man erklärt es mit tout le peuple de Rome oder besser tout de Rome (substantivisches Neutrum); wahrscheinlich ist es Adjektiv zu dem (in diesem Fall nur männlich gebrauchten) Städtenamen. — Wenn tout nachgestellt oder (tout) entier dafür gesetzt wird, behält der Städtename das ihm zukommende weibliche Geschlecht: Ségovie fut toute tendue de tapisseries (Boiteau). Jérusalem tout entière (Lamartine).

§ 367. *Chaque; chacun, chacune.*

A chaque jour suffit sa peine.

Chacun pour soi, et Dieu pour tous.

Deux quantités, égales chacune à une troisième, sont égales entre elles.

Chaque ist auf den adjektivischen, **chacun** auf den substantivischen Gebrauch beschränkt.

Anm. 1) Wenn chacun appositiv zu einem pluralischen Subjekt der 1. oder 2. Person steht, so ist das zugehörige Possessiv notre, votre: Agissons chacun selon notre conscience. Vous arrivez le même jour, chacun de votre côté. Gehört das Subjekt der 3. Person an, so ist sowohl son, sa, wie leur erlaubt, doch muß das letztere stehen, wenn das Accusativobjekt des Satzes erst nachfolgt: Les abeilles bâtissent chacune leur(s) cellule(s).

Auch nachfolgendes Personalpronomen kann für die 3. Person im Singular (soi) wie im Plural (eux, elles) stehen: Après avoir attendu trois jours, les chevaliers retournèrent chacun chez soi (oder chez eux).

2) **Chaque** darf auch nicht distributiv ohne Substantiv gebraucht werden: Ces livres coûtent 5 francs chacun[1].

3) **Tout** (jedweder) und **chaque** (jeder einzelne) unterscheiden sich wie nul und aucun. Das erstere ist allgemein, das zweite speciell, das erstere weist auf die Gattung, das letztere auf das Einzelwesen hin: Tout homme a

---

[1] **Chaque** in diesem Falle ist ein sehr gewöhnlicher Fehler, den auch Littré (Definition von duc im Suppl.) begangen hat. — Vgl. auch Études etc. I. livr. 2.

des passions, chaque homme a sa passion dominante. Bemerke tous les ans, toutes les fois (que); aber chaque année, chaque fois (que); nicht beides zu mengen.

§ 368. *Quelque; quelqu'un, quelqu'une.*

L'ouragan a déraciné quelques arbres.

L'ouragan a déraciné quelques-uns de nos arbres fruitiers.

Quelque ist auf den adjektivischen, **quelqu'un** auf den substantivischen Gebrauch beschränkt.

Anm. 1) Quelque mit dem Artikel: Voici les quelques lignes qu'il m'a écrites (die wenigen, die paar Zeilen). Ebenso steht das Demonstrativ: Les sauvages prirent la résolution de surprendre ces quelques hommes (J.).

2) Quelque ist unveränderlich vor Zahlwörtern: A quelque quatre-vingts pas du village (etwa 80 Schritte). Dagegen à quatre-vingt et quelques pas (etwas über 80 Schritte). Vor Zahlsubstantiven muß quelques eintreten: à quelques centaines de pas (einige hundert Schritte). § 172 Anm.

§ 369. *Quiconque, quelconque.*

Quiconque a beaucoup de témoins de sa mort, meurt toujours avec courage.

Dès qu'on se propose de traiter un sujet quelconque, la première chose à faire est de rechercher ce qu'on doit dire.

Das relative Indefinit **quiconque** (jeder, der; wer immer) hat nur substantivischen Gebrauch, **quelconque** (welcher immer, ein beliebiger) dagegen nur adjektivischen. Quelconque kann in der Regel nur nach seinem Substantiv stehen.

Anm. Im negativen Satze wird quelconque besser durch aucun u. a. ersetzt: Il n'y a aucun pouvoir qui m'obligeât à cela (nicht il n'y a pouvoir quelconque).

Weiteres über quelconque im negativen Satz und im Satz mit negativem Sinn vgl. im Ergänzungsheft. Ebenso über den Gebrauch von quelconque als Adjektiv (Sinn: unbedeutend, nichtssagend).

§ 370. Die relativen Indefinite im konzessiven Gebrauch.

1) *Qui que tu sois, ton audace sera punie.*

Quoi que vous fassiez, vous aurez le dessous.

2) a) *Quelles que soient vos raisons, vous ne le convaincrez pas.*

    b) *Quelques (bonnes) raisons que*[1] *vous puissiez lui donner, vous ne le convaincrez pas.*

1) **Qui que** (wer immer) und **quoi que** (was immer) können nur substantivisch gebraucht werden.

2) a) **Quel**[2] **que** (welcher immer) steht nur prädikativ und kann nur mit dem Verb **être** verbunden werden.

    b) Im attributiven Gebrauch steht dafür **quelque**[3] . . . **que.** In diesem ist **quelque** veränderlich, wenn ein Substantiv folgt; am besten wird es auch dann verändert, wenn das Substantiv noch ein attributives Adjektiv vor sich hat.

Anm. 1) Außerdem **qui que ce soit, quoi que ce soit:** *Qui que ce soit qui vous l'ait dit, il s'est trompé.* — **Quoi que** (getrennt): was immer, **quoique** (verbunden): obgleich[4]. — Auch **où que** (wo immer): *Pas une doctrine, où qu'elle naisse, pas un sophisme, d'où qu'il tombe, qui ne trouvent leurs partisans.*

2) Einzelne lassen **quelque** vor einem attributiven Adjektiv unverändert. Selten steht **quelque . . . qui:** *Quelque danger qui survint, le chef resta calme.* Nie **quelque . . . dont:** *De quelque côté qu'on envisage la question, la difficulté reste la même* (nicht *quelque côté dont . . .*).

Die Inversion steht immer bei 2a; in den übrigen Fällen steht sie, wenn das Subjekt ein Substantiv ist, und dann im Falle 1 stets, im Falle 2b meist.

§ 371. Adverbiales *quelque—que* u. a.

1) *Quelque bonnes que soient vos raisons,*

2) *Toutes bonnes que* $\begin{Bmatrix} sont \\ soient \end{Bmatrix}$ *vos raisons,*

3) a) *Si bonnes que soient vos raisons,*
    b) *Si bonnes vos raisons soient-elles,*

4) *Pour bonnes que soient vos raisons,*

         vous ne le convaincrez pas.

---

[1] Que ist Relativ, daher *quelques raisons que vous ayez alléguées.*
[2] Quel ist das alte Relativ (jetzt nur Interrogativ).
[3] Das frühere quel wurde mit dem folgenden Relativ que verbunden zu quelque; damit wurde die Einschiebung eines zweiten que nötig.
[4] Beides ist dasselbe, der Unterschied ist nur in der Schreibung.

Wie—auch, so—auch (so sehr—auch vor Substantiven) wird ausgedrückt durch

1) quelque—que (unveränderlich),
2) tout—que (bald adverbial, bald adjektivisch wie das § 366 erwähnte tout),
3) si—que oder si mit der Inversion,
4) pour—que.

In allen Fällen muß der Konjunktiv stehen, nur mit tout—que kann noch der Indikativ verbunden werden.

Anm. 1) Quelque kann vor einem zweiten Adjektiv ausgelassen werden: Ces paroles quelque fermes et bien tournées qu'elles soient, ne changeront pas l'opinion publique. Dasselbe gilt für tout, dagegen muß si vor jedem Adjektiv wiederholt werden.[1]

2) Tout—que hatte in älterer Zeit den Konjunktiv, im 18. Jahrhundert drang der Indikativ durch, weil bei dem Gebrauch von tout—que die Annahme der Wirklichkeit entspräche; jetzt ist, wenn ein Adjektiv folgt, der Konjunktiv ebenso häufig wie der Indikativ.[2] Als wirklich vorhanden gilt aber die Eigenschaft immer; bei quelque—que, si—que, pour—que bleibt es nur unentschieden, in welchem Grade dieselbe vorhanden ist, während sie bei tout—que in sehr hohem Grade vorhanden ist. Quelque bonnes que soient vos raisons: wie gut auch immer Ihre Gründe sein mögen; toutes bonnes que sont (soient) vos raisons: sehr gut, wie es Ihre Gründe sind; so sehr Ihre Gründe auch gut sind.[3]

Oft ist die ursprüngliche Form noch deutlich erkennbar: Cette jeune fille voyait venir Raimbaud tout triste et tout pensif qu'il était (höchst betrübt und gedankenvoll, wie er es war). Der konzessive Sinn fehlt und daher fehlt auch der Konjunktiv. Deshalb hat auch tout—que in der Regel den Indikativ, wenn es vor einem Substantiv steht: Tout théologien qu'il est, Amyot sait rendre justice à la sagesse profane (eigentlich: durchaus Theologe, denn das ist er, läßt . . .).

3) Si—que ist neben tout—que die üblichste Form; quelque—que wird allmählich seltener. Si mit Inversion ist besonders in der familiären Ausdrucksweise üblich, auch die übrigen nehmen manchmal Inversion statt que.

4) Pour—que gilt bei manchen als veraltet, aber ohne Grund.[4]

---

[1] Wie es für si überhaupt Vorschrift ist, S. 160, N. 2.
[2] Nach der Akademie wie nach Littré soll der Indikativ gebraucht werden. Littré selbst gebraucht indes auch den Konjunktiv.
[3] Für das Verständnis von tout—que ist zu berücksichtigen: tout zur Bildung des absoluten Superlativs § 149 Anm. 2, que als prädikativer Nominativ § 342 Anm.
[4] Vgl. Études etc. I, 19.

Pour—que nimmt nur Adjektiv in die Mitte, tout—que nimmt Adjektiv und Substantiv, quelque—que und si—que nehmen Adjektiv, Substantiv und Adverb in die Mitte. Bemerke pour peu que (wenn irgend).

5) Veraltet sind quel—que (mit Adjektiv), tel—que, tant—que, aussi—que. Noch üblich ist tant soit peu (wenn nur einigermaßen; so wenig auch).

VI. Das Adjektiv.

Stellung der Adjektive.

§ 372. Hauptregel.[1]

Pour les malades on choisit de préférence du vin vieux.

Il emplit à demi le verre du vieux vin qu'il avait apporté.

Das nachgestellte Adjektiv ist vorwiegend prädizierend, es legt dem Gegenstand eine Eigenschaft bei, welche ihn von anderen Gegenständen derselben Art unterscheidet: **du vin vieux** alter Wein (d. h. nicht ein Wein aus den letzten Jahren).

Das vorangestellte Adjektiv ist vorwiegend epithetisch, es ist ein schmückendes Beiwort: **de vieux vin.** Die Eigenschaft, welche es dem Gegenstande beilegt, ist demselben wesentlich eigen oder

---

[1] Die Stellung des Adjektivs ist in den letzten Jahren Gegenstand von Einzeluntersuchungen gewesen, die teilweise recht wegwerfend über die früheren Angaben urteilen, ohne auch nur recht Greifbares an die Stelle derselben zu setzen. Bei den Regeln über die Stellung hat man wohl zu unterscheiden zwischen dem gemeinüblichen Sprachgebrauch und dem künstlerisch ausgebildeten litterarischen Gebrauch. Nur der erstere ist Gegenstand der Grammatik, und nur er läßt sich in Regeln fassen. Der litterarische Gebrauch ist zu sehr individuellen Liebhabereien unterworfen und kaum in zusammenfassender Weise darzustellen. Man kann nur sagen, daß in neuerer Zeit die Voranstellung des Adjektivs viel üblicher geworden ist, und daß in Fällen, wo dem Adjektiv eine ziemlich feste Stellung, sei es vor sei es nach dem Substantiv, in der gemeinüblichen Sprache angewiesen ist, der Schriftsteller naturgemäß die entgegengesetzte Stellung wählt, sobald sein Gedanke eine andere Nüance bietet als die, welche in der üblichen Stellungsweise ihren Ausdruck findet. Beim Lesen muß man das herauszufühlen suchen, wenn man den Sinn voll erfassen und den Gedanken des Schriftstellers genau nachdenken will. Aber dergleichen nachzuahmen empfiehlt sich nur dem, welcher selbst Schriftsteller, d. h. französischer Schriftsteller ist.

wird doch, wenn auch nur im vorliegenden Falle, als vorhanden angenommen. Hier: alter (und infolge seines Alters milder und kräftiger) Wein, denn nur von solchem war die beabsichtigte Wirkung zu erhoffen.

Anm. 1) Man sagt daher un homme riche, des meubles riches (Luxusmöbel), aber un riche présent, une riche collection; les savants bénédictins, aber les Femmes savantes; un brave homme (ein wackerer Mann), aber un homme brave (ein tapferer Mann). Un brave militaire, un brave officier bedeutet: ein tapferer Soldat, ein tapferer Offizier, weil die Eigenschaft der Tapferkeit für diese Personen selbstverständliche Standestugend ist.[1]

2) In einer großen Reihe von Verbindungen ist das Adjektiv mit seinem Substantiv fast zu einer Zusammensetzung verwachsen und hat daher eine feste Stelle meist vor dem Substantiv:

Un bonhomme (ein gutmütiger Mann; eine ehrliche Haut; eine Wachspuppe u. dgl. Jacques Bonhomme Beiname des französischen Bauers). Ein guter Mann un homme bon et généreux (selten ohne zweites Adjektiv) oder un homme de bien.

D'une commune voix, d'un commun accord (mit Einstimmigkeit).

Une fausse clef[2] (ein Nachschlüssel), avoir un faux air de (aussehen wie), une fausse dent, les faux dieux, une fausse espérance, une fausse nouvelle, un faux pas (Fehltritt), un faux pli (Falte, Bruch an unrechter Stelle), un faux poids, faire fausse route (irre gehen, bildlich), un faux témoin, une fausse vertu u. a.

Dagegen des bijoux faux, un diamant faux, un mouvement faux u. a.

Falsches Geld nur la fausse monnaie, aber un faux billet de banque, une fausse pièce d'or oder un billet de banque faux, une pièce d'or fausse.

Un château fort (Burg), une place forte (Festung), daher: eine starke Burg, eine starke Festung un fort château, une forte place.

Un grand homme (hervorragender Mann), une grande dame (vornehme Dame).

Um körperliche Größe zu bezeichnen sagt man un homme (une dame) de haute taille, de haute stature, in Verbindung mit einem anderen Adjektiv auch grand mit beliebiger Stellung: un grand homme blond, un grand beau jeune homme; un homme grand, bien fait, un homme grand et sec.[3]

---

[1] Doch kann le brave commandant auch bedeuten: der biedere Major, mit einer leisen ironischen Nebenbedeutung.

[2] Unrichtig kann wohl durch nachgestelltes faux ausgedrückt werden, aber man sagt nicht une clef fausse (ein unrichtiger Schlüssel, dafür ist im Gegenteil une fausse clef gleichfalls gebräuchlich. Un faux calcul eine falsche Berechnung, verfehlte Spekulation; un calcul faux eine Rechnung mit Rechnungsfehler und daher mit unrichtigem Ergebnis.

[3] Nachgestelltes grand findet sich in familiärer Ausdrucksweise z. B. s'excuser de la liberté grande.

Un honnête homme[1] (ehrlicher, rechtschaffener Mann), un malhonnête homme (unehrlicher Mensch).

Dagegen un homme honnête (höflicher Mann), un homme malhonnête (unhöflicher Mensch).

Le moyen âge das Mittelalter.

Daher: ein Mann von mittleren Jahren un homme d'un âge moyen (doch auch de moyen âge).

La sainte Bible (aber l'Écriture sainte), le saint-empire (romain), le saint-siège, la sainte table (Tisch des Herrn).

Dagegen la guerre sainte, la Terre sainte (das gelobte Land), la terre sainte (geweihte Erde), le vendredi saint (Karfreitag), la semaine sainte (Starwoche), la ville sainte (aber la sainte cité oder la cité sainte).

Manchmal erseßt dem Franzosen die veränderte Stellung, was wir durch die größere Freiheit der Zusammensetzung erreichen: l'échange libre der freie (ungehinderte) Handel (Verkehr): dagegen le libre échange der Freihandel.

In der neueren Sprache hat der früher aufgestellte Grundsaß, daß längeres Adjektiv nach kürzerem Substantiv steht, nur noch beschränkte Geltung. Viel gebrauchte Adjektive (bon, mauvais, beau, joli, jeune u. a.) stehen meist vor dem Substantiv; überhaupt stehen die der alltäglichen Sprache angehörigen Adjektive leicht voran, die gelehrten Adjektive dagegen sind fast nur nach dem Substantiv anzutreffen.

§ 373. Regelmässig nach dem Substantiv stehen

1) Adjektive, welche ihrer Bedeutung nach nur ein unter=
scheidendes Merkmal bezeichnen, daher

a) Adjektive, welche eine sinnlich wahrnehmbare Eigenschaft
bezeichnen: du bois blanc, une feuille verte, une
table ronde, une pierre dure, un breuvage amer,
une odeur nauséabonde.

b) Adjektive, welche ein Volk, eine Sprache, eine Konfession,
einen Stand oder Titel bezeichnen: l'armée allemande,
la marine anglaise, la littérature française, un prêtre
(curé) catholique, un ministre (pasteur) protestant,
le palais présidentiel, une fortune princière.

---

[1] Manchmal auch nachgestellt un homme très honnête. Die anstän=
digen Leute les honnêtes gens, eine anständige (angemessene) Belohnung une
récompense honnête (doch auch une fort honnête gratification). Honnête
homme hatte im 17. Jahrhundert die Bedeutung des englischen *gentleman*
(homme comme il faut, homme cultivé, homme de bonne compagnie).

Ebenso die von Eigennamen abgeleiteten Adjektive: le latin cicéronien, une plaisanterie rabelaisienne.

c) Die Participien: une étoile filante (Sternschnuppe), un homme instruit.

2) Adjektive, welche ihrer Begleitung oder grammatischen Funktion wegen nicht voranstehen können, daher

a) Die Adjektive, welche vor sich eine andere Bestimmung haben als si (aussi), très, bien, fort oder als eines der Quantitätsadverbien[1] plus, moins, assez u. s. w. Un trop long discours, une très riche mine de fer, aber un discours démesurément long, une mine excessivement riche.

b) Die Adjektive, von welchen eine adverbiale Bestimmung abhängig ist, oder welche zu einem Vergleiche dienen: Une riche contrée, un brave guerrier, aber une contrée riche en vins, un guerrier brave comme un lion.

Ebenso stehen nach die Adjektive, welche einen Gegensatz bilden: un vif combat, aber un combat vif, mais de courte durée.

c) Die Adjektive, welche in der absoluten Konstruktion stehen: sortir d'une fonction les mains nettes (mit reinen Händen, mit unbeflecktem Rufe).

Anm. 1 a) In übertragener Bedeutung stehen die Adjektive der sinnfälligen Eigenschaft gewöhnlich vor dem Substantiv: de noires pensées, une noire ingratitude, une verte semonce (tüchtige Strafpredigt), une verte vieillesse (ein noch kräftiges Greifenalter), d'amères infortunes[2], une douce harmonie[2], une étroite amitié, la froide raison[2] u. a.

Ebenso, wenn das Adjektiv zum schmückenden Beiwort wird: la blanche barbe des vieillards, la noire verdure des cyprès, le vert feuillage, le bleu ciel d'Italie. — Dabei erhält das Adjektiv öfter eine Intensivbedeutung: la verte prairie die üppiggrüne Wiese, les blanches marguerites die schneeweißen Gänseblümchen, les noirs yeux die pechschwarzen Augen u. s. w.

---

[1] Welche in dieser Verwendung Adverbien des Grades sind.

[2] Amer, doux, froid stehen meist auch im bildlichen Sinne nach dem Substantiv. Das nicht zu obiger Gruppe gehörige aveugle kann vor oder nach dem Substantiv stehen: la force aveugle, une fureur aveugle; une aveugle confiance, les aveugles destins, un aveugle orgueil. Bemerke une nuit blanche (schlaflose Nacht), des idées noires.

1b) Oft sind die Adjektive in diesem Falle überhaupt unrichtig oder wenig üblich: le roi de Prusse (doch le monarque prussien[1]), l'ambassadeur de France (seltner l'ambassadeur français), une leçon de français, un maître d'anglais (meist de langue anglaise).

1c) Die Participien des Präsens stehen voran, wenn sie schmückende Beiwörter sind: une criante injustice, une éclatante victoire, le pénétrant Charles-Quint.

Die Participien des Prät. stehen in der Regel vor dem Substantiv, wenn sie zu Adjektiven geworden sind, so besonders prétendu, absolu, parfait, dissolu, dévoué, oft auch damné, enragé, envié, feint, maudit, obstiné, regretté, signalé und das ganz adjektivische rusé[2]: cette prétendue résignation, le dissolu Charles II, uue feinte modestie, un obstiné refus, de signalés services, un rusé compère.

§ 374. Adjektive, welche mit der Stellung die Bedeutung ändern.

I. Die Adjektive certain (sicher, bestimmt, zuverlässig), différents und divers[3] (verschiedenartig) stehen nach dem Substantiv. Vorangestellt werden diese Wörter zu unbestimmten Fürwörtern: certain (ein gewisser), différents, divers (mancherlei).

II. Folgende Adjektive haben eine gemeinsame Bedeutung für die Stellung vor und nach dem Substantiv[4], außerdem eine weitere Bedeutung nur für die Stellung nach demselben:

a) Vor und nach dem Substantiv	b) Nur nach dem Substantiv
dernier der letzte[5]	dernier der vorige
double doppelt	double doppelzüngig, falsch
nouveau neu, ein anderer[6]	nouveau neu, neuartig
premier der erste[5]	premier ursprünglich
propre eigen	propre reinlich

---

[1] Ebenso sind le roi français, le roi anglais, l'empereur allemand u. a. üblich.

[2] Auch absolu, dissolu sind reine Adjektive, vgl. § 83 A.

[3] Im Singular kann für différent, divers kein Bedeutungsunterschied eintreten; différent steht dann immer nach, divers vor oder nach dem Substantiv. — Certain nachstehend kann von Personen nur im Sinne einer Sache sicher und nur mit abhängigem Genitiv gebraucht werden: Il parlait en homme certain de son fait.

[4] Welche Stellung dann zu wählen ist, muß nach der Hauptregel (§ 350) entschieden werden.

[5] Daß premier und dernier in dieser Bedeutung fast immer voranstehen, ist erklärlich, da sie Ordinalzahlwörter sind.

[6] Neu d. h. neu gemacht, noch nicht benutzt: neuf. Des souliers neufs.

Beispiele: a) La dernière nouvelle. Ses derniers moments. Sa dernière heure, son heure dernière. Le Jugement dernier de Michel-Ange. Une double portion, une portion double. Un nouveau chanteur, un chanteur nouveau. Une nouvelle lutte, une lutte nouvelle. Le nouveau monde (Amerika). Du vin nouveau. Une première représentation. Le premier mouvement. Le premier acte. Acte premier, scène première. Dans votre propre intérêt, dans votre intérêt propre. Suivre ses propres idées, ses idées propres.

b) Jeudi dernier. La semaine dernière. Ces jours derniers. Le siècle dernier[1]. Un caractère double. Un jeu double. Un idiome nouveau. La loi nouvelle. Le (un) monde nouveau (neue Weltordnung; fremdartige Welt). La cause première (Urgrund). L'idée première. Les matières premières (Rohstoffe). Avoir les mains propres.

Häufig ist die verschiedene Stellung nur Redefigur (Chiasmus): Un auteur également fécond en idées nouvelles qui étaient fausses et en nouveaux mots qui étaient barbares.

III. Umgekehrt haben eine besondere Bedeutung für die Stellung vor dem Substantiv außer einer gemeinsamen Bedeutung für die Stellung vor und nach demselben[2]:

a) Nur vor dem Substantiv	b) Vor und nach dem Substantiv
ancien ehemalig	—— ancien alt
méchant erbärmlich	méchant böse, boshaft[3]
pauvre armselig, elend[4]	pauvre arm
plaisant lächerlich, albern	plaisant unterhaltend, spaßhaft
pur rein, bloß	pur rein, ohne Beimischung
seul einzig	seul allein, lediglich

Beispiele: a) Un ancien militaire. De méchants vers. Une assez pauvre musique. Un plaisant personnage. C'est un pur enfantillage. Il n'y a qu'un seul Dieu.

b) Le français ancien; l'ancien français (le vieux français). Les anciens peuples; les peuples anciens. De méchantes gens; des gens méchants. De pauvres gens; des gens pauvres. L'enfant d'un pauvre homme, d'un homme pauvre. Un homme plaisant; un plaisant homme. La meilleure qualité de pain se fait de pur froment; le froment pur fait le meilleur pain. La seule cupidité, la cupidité seule a été le mobile du crime. On doit obéir à Dieu seul.

---

[1] Mit gleichem Sinn, aber geänderter Auffassung: ces derniers jours, le dernier siècle.

[2] Welche Stellung dann zu wählen ist, muß nach der Hauptregel (§ 350) entschieden werden.

[3] Méchant steht nur selten nach dem Substantiv.

[4] Auch pauvre in der Bedeutung „lieb" steht voran: le pauvre homme!

26*

Anm. Die ältere Sprache war in der Stellung des Adjektivs sehr un-
gebunden[1] und stellte unbedenklich Adjektive vor das Substantiv, die in
neuerer Sprache diese Stellung nicht zulassen. Es entziehen sich daher unseren
heutigen Regeln alle aus der älteren Sprache übernommenen Ausdrücke
und zwar

a) Redensarten: pleurer à chaudes larmes, tomber de fièvre en chaud
mal, faire froide mine à qn.

b) Zusammensetzungen, z. B. le bleu-manteau, le noir-manteau (Namen
von Vogelgattungen), Noirmoutier, Blanche-Église (Ortsnamen).

Das substantivisch gebrauchte Adjektiv.

§ 375. Substantivisches Adjektiv.

Der Gebrauch des Adjektivs als Substantiv findet sich auch
im Französischen, doch nicht im gleichen Umfange wie im Deutschen.

1) Männlich: le riche, le pauvre, le futur (Bräutigam), le
malade[2], être le bienvenu, le droit du plus fort.
Häufiger im Plural: les fidèles, les nobles, les anciens,
les modernes, les assistants (die Anwesenden), les morts,
les fauves (wilden Tiere). Im Singular ist große Vorsicht
nötig[3]: der Empfindliche l'homme susceptible, der Falsche
l'homme faux u. s. w., weil le susceptible, le faux zur
Verwechslung mit dem Neutrum Anlaß geben.

Hierher gehören sämtliche Völkernamen z. B. les Romains, les
Carthaginois; ebenso der im § 119,1 erwähnte Fall, wozu auch zu
rechnen ist l'étranger (das Ausland).

2) Weiblich: la Méditerranée, l'Adriatique, la Baltique
(Ostsee), la capitale, la future, la mariée, une blonde,
la coquette, une vieille, la gauche, à droite (ergänze

---

[1] Diese Ungebundenheit hat sich in der Volkssprache und im Dialekt
vielfach erhalten. Eines der auffallendsten Beispiele ist mère grand neben
grand'mère.

[2] Le malade der Patient. Le patient ein Kranker, der einer chirur-
gischen Operation entgegensieht, ein Verurteilter vor der Hinrichtung.

[3] Wie im Lateinischen (z. B. vir probus). Im Englischen ist die Substantivierung im Singular fast ganz verschwunden.

main), une circulaire (erg. **lettre**, ein Cirkular), rendre la pareille (mit gleicher Münze bezahlen), une incise (eingeſchobener Satz), la gutturale (Kehllaut), la sifflante (Ziſchlaut), une inconnue (Unbekannte, mathemat.).

3) Sächlich: l'antique, l'arbitraire (die Willkür), le beau, le bon, l'essentiel, le gothique, l'important, le juste, l'injuste, le passé, le présent, le tragique, l'utile, le vrai u. ſ. w. Faire le nécessaire (die nötigen Schritte), l'assemblée était au complet, au grand complet (vollzählig), qui peut le plus peut le moins (wer das Höhere leiſtet, kann auch das Geringere), le mieux continue (die Beſſerung des Kranken hält Stand), il est bonhomme au demeurant (im übrigen); über cela revient au même vgl. § 342 Anm. 1.

Mit folgendem partitiven Genitiv: le commun des hommes (der gewöhnliche Schlag von Menſchen), perdre le meilleur de ses soldats (die meiſten, die beſten ſeiner Soldaten verlieren), perdre le meilleur de son temps (ſeine meiſte Zeit), le plus clair de son profit (ſein hauptſächlichſter Gewinn), au plus épais du bois (im dichteſten Gehölz), au plus fort de la mêlée, de l'hiver (im hitzigſten Getümmel, im tiefſten Winter) u. a.

Anm. Beſonders zu beachten iſt das ſubſtantivierte Adjektiv im Komparativ: Le lecteur relèvera de lui-même mes erreurs et de plus habiles que moi décideront (A. de Musset). Puisque Charlemagne avait lui-même payé le tribut mortel, les moindres que lui, les rois et princes, du siècle présent, avaient bien pu mourir (Sainte-Beuve). Dabei findet ſich in idiomatiſcher Weiſe der Artikel ausgelaſſen und zwar im Singular wie im Plural, in Bezug auf Perſonen wie auf Sachen: Tu te prends à plus dur que toi (La Fontaine). Vouloir étouffer un vrai talent . . . c'est s'attaquer à plus fort que soi (A. de Musset). C'est égal, nous avons trouvé plus malin que nous (X. de Montépin). Mais il y a plus heureux qu'Achille, et ce sont ces esprits qui auront pu vivre longtemps sans paraître pour cela moins jeunes aux yeux de la postérité (J. Barbey d'Aurevilly). On a vu plus étrange encore (J.). Mais Giraud contre Giraud, on n'imagine pas plus banal (E. Renoir).

Auch die Participien des Präſens wie des Präteritums laſſen die Subſtantivierung zu. Vgl. hierüber das Ergänzungsheft.

§ 376. Ersatz für dasselbe.

Unser substantivisches Adjektiv ist öfter nicht wörtlich zu übersetzen.

1) Das Klügste le plus sage parti, das Geringste la moindre des choses, bis auf weiteres jusqu'à nouvel ordre, sich bis aufs äußerste verteidigen se défendre jusqu'à la dernière extrémité u. a.

2) Statt des neutralen substantivierten Adjektivs tritt die Umschreibung mit ce qui est, ce qu'il y a ein:

a) Wenn eine Verwechselung mit dem Mask. möglich wäre, daher: das Ewige ce qui est éternel (l'Éternel der Ewige, der Herr).

b) Wenn das Adjektiv nicht in substantivischem Gebrauche üblich geworden ist[1]: Das Unrichtige an Ihrer Behauptung ist, daß . . . ce qu'il y a d'inexact dans votre assertion, c'est qu'elle confond deux faits essentiellement différents. Daher besonders bei Superlativen, die ihrer Natur nach weniger als Positive die Substantivierung zulassen. Über tout ce qu'il y a de (plus) vgl. § 131 Anm. 3.

Die Kongruenz des Adjektivs mit dem Substantiv.

§ 377. Hauptregel.

Les nations commerçantes sont ordinairement riches et puissantes.

Das Adjektiv, mag es attributiv oder prädikativ gebraucht sein, stimmt in Geschlecht und Zahl mit seinem Substantiv überein.

Anm. 1) Bei folgenden Adjektiven bedingt die Stellung eine Verschiedenheit:

a) Demi ist unveränderlich vor, veränderlich nach dem Substantiv: une demi-heure, trois heures et demie (midi et demi). Ebenso plein (avoir des larmes plein les yeux, aber avoir les yeux pleins de larmes) und franc de port (portofrei; vous recevez franc de port la lettre que je vous envoie). Ebenso excepté u. a. vgl. § 279, Anm. 3.

b) Nu (nackt) und feu (verstorben) bleiben vor dem Substantiv unverändert, wenn sie keinen Artikel vor sich haben: nu-pieds, nu-jambes, nu-tête[2]; feu madame la présidente, feu la reine, feu Sa Majesté.

Aber la feue reine; und bei Nachstellung les pieds nus, la tête nue.

---

[1] Oder nicht mehr üblich ist, denn in älterer Zeit besaß das Französische in höherem Grade die Freiheit, Adjektive substantivisch zu gebrauchen.

[2] Nur diese Verbindungen sind üblich. Ist la tête découverte, auch en cheveux, letzteres nur von Frauen.

c) Ci-joint und ci-inclus (anliegend, beigeschlossen) sind unveränderlich vor dem Substantiv, wenn sie keinen Artikel nach sich haben (vous recevez ci-joint copie de l'acte de vente) oder wenn sie zu Anfang des Satzes stehen (ci-inclus la copie de l'acte de décès).

Dagegen: Je vous envoie ci-jointe la somme de 60 fr. Veuillez examiner les pièces ci-jointes.

2) Das prädikative Adjektiv kann statt auf das eigentliche auf ein neutrales Subjekt bezogen werden: Voilà pourquoi c'est beau la jeunesse (vgl. *triste lupus stabulis*).

Über das Adjektiv bei dem singularischen nous, vous vgl. § 306, 1, 2, über das Adjektiv in Beziehung auf on § 354.

3) Wie einzelne Adjektive wird auch das Substantiv témoin[1] zu An= fang des Satzes adverbial gebraucht und nicht verändert: On s'attendait à une séance orageuse, témoin les galeries pleines (das beweisen die gedrängt besetzten Galerien).

Über die Adjektive, welche eine Farbe bezeichnen, vgl. § 144, 2a. Über avoir l'air content(e), vgl. § 300, 1 Anm.

Zusatz. Bei verbundenen Substantiven stimmt das Adjektiv mit dem Substantiv überein, zu welchem es gehört: Des peaux de renards tannées; des peaux de renards bleus. Quelques violences avaient été commises autrefois par la compagnie des Indes hollandaise contre la compagnie des Indes anglaise (H. Martin). Bemerke le droit de cité romaine das römische Bürgerrecht.

§ 378. Ein Adjektiv auf verschiedene Substantive bezogen.

1) *On ne voyait que la mer et le ciel uniformément bleus.*

2) *Les sauvages font leurs canots avec de l'écorce ou avec du bois léger.*

Pour garnir leurs flèches, les sauvages se servent d'une pierre ou d'un os aiguisés.

1) Wenn ein Adjektiv (attributiv oder prädikativ) sich auf mehrere Substantive bezieht, so steht es im Plural. Wenn die Substantive verschiedenes Geschlecht haben, so hat das Adjektiv männliches Geschlecht.

2) Bei der Verbindung durch ou ist darauf zu achten, ob das Adjektiv nur das letzte Substantiv oder beide näher be= stimmt.

---

[1] Von lat. *testimonium*, also eigentlich: das Zeugnis (nicht: der Zeuge). Aus demselben Grunde: prendre les dieux à témoin ohne Pluralzeichen.

Anm. 1) Man kann das Adjektiv mit dem letzten Substantiv übereinstimmen lassen, wenn die Substantive begriffsverwandt sind oder (was
meist gleichzeitig der Fall ist) eine Klimax bilden: Bacon avait pris la philosophie de son temps dans un dédain et une aversion légitime. Le général
fit preuve d'un sang-froid, d'un courage, d'une audace étonnante. Bei der
Wahl des Singulars knüpft man am besten das letzte Substantiv nicht durch
et an.

2) Es ist üblich, bei verschiedenem Geschlecht das männliche Substantiv
dem Adjektiv zunächst zu stellen, vgl. oben la mer et le ciel bleus. Doch ist
dies nur eine Forderung des Ohrs und daher nicht nötig,

a) Wenn das Adjektiv prädikativ (d. h. etwas von den Substantiven entfernt) steht: L'aspic (Natter) et la vipère (Otter) sont excessivement
dangereux.

b) Wenn die männliche und weibliche Form des Adjektivs für das Ohr sich
nicht oder kaum merklich unterscheiden: Le ciel et la mer bleus. Wenn
der Unterschied groß ist, bleibt Wiederholung des Adjektivs das beste:
La presse locale et les comités locaux.

§ 379. Verschiedene Adjektive auf ein Substantiv bezogen.

1a) *Les langues allemande et* 2a) *Les IVe et Ve siècles*
 française   b) *Le IVe et le Ve siècle*[1]

b) *La langue allemande et* c) *Le IVe siècle et le Ve.*
 la française.

1) Wenn mehrere nachstehende Adjektive zu einem Substantive
gehören und verschiedene Gegenstände (nicht ein Gegenstand mit verschiedenen Eigenschaften) bezeichnet werden sollen,
so steht

a) gewöhnlich das Substantiv im Plural, während die Adjektive den Singular behalten; oder

b) seltener[2] das Substantiv im Singular und der Artikel
wird vor dem zweiten Adjektiv wiederholt.

2) Dasselbe findet in ganz gleicher Weise statt, wenn die Adjektive (Ordinalzahlen) voranstehen. Doch ist hier außerdem

---

[1] Bei fehlendem Artikel ist nur diese Stellung möglich: Une foule de
beaux esprits de second et de troisième ordre.

[2] Nach Fr. Wey bezeichnen manche dies als das bessere. Unrichtig ist
die Angabe, es sei das häufigere.

die Nachstellung des zweiten Adjektivs mit dem Artikel er=
laubt, aber wenig üblich.

Anm. Selbstverständlich ist die Wiederholung des Substantivs gestattet,
aber nur bei größerem Nachdruck üblich: l'histoire profane et l'histoire sacrée.
Wenn das Substantiv im Singular steht, darf der Artikel vor dem
zweiten Adjektiv nur fehlen, wenn beide Adjektive eine Gruppe, fast einen
Gesamtbegriff bilden, so: l'antiquité grecque et romaine (das klassische Alter=
tum), la philologie grecque et romaine (die klass. Philologie), la philologie
française et anglaise (die französisch=englische Philologie). — Die einzige häufigere
Ausnahme findet sich bei Ländernamen (la France méridionale et centrale;
l'Espagne centrale et occidentale), weil die Wiederholung des Artikels nicht
beliebt ist. (s. S. 408 Note 2) und ein Mißverständnis nicht denkbar ist, wohl aber
ein Mißverständnis eintreten könnte, wenn man die Form 1ª mit dem Plural
des Ländernamens wählen wollte, während man recht wohl sagt les parties
centrale et occidentale de ce pays.

§ 380.   Kongruenz der Ordinalzahlen.

Die Ordinalzahlen folgen bezüglich der Kongruenz denselben
Regeln wie die Adjektive.

In einzelnen Fällen jedoch tritt statt der Ordinalzahl die
Kardinalzahl ein, so

1) In Jahrzahlen: en 1648.

2) Bei dem Monatsdatum: le 18 octobre 1813. Ausgenommen
le premier: le 1ᵉʳ mars 1815.

3) Nach Regentennamen: le roi Henri IV, l'empereur Charles VI. Auch hier ist le premier ausgenommen: l'empereur Napoléon Iᵉʳ.

Anm. 1) In älterer Zeit wurde de zwischen Zahl und Monatsnamen
eingeschoben: le 30 de mai. Der heutige Gebrauch erstreckt sich auch auf
Ausdrücke wie le 25 de ce mois, du mois prochain, le 19 courant ober du
courant u. a. — Meist datiert man Paris, 20 mars 1857, seltner Paris,
le 20 mars 1857 und familiär Paris, ce 20 mars 1857. Bei vorausgehen=
dem Monatsdatum steht nicht en vor der Jahrzahl, de l'année kann ein=
geschoben werden und in der republikanischen Zeitrechnung ist die Einschiebung
von an Vorschrift: le 27 brumaire an III.

Statt des Accusativs steht öfter die Präposition à vor dem Monats=
datum, an welchem etwas spätestens eingetreten sein muß: Le recensement
des chevaux commencera le 16 décembre et devra être terminé au 31 du
même mois. Daher steht à besonders bei expirer (ablaufen): Le délai expire
au 12 janvier.

2) Man gebraucht nicht mehr second nach Regentennamen. Nie war es nach Frauennamen üblich: Cathérine II (lies deux).

3) Wie im Deutschen kann die Kardinalzahl beim Citieren gebraucht werden: livre trois (neben troisième livre und livre troisième). Auch hier muß premier ausgenommen werden: scène première. Bei größeren Zahlen nimmt man regelmäßig die Kardinalzahl: article soixante et onze, page quatre-vingt, page deux cent (fein s!).

Dieser Gebrauch geht weiter als im Deutschen: le kilomètre 51 (der 51. Kilometerstein); la loge 24 (Loge Nr. 24); cette ile est située par 37 degrés de latitude australe; les États-Unis sont compris entre 25° et 49° de latitude N. (Cortambert).

So bezeichnen auch die Schauspieler fast regelmäßig die Akte eines Stückes mit der Kardinalzahl: le un, le deux, le trois u. s. w.

4) Früher stand die Kardinalzahl zur Angabe des Prozentsatzes in au denier vingt (zum 20. Pfennig d. h. 5 0/0) u. a.

5) Von zwei durch et, ou verbundenen Ordinalzahlen kann der beque-meren Aussprache wegen die erste in die Kardinalzahl verwandelt werden: la quatre ou cinquième page; la langue des douze et treizième siècles (Littré); le huit ou neuvième du chiffre total.

Zusatz. Jahrzahlen stehen (außer bei vorausgehendem Datum) nicht ohne en, welches sogar in der Klammer oft der Jahrzahl beigefügt wird. Seltner dans l'année. L'an ist dem Aktenstil angehörig, wird aber bei den Zahlen unter 100 meist auch in der geschichtlichen Darstellung gebraucht; es muß stehen, wenn die Ära angegeben wird: l'an 1500 de la Création; l'an de Rome 680; l'an de gráce 1880; ebenso in der republikanischen Zeit-rechnung: l'an I (un) de la République, l'an VII.

Der Komparativsatz.

§ 381. Einteilung.

Die Komparativsätze lassen sich einteilen in

1) Komparativsätze der Gleichheit: eine Eigenschaft oder Thätigkeit wird den verglichenen Gegenständen in demselben Grade zugesprochen.

2) Komparativsätze der Ungleichheit: eine Eigenschaft oder Thätigkeit wird einem der verglichenen Gegenstände in höherem oder geringerem Grade als dem andern zugesprochen.

3) Komparativsätze der Proportionalität: die Zunahme (oder Abnahme) einer Eigenschaft oder Thätigkeit steht im Verhältnis zur Zunahme (Abnahme) einer anderen Eigenschaft oder Thätigkeit.

§ 382. I. Komparativsätze der Gleichheit.

Die Vergleichung kann eine unausgeführte oder eine ausgeführte sein; im letzteren Falle wird der Gegenstand, mit

welchem ein anderer verglichen wird, namhaft gemacht, im ersteren
Falle wird er als selbstverständlich nicht genannt.

a) Unausgeführte Vergleichung:

1) *Crésus demanda à Salon si jamais il avait rencontré
un homme si heureux et si digne d'envie.*

2) *Vous ne trouverez personne qui travaille tant.*

Als Adverb des Grades steht in der unausgeführten Vergleichung

1) si vor Adjektiven (oder Nomen überhaupt),

2) tant vor Verben.

Anm. 1) Die Ausführung der Vergleichung ergiebt im ersten Satz die
Hinzufügung von que lui-même, im zweiten den Zusatz von que l'homme
dont je vous parle. Wenn der Satz sich leicht in Gedanken zu einem voll-
ständigen Komparativsatz erweitern läßt, können auch aussi, autant (statt si,
tant) eintreten: Aucun des combats antérieurs n'avait été aussi sanglant
(nämlich que celui-là). Wenn die Vergleichung auch in Gedanken nicht ausgeführt werden soll, erhält der Satz den Charakter des Ausrufs: Il est si
heureux et si digne d'envie! Im Ausrufe kann tant vor dem Adjektiv
stehen: Dans les meilleurs auteurs on découvre des fautes de langage, tant
il est difficile de conserver toujours la même correction.

Unmittelbar vor dem Adjektiv stehend, giebt es dem Ausdruck eine
altertümliche (bezw. mundartliche) Färbung: Batz et ses villages groupés au
pied de la haute tour de sa *tant* curieuse église (R. Huette). Cette rue
au nom *tant* joli (J. Richepin). Ton costume des Indes, si lourd et *tant*
épais (E. Chavette). — Vor den Adverbien mieux und pis (nicht etwa pire,
wie das Volk sagt) steht tant in den Ausdrücken tant mieux und tant pis,
auch wenn das erstere adjektivisch gebraucht wird: C'est *tant mieux* qu'il se
soit trompé (Sainte-Beuve).

2) Wenn von mehreren angereihten Adjektiven das erste si hat, so muß
das zweite auch dieses Adverb vor sich nehmen, aber nicht umgekehrt, daher:
Ces grands yeux songeurs et si francs.

3) Auf si und tant kann nach dem Vorausgehenden ein komparatives
que nicht folgen, wohl aber ein Konsekutivsatz mit que: Il était si harassé,
qu'il tombait de fatigue.

b) Ausgeführte Vergleichung:

1) *Il est aussi instruit que son frère.*
Il travaille autant que son frère.

2) *Il n'est pas aussi (si) instruit que son frère.*
Il ne travaille pas autant (tant) que son frère.

1) Ohne Negation steht nur **aussi** vor dem Adjektiv (Nomen), **autant** vor dem Verb.

2) Mit Negation stehen sowohl **aussi**, **autant** als **si**, **tant**, doch letztere seltner.

Anm. 1) Autant kann bei größerem Nachdruck auch bei einem Adjektiv oder adjektivisch gebrauchten Substantiv stehen, jedoch nicht unmittelbar vor demselben: Le cheval est un animal docile autant qu'utile et vigoureux. Je suis autant que vous curieux de le savoir.

2) Als stehende Redensart ist si peu que rien zu betrachten: Ces choses ne sont point intéressantes, car nous nous y intéressons si peu que rien (Montesquieu).

3) Das deutsche als oder wie darf nur durch que übersetzt werden. Dagegen steht comme, wenn kein Intensivadverb (si, aussi u. s. w.) vorausgeht: Une maison grande comme une caserne. Grand comme la main handgroß. Il travaille comme un nègre. (§ 127, Anm. 4.)

4) Tant que (so lange als) ist eine temporale Konjunktion geworden: Je ne crains pas les hommes *tant que* ma conscience ne me reproche rien (Mme de Staël). — Über autant que, d'autant que, d'autant vgl. das Ergänzungsheft.

§ 383. II. Komparativsätze der Ungleichheit.

1) *Il a été plus heureux que sage.*
   Il gagne moins qu'auparavant.
2) *Il a été plus heureux qu'il n'a été sage.*
   Il a gagné moins qu'il n'avait espéré.

1) Im Komparativsatze der Ungleichheit stehen **plus**, **moins** bei dem Nomen wie bei dem Verb.

2) Wenn das erste Glied des Satzes nicht negiert ist, erhält das zweite Glied ein expletives ne unter der Voraussetzung, daß es ein Verb in Personalform enthält.

Moins verringert, aber es negiert nicht.

Anm. 1) Unter derselben Bedingung wird ne auch nach plutôt zugefügt: On dira plutôt: j'aime mieux mourir que pécher, qu'on ne dirait: j'aime mieux mourir que de pécher. — Ebenso nach autre und autrement: L'événement a été tout autre qu'il n'avait espéré. Il agit autrement qu'il ne parle.

2) Wenn das zweite Satzglied wirklich negativen Sinn hat, so erhält es einfaches ne (nicht ne . . . pas), auch wenn das erste Glied negiert ist: Je ne suis pas plus son ami qu'il n'est le mien. — Auch sonst finden sich

Fälle, in welchen die Negation geſetzt oder ausgelaſſen wird, während das Gegenteil zu erwarten wäre.[1] Die Einfügung von ne iſt eine volkstümliche Spracherſcheinung, und Ungleichheiten ſind daher nicht verwunderlich. Das Volk ſetzt auch in einem zweiten Glied, das kein Verb enthält, die ſtarke Negation non pas: Il sait mieux se tirer d'embarras que *non pas* son frère. Vgl. hierüber das Ergänzungsheft.

Bei dem Zuſammentreffen von doppeltem que wird das eine ausgelaſſen. Vgl. das Ergänzungsheft und hier § 35.

3) Nach der gewöhnlichen Regel darf davantage nicht für plus eintreten, wenn que folgt. Dagegen iſt indeſſen nichts einzuwenden, ſobald davantage bei dem Verb als Gradadverb (nicht etwa als Quantitätsadverb) ſteht: Il n'est rien qu'on doive *davantage* recommander aux jeunes gens que de . . . (Laveaux).

4) Wenn in einem Vergleichungsſatze (der Gleichheit oder Ungleichheit) dasſelbe Adjektiv zu verſchiedenen Subſtantiven bezogen wird, ſo muß es ſtets wiederholt werden (während im Deutſchen die Auslaſſung erlaubt iſt): On vendait partout la biographie de cet homme aussi *habile* équilibriste qu'*habile* jongleur et habile écuyer (L. Biart). La Motte, *meilleur* critique que *bon* poète (A. Vinet). Un de nos confrères, *meilleur* patriote que *bon* géographe (J.). Lamartine est plus *grand* poète que *grand* prosateur (Fr. Wey).

5) Ein dem § 330 A. 1 erwähnten ähnliches cela findet ſich oft in Vergleichungsſätzen: Courez-y, et plus vite que cela (und ein wenig raſch). Vgl. das Ergänzungsheft.

§ 384. III. Komparativsätze der Proportionalität.

Dieſe Sätze werden deutſch mit je . . . deſto oder um ſo . . . deſto eingeleitet.

Die beiden Satzglieder bieten ein gerades Verhältnis, wenn die Eigenſchaft oder Thätigkeit in beiden gleichmäßig zu= oder abnimmt. Sie ſtehen im umgekehrten Verhältnis, wenn die Eigenſchaft oder Thätigkeit des einen Gliedes zunimmt, während die des anderen abnimmt oder umgekehrt. So ergeben ſich vier Formeln:

Gerades Verhältnis	Plus on cède à la passion, plus on en devient l'esclave.
	Moins on cède à la passion, moins elle pourra nous dominer.

---

[1] Beſonders häufig iſt ne nach pas plus que, welches ſoviel bedeutet wie aussi peu que und daher ſich mit moins (ſ. oben) zuſammenſtellen läßt. Ebenſo tritt ne ein nach pas moins que, welches ſoviel wie autant que bedeutet.

Umgekehrtes
Verhältniß
{
Plus on cède à la passion, moins on aura
de force pour la vaincre.
Moins on cède à la passion, plus on se
sent fort pour y résister.
}

Dazu für das beiderseits sich gleichbleibende Verhältniß:

Autant on hait la vanité orgueilleuse, autant on estime une noble fierté.

Anm. 1) Bemerke: Je eher (später) desto besser le plus tôt (tard) sera
le meilleur (le mieux), auch plus tôt que plus tard. Je länger desto mehr
plus je vais, plus je m'applaudis de mon acquisition. — Beide Glieder
können ganz gleichartig eingeleitet sein: *Plus tôt* nous aurons fini, *plus tôt*
nous serons à table (A. Daudet).

Andere Ausdrucksweisen statt plus . . . plus u. f. w. sind à mesure
(à proportion) que: La température décroît à mesure qu'on s'élève dans
les airs. Ferner: d'autant plus . . . que plus: Vos préjugés sont d'autant
plus pardonnables qu'ils sont plus généralement répandus. Ohne plus,
moins im zweiten Glied kann diese Ausdrucksweise nur im Sinne um so
mehr, da stehen: Il faut se presser, d'autant (plus) que le malade s'affaiblit
tous les jours. Vgl. hierüber das Ergänzungsheft.

2) Der organische Komparativ ist in der Redensart plus . . . plus im
ersten Glied, bei d'autant plus . . . que plus daher im zweiten Glied
unerlaubt: Plus ça va mal, mieux ça ira (Proverbe). Moins il y a de médecins dans un pays, mieux on s'y porte (Legendre). Plus rapide sera l'énoncé,
meilleure sera cette page (Balzac). L'écriture comme l'a dit Voltaire, est la
peinture de la voix: plus elle est ressemblante, meilleure elle est (Berchère).
Plus la force employée et petite, plus l'effet obtenu sera faible. Le son
d'un tambour est d'autant plus aigu qu'il est de plus petite dimension.[2]

3) Im ersten Glied kann das Adverb (plus, moins) fehlen, wenn das
Verb an sich schon eine fortschreitende Thätigkeit ausdrückt: Le port se dé-
veloppe (gewinnt an Ausdehnung) plus on avance (Lamartine).

---

[1] Welches dem ersten Glied in der Ausdrucksweise plus . . . plus entspricht: Plus les préjugés sont répandus, plus ils sont pardonnables.

[2] Dagegen kann man sagen: Moins la pointe du paratonnerre est
exposée à l'oxydation, *mieux* il fonctionne. Le bruit du tonnerre est
d'autant *moindre*, que l'orage est plus éloigné. Organischer Komparativ in
den anderen Gliedern findet sich hin und wieder (besonders als Adverb),
ist aber nicht nachzuahmen. **Plus bon für meilleur ist nicht erlaubt;** Sätze,
die es bieten, sind für die Grammatik eigens hergerichtete Barbarismen.
Bedenklich ist daher folgender Satz: La royauté était si malheureuse ou si
malhabile, que plus les protestants étaient vaincus, *plus* ils obtenaient de
bonnes conditions (Th. Lavallée); korrekter wäre . . . meilleures étaient les
conditions qu'ils obtenaient.

Auch im ersten Gliede findet sich mieux ziemlich häufig, sonstige organische Formen aber sehr selten: *Mieux* j'exécuterai ses ordres, plus vite nous sortirons de ce vilain gouvernement (F. du Boisgobey). *Meilleure* est la lunette, plus l'étoile tend à se réduire à un simple point brillant (Privat-Deschanel). — Selten haben beide Glieder mieux: *Mieux* on connait le corps humain, et *mieux* on sait comment se font le sang, la digestion, la nutrition (Legendre).

4) Das zweite Glied in den Formeln plus ... plus u. s. w. hat sehr häufig et vor sich: Plus la distance est grande, et moins les objets sont distincts.

Dieser Gebrauch ist durchaus nicht veraltet, wird aber von manchen verworfen, weil sie et für nötig halten, um ein zweiteiliges Glied als solches kenntlich zu machen. Wo das zweite Glied beginnt, geht aber meist deutlich genug aus dem Sinn hervor: Plus je médite sur la nature de l'homme, plus j'examine l'état présent des sociétés, moins un monde de sagesse et de félicité me semble possible à réaliser. Zur größeren Klarheit läßt man oft im zweiten Teil eines doppelteiligen Gliedes die Inversion eintreten: Plus un son est faible, et plus est grande la distance, moins ce son est perceptible à l'oreille.

5) Die Adverbien plus, moins treten in diesem Gebrauche meist als Gradadverbien auf. Sie können aber auch Quantitätsadverbien sein: *Moins* on est *de* personnes à connaître un secret, mieux il est gardé (J.). *Plus* l'imagination se donne *de* carrière, moins la langue et la versification doivent s'en accorder (A. Vinet). Doch findet sich auch das Gradadverb in Fällen, wo es sich um eine Quantität handelt: En cédant à son mari, la femme se ménage la meilleure victoire, et plus elle y met de bonne grâce *plus* elle gagne *du* terrain (Th. Cahu).

6) Volkstümliche Ausdrucksweisen sind tant plus ... tant plus. Hierüber sowie über die verschiedenartige Stellung der Wörter in Vergleichungssätzen der Proportionalität vgl. das Ergänzungsheft.

VII. Die Adverbien der Affirmation und der Negation.

§ 385. Ohne unmittelbare Verbindung mit dem Verb.

Das Adverb der Affirmation ist oui (ja), das der Negation non (nein).

Das berichtigende „ja" (doch, ja doch) als Antwort auf eine negative Behauptung oder Frage wird mit si wiedergegeben:

Vous n'avez donc pas lu l'Avare de Molière. (N'avez-vous pas lu l'Avare de Molière?) — Si, monsieur.

Anm. 1) Den Adverbien oui, si, non muß im Französischen, besonders wenn sie die ganze Antwort ausmachen, aus Höflichkeitsrücksichten monsieur, madame u. s. w. beigefügt werden. Ebenso wird, gleichfalls aus Höflichkeitsrücksichten, statt non oder si auch pardon oder pardonnez-moi gewählt. Nur in familiärer Sprache ist si fait für einfaches si üblich.

2) Non findet sich als Negation in folgenden Fällen:

a) Als Antwort: Vous rappelez-vous cette circonstance? Non, (monsieur,) je ne me rappelle rien de pareil.

b) Bei Satzgliedern, die kein Verb enthalten: Non content d'exterminer les nobles, Pierre le Cruel de Castille frappait sa propre famille. Vgl. **non que** (nicht als ob) neben ce n'est pas que.

c) Bei einer Alternative oder einer Doppelfrage: Que Venise fût ou non cédée à l'Autriche, Bonaparte voulait que la France gardât les îles Ioniennes. A-t-il, oui ou non, du talent?

d) Als Negation einzelner Wörter: un non-sens (Unsinn), une cause non encore connue[1]; d'autres travaux non moins vastes. — Manchmal auch **pas** oder **point**, letzteres immer in peu ou point (wenig oder gar nicht): un homme peu ou point instruit.

Bemerke: **non seulement** . . . mais encore (nicht nur . . . sondern auch); über **non plus** vgl. § 289. — Statt des einfachen non tritt öfter **non pas**, seltner **non point** ein.

§ 386. Negation beim Verb.

In Verbindung mit dem Verb[1] wird als Negation ne gebraucht, welches in der Regel von einem Negationsfüllwort begleitet ist. So entstehen die Formen

ne . . . pas (lat. *possum*) nicht	ne . . . jamais niemals	
ne . . . point (lat. *punctum*) gar nicht, durchaus nicht	ne . . . plus nicht mehr	
ne . . . guère (deutschen Urspr.) kaum	ne . . . nullement	keineswegs
ne . . . nulle part nirgends	ne . . . aucunement	
ne . . . nul	ne . . . personne niemand	
ne . . . aucun	keiner	ne . . . rien nichts	
ne . . . pas un		ne . . . (pas, point) encore noch nicht	
	ne . . . que nur, erst	

---

[1] Das alleinstehende Part. Prät. ist die einzige Verbalform, welche die Negation non verlangt.

Anm. 1) **Pas** und **point** unterscheiden sich lediglich dadurch, daß letzteres stärker verneint und in der gewöhnlichen Sprache seltener ist.[1] Beiden kann zum größeren Nachdruck **du tout** beigefügt werden.

2) Von anderen Füllwörtern finden sich noch **mot** und **goutte** in den Redensarten il ne disait (répondait, soufflait, sonnait) mot; on n'y voit goutte. Auch Genitive[2] der Zeit (de la vie, de ma vie, de huit jours, de longtemps, de sitôt u. a.) können das Füllwort bilden: Ces haines ne s'éteindront de longtemps. Ferner **homme vivant, âme, âme vivante, âme qui vive, qui que ce soit, quoi que ce soit**: Ame qui vive ne lui a parlé. Ebenso **autre**[2] vor folgendem que: Il ne connaît d'autre volonté que la sienne (dagegen: Quand elles ne trouvent pas autre chose, les hyènes déterrent les cadavres).

3) Ohne Verb haben die oben angeführten Füllwörter auch alleinstehend negativen Sinn. Qu'en sait-il? rien. A-t-il assisté à nos réunions? jamais. Quel était l'état du pays? Plus de finances, plus d'armée, plus de marine (H. Martin).

So auch: Qu'a-t-il répondu? Mot (nichts). Le connaissez-vous? Du tout (durchaus nicht).

Pas kann in diesem Falle niemals allein stehen (dafür non pas), aber wohl: pas encore, pas moi, pas le moins du monde u. a.

4) Mit dem Verb kann rien volle Negation sein auch ohne Beifügung von ne in (ne) compter pour rien. § 354 Anm. 1.

Früher konnte[3] ne in der Frage fehlen: Fit-il pas mieux que de se plaindre? Noch in dem familiären (ne) voilà-t-il pas erlaubt.

5) Einzelne Verben können nur mit der Negation gebraucht werden. Dieselben beginnen sämtlich mit dem Präfix dé- und bedeuten die Aufhebung oder das Aufhören der durch das einfache Verb[4] ausgedrückten Thätigkeit. So: il ne décolérait plus; il n'en démordra pas; il ne désenivre point. Andere Verben dieser Art sind décroire, déconseiller, désemplir, déparler. Voltaire gebraucht dépersécuter, im Patois findet sich auch décesser im Sinn von cesser.

§ 387. Stellung der Negation.

Ne steht vor dem Verb und, wenn dasselbe verbundene Fürwörter als Objektive vor sich hat, auch vor diesen. Der

---

[1] Beide Wörter werden in wie außer der Frage meist unterschiedlos gebraucht. N'est-elle point belle cette Marseillaise catholique composée par de pauvres matelots d'autrefois? Ne respire-t-elle pas une forte et noble assurance? n'est-elle point propre à donner, dans les luttes furieuses, cette confiance aveugle qui fait les victorieux? (Souvestre).

[2] Doch ist auch bei Zusatz von pas der Genitiven der Zeit und autre trotz folgendem que häufig. **Plus** und **jamais** können bei allen beigefügt werden.

[3] Nach manchen älteren Grammatikern war es Vorschrift.

[4] Dieses einfache Verb existiert nicht immer.

Infinitiv nimmt außerdem auch das Füllwort vor sich: Il ne me reconnaissait pas. Il fit semblant de ne pas me reconnaître.

Anm. 1) Bei den Infinitiven avoir und être können die Füllwörter nachstehen: Être ou n'être pas (neben être ou ne pas être), voilà la question. Dasselbe geschieht bei dem umschreibenden Infinitiv: Il était furieux de ne vous avoir pas recontré.

2) Wenn sembler, paraître vor einem Infinitiv stehen, so kann ohne Änderung des Sinnes die Negation zu diesen Verben oder zu dem Infinitiv gezogen werden: Il semble ne pas se douter oder il ne semble pas se douter qu'il est en danger. So auch il faut. Diese Freiheit kann aber nicht auf die modalen Hülfsverben übertragen werden: Le malheureux est travaillé de deux folies: l'une qu'il sait ne pas avoir et qu'il simule, l'autre qu'il ne sait pas avoir et qui le ronge. — Il ne pouvait pas venir (er war abgehalten); il pouvait ne pas venir (es stand ihm frei). Ne (pas) pouvoir ne pas faire qe = etwas thun müssen: Vous ne pouvez ne pas convenir du fait.

Bemerke: ich hoffe nicht (will nicht hoffen), daß ... j'espère (j'aime à croire) que vous ne retomberez plus dans la même faute; nicht etwa espérer zu negieren.

3) Zu Beginn des 18. Jahrhunderts war die Stellung der Negation vor jedem Infinitiv noch ziemlich beliebig, und auch in heutiger Sprache findet sie sich noch sehr häufig vor und nach dem Infinitiv verteilt. Niemals können vor dem Infinitiv vereinigt werden ne . . . que, ne . . . nullement, ne . . . personne[1] sowie ne . . . nul, ne . . . aucun u. s. w. Les whigs avaient fortifié le pouvoir du trône, en croyant n'opposer qu'une barrière[2] au prétendant (Villemain). J'ai déclaré ne m'en soucier nullement (J.).

Bei ne . . . pas encore pflegt wenigstens encore hinter den Infinitiv zu treten: Ceux qui ont désiré ne pas quitter encore l'école (J.).

§ 388. Ne . . . que (nur; erst).

Bei ne . . . que steht ne vor dem Verb, que unmittelbar vor dem Worte, welches durch nur, erst näher bestimmt werden soll: Les anciens ne connaissaient que trois parties du monde, encore ne les connaissaient-ils que superficielle-

---

[1] Ne rien verträgt die Zusammenstellung recht gut, aber ein vor rien stehendes de, à hindert dieselbe: Camille conquit le diplôme de bachelier qui devait ne lui servir de rien, comme à tant d'autres (Thiaudière).

[2] Diese Stellung ist äußerst mißlich, weil es scheint als ob ne . . . que zur Einschränkung des Substantivs (barrière) dienen sollte, während doch das Verb eingeschränkt werden soll.

ment; ce ne fut qu'un demi-siècle avant J.-C. que les
Romains se hasardèrent à pénétrer dans la Germanie et
dans la Bretagne.

Anm. 1) Ne . . . que iſt unmöglich und muß durch seul, seulement
erſetzt werden,

a) wenn es ſich auf das Subjekt bezieht,

b) wenn es ſich auf das Verb ſelbſt bezieht,

c) wenn kein Verb vorhanden iſt.

Im erſten Falle kann jedoch auch die Umſchreibung mit il n'y a que,
ce n'est que eintreten: Il n'y a que les morts qui ne reviennent pas (= les
morts seuls). Ce n'est que l'inondation qui rend l'Égypte fertile (= l'inondation seule).

Im zweiten Falle kann auch die Einſchiebung von faire zu Hülfe ge=
nommen werden[1]: Bonaparte résolut d'achever l'occupation du Delta, qu'il
n'avait fait que traverser (= qu'il avait seulement traversé). — Manche
halten ſchon das Hülfsverb für ausreichend (L'auteur n'a qu'effleuré la matière)
und ein modales Hülfsverb genügt unter allen Umſtänden (Le médecin ne
put que constater le décès).

Steht das durch ne . . . que näher beſtimmte Verb bereits im Infinitiv,
ſo iſt die Einſchiebung von faire nicht üblich und man bevorzugt rien que:
On les a vus rougir rien qu'à prononcer son nom (J. Janin).

2) Für nicht nur iſt ne . . . pas que[2] üblich geworden: Il n'y a
pas que des sots sur la terre (A. de Musset).

3) Wenn ne . . . que zu mehreren Subſtantiven gehört, ſo kann que
vor jedem Subſtantiv wiederholt werden: François Ier, dans tout le cours de
son règne, ne montra que légèreté et (qu')inconstance (Bastide). Nötig wird
in der Regel die Wiederholung des que, wenn Verbalellipſe vorhanden iſt:
Dites . . . que l'attachement des enfants pour leurs pères n'est plus que
convoitise, la science que charlatanisme, la vertu que spéculation, l'amour
que libertinage (Ch. Asselineau).

§ 389. Negative Konjunktionen.

1) *Ni Darius ni Xerxès ne réussirent contre les Grecs.*

2) *Catilina était un homme sans crainte ni pudeur.*

3) *La première croisade de saint Louis n'eut aucun
résultat, ni la seconde non plus.*

---

[1] Bei dem nur temporalen ne . . . que muß de zwiſchen faire und
den Infinitiv treten: On croyait la révolution finie, quand elle ne faisait
que de commencer.

[2] Dieſe Ausdrucksweiſe iſt ſo ungemein verbreitet, daß man ſie ohne
Bedenken trotz manchen Grammatikern gebrauchen kann.

27*

1) Weder — noch ist ni . . . ni, welches bei dem Verb den Zusatz von ne verlangt.

2) Die Konjunktionen et, ou werden in Sätzen mit negativem Sinn durch ni erseht.

3) In Sätzen dieser Art wird außerdem aussi (auch) durch non plus, ne . . . pas davantage (ebensowenig) erseht.

Anm. 1) Einmaliges ni wird gemieden, besonders bei dem Subjekt, doch findet es sich auch bei diesem: Naples ni Sorrente, Rome ni Albano n'ont un pareil horizon.

Bei koordinierten Verben muß ni vor dem letzten und darf nicht vor dem ersten stehen, bei dem mittleren Verb ist ni fakultativ: je ne pouvais, (ni) ne devais, ni ne voulais lui céder.

2) Entweder un homme sans crainte ni pudeur oder un homme sans crainte et sans pudeur. Le chevalier sans peur et sans reproche. Le P ne se prononce pas dans ce mot et dans les quatre suivants (Acad. 1835, baptême. Dafür 1878; ni dans les quatre suivants). In gleicher Weise tritt ni . . . ni an die Stelle von soit . . . soit oder soit . . . ou. Vgl. das Ergänzungsheft.

3) Aussi bleibt auch im negativen Satz in den Fällen, wo deutsch ebenso wenig sich nicht einsehen ließe: Mais ne te trompes-tu pas aussi? (täuschest du dich nicht etwa?). Bleiben muß auch das logisch folgernde aussi (vgl. § 228): Ma douleur serait bien médiocre, si je pouvais vous la dépeindre; aussi ne l'entreprendrai-je pas. — Bei ne . . . que fann non plus eintreten: Nos anciens auteurs écrivaient généralement par un seul c accoster. Cela prouve qu'ils n'en prononçaient qu'un seul. Nous n'en prononçons qu'un seul non plus (Littré).

§ 390. Ne ohne Füllwort.

Das Füllwort der Negation muß fehlen und ne steht allein für das deutsche „nicht".

1) Wenn das fragende que für pourquoi eintritt: Que ne le disiez-vous plus tôt? § 350 A. 4.

2) In dem von prendre garde[1] (achthaben, sich büten) ab= hängigen Satze: Prenez garde qu'on n'abuse de votre bonté.

3) In dem Bedingungssatze, welcher die Inversion statt der Konjunktion si enthält: N'eût été la crainte d'une sur= prise, je n'aurais pas quitté un endroit si agréable

(Mme A. Tastu). Bayonne serait une des plus jolies villes du Midi, n'étaient ses fortifications (H. Malot).

4) Jn Rebenfäßen nach einem Hauptfaß mit negativem Sinn. Befonders nach si, tellement: Il n'est si bonne compagnie qui ne se sépare. Nach ce n'est pas que (ober non que): Nous n'avons jamais eu de querelle; non qu'il n'y eût entre nous des différences d'opinion, mais l'un respectait les sentiments de l'autre. Nach fragendem ober verneintem il tient à (es ift gelegen an): A quoi tient-il que vous ne répondiez? (A. de Musset). Je ne sais à quoi il tient que je ne vous mène en justice (A. de Musset). Il n'avait pas tenu à Marie-Antoinette que la couronne de France ne vînt s'incliner devant la couronne du poète-philosophe (H. Martin). Manchmal fehlt ne: Ça tenait à si peu, cependant, que cette opposition devînt bienveillance (J. Janin).

Anm. 1) Meift fteht ne allein auch nach ben fragenben qui und que im Ausruf: Qui ne voit cela! Que ne fait-on pour avoir la paix!

2) Prendre garde[1] in ber Bebeutung beachten, nicht überfehen gehört nicht hierher[2]: Prenez garde que ce n'est pas l'auteur lui-même qui parle.

3) Auch in vollftändigen Bebingungsfäßen kann ne allein ftehen: C'est là son expression, si ma mémoire ne me trompe.

4) Hierher gehören außerdem bie Säße mit que, welche beutfch mit „bevor" ober „ohne baß" (und baher ohne Negation) ausgebrückt werben, in welchen aber nicht etwa que eine Verkürzung für avant que, sans que ift: Vous n'entrerez pas ici que je ne sois mort. Je ne puis vous rendre ce service que votre famille n'y consente. Vgl. § 257, Anm. 2.

Zufaß. Jn Rebensarten fteht vielfach ne ohne Füllwort: Qu'à cela ne tienne (bas foll mich nicht abhalten); à Dieu ne plaise; ce que Dieu ne veuille; ne vous en déplaise (mit Verlaub); n'importe; n'avoir garde (fich wohl hüten) u. a. Befonders häufig bei il n'est, il n'y a: Il n'y a (il n'est) pire eau que l'eau qui dort.

Sehr leicht ift bie Auslaffung bes Füllwortes bei bem Jmperativ: N'ayez crainte (M. Champavier). N'ayez de crainte, mademoiselle (P. Del-

---

[1] Prendre garde heißt: achthaben (baß etwas nicht gefchieht). Bei ber (meift zutreffenben) Überfeßung: fich hüten (baß etwas gefchieht) könnte es fcheinen, baß ber Fall zu § 389, I zu rechnen wäre.

[2] Jn biefem Sinne hat es auch nicht ben Konjunktiv nach fich.

court). C'est ici, du courage, mademoiselle, n'ayez peur (Derf.). Ne pleurez, je prierai pour vous. Auch die oben genannten ce que Dieu ne veuille, ne vous en déplaise und ähnliche find Imperative (der III. Person).

§ 391. Fortsetzung.

Das Füllwort der Negation kann fehlen und ne steht meist allein für das deutsche „nicht"

1) Bei savoir, sowohl wenn es selbständig als wenn es vor dem Infinitiv steht: Je ne sais (cela). Il ne sait feindre. Das Füllwort muß fehlen bei je ne saurais (= je ne puis): Je ne saurais vous en dire davantage.

2) Bei pouvoir, oser und cesser nur vor dem Infinitiv: Il n'a pu (il n'a osé) me contredire. Il ne cesse de pleurer. Der Infinitiv kann zu ergänzen fein: Rendez-moi ce service. — Je ne puis.

3) Nach Zeitangaben mit il y a (voilà) und nach depuis que, doch muß das Verb in einer Zeit der Vergangenheit (außer Imperfekt) stehen: Il y a quinze jours (voilà quinze jours) qu'il n'est sorti de chez lui. Il avait bien vieilli depuis que je ne l'avais vu.

Anm. 1) Familiär wird auch bei bouger die zweite Negation aus= gelassen: Du matin au soir il ne bouge de sa fenêtre.

2) Marguerite Buffet verwirft je ne peux und gestattet nur je ne puis. Daß je peux, je ne peux, je ne peux pas fehr häufig ist, bedarf keines Nachweises. Je ne peux scheint stärker zu fein als je ne puis und man könnte folgende Stufenleiter aufstellen: je ne saurais, je ne puis, je ne peux, je ne peux pas, je ne puis pas, letzteres als energischste Verneinung: Je ne puis pas jouer ce rôle-là. — Non, je ne le puis pas (Brieux). Dabei ist aber nicht zu vergessen, daß einzelne neuere Romanschriftsteller für diese Form eine eigene Vorliebe haben. Man beachte den Wechsel in folgender Stelle: Vous avez toute mon estime, toute mon amitié; mais je ne puis, monsieur . . . je ne peux être votre femme (Souvestre).

§ 392. Expletives ne.

Bloßes ne wird in Nebensätzen gesetzt, während deutsch keine Negation steht[1]; und zwar

_____
[1] Dem Deutschen erscheint dieses ne explétif pleonastisch; dem Fran= zosen erscheint es nötig (außer nach craindre, douter, nier, welche in der gewöhnlichen Sprache meist ohne ne gebraucht werden).

I. Unabhängig von der Affirmation oder Negation des Hauptsatzes steht ne

1) Nach éviter (vermeiden) und empêcher (verhindern): Évitez qu'il ne vous parle, Les pluies continuelles empêchent qu'on ne travaille aux champs.

2) Nach à moins que[1] (ausgenommen wenn, wofern nicht): Je sortirai à moins qu'il ne pleuve.

Anm. 1) Nach éviter kann das expletive ne immer fehlen; empêcher neigt zur Gruppe II hin, d. h. ne kann ausgelassen werden, wenn empêcher fragend oder negiert gebraucht ist.

2) Wenn à moins que durch wenn nicht, wofern nicht übersetzt wird, könnte es scheinen, daß hier die deutsche Negation durch ne ohne Füllwort ausgedrückt ist. Wörtlich heißt aber à moins qu'il ne pleuve: den Fall ausgenommen, daß es regnet. Daher mit voller Negation: Quand on parle de choses, on emploie *en* au lieu de *son*, à moins que la construction de la phrase ne permette pas l'usage de ce pronom (außer da, wo . . . nicht erlaubt).

II. Ne steht nur, wenn das vorangehende Verb nicht negativen Sinn hat (d. h. nicht von der Negation oder sans begleitet, nicht fragend und nicht bedingt gebraucht ist),

1) Nach Ausdrücken der Furcht (craindre, appréhender, redouter, trembler, avoir peur, il est bien dangereux, de peur que, de crainte que).

Je crains qu'il ne vienne
Dagegen:
Je ne crains pas qu'il vienne } daß er kommt (käme)
Craignez-vous qu'il vienne?
Si je craignais qu'il vînt
Aber je crains, je ne crains pas, etc. qu'il ne vienne pas daß er nicht kommt).

2) In Komparativsätzen der Ungleichheit: Il a gagné moins qu'il n'avait espéré. Vgl. § 383.

Anm. 1) Frage und Verneinung (Bedingung und Verneinung) heben sich auf und es entsteht affirmativer Sinn; daher tritt in solchen Fällen ne wieder ein:

---

[1] Nach avant que kann ne eintreten, aber niemals nach sans que.

Ne craignez-vous pas qu'il ne vienne?
Si je ne craignais pas qu'il ne vînt   } daß er kommt (käme).
Quand même je ne craindrais pas qu'il ne vînt

Eine gewisse Unklarheit entsteht, wenn nach affirmativem craindre der Nebensatz ein Verb enthält, welches in der Regel bloßes ne statt ne . . . pas zu sich nimmt: L'état de l'enfant est tellement grave, que l'on craint qu'il ne puisse passer la journée (J.). Der Zusatz von pas wäre hier am Platze gewesen.

Die Regeln über den Gebrauch des expletiven ne nach Ausdrücken der Furcht müssen streng befolgt werden, wenn sie auch von den Franzosen selbst sich oft vernachlässigt finden. Eine logische Erklärung wie im Lateinischen (Wunsch des Gegenteils) muß mißlingen, weil die französische Konstruktion nur eine äußerliche Nachahmung der lateinischen ist.[1]

2) Das ne im Komparativsatz ist recht eigentlich ein „volkslogisches". Die alte Sprache setzte nach Komparativen non pas und das Patois hat diesen Brauch bewahrt: Elle chante mieux que non pas sa sœur (Jaubert). Dieser Brauch ist auch im ganzen Osten Frankreichs erhalten und findet sich selbst bei Buffon: La montagne des Piscaux, appelée en arabe *Gebeltair*, est si égale du haut en bas l'espace d'une demi-lieue, qu'elle semble plutôt un mur régulier bâti par la main des hommes, que non pas un rocher fait ainsi par la nature. Auch das häufige pas un nach Komparativen entstammt demselben sprachlichen Gefühl: Ce style a beau nous entraîner plus que pas un autre (A. Vinet).

III. Umgekehrt steht ne nur, wenn das vorangehende Verb negativen Sinn hat,

1) Nach Ausdrücken des Zweifelns und Verneinens (douter, nier, contester, disconvenir u. a., oft auch désespérer): On ne peut nier que vous n'ayez agi en honnête homme. Il n'est pas douteux que les Pays-Bas n'aient été les véritables Indes de Charles-Quint (H. Martin).

2) Nach il s'en faut (es fehlt daran): Il ne s'en fallut pas de beaucoup que l'armée ne fût entièrement détruite.

Anm. 1) Zu den von Verben des Zweifelns oder Verneinens abhängigen Sätzen darf ne nicht eintreten, wenn sie diesen Verben vorausgehen: Que des abus se fussent mêlés aux bonnes pratiques de l'éducation publique et privée, et qu'au temps de Rousseau une certaine réforme fût utile, per-

---

[1] Wie auch Littré (peur Suppl.) eingesteht. George Sand sagt über dieses ne: Les grands écrivains ne donneront-ils pas aux bonnes gens le droit de s'en débarrasser? Hélas! non, tant qu'il y aura des académies gardiennes de la lettre morte, et qu'ils voudront tous en être.

sonne ne le nie. — Auch wenn jene Verben vorangehen, fehlt öfter ne; einzelne machen noch einen Unterschied zwischen fragendem und negiertem Verb.

2) Ebenso steht ne nach dem schon dem Sinne nach verneinten il s'en faut (de) peu: Il s'en fallut de peu (peu s'en fallut, il ne s'en fallut de presque rien, il ne s'en fallut guère) que Marguerite de Navarre ne fût retenue prisonnière par Charles-Quint. Frage mit verneinendem Sinn steht der Negation gleich: De combien s'en est-il fallu que je ne fusse condamné?

Zusatz. In sämtlichen unter I—III aufgezählten Fällen darf kein ne eintreten, wenn die Infinitivkonstruktion gewählt wird: A moins d'être fou, il est impossible de raisonner comme cela. Je craignis d'être arrivé trop tard, et que mon secours ne fût inutile.

VIII. Die Präposition.

§ 393. Die gleiche Präposition vor verschiedenen Substantiven.

Wenn mehrere auf einander folgende Substantive die gleiche Präposition zu sich nehmen sollen, so kann diese Präposition bei dem zweiten und den folgenden Substantiven wegfallen: De grands travaux pour les canaux et (pour) les routes assurèrent la facilité du commerce.

Dagegen müssen die Präpositionen à, de und en jedesmal wiederholt werden.

Anm. Die Wiederholung der letztgenannten Präpositionen ist nötig, weil sie bald in, bald außer Verschmelzung mit dem Artikel auftreten (à, de) oder früher auftraten (en). Jede Präposition muß wiederholt werden, wenn die Substantive der Bedeutung nach einen Gegensatz bilden: On le ramènera à son devoir par la persuasion ou par la force.

Auch à, en und besonders de werden öfter nicht wiederholt

1) Bei einer Zusammenfassung: Le système légal des poids et (des) mesures. Une centaine de morts ou (de) blessés.

2) Bei einer Aufzählung: Pendant les mois d'octobre, novembre, décembre, janvier, février, la campagne d'Égypte présente un aspect ravissant de fertilité et de fraicheur.

Bei den mit de zusammengesetzten präpositionalen Ausdrücken pflegt nur de wiederholt zu werden: Les poètes ses contemporains plaçaient Voltaire loin au-dessous de Corneille, de Racine, de Boileau, de Rousseau.

442

§ 394. Verschiedene Präpositionen vor gleichem Substantiv.

Wenn verschiedene Präpositionen zu demselben Substantiv treten sollen, so ist es nicht nötig, daß das Substantiv nach jeder dieser Präpositionen gesetzt wird: Qu'il l'ait fait avec ou sans intention, la faute est grave. So auch durant et après cette expédition; en dedans et en dehors de la ville; envers et contre tous (gegen Freund und Feind).

Anm. Es kann jedoch nicht eine wirkliche Präposition und ein präpositionaler Ausdruck in dieser Weise verbunden werden; daher wohl près et à l'est de la ville, aber nicht dans et hors de la ville.

Ebenso wenig ist es möglich, vor einem Substantiv Präpositionen zu vereinigen, von welchen die eine die Verschmelzung mit dem Artikel zuläßt; doch findet sich ähnliches in der Geschäfts- und amtlichen Sprache: Lettres de et pour les armées (Almanach Hachette).

Alphabetisches Inhaltsverzeichniß.

Nicht aufgenommen sind alle Wörter des ersten Teils, über welche nur Aus-sprachangaben in der Grammatik sich finden. Diese Hinweisungen wird das 1. Ergänzungsheft enthalten.

ftrativ in der Appo-
fition 295 Zuf. 2 b;
Demonftrativ fehlt 326
Zuf. 1
démontrer 300, 2
dénoncer 300, 2
dénonciateur 277 A. 4
Dentale 20
d'entre 195 A. 1; d'entre
nach Superlativ 147, 2
département 287, 2
se départir S. 91 N. 3
dépasser 233, 1
se dépêcher 81, 8
dépens 113, 3
en dépit que 255 A. 3
se déplaire 75 A. 2
il est déplorable 259,
2 d
déplorer 259, 2 d
déposant 277 A. 4
déposer 267, 5
dépouiller, se dépouiller
81, 2
dépourvoir 103
depuis 158; depuis que
S. 275 N. 1, S. 372
N. 1, 390, 3
de qui durch quel erfetzt
347 A.; de qui S. 374
N. 1
de quoi 351 A. 3
dernier 147 A. 3, 148,
161, 174, 271, 295
A. 2, 374, II; dernier
venu 144, 2 c
déroger 80
derrière 194 A. 2
derfelbe 364 A. 1
dès 194 A. 6; dès lors
195 A. 6; dès lors
que 217 A. 6; dès
que 246

désapprendre 270, 2
désapprouver 259, 1 c
désavouer pour 300, 2 A.
descendre 74 A. 2, 232
A. 1, 232 A. 3 b;
267, 2
déserter 233, 1
désespérer 260, 2, 267, 4,
392, III, 1
déshonneur 129 A. 2
désigner 300, 2 A.
la Désirade 287, 3
désirer 259, 1 a, 267, 3
se désister 79
désobéir 231 A. 2
désobliger 233, 3
de soi 314 A. 2
être désolé 259, 2 b
se dessécher 79
desservir 90, 233, 3
destiner 270, 2
destructeur 139, 6 A.
se détacher 308 A.
détail S. 124 N. 4
Determinativ 187, 333ff.;
Determinativ, adjekti-
vifches 333; Deter-
minativ, fubftantivi-
fches 334; Determi-
nativ fehlend 334 A.
déterminer 270, 2
se détromper 79
détruire 98 N.
deux 167
deuxième, second S. 187
N. 1
devancer 233, 1
devant 194 A. 2
devant que 217 A. 5
devenir 95 N., 300, 1,
325 A. 1, S. 366 N. 1
deviner 260, 1 a, 300, 2
devoir 244 Zuf. 2, 245 A.,

287, 1, 328, 100 N.;
devoir als Hülfsverb
72 A.; devoir um-
fchreibend 163, 263
A. 1; devoir Part.
Präf. 280 Zuf. 3 d;
devoir vor Reflexiv
S. 78 N. 1
dévot 139, 5
dévotieusement 155
dévouer 270, 2
dévoyer 88
dextrement 155
diablement 299 A. 2,
158
diacre 140, 3
diantrement 158
dieu 140, 3; Dieu 282
A. 4
différent 277 A. 3, 374, 1;
différents 192, 355
différer 80
difficile 271; difficile-
ment 228, b, 2
diffusément 153 A. 3
être digne 259, 1 a
diminuer 74 A. 2, 80,
321
Diminutive 127, 3
Diphthonge 2, 13 ff.
diphtongue 42
dire 62, 3, 98, 244 A.
260, 1 A. 1, 260, 1 b,
267, 5, 300, 2, 325
A. 1; on dirait 243
A. 4, S. 295 N. 1;
on eût dit 243 A. 4
disputer, se disputer
81, 2; le disputer à
307 Zuf.; se disputer
349 A. 4
dissimuler 260, 2; se
dissimuler 260, 2

Inhaltsverzeichnis.

Karlsruhe. Druck der G. Braun'schen Hofbuchdruckerei.

Druck:
Customized Business Services GmbH
im Auftrag der KNV-Gruppe
Ferdinand-Jühlke-Str. 7
99095 Erfurt